PEARSON CUSTOM LIBRARY
SPANISH

¡ARRIBA! Comunicación y cultura
with Student Activities Manual Volume I
6th Edition

Senior Vice President, Editorial: Patrick F. Boles
Senior Sponsoring Editor: Natalie Danner
Development Editor: Jill Johnson
Operations Manager: Eric Kenney
Production Manager: Jennifer Berry
Art Director: Renée Sartell
Cover Designers: Kristen Kiley, Tess Mattern, Josh Read, Melissa Meinhold, Chrissy Kurpeski & Jenna Cutruzulla

Cover Art: Wire Chair, by Angela Sciaraffa.

Printed in the United States of America
V092
Please visit our website at *www.pearsonlearningsolutions.com*.

Attention Bookstores: For permission to return any unsold stock, contact us at *pe-uscustomreturns@pearson.com*.

Pearson Learning Solutions, 501 Boylston Street, Suite 900, Boston, MA 02116
A Pearson Education Company
www.pearsoned.com

ISBN 10: 1-256-62824-7
ISBN 13: 978-1-256-62824-8

A GUIDE TO THE IN-TEXT ICONS

ACTIVITY TYPES

	Pair Activity	Indicates that the activity is designed to be done by students working in pairs.
	Group Activity	Indicates that the activity is designed to be done by students working in small groups.
	Audio	Indicates that related audio material is available in MySpanishLab as well as on CDs and on the Companion Website.
	World Wide Web	Includes helpful links and activities found on the Companion Website and in MySpanishLab.
	Video	Indicates that the video resources are available on a DVD or in MySpanishLab.
	Student Activities Manual	Indicates that additional practice activities are available in the Student Activities Manual. The manual is available in MySpanishLab as well as in printed form.
¡Hola!	MySpanishLab	Indicates that additional resources are available in MySpanishLab. For example, in MySpanishLab you will find a pronunciation guide, a mnemonic dictionary with tips to help you learn each chapter's vocabulary, and specialized information related to professions and careers.

Note to Students:

Your text has been customized to fit your course exactly. For this reason, you'll notice that your book includes two sets of page numbers. The Table of Contents and Index of your custom book refer to the sequential page numbers that are centered in the bottom margin of each page. The second set of page numbers are the original page numbers of the parent text(s) from which your custom text is derived; use these page numbers when referencing MySpanishLab or other in-text references in your text.

Table of Contents

Mapa: México, América Central y el Caribe
Eduardo Zayas-Bazán/ Susan M. Bacon/Holly Niber

Mapa: América del Sur
Eduardo Zayas-Bazán/ Susan M. Bacon/Holly Nibert

Mapa: España y África
Eduardo Zayas-Bazán/ Susan M. Bacon/Holly Nibert

Preface and Scope & Sequence
Eduardo Zayas-Bazán/ Susan M. Bacon/Holly Nibert

Capítulo 1. Hola, ¿qué tal?
Eduardo Zayas-Bazán/Susan M. Bacon/Holly Nibert   2

Capítulo 2. ¿De dónde eres?
Eduardo Zayas-Bazán/Susan M. Bacon/Holly Nibert   40

Capítulo 3. ¿Qué estudias?
Eduardo Zayas-Bazán/Susan M. Bacon/Holly Nibert   76

Capítulo 4. ¿Cómo es tu familia?
Eduardo Zayas-Bazán/Susan M. Bacon/Holly Nibert   112

Capítulo 5. ¿Cómo pasas el día?
Eduardo Zayas-Bazán/Susan M. Bacon/Holly Nibert   150

Capítulo 6. ¡Buen provecho!
Eduardo Zayas-Bazán/Susan M. Bacon/Holly Nibert   184

Actividad 1. Hola, ¿qué tal?
Eduardo Zayas-Bazán/Susan M. Bacon/Holly Nibert   1

Actividad 2. ¿De dónde eres?
Eduardo Zayas-Bazán/Susan M. Bacon/Holly Nibert   29

Actividad 3. ¿Qué estudias?
Eduardo Zayas-Bazán/Susan M. Bacon/Holly Nibert   61

Actividad 4. ¿Cómo es tu familia?
Eduardo Zayas-Bazán/Susan M. Bacon/Holly Nibert   **93**

Actividad 5. ¿Cómo pasas el día?
Eduardo Zayas-Bazán/Susan M. Bacon/Holly Nibert   **125**

Actividad 6. ¡Buen provecho!
Eduardo Zayas-Bazán/Susan M. Bacon/Holly Nibert   **155**

Appendix 1: B Activities
Eduardo Zayas-Bazán/Susan M. Bacon/Holly Nibert   **A-1**

Appendix 2: Expansión gramatical
Eduardo Zayas-Bazán/Susan M. Bacon/Holly Nibert   **A-24**

Appendix 3: Verb Charts
Eduardo Zayas-Bazán/Susan M. Bacon/Holly Nibert   **A-34**

Appendix 4: Spanish–English Vocabulary
Eduardo Zayas-Bazán/Susan M. Bacon/Holly Nibert   **A-42**

Appendix 5: English–Spanish Vocabulary
Eduardo Zayas-Bazán/Susan M. Bacon/Holly Nibert   **A-61**

Index
Eduardo Zayas-Bazán/Susan M. Bacon/Holly Nibert   **A-81**

Credits
Eduardo Zayas-Bazán/Susan M. Bacon/Holly Nibert   **A-79**

Mapa: México, América Central y el Caribe

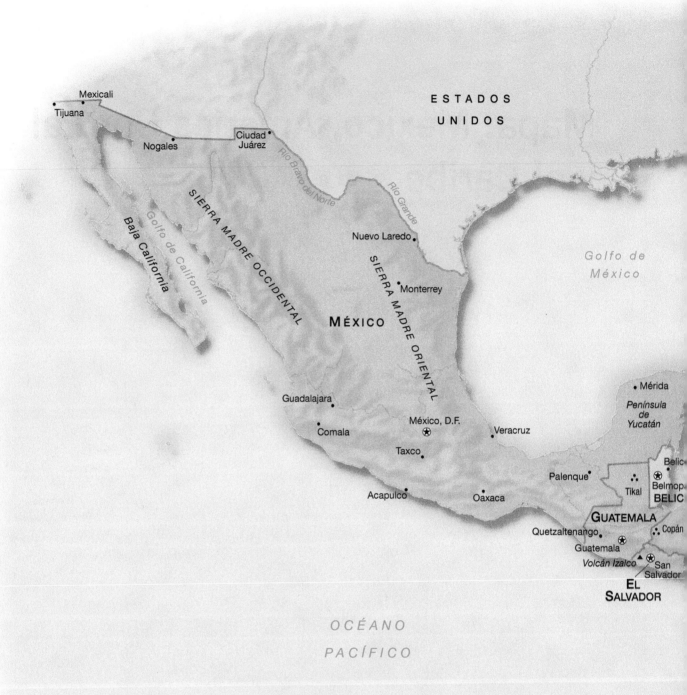

ESTADOS
UNIDOS

Mexicali
Tijuana
Nogales
Ciudad Juárez

Río Bravo del Norte

Río Grande

SIERRA MADRE OCCIDENTAL

Baja California

Golfo de California

Nuevo Laredo

Golfo de
México

Monterrey

SIERRA MADRE ORIENTAL

MÉXICO

Mérida

Península
de
Yucatán

Guadalajara
Comala
México, D.F.
Veracruz
Taxco
Palenque
Belic
Tikal
Belmop
BELIC

Acapulco
Oaxaca
GUATEMALA
Copán
Quetzaltenango
Guatemala
Volcán Izalco
San Salvador
EL SALVADOR

OCÉANO

PACÍFICO

⊛	Capital
•	Otras ciudades
▲	Volcán
∴	Ruinas

Islas
Galápagos
(Ec.)

México, América Central y el Caribe

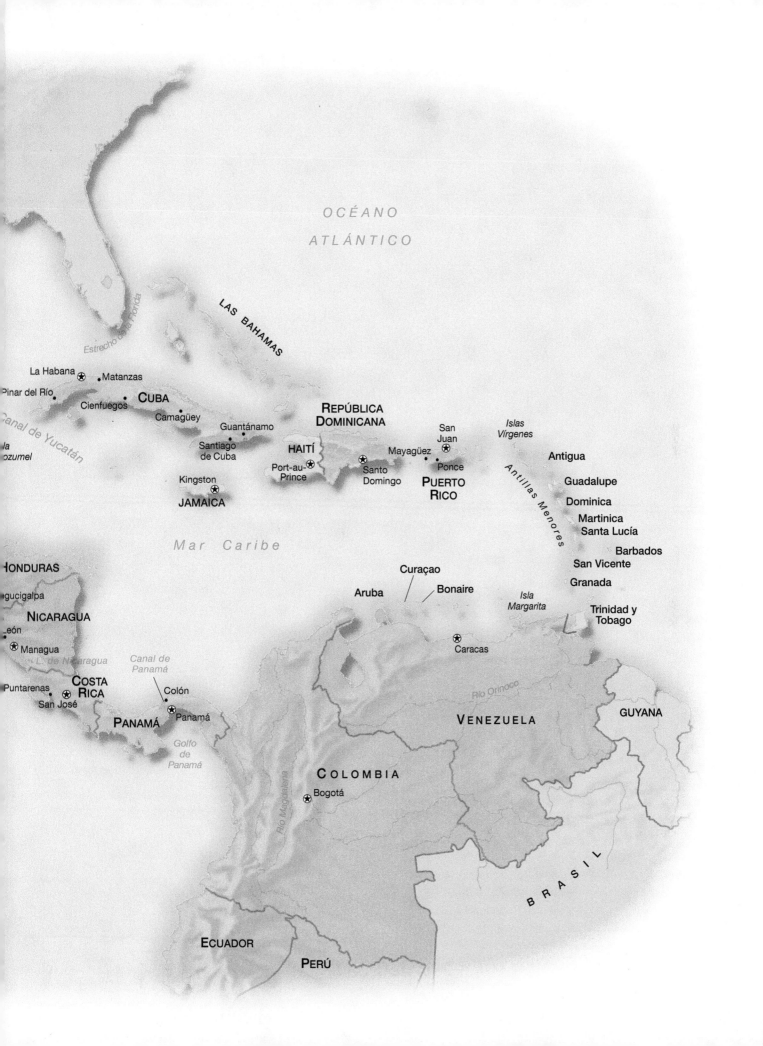

OCÉANO
ATLÁNTICO

Estrecho de la Florida

LAS BAHAMAS

La Habana ⊛ • Matanzas
Pinar del Río •
Cienfuegos • **CUBA**
• Camagüey
Guantánamo •
Santiago • de Cuba
HAITÍ
Port-au- ⊛
Prince
Santo
Domingo
REPÚBLICA
DOMINICANA
Mayagüez •
San
Juan ⊛
Ponce •
PUERTO
RICO
Islas
Vírgenes
Antigua

Canal de Yucatán
la
ozumel
Kingston
⊛
JAMAICA

Mar Caribe

Antillas Menores

Guadalupe
Dominica
Martinica
Santa Lucía
Barbados
San Vicente
Granada

HONDURAS
gucigalpa
NICARAGUA
eón •
⊛ Managua
L. de Nicaragua
Puntarenas • **COSTA**
• San José ⊛ **RICA**
PANAMÁ

Canal de
Panamá
Colón •
⊛
Panamá
Golfo
de
Panamá

Aruba
Curaçao
Bonaire
Isla
Margarita
Trinidad y
Tobago

⊛
Caracas

VENEZUELA

GUYANA

Río Orinoco

Río Magdalena

COLOMBIA
⊛ Bogotá

B R A S I L

ECUADOR

PERÚ

Mapa: América del Sur

Mar Caribe

OCÉANO
ATLÁNTICO

Barranquilla
Cartagena
Maracaibo   Caracas
Barquisimeto

Medellín
VENEZUELA

Georgetown
Paramaribo
Cayenne

Manizales
Bogotá
GUYANA
SURINAM
GUAYANA
FRANCESA
(Francia)

Cali
COLOMBIA

Quito
ECUADOR

Ecuador

Guayaquil
Cuenca
Iquitos
Río Amazonas
Manaus
Belém

Islas
Galápagos
(Ec.)

Fortaleza

Cajamarca

Trujillo
Río Branco
B R A S I L
Recife

PERÚ

Machu
Picchu
Lima
Ayacucho
Cuzco

BOLIVIA
Salvador

Arequipa
La Paz
Santa Cruz
Brasília

Arica
Cochabamba
Sucre
Belo
Horizonte

Iquique
Potosí
PARAGUAY

Antofagasta
Salta
Asunción
São Paulo
Santos
Río de Janeiro

Trópico de Capricornio

San Miguel
de Tucumán

CHILE
ARGENTINA

Coquimbo
Córdoba
Rivera
Pôrto Alegre

Valparaíso
Mendoza
Rosario
URUGUAY

Santiago
Buenos Aires
Montevideo
OCÉANO
ATLÁNTICO

La Plata

Concepción
Bahía Blanca

Puerto Montt

OCÉANO

PACÍFICO

Estrecho de
Magallanes
Islas
Malvinas
(Br.)

Punta Arenas
TIERRA DEL FUEGO
Cabo de Hornos

Islas Galápagos inset
OCÉANO
PACÍFICO

I. Pinta
I. Fernandina   I. Marchena
I. San Salvador
Santa Cruz
I. Isabela   I. Santa Cruz
Puerto
Ayora   I. San
Cristóbal
Puerto
Villamil
Puerto
Baquerizo
Moreno

ISLAS GALÁPAGOS
(ECUADOR)

Isla de Pascua inset
OCÉANO
PACÍFICO

Cabo Norte
Volcán
Katiki   Cabo
Cumming
Hanga Roa
Mataveri

ISLA DE PASCUA
(CHILE)

América del Sur

Mapa: España y África

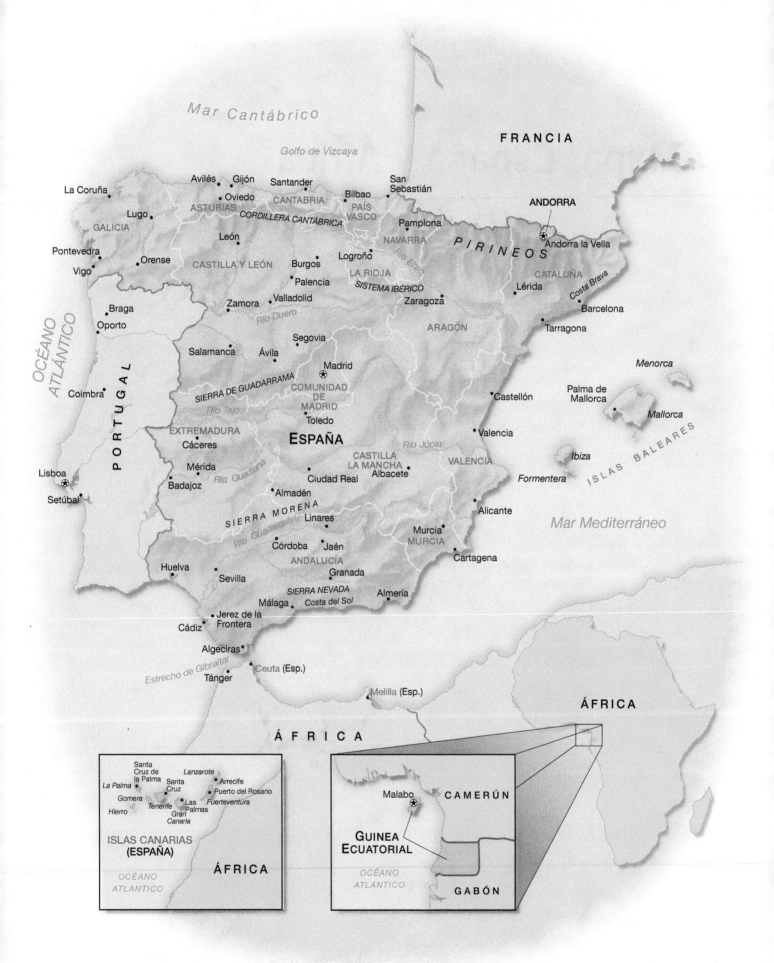

España y África

PEARSON
myspanishlab ¡Hola!

Part of the award-winning MyLanguageLabs suite of online learning and assessment systems for basic language courses, MySpanishLab brings together—in one convenient, easily navigable site—a wide array of language-learning tools and resources, including an interactive version of the *¡Arriba!* student text, an online Student Activities Manual, and all materials from the audio and video programs. Chapter Practice Tests, tutorials, and English grammar Readiness Checks personalize instruction to meet the unique needs of individual students. Instructors can use the system to make assignments, set grading parameters, listen to student-created audio recordings, and provide feedback on student work. MySpanishLab can be packaged with the text at a substantial savings. For more information, visit us online at www.mylanguagelabs.com/books.

A GUIDE TO *¡ARRIBA!* ICONS

✓	Readiness Check for MySpanishLab	This icon, located in each chapter opener, reminds students to take the Readiness Check in MySpanishLab to test their understanding of the English grammar related to the Spanish grammar concepts in the chapter.
¡Hola!	MySpanishLab	This icon indicates that additional resources for pronunciation and culture are available for students in MySpanishLab.
🔊	Text Audio Program	This icon indicates that recorded material to accompany *¡Arriba!* is available in MySpanishLab, on audio CD, or on the Companion Website.
👥	Pair Activity	This icon indicates that the activity is designed to be done by students working in pairs.
👥	Group Activity	This icon indicates that the activity is designed to be done by students working in small groups or as a whole class.
👥	Information Gap Activity	This icon indicates that the activity is designed to be done in pairs, with each student having different information. The information for Student A is included in the chapter; Student B's information is found in Appendix 1, pp. A-1–A-23.
🖱	Web Activity	This icon indicates that the activity involves use of the Internet.
🎬	Video	This icon indicates that a video episode is available for the *¡Pura vida!* video series that accompanies the *¡Arriba!* text. The video is available on DVD and in MySpanishLab.
📖	Student Activities Manual	This icon indicates that there are practice activities available in the *¡Arriba!* Student Activities Manual. The activities may be found either in the printed version of the manual or in the interactive version available through MySpanishLab. Activity numbers are indicated in the text for ease of reference.
🌐	Interactive Globe	This icon indicates that additional cultural resources in the form of videos, web links, interactive maps, and more, relating to a particular country, are organized on an interactive globe in MySpanishLab.
MediaShare	MediaShare	This icon, presented with all *¿Cuánto saben?* boxes, refers to the video-posting feature available on MySpanishLab.

Dedicado a
Mabel J. Cameron
(1914–2004)

Y a Manuel Eduardo
Zayas-Bazán Recio
(1912–1991)

"Y aunque la vida murió,
nos dejó harto
consuelo su memoria"
—JORGE MANRIQUE

Every fall, millions of monarch butterflies rise from their summer homes in North America and begin a thousand-mile migration to the warm and welcoming habitats of Mexico and Latin America. It's an amazing journey! Their trip is also an apt metaphor for what you will experience as a student of Spanish: as you ascend in language proficiency, you will cross borders to gain a butterfly's-eye view of the people, the history, the arts, and the ways of living that define the fascinating cultures of the 21 Spanish-speaking countries around the world.

¡ARRIBA!

Brief Edition

¡ARRIBA!
Comunicación y cultura

SIXTH EDITION

Eduardo Zayas-Bazán
Emeritus, East Tennessee State University

Susan M. Bacon
Emerita, University of Cincinnati

Holly J. Nibert
Western Michigan University

PEARSON

BOSTON   COLUMBUS   INDIANAPOLIS   NEW YORK   SAN FRANCISCO   UPPER SADDLE RIVER
AMSTERDAM   CAPE TOWN   DUBAI   LONDON   MADRID   MILAN   MUNICH   PARIS   MONTRÉAL   TORONTO
DELHI   MEXICO CITY   SÃO PAOLO   SYDNEY   HONG KONG   SEOUL   SINGAPORE   TAIPEI   TOKYO

Executive Editor, Elementary Spanish: Julia Caballero
Editorial Assistant: Samantha Pritchard
Executive Marketing Manager: Kris Ellis-Levy
Senior Marketing Manager: Denise Miller
Marketing Coordinator: Bill Bliss
Development Editor: Celia Meana
Development Editor for Assessment: Melissa Marolla Brown
Senior Managing Editor for Product Development:
  Mary Rottino
Associate Managing Editor (Production): Janice Stangel
Senior Production Project Manager: Nancy Stevenson
Executive Editor, MyLanguageLabs: Bob Hemmer
Senior Media Editor: Samantha Alducin

Media/Supplements Editor: Meriel Martínez
Associate Design Director: Leslie Osher
Art Director: Miguel Ortiz
Text & Cover Designer: Anne DeMarinis
Senior Art Director: Pat Smythe
Senior Manufacturing & Operations Manager: Nick Sklitsis
Operations Specialist: Cathleen Petersen / Brian Mackey
Full-Service Project Management: Melissa Sacco,
  PreMediaGlobal
Composition: Courier/Kendallville
Printer/Binder: Lehigh - Phoenix Color
Cover Printer: Lehigh - Phoenix Color
Publisher: Phil Miller

This book was set in Minion 10/12.

Credits and acknowledgments borrowed from other sources and reproduced, with permission, in this textbook appear on appropriate page within text (or on pages A-79–A-80).

Library of Congress Cataloging-in-Publication Data
Zayas-Bazán, Eduardo.
  ¡Arriba! : comunicación y cultura / Eduardo Zayas-Bazán, Susan M. Bacon, Holly J. Nibert. — 6th ed.
    p. cm.
  Includes bibliographical references and index.
  ISBN-13: 978-0-205-74037-6 (alk. paper : student ed.)
  ISBN-10: 0-205-74037-5 (alk. paper : student ed.)
  1. Spanish language—Textbooks for foreign speakers—English. I. Bacon, Susan M. II. Nibert, Holly J. III. Title.
PC4112.Z38 2010
468.2'421—dc22

                                                                        201004409

10 9 8 7 6 5 4 3 2 1

Student Edition, ISBN-10: 0-205-74037-5
Student Edition, ISBN-13: 978-0-205-74037-6
Brief Edition, ISBN-10: 0-205-78315-5
Brief Edition, ISBN-13: 978-0-205-78315-1
Annotated Instructor's Edition, ISBN-10: 0-205-82753-5
Annotated Instructor's Edition, ISBN-13: 978-0-205-82753-4

Brief Contents

Preface xiv

1 Hola, ¿qué tal? 2

2 ¿De dónde eres? 40

3 ¿Qué estudias? 76

4 ¿Cómo es tu familia? 112

5 ¿Cómo pasas el día? 150

6 ¡Buen provecho! 184

7 ¡A divertirnos! 216

8 ¿En qué puedo servirle? 248

9 Vamos de viaje 282

10 ¡Tu salud es lo primero! 318

11 ¿Para qué profesión te preparas? 350

12 El futuro es tuyo 384

Appendix 1 B Activities A-1

Appendix 2 *Expansión gramatical* A-24

Appendix 3 Verb Charts A-34

Appendix 4 Spanish–English Vocabulary A-42

Appendix 5 English–Spanish Vocabulary A-61

Credits A-79

Index A-81

Scope and Sequence

	COMMUNICATIVE OBJECTIVES	VOCABULARY
1 Hola, ¿qué tal? 2	• Meeting and greeting others • Spelling your name • Performing simple math problems • Talking about the calendar and dates	• Saludos y despedidas
	• Describing your classroom • Responding to classroom instructions • Talking about yourself and others • Identifying colors and talking about your favorite color	• En la clase **LETRAS Y SONIDOS:** Spanish vowels
2 ¿De dónde eres? 40	• Describing yourself, other people, and things • Asking and responding to simple questions • Asking for and telling time	• Las descripciones y las nacionalidades
	• Talking about what you do, what you like to do, and what you should do • Talking about what you have and what you have to do	• ¿Qué haces? ¿Qué te gusta hacer? **LETRAS Y SONIDOS:** More on vowels in Spanish
3 ¿Qué estudias? 76	• Exchanging information about classes • Talking about things that belong to you • Talking about how you and others feel	• Las materias académicas y la vida estudiantil
	• Describing yourself and others • Making plans to do something with someone • Asking for and giving simple directions	• Los edificios de la universidad **LETRAS Y SONIDOS:** Syllabification in Spanish
4 ¿Cómo es tu familia? 112	• Talking about your family • Expressing desires and preferences • Planning activities	• Miembros de la familia
	• Extending invitations • Pointing out people and things to others • Discussing things and people you know	• El ocio **LETRAS Y SONIDOS:** Word stress and written accent marks in Spanish
5 ¿Cómo pasas el día? 150	• Describing your daily routine and habits • Expressing needs related to personal care • Expressing emotional states • Comparing objects and people	• Las actividades diarias
	• Talking about what you do around the house • Describing people or things using superlatives • Describing what is happening at the moment	• Los quehaceres domésticos **LETRAS Y SONIDOS:** The consonant h and the sequence ch in Spanish

STRUCTURES	CULTURE	READING AND WRITING
• The Spanish alphabet 8 • The numbers *0–100* 10 • The days of the week, the months, and the seasons 13 • Subject pronouns and the present tense of *ser* 24 • Nouns and articles 27 • Adjective forms, position, and agreement 30	**PERFILES** **MI EXPERIENCIA:** Soy bilingüe (Óscar Ponce Torres) **MI MÚSICA:** "Mi corazoncito" (Aventura, EE. UU.) **OBSERVACIONES:** ¡Pura vida! Episodio 1 **PANORAMAS:** La diversidad del mundo hispano	**PÁGINAS:** *Versos sencillos*, "XXXIX" (José Martí, Cuba) **TALLER:** Una carta de presentación
• Telling time 46 • Formation of *yes/no* questions and negation 50 • Interrogative words 52 • The present tense of regular *-ar* verbs 62 • The present tense of regular *-er* and *-ir* verbs 64 • The present tense of *tener* 67	**PERFILES** **MI EXPERIENCIA:** Nombres, apellidos y apodos (Gladys García Sandoval) **MI MÚSICA:** "Looking for Paradise" (Alejandro Sanz, España; Alicia Keys, EE. UU.) **OBSERVACIONES:** ¡Pura vida! Episodio 2 **PANORAMAS:** Descubre España	**PÁGINAS:** "*Cinemundo* entrevista a Pedro Almodóvar" **TALLER:** Una entrevista y un sumario
• The numbers *101–3.000.000* 82 • Possessive adjectives 84 • Other expressions with *tener* 87 • The present tense of *ir* and **hacer** 96 • The present tense of *estar* 98 • Summary of uses of **ser** and **estar** 101	**PERFILES** **MI EXPERIENCIA:** Mi universidad: La UNAM (Susana Buendía) **MI MÚSICA:** "Eres" (Café Tacvba, México) **OBSERVACIONES:** ¡Pura vida! Episodio 3 **PANORAMAS:** ¡México fascinante!	**PÁGINAS:** "El Museo de Antropología de México" **TALLER:** Un correo electrónico a un/a amigo/a
• The present tense of stem-changing verbs: *e →ie, e →i, o →ue* 118 • Direct objects, the personal *a*, and direct object pronouns 124 • Demonstrative adjectives and pronouns 134 • The present tense of *poner, salir, traer* 136 • *Saber* and *conocer* 139	**PERFILES** **MI EXPERIENCIA:** La familia hispana ¿típica? (Maríahondureña) **MI MÚSICA:** "El encarguito" (Guillermo Anderson, Honduras) **OBSERVACIONES:** ¡Pura vida! Episodio 4 **PANORAMAS:** América Central I: Guatemala, El Salvador, Honduras	**PÁGINAS:** *Sobreviviendo Guazapa*, Cinenuevo **TALLER:** Una invitación
• Reflexive constructions: Pronouns and verbs 156 • Comparisons of equality and inequality 161 • The superlative 172 • The present progressive 174	**PERFILES** **MI EXPERIENCIA:** Eco voluntariado en Costa Rica (Ramón Vázquez) **MI MÚSICA:** "Everybody" (Los Rabanes, Panamá) **OBSERVACIONES:** ¡Pura vida! Episodio 5 **PANORAMAS:** América Central II: Costa Rica, Nicaragua, Panamá	**PÁGINAS:** "Playa Cacao" **TALLER:** Un anuncio de venta

Scope and Sequence

	COMMUNICATIVE OBJECTIVES	VOCABULARY
6 ¡Buen provecho! 184	• Discussing food, eating preferences, and ordering meals • Talking about things and expressing to whom or for whom • Expressing likes and dislikes • Discussing foods, cooking, and recipes • Talking about events in the past	• Las comidas y las bebidas • En la cocina **LETRAS Y SONIDOS:** The sequences *s, z, ce,* and *ci* in Spanish
7 ¡A divertirnos! 216	• Talking about activities you like to do in your free time • Making plans to do something • Talking about indefinite people and things, and people and things that do not exist • Talking about some activities in the past • Talking about different sports • Reporting more past events and activities • Taking shortcuts in conversation to avoid repetition	• El tiempo libre • Los deportes y las actividades deportivas **LETRAS Y SONIDOS:** The sequences *ca, co, cu, que, qui,* and *k* in Spanish
8 ¿En qué puedo servirle? 248	• Talking about clothes and shopping at a department store • Talking about what used to happen and what you used to do in the past • Describing a scene in the past • Shopping for personal care products • Contrasting what happened in the past with something else that was going on • Talking about what people say and believe • Talking about what is done	• Las compras y la ropa • Tiendas y productos personales **LETRAS Y SONIDOS:** The sequences *j, x, ge,* and *gi* in Spanish
9 Vamos de viaje 282	• Making travel arrangements • Requesting travel-related information • Talking about going to and through places • Describing how and when actions take place • Describing travel and vacation experiences • Trying to influence another person • Giving advice	• En el aeropuerto • Los viajes **LETRAS Y SONIDOS:** The letter *g* in sequences other than *ge* and *gi* in Spanish

STRUCTURES	CULTURE	READING AND WRITING

- Indirect objects, indirect object pronouns, and the verbs *decir* and *dar*   190
- *Gustar* and similar verbs   193

PERFILES
MI EXPERIENCIA: Tren de la ruta del vino (Felipe)
MI MÚSICA: "Ahora" (Alberto Plaza, Chile)
OBSERVACIONES: ¡Pura vida! Episodio 6
PANORAMAS: Chile: un país de contrastes

PÁGINAS: "¿Eres un gastrosexual? ¿Conoces a uno?"
TALLER: Una reseña de un restaurante

- The preterit of regular verbs   202
- Verbs with irregular forms in the preterit (I)   206

- Irregular verbs in the preterit (II)   222
- Indefinite and negative expressions   225

PERFILES
MI EXPERIENCIA: Una quinceañera (Graciela Sandoval)
MI MÚSICA: "Pégate" (Ricky Martin, Puerto Rico)
OBSERVACIONES: ¡Pura vida! Episodio 7
PANORAMAS: Las islas hispánicas del Caribe: Cuba, Puerto Rico y República Dominicana

PÁGINAS: "Entrevista con Ricky Martin, Embajador de Buena Voluntad de la UNICEF", *Estrella*
TALLER: Una entrada en tu foro electrónico

- Irregular verbs in the preterit (III)   234
- Double object pronouns   237

- The imperfect of regular and irregular verbs   254
- Ordinal numbers   258

PERFILES
MI EXPERIENCIA: De compras en Perú (María Antonia)
MI MÚSICA: "Compañera" (Yawar, Perú)
OBSERVACIONES: ¡Pura vida! Episodio 8
PANORAMAS: El reino inca: Perú y Ecuador

PÁGINAS: "Los rivales y el juez" (Ciro Alegría, Perú)
TALLER: Una fábula

- Preterit versus imperfect   266
- Impersonal constructions with *se*   271

- *Por* or *para*   289
- Adverbs ending in *-mente*   293

PERFILES
MI EXPERIENCIA: Auyentepuy: un viaje de aventura (Felipe)
MI MÚSICA: "Me enamora" (Juanes, Colombia)
OBSERVACIONES: ¡Pura vida! Episodio 9
PANORAMAS: Los países caribeños de Sudamérica: Venezuela y Colombia

PÁGINAS: "Fiestas colombianas"
TALLER: Un folleto turístico

- The Spanish subjunctive: An introduction   302
- The subjunctive to express influence   306

Scope and Sequence

Scope and Sequence	COMMUNICATIVE OBJECTIVES	VOCABULARY
10 ¡Tu salud es lo primero! 318	• Talking about your health and explaining what part of your body hurts • Requesting that others do something • Expressing emotions • Talking about how to stay fit • Expressing your opinions and beliefs about something	• Las partes del cuerpo humano • Los alimentos **LETRAS Y SONIDOS:** The consonants *r* and *rr* in Spanish
11 ¿Para qué profesión te preparas? 350	• Describing professions and occupations using work-related terms • Talking about the advantages of different professions • Giving and following instructions from a friend • Talking about future plans • Reading and responding to want ads • Writing a brief business letter • Interviewing for a job • Describing existing and nonexistent people and things	• Los oficios y las profesiones • La búsqueda de empleo **LETRAS Y SONIDOS:** The consonants *b* and *v* in Spanish
12 El futuro es tuyo 384	• Discussing technology • Describing people and things • Talking about what has happened • Talking about the environment • Talking about what will happen • Discussing what you and others would do • Speculating about the present and the past	• La computadora y otros aparatos electrónicos • El medio ambiente **LETRAS Y SONIDOS:** The consonants *t* and *d* in Spanish
Appendix 1 B Activities A-1		
Appendix 2 *Expansión gramatical* A-24	• Making suggestions indirectly • Expressing opinions about what has happened • Talking about what will have happened in the future and what has happened in the past • Conjecturing about what would have been if something different had happened • Relating what is or was caused by someone or something	

Appendix 3
Verb Charts   A-34

Appendix 4
Spanish-English
Vocabulary   A-42

Appendix 5
English-Spanish
Vocabulary   A-61

STRUCTURES	CULTURE	READING AND WRITING

STRUCTURES
- Formal commands 324
- The subjunctive to express feelings and emotions 327

- The subjunctive to express doubt and denial 337

CULTURE
PERFILES
MI EXPERIENCIA: La medicina tradicional en Bolivia (Rosario Domínguez)
MI MÚSICA: "Viaje" (Octavia, Bolivia)
OBSERVACIONES: ¡Pura vida! Episodio 10
PANORAMAS: Bolivia y Paraguay: riquezas por descubrir

READING AND WRITING
PÁGINAS: "La azucena del bosque" (Mito guaraní)
TALLER: Un artículo sobre la salud

STRUCTURES
- *Tú* commands 356
- The subjunctive and the indicative with adverbial conjunctions 359

- The subjunctive with indefinite people and things 370

CULTURE
PERFILES
MI EXPERIENCIA: Los empleos y las recomendaciones (Cristina)
MI MÚSICA: "Yo vengo a ofrecer mi corazón" (Fito Páez, Argentina)
OBSERVACIONES: ¡Pura vida! Episodio 11
PANORAMAS: El virreinato del Río de la Plata: Argentina y Uruguay

READING AND WRITING
PÁGINAS: "No hay que complicar la felicidad" (Marco Denevi, Argentina)
TALLER: Un currículum vitae y una carta de presentación para solicitar un trabajo

---

STRUCTURES
- The past participle 391
- The present perfect indicative 394

- The future tense 404
- The conditional tense 407

CULTURE
PERFILES
MI EXPERIENCIA:
La tecnología y el futuro (Baco)
MI MÚSICA: "'Ta bueno ya" (Albita, cubanoamericana)
OBSERVACIONES: ¡Pura vida! Episodio 12
PANORAMAS: Los hispanos en Estados Unidos

READING AND WRITING
PÁGINAS: *Cuando era puertorriqueña* (fragmento), (Esmeralda Santiago, EE. UU.)
TALLER: Foro: El medio ambiente

STRUCTURES
- Indirect commands A-25
- The present perfect subjunctive A-26
- The future perfect and the conditional perfect A-28
- The Pluperfect subjunctive and the conditional perfect A-30
- The passive voice A-32

Preface

¡Arriba! brings Spanish to life!

We were very pleased by the enthusiastic response to the changes we made in the fifth edition of *¡Arriba!,* and our aim has been to make the sixth edition an even more complete and flexible program for first-year Spanish courses, one that instructors with varying teaching styles can adopt with confidence. With help from a core panel of reviewers, we have made many important refinements in the student text. But we have also extensively revised the other components of the *¡Arriba!* program, with the goal of creating a completely integrated whole that will allow students to have a successful and rewarding learning experience.

Since it was first published in 1993, *¡Arriba! Comunicación y cultura* has been used successfully by thousands of instructors and hundreds of thousands of students throughout North America. Originally conceived to address the need for an elementary Spanish text that went beyond grammar drills to develop cultural insight and communication skills, it has come to be known as a **highly flexible program**—one that can be used effectively in a wide range of academic settings by instructors who teach the course in different ways and use technology to varying degrees. Adopters have consistently praised *¡Arriba!* for its clarity and for providing materials that are both motivating and easy to use in the classroom. We believe that they will find those qualities reflected in the sixth edition as well.

New to This Edition

Drawing on the success of previous editions, the sixth edition of *¡Arriba!* has been carefully crafted to introduce another generation of students to Spanish language and culture. Like its predecessors, the new edition has been designed as an eclectic and flexible text that is clear, easy to use, and motivating to students—and as a text that reflects the diversity (of gender, ethnicity, age, and lifestyle) in today's society. But while the goals remain the same, many refinements and additions have been made. The comprehensive array of supplemental materials has also been carefully reviewed and revised, and several new features have been added to the program. Specific changes include the following:

- New **Shorter dialogs and new visuals aid and motivate vocabulary learning.** The *¡Así lo decimos!* sections now feature two to three shorter dialogs, each accompanied by new line drawings, replacing the longer dialogs and readings of the previous edition. Dividing the content into smaller chunks and providing mulitple contexts makes the presentation more manageable. All new dialogs reflect authentic use of language and preview chapter vocabulary and grammar structures. Audio recordings of all the dialogs and vocabulary items in this section are available in the text audio program.

- New **margin boxes offer new opportunities for cross-cultural learning.**
  — **Regional variations** in the Spanish-speaking world are presented in *Variaciones* boxes and appear in each vocabulary section. They offer alternate words and expressions without adding more words to the active vocabulary list.
  — **Cultural contrasts and practical facts** of interest about the Spanish-speaking world are presented in *Cultura en vivo* boxes throughout the chapter. They seamlessly integrate culture and ask students to make comparisons

> **Variaciones**
> Names for technology also vary: *laptop* is **la (computadora) portátil** in Latin America and **el (ordenador) portátil** in Spain. Cell phone is generally **el (teléfono) celular** in Latin America and **el (teléfono) móvil** in Spain.

with their own experiences. Podcasts relating to the cultural content will also be available in MySpanishLab.

— **The Spanish-speaking population of the United States and Canada** is represented in *Presencia hispana* boxes where cultural, historical, and/or political facts of interest help to bring Hispanic culture to the forefront while making the cultural learning experience personal and relevant.

- New **two-page cultural spread gives students a personal and authentic glimpse into the cultures of the Hispanic world.** *Perfiles* is a **new** two-page spread at the end of *Primera parte* that replaces *Comparaciones* from the previous edition. The spread is divided into two sections, *Mi experiencia* and *Mi música*.

¡Hola!
Cultura en vivo
Students in Mexico, as in many parts of the world, begin their specializations very early in their university careers. The curriculum is usually fixed and the number of courses students must take varies with the *facultad*. During their final semesters students have more choice, but still mostly within their majors. In your opinion, what are advantages and disadvantages of this type of curriculum?

Presencia hispana
Mexican Americans are U.S. residents who trace their ancestry to Mexico. They are variously known as *chicanos*, *xicanos*, *mexicanos*, or Mex-Americans, although *chicano* is the preferred identification for many. In the U.S. there are currently 25 million legal residents of Mexican heritage, and an estimated 6 to 7 million undocumented immigrants. Mexico allows its citizens to maintain dual citizenship with the U.S. How does this law benefit Mexican Americans?

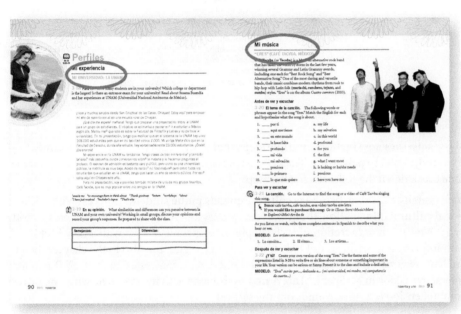

— Written in the first person, *Mi experiencia* is a personal account of a young person's experience in the culture and country of focus. Young people share their perspectives in the form of postings on blogs, message boards, and so on, to report culture in a context that is relevant to students.

— All-new music selections chosen from the country/region of focus are featured in *Mi música*. Replacing *Ritmos* from the previous edition, the song selections reflect the musical preferences of the person featured in *Mi experiencia*. Students are directed to search online to view videos or listen to the song selection on their own. All songs are available for purchase online in a specially created *¡Arriba!* playlist.

- New **Section-ending self-checks now include situations that give students the opportunity to demonstrate their understanding of the concepts presented in each section.** The communicative objectives of each chapter are collected in new *¿Cuánto saben?* boxes at the end of each *parte* and assist students in determining how well they have mastered the material. Instructors may also choose to use them to measure student success as part of the Student Learning Outcomes. Boxes have been expanded to include role plays with cues in *Para empezar* to help students get started. Check boxes remain for students to check off as they accomplish each communicative objective. Students can use the 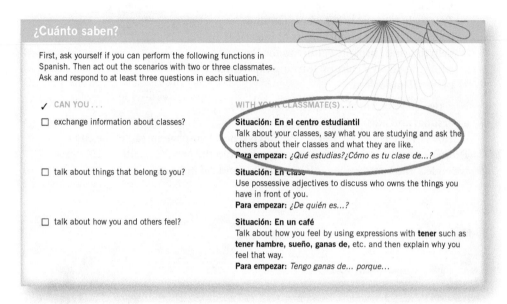 MediaShare feature available in MySpanishLab to post videos of their role-plays for the class.

¿Cuánto saben?

First, ask yourself if you can perform the following functions in Spanish. Then act out the scenarios with two or three classmates. Ask and respond to at least three questions in each situation.

✓ CAN YOU . . .

☐ exchange information about classes?

☐ talk about things that belong to you?

☐ talk about how you and others feel?

WITH YOUR CLASSMATE(S) . . .

Situación: En el centro estudiantil
Talk about your classes, say what you are studying and ask the others about their classes and what they are like.
Para empezar: *¿Qué estudias?¿Cómo es tu clase de...?*

Situación: En clase
Use possessive adjectives to discuss who owns the things you have in front of you.
Para empezar: *¿De quién es...?*

Situación: En un café
Talk about how you feel by using expressions with **tener** such as **tener hambre, sueño, ganas de,** etc. and then explain why you feel that way.
Para empezar: *Tengo ganas de... porque...*

- **Many activities now include multiple steps that allow students to move smoothly from individual to pair work.** These *Pasos* provide better sequencing while at the same time break down the task into smaller steps.

- New **visually engaging, two-page cultural spreads pique students' interest with additional cultural information about the country/region of focus.** The *Panoramas* spread in the *Nuestro mundo* section of each chapter now includes a map with a **new** Fact Box with information pertinent not only to the country/region but also to the chapter theme. Students may view the *Vistas culturales* video and other resources using the 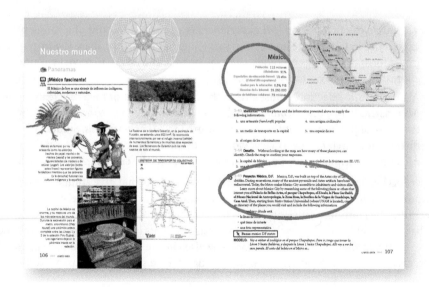 *Panoramas* Interactive Globe in MySpanishLab. A **new** Web-based activity, *Proyecto,* with one or two comprehension activities, rounds out the section.

- **Eight new readings reflect current events and create balance in the text between cultural and literary readings.** The new readings, found in the *Páginas* sections, include "Cuando era puertorriqueña (fragmento)" by Esmeralda Santiago, "En solidaridad" by Francisco Jiménez, and "La azucena del bosque" (a Guaraní legend).

- New **Changes to the Scope and Sequence and appendices create a better balance of grammatical topics across chapters.** Specific changes include the following:
  — In *Capítulo 4*, the present tense of *poner, salir,* and *traer* has been moved to *Segunda parte* to balance better the grammatical load.
  — Coverage of the subjunctive with impersonal expressions is now presented within their semantic group. For example, with verbs of volition we include *es necesario, es importante*, and so on, and with doubt and denial, *es increíble, es dudoso*, etc.
  — Formal commands have been moved to *Capítulo 10* from *Capítulo 11* to place them physically and conceptually closer to the subjunctive.
  — Informal commands are now presented in *Capítulo 11*. In addition, the subjunctive and the indicative with adverbial clauses has been moved to *Primera parte* while the subjunctive with indefinite and nonexistent antecedents can now be found in *Capítulo 11*, moved from *Capítulo 15*.
  — *Nosotros* commands now appear in *Capítulo 14*, moved from *Capítulo 10* for a better balance of grammar topics in later chapters.

- New ***Expansión gramatical*** (Appendix 2) includes some grammar points that were previously incorporated in *Capítulos 10–15*. In this way, we lighten the grammar load and are able to include more language input to reinforce and expand students' lexicon and cultural understanding. Grammar topics include:
  — Indirect commands
  — The present perfect subjunctive
  — The future perfect and the conditional perfect
  — Pluperfect subjunctive and the conditional perfect
  — The passive voice

- New **orthographic changes, recently instituted by the Spanish Royal Academy (RAE), are now included.** In addition to eliminating the accent from the adverb *solo* and the demonstrative pronouns, changes to the alphabet and new spelling rules have been added. Teacher annotations explaining the changes accompany each new feature.

- New **annotations in the Annotated Instructor's Edition provide a wealth of additional suggestions to help instructors get the most out of each chapter.** The new annotations were added to provide more support to instructors, to facilitate different teaching styles, to assist in measuring Student Learning Outcomes, and to provide clear direction for lesson planning. A new annotation in the chapter opener lists all sections and activities corresponding to each of The Five C's. All these annotations enhance activities in the text by offering ideas for pre-activity warm-ups and tips on implementation, as well as suggestions for wrap-up and expansion. The new annotations likewise include optional activities made available for extra practice or as alternatives to activities in the text. These activities are clearly labeled to help instructors know when best to use them, time permitting. They can be easily downloaded from the Instructors Resource Center (IRC). In addition, various notes are included that suggest ways an instructor can deepen student understanding of certain structures in the target language. Finally, numerous new annotations provide additional cultural information which the instructor may choose to share with the class.

Organization and Pedagogy

Like its predecessors, the sixth edition of *¡Arriba!* consists of 15 thematically organized chapters. The first 12 chapters present essential communicative functions and structures, along with basic cultural information about the countries that make up the Hispanic world. The last 3 chapters present more advanced structures together with thematically focused cultural material. Besides the full edition, a brief version of the text, consisting of the first 12 chapters only, is also available. We also offer a loose-leaf, 3-hole-punched version that offers an upfront savings to your students.

All chapters have the same basic organizational structure, with content presented in three major sections. The language material that forms the core of each chapter is divided into two distinct instructional units, *Primera parte* and *Segunda parte*. The third, entitled *Nuestro mundo*, is a synthesizing section that presents cultural information along with activities designed to develop students' reading and writing skills. A two-page spread at the beginning of each chapter serves as an advanced organizer and presents the chapter's communicative objectives.

The *Primera* and *Segunda partes* are largely parallel in their organizational structure. They include the following sections:

- *¡Así lo decimos!* presents new vocabulary related to the chapter theme. This section begins with *¡Así es la vida!* which are lively conversations that set the stage for the communicative functions and culture to be presented more formally later in the chapter. All new drawings are used extensively to provide visual context for vocabulary learning and practice. Words are listed in practical, functional groups to facilitate student retention, and audio recordings and flashcards available on **MySpanishLab** provide additional reinforcement. This section also offers a wide variety of practice activities, ranging from more guided to more open-ended activities, among them an audio activity that builds on the language sample introduced in *¡Así es la vida!*

- *¡Así lo hacemos!* presents grammar structures related to the chapter's communicative objectives. We made the explanations clear and concise with short, bulleted points followed immediately by examples. Wherever possible, we have supplemented grammar concepts with helpful and (we hope) entertaining illustrations. **Study Tips** at the end of certain grammar explanations assist students with structures that non-native speakers of Spanish often find difficult, and additional structures are elaborated further in the *Expansión* boxes, also located in this section. A wide variety of practice activities is provided for each grammatical topic, moving from form-focused to meaning-focused to more open-ended communicative activities. In addition, **MySpanishLab** provides students with animated tutorials explaining Spanish grammar topics as well as the English grammar topics students should have a clear understanding in order to successfully approach the grammar in each chapter. The lab also features extra practice activities, practice tests, and oral practice activities. Readiness Check icons in each chapter opener remind students to visit MySpanishLab to complete a pre-test that will help determine whether or not they are ready to understand the chapter's grammar lessons.

- The *¿Cuánto saben?* boxes at the end of each part serve as a form of self-assessment. They are designed to remind students of the communicative objectives for the chapter and assist them in determining how well they have mastered the material. Students can post their examples using the Mediashare feature in **MySpanishLab**. Situations in *¿Cuánto saben?* boxes can also be used by instructors to assess Student Learning Outcomes and determine whether students can perform the communicative objectives. By performing these situations and using the target vocabulary and structures presented in the chapter, students will demonstrate to what extent they can fluently produce appropriate lexicon and desired language forms. Suggested rubics for assessing students can be found in the Instructor's Resource Manual.

- *Letras y sonidos* boxes offer a brief presentation of an important pronunciation topic. The purpose of these boxes is to help students improve their listening and speaking skills. All presentations have been recorded and are available for students in **MySpanishLab** with additional support provided in the Pronunciation Guide in **MySpanishLab.** Practice activities are available in the **Student Activities Manual (SAM)**.

- *Perfiles* (in the *Primera parte* only) presents information regarding the Spanish-speaking world while focusing on authentic culture and personalized experiences, then asks students to compare what they have learned with aspects of their own culture. In *Mi experiencia*, the *Para ti* questions invite students to reflect on their experiences within their own culture, while the *En tu opinión* activities encourage them to discuss topics further in small groups. *Mi música* offers students a more current sampling of music from across the Spanish-speaking world. Search terms are provided to students to access videos, audio, and lyrics of each song selection. All songs have been collected into a special *¡Arriba!* playlist and are available for purchase online.

- *Observaciones* (in the *Segunda parte* only) offers a comprehensive and engaging set of activities based on the corresponding episode of the video filmed specifically to accompany *¡Arriba!* This sitcom-like video, *¡Pura vida!,* features the interactions of five young adults who have all found their way to a residence in Costa Rica. The pre-viewing, viewing, and post-viewing activities in the text are designed to help students follow the story that unfolds in each episode.

The *Nuestro mundo* section of each chapter includes the following elements:

- *Panoramas* is a visually and textually panoramic presentation of the Hispanic country or region that is the focus of the chapter. The material is supported by activities that encourage students to discuss the regions and topics, do additional research on the Internet, and make comparisons between the targeted country's culture and their own. A new Fact Box provides additional information relevant to the country/region of focus and to the chapter theme. These boxes are designed specifically to reflect the topic of the chapter and will vary throughout the text to provide a broad understanding of the Spanish-speaking world.

- *Páginas* focuses on the development of reading skills. The readings include excerpts from magazine and newspaper articles, a fable, poems, short stories, plays, and novel excerpts. All are authentic or semi-authentic texts written by Hispanic writers from various parts of the Spanish-speaking world, including the United States. All of the readings are accompanied by pre- and post-reading activities.

- *Taller* provides guided writing activities that incorporate the vocabulary, structures, and themes covered elsewhere in the chapter. Writing assignments are varied, ranging from personal and business correspondence to fables. Each assignment is presented in a process-oriented manner, encouraging students to follow a carefully planned series of steps that includes both self-monitoring and peer editing.

Each chapter concludes with a comprehensive, clearly organized list of all active vocabulary words introduced in the chapter. This section also includes grammatical references for quicker access to information.

Program Components

Student Resources

AUDIO CDS FOR THE TEXT

The recordings on this CD set correspond to the listening comprehension activities in the textbook as well as the *¡Así es la vida!* dialogs and the *Letras y sonidos* pronunciation sections. These recordings are also available within MySpanishLab and the Companion Website.

STUDENT ACTIVITIES MANUAL

The *¡Arriba!* **Student Activities Manual,** available both in print and within **MySpanishLab**, includes a vast number of practice activities, many of which are audio- or video-based, for each chapter of the text. It also contains speaking activities that are recordable in MySpanishLab. The activities are integrated and organized to mirror the corresponding textbook chapter. Each chapter of the manual includes a *Letras y sonidos* section, a *Perfiles* section, two *¿Cuánto saben?* sections, comprehensive activities on the *Observaciones* video segments, and a *Nuestro mundo* section.

ANSWER KEY FOR THE STUDENT ACTIVITIES MANUAL

The **Answer Key** contains answers to all activities in the **Student Activities Manual.**

AUDIO CDS FOR THE STUDENT ACTIVITIES MANUAL

The recordings on this CD set correspond to the listening comprehension activities in the *¡Arriba!* **Student Activities Manual.** These recordings are also available within MySpanishLab and the Companion Website.

SUPPLEMENTARY ACTIVITIES

This *¡Arriba!* supplement provides additional activities that can be used in class or assigned for out-of-class work. Integrating highly motivational activities such as games, crossword puzzles, fill-in-the-blank activities, and paired activities, it is a rich resource for a variety of teaching situations.

QUICK GUIDE TO SPANISH GRAMMAR

This brief supplement (with laminated pages to ensure durability) provides students with a handy reference source on the key points of Spanish grammar. It is available at a special discount in value packs with the *¡Arriba!* student text.

¡PURA VIDA! VIDEO

¡Pura vida! is an original story-line video filmed specifically to accompany *¡Arriba!* Over the course of its 15 episodes, students follow the interactions of five principal characters who find themselves living together in a youth hostel in San José, Costa Rica. Students are able to see how the vocabulary and grammar structures presented in the textbook are used in realistic situations while gaining a deeper understanding of Hispanic culture. The sit-com-like format allows instructors to show or assign segments for some chapters without having to do so for others. Pre-viewing, viewing, and post-viewing activities are found in the *Observaciones* sections of the textbook and the **Student Activities Manual.** The video is available for student purchase on DVD, but is also available within **MySpanishLab,** with and without captions. In addition, the video is available to instructors on DVD.

Meet the Cast!
Here are the main characters of *¡Pura vida!* whom you will get to know as you watch the video:

| Doña Maria | Felipe | Hermés | Silvia | Patricio | Marcela |

VISTAS CULTURALES VIDEO

The Telly™ award-winning *Vistas culturales* video provides students with a rich and dynamic way to expand, enhance, and contextualize the cultural materials they study in the *Panoramas* section of the textbook. The 18 ten-minute vignettes include footage from every Spanish-speaking country. Each of the accompanying narrations, which employ vocabulary and grammar designed for first-year language learners, was written by a native of the featured country or region. The video is available for student purchase on DVD, but both it and the accompanying Video Guide are within **MySpanishLab,** with and without captions. In addition, the video is available to instructors on DVD.

- **Vistas Culturales Video Guide** The video guide includes useful vocabulary and pre-, during-, and post-viewing activities designed to guide students as they view each country segment.

ENTREVISTAS VIDEO

The *Entrevistas* video consists of guided but authentic interviews with native Spanish speakers on topics related to each chapter's theme. Participants employ target grammatical structures and vocabulary while providing broader cultural perspectives on chapter themes. The video is available for student purchase on DVD and is also available within **MySpanishLab** through links on a new interactive globe. In addition, the video is available to instructors on DVD.

Instructor Resources

ANNOTATED INSTRUCTOR'S EDITION (AIE)

The *¡Arriba!* AIE now has a **new** format, with slightly larger pages, to allow inclusion of a great deal of helpful new material. Icons are placed at appropriate points throughout each chapter to indicate related resources available in other components of the *¡Arriba!* program (see chart on page i for the icon key). The number of marginal instructor annotations has been greatly increased. The annotations fall into several categories:

- **The Five C's:** Lists all the sections and activities in the chapter that correspond to each of The Standards for Foreign Language Learning.

- **Student learning outcomes:** Suggestions for using *¿Cuánto saben?* boxes to measure student learning outcomes.

- **General introduction of . . . :** Contextualizes or provides an overview of an entire chapter or *parte.*

- **Note on . . . :** Additional information on cultural references (such as well-known people, artwork, music, etc.), grammatical functions, or vocabulary usage, beyond what is provided in the student text.

- **Presentation tip for . . . :** Suggestions for presenting new material to students, whether it is vocabulary, grammar, or culture.

- **Comprehension check for . . . :** Brief Q & A activities to confirm comprehension during instructor presentation of material.

- **Warm-up for . . . :** Suggestions for activating students' prior knowledge or helping set up an activity before carrying it out.

- **Expansion of . . . :** Ideas for lengthening or adding to an activity, such as by asking additional questions or by applying the information to students' lives.

- **Optional activity before/after . . . :** Independent activities separate but related to those in the student text that offer instructors further options for classroom practice with students. These are also available for download from the Instructor Resource Center (IRC).

- **Wrap-up:** Suggestions for concluding an activity effectively, such as by drawing a conclusion based on the students' responses or by sampling or reviewing student responses.

- **Audioscript for . . . :** The written script of what is heard on the accompanying audio program.

The *¡Arriba!* **IRM** is a comprehensive resource, available for download within MySpanishLab and on our Instructor Resource Center, that instructors can use for a variety of purposes. Contents include:

- An introduction that discusses the philosophy behind the *¡Arriba!* program, a guide to using the text's features, and a guide to other program components.

- Pointers for new instructors, including lesson planning, classroom management, warm-ups, error correction, first day of class, quizzes/tests, and other teaching resources.

- An explanation of the North American educational system, written (in Spanish) for instructors who may be unfamiliar with it.

- Sample syllabi showing how the *¡Arriba!* program can be used in traditional and hybrid classroom settings and at different paces.

- Full lesson plans for all chapters.

- The audioscript for the **Student Activities Manual** audio program.

- A guide to rubrics with samples for writing and oral assessments.

- Optional Activities, provided in Word, are available for download to use in class as described in the Annotated Instructor's Edition in the marginal teacher notes.

- The videoscripts for all three *¡Arriba!* videos (*¡Pura vida!, Vistas culturales,* and *Entrevistas*), as well as suggested activities for the *Entrevistas* video. (Activities for *¡Pura vida!* and *Vistas culturales* are available in other components of the program.)

POWERPOINT PRESENTATIONS

This new set of **PowerPoint Presentations** includes visual materials from the textbook, together with dynamic presentations on each grammar point covered in the text.

TESTING PROGRAM

The *¡Arriba!* **Testing Program**, now fully online, has been revised to mirror the content of the textbook in this edition, and has been carefully edited to ensure close coordination with the main text and **Student Activities Manual.** In addition to finished, ready-to-use tests for each chapter, it contains over 500 testing modules from which instructors can draw to create customized tests. The assessment goal, content area, and response type are identified for each module. Available within **MySpanishLab** is a user-friendly test-generating program known as **MyTest** that allows instructors to select, arrange, and customize testing modules to meet the needs of their courses. Once created, tests can be printed on paper or administered online.

AUDIO ON CD FOR THE TESTING PROGRAM

This CD contains the recordings to accompany the listening comprehension activities in the *¡Arriba!* **Testing Program.** These recordings are also available within MySpanishLab.

Online Resources

MYSPANISHLAB

MySpanishLab is a widely adopted, nationally hosted online learning system designed specifically for students in college-level language courses. It brings together—in one convenient, easily navigable site—a wide array of language-learning tools and resources, including an interactive version of the *¡Arriba!* **Student Activities Manual,** an interactive version of the *¡Arriba!* student text, and all materials from the *¡Arriba!* audio and video programs. Readiness checks, practice tests, and tutorials personalize instruction to meet the unique needs of individual students. Students can also post videos using the MediaShare feature, listen to podcasts, and view other resources using the *Panoramas* Interactive Globe. Instructors can use the system to make assignments, set grading parameters, provide feedback on student work, add new content, access instructor resources, and hold online office hours. Instructor access is provided at no charge. Students can purchase access codes online or at their local bookstore. For more information, including case studies that illustrate how **MySpanishLab** saves time and improves results, visit www.mylanguagelabs.com.

COMPANION WEBSITE

The open-access **Companion Website** features access to the recordings found on the Audio CDs to Accompany the Text and the Audio CDs to Accompany the Student Activities Manual as well as information about the music playlist.

Acknowledgments

The sixth edition of *¡Arriba!* is the result of careful planning between ourselves and our publisher and ongoing collaboration with students and you—our colleagues—who have been using the first, second, third, fourth, and fifth editions. We look forward to continuing this dialog and sincerely appreciate your input. We owe special thanks to the many members of the Spanish teaching community whose comments and suggestions helped shape the pages of every chapter. We gratefully acknowledge and thank in particular our reviewers for this sixth edition:

Frances Alpren, *Vanderbilt University*
Luz María Álvarez, *Johnson County Community College*
Stephanie M. Álvarez, *University of Texas - Pan American*
Stacy Amling, *Des Moines Area Community College, Boone Campus*
Debra Andrist, *Sam Houston State University*
José Badillo, *Metropolitan Community College in Omaha, Nebraska*
Sonia Barrios Tinoco, *Seattle University*
Marie Blair, *University of Nebraska-Lincoln*
Miryan Boles, *Texas Southern University*
Lillie Busby, *Sam Houston State University*
Alicia T. Casals, *Texas Southern University*
Christine Coleman Núñez, *Kutztown University of Pennsylvania*
Lina L. Cofresí, *North Carolina Central University*
David Cruz de Jesus, *Baruch College, CUNY*
David D. Dahnke, *Lone Star College - North Harris*
John B. Davis, *Indiana University, South Bend*
Keri Dutkiewicz, *Davenport University*
Margaret Eomurian, *Houston Community College*
Timothy J. Erskine, *Western Michigan University*
Marisela Fleites-Lear, *Green River Community College*

Ana M. Hnat, *Houston Community College*
Silvia Huntsman, *Sam Houston State University*
Qiu Y. Jiménez, *Bakersfield College*
Sheila Jones, *Sam Houston State University*
Lunden MacDonald, *Metropolitan State College of Denver*
Carlos Martínez, *New York University*
Joseph McClanahan, *Creighton University*
Ryan J. Minier, *Western Michigan University*
Norma A. Mouton, *Sam Houston State University*
Catherine Ortiz, *University of Texas at Arlington*
Christine R. Payne, *Sam Houston State University*
Sue Pechter, *Nortwestern University*
Edith S. Pequeño, *Blinn College*
Nilsa O. Pérez-Cabrera, *Blinn College*
Kay E. Raymond, *Sam Houston State University*
Ray S. Rentería, *Sam Houston State University*
Victor E. Slesinger, *Palm Beach State College*
John P. Sullivan, *Prairie View A&M University*
Hilde M. Votaw, *University of Oklahoma*
Michael Vrooman, *Grand Valley State University*
Mary H. West, *Des Moines Area Community College, Ankeny Campus*
Olivia Yáñez, *College of Lake County*

We are grateful to the many who granted permission to use photos and literary selections (see Text and Photo Credits).

We wish to express our gratitude and appreciation to the many people at Prentice Hall who contributed their ideas, tireless efforts, and publishing experience to the sixth edition of *¡Arriba!* We are especially grateful for the guidance of Celia Meana, development editor, for all of her work, suggestions, attention to detail, and dedication to the text. Her support and

spirit helped us to achieve the final product. We would also like to thank the contributors who assisted us in the preparation of the sixth edition: Catherine Hebert and John B. Davis for co-authoring the **Testing Program,** Christine Coleman Núñez for her work on the **Instructor's Resource Manual,** and Evelyn F. Brod and Teresa Roig-Torres for authoring the **Supplementary Activities.** We also wish to express our gratitude to Marie Blair and Nilsa Pérez-Cabrera for all of their hard work and great attention to detail as page proof reviewers. We are very grateful to other colleagues and friends at Pearson Education/Prentice Hall: Meriel Martínez, Media Editor, for helping us produce the audio programs and Companion Website; Melissa Marolla Brown, Development Editor for Assessment, for the diligent coordination among the text, **Student Activities Manual,** and **Testing Program**; Samantha Alducin, for helping us produce such a great video. We are very grateful to our **My SpanishLab** team, Bob Hemmer, Samantha Alducin, and Mary Reynolds, for the creation of the *¡Arriba!* **MySpanishLab** course. Thanks to Katie Corasaniti, Editorial Coordinator, and Samantha Pritchard, Editorial Assistant, for attending to many administrative details.

We are very grateful to our marketing team, Kris Ellis-Levy, Denise Miller, and Bill Bliss, for their creativity and efforts in coordinating all marketing and promotion for this edition. Thanks, too, to our production team, Mary Rottino, Janice Stangel, and Nancy Stevenson, who guided *¡Arriba!* through the many stages of production; to our partners at PreMedia Global, especially Melissa Sacco, for her careful and professional editing and production services. We also thank our art manager, Gail Cocker, and illustrator, Andrew Lange, for the amazing creativity and beautiful illustrations. Special thanks to Leslie Osher, Miguel Ortiz, and Anne DeMarinis for the gorgeous interior and cover designs. Finally, we would like to express our sincere thanks to Phil Miller, Publisher, and Julia Caballero, Executive Editor, for their guidance and support through every aspect of this new edition.

Finally, our love and deepest appreciation to our families: Lourdes, Cindy, Eddy, and Lindsey, Elena, Ed, Lauren, and Will; Wayne, Alexis, Sandro, Ignacio and Isla; Camille, Chris, Eleanor, Teresa and Toby; and Pete, Valayda and Jesse, Roger and Britt, Dave, Nancy, Wesley, and Megan, Leisa and David, and Tammy.

Eduardo Zayas-Bazán
Susan M. Bacon
Holly J. Nibert

¡ARRIBA!

1

Hola, ¿qué tal?

1 Primera parte

		OBJETIVOS COMUNICATIVOS
¡Así lo decimos! Vocabulario	Saludos y despedidas	• Meeting and greeting others
¡Así lo hacemos! Estructuras	The Spanish alphabet	• Spelling your name
	The numbers 0–100	• Performing simple math problems
	The days of the week, the months, and the seasons	• Talking about the calendar and dates
Perfiles		
Mi experiencia	Soy bilingüe	
Mi música	"Mi corazoncito" (Aventura, EE. UU.)	

2 Segunda parte

¡Así lo decimos! Vocabulario	En la clase	• Describing your classroom
¡Así lo hacemos! Estructuras	Subject pronouns and the present tense of ser	• Responding to classroom instructions
	Nouns and articles	• Talking about yourself and others
	Adjective forms, position, and agreement	• Identifying colors and talking about your favorite color
Observaciones	¡Pura vida! Episodio 1	

Nuestro mundo

Panoramas	La diversidad del mundo hispano
Páginas	*Versos sencillos,* "XXXIX" (José Martí, Cuba)
Taller	Una carta de presentación

Readiness
Check

La diversidad del mundo hispano

EUROPA

AMÉRICA DEL NORTE

ÁFRICA

OCÉANO ATLÁNTICO

OCÉANO PACÍFICO

AMÉRICA DEL SUR

ANTÁRTIDA

«Si vives alegre, rico eres».

Refrán: If your life is happy, you are rich. (Your wealth lies in your happiness.)

El descubrimiento de América por Cristóbal Colón.
Salvador Dalí, 1958.

Historia de México desde la conquista hasta el futuro.
Diego Rivera, 1930.

Primera parte

¡Así lo decimos!¹ VOCABULARIO

📖 ¡Así es la vida!² Saludos y despedidas
01-01

En la universidad los estudiantes y los profesores conversan.³

JORGE:	Hola, María Luisa. ¿Cómo estás?
MARÍA LUISA:	Muy bien, Jorge. ¿Y tú? ¿Qué tal?
JORGE:	¿Yo? ¡Fenomenal!

PROFESORA LÓPEZ:	Hola, buenas tardes. ¿Cómo se llama usted?
ROBERTO:	Me llamo Roberto Gómez.
PROFESORA LÓPEZ:	Mucho gusto. Soy la profesora López.
ROBERTO:	Encantado.

LUPITA:	Hasta luego, Juan.
JUAN:	¡Nos vemos!

---

¹That's how we say it!
²That's life
³**Estudiante**, **profesor**, and **conversan** are cognates, words that are similar in English and Spanish. Do you recognize other cognates in the dialogs?

Vocabulario Saludos y despedidas

01-02 to 01-07

Variaciones

Numerous greetings and farewells are used in the Spanish-speaking world and variations are common. The expression **¿Qué onda?** (*What's up?*) is popular in Mexico. A brief **Buenas** for *good afternoon/evening* is typical in Spain. Speakers from many Latin American countries commonly use the expression **¡Chau!** (also spelled **¡Chao!**) to say *Good-bye!*

Saludos Greetings

Buenos días.   *Good morning.*
Buenas noches.   *Good evening.*
Buenas tardes.   *Good afternoon.*
¿Cómo está usted?   *How are you?* (formal)
¿Cómo estás?   *How are you?* (informal)
Hola.   *Hello, Hi.*
¿Qué pasa?   *What's happening?*
  What's up? (informal)
¿Qué tal?   *What's up?* (informal)

Respuestas Responses

De nada.   *You're welcome.*
¿De verdad?   *Really?*
Encantado/a.   *Pleased to meet you.*
Gracias.   *Thank you.*
Igualmente.   *Likewise.*
Lo siento.   *I'm sorry.*
Más o menos.   *So-so.* (lit. *More or less.*)
Mucho gusto.   *Nice to meet you.*
(Muy) Bien.   *(Very) Well.*
(Muy) Mal.   *(Very) Bad.*
Todo bien.   *All's well.*

Despedidas Farewells

Adiós.   *Good-bye.*
Hasta luego.   *See you later.*
Hasta mañana.   *See you tomorrow.*
Hasta pronto.   *See you soon.*
Nos vemos.   *See you.*

Presentaciones Introductions

¿Cómo se llama usted?   *What's your name?* (formal)
¿Cómo te llamas?   *What's your name?* (informal)
Me llamo...   *My name is . . .* (lit. *I call myself . . .*)
Mi nombre es...   *My name is . . .*
Soy...   *I am . . .*

Títulos Titles

el señor (Sr.)   *Mr.*
la señora (Sra.)   *Mrs., Ms.*
la señorita (Srta.)   *Miss*

Sustantivos Nouns

la clase   *class*
el estudiante   *student (male)*
la estudiante   *student (female)*
el profesor   *professor (male)*
la profesora   *professor (female)*
la tarea   *homework*
la universidad   *university*

Otras palabras y expresiones Other words and expressions

¿Cómo se escribe...?   *How do you spell . . . ?*
con   *with*
mi/mis   *my*
o   *or*
tu/tus   *your* (informal)
y   *and*

la profesora

el estudiante

Letras y sonidos

Spanish Vowels

In Spanish, each of the five letters **a, e, i, o, u** corresponds to one and only one vowel *sound*. In English, these same five letters correspond to many different vowel sounds, which tend to be long and glided. For example, the letter *a* creates five different vowel sounds in the following words: f*a*ther, c*a*t, *a*pproach, bl*a*me, *a*we.

What vowel sound in English corresponds to each of the letters **a, e, i, o, u** in Spanish?

- The letter **a** is pronounced like the *a* in f*a*ther, but is shorter.

más	pasa	nada	mañana	encantada

- The letter **e** is pronounced like the *e* in th*e*y, but is shorter with no final glide.

es	tres	mesa	deporte	interesante

- The letter **i** is pronounced like the *i* in mach*i*ne, but is shorter.[1]

mi	niño	libro	tímido	inteligente

- The letter **o** is pronounced like the *o* in al*o*ne, but is shorter with no final glide.

o	hola	color	exótico	nosotros

- The letter **u** is pronounced like the *u* in fl*u*te, but is shorter.

tú	azul	lunes	gusto	música

APLICACIÓN

1-1 ¿Qué tal?   If you heard the statements or questions on the left, how would you respond? Choose from the list of options on the right.

MODELO: Adiós.

Hasta luego.

1. _____ Soy el doctor Gómez.
2. _____ Gracias.
3. _____ ¿Cómo se llama usted?
4. _____ Mucho gusto.
5. _____ ¿Cómo estás?
6. _____ Buenas tardes, Tomás.
7. _____ Adiós.
8. _____ Estoy muy mal.

a. Me llamo Pedro Guillén.
b. Buenos días, doctor.
c. Buenas tardes, profesora.
d. Hasta mañana.
e. ¿De verdad? Lo siento.
f. De nada.
g. Igualmente.
h. Estoy muy mal.

 1-2 ¿Quiénes son? (*Who are they?*)   Listen to the short conversations and write the number of each conversation next to the corresponding situation below.

_____ two friends saying good-bye

_____ a teacher and student introducing themselves

_____ a young person greeting an older person

_____ two friends greeting each other

_____ two students introducing themselves

---

[1]Be careful to avoid the *i* sound in s*i*t in the following words, since this sound does not exist in Spanish: **inteligente, interesante, introvertido, impaciente, tímido, simpático, misterioso.**

1-3 ¡Hola! The following people are meeting for the first time. What would they say to each other?

MODELO:

PROFESOR SOLAR: *Buenas tardes. Soy el profesor Solar.*
ESTER: *Buenas tardes, profesor Solar. Soy Ester Muñoz.*
PROFESOR SOLAR: *Mucho gusto.*
ESTER: *Igualmente.*

el profesor Solar,
Ester Muñoz

la Sra. Aldo,
la Sra. García

Patricia, Marcos

Eduardo, Manuel

1-4 Saludos. Read about different ways to greet someone in Spanish-speaking countries.

Paso 1 Before you begin to read, think about how you greet people you're meeting for the first time. How do you greet relatives? Friends? Does the age of the person you are greeting make a difference? When do people embrace, hug, or kiss each other on the cheek in the U.S. and Canada?

> Many Spanish speakers use nonverbal signs when interacting with each other. These signs will vary, depending on the social situation and on the relationship between the speakers. In general, people who meet each other for the first time shake hands (**dar la mano**) both when greeting and when saying good-bye to each other. Relatives and friends, however, are usually more physically expressive. Men who know each other well often greet each other with an **abrazo** (*hug*) and pats on the back. Women tend to greet each other and their male friends with one (Latin America) or two (Spain) light kisses on the cheeks.

Paso 2 Introduce yourself to five of your classmates. Shake hands or kiss lightly on the cheek as you ask them their names and how they are doing. Then say good-bye.

1-5A ¿Cómo está usted? (*When you see the icon of two people with a line between them, one of you will assume the A role in the text; the other, the B role in **Appendix 1** for B Activities.*) Assume the role of instructor; your partner is your student. Act out the following conversation in which you greet each other and ask how things are. Use the information provided to complete your end of the conversation. **Estudiante B,** please see **Appendix 1,** page A-1 for your part.

MODELO: ESTUDIANTE A: *Buenos días...*
ESTUDIANTE B: *Hola...*

Estudiante A:

> • It's morning. You greet the student, introduce yourself, and ask his/her name.
>
> • Respond that you feel great today. Ask how he/she is feeling.
>
> • Say that you are surprised and that you are sorry.
>
> • Respond to the student.

The comfortable physical distance between Hispanics when holding a conversation is much closer than in many other cultures. Anglo-Americans tend to feel comfortable when they maintain at least arm's distance from the person to whom they are talking. As a test, stand at arm's distance from a classmate, then take one step closer. How do you feel at each distance?

¡Así lo hacemos!¹ ESTRUCTURAS

  1. The Spanish alphabet²

01-10
to 01-13

The Spanish alphabet contains twenty-seven letters, including one that does not appear in the English alphabet: ñ³.

Letra (*Letter*)	Nombre (*Name*)	Ejemplos (*Examples*)	Pronunciación (*Pronunciation*)
a	a	Ana	
b	be	Bárbara	The letters **b** and **v** are pronounced exactly alike, as a **b**.
c	ce	Carlos, Cuba, Cecilia	In all varieties of Spanish, the letter **c** before **a, o,** or **u** sounds like English *k*. In Latin America, the letter **c** before **e** or **i** is pronounced like English *s*. In most of Spain, **c** before **e** and **i**, and the letter **z**, are pronounced like the English *th* in *thanks*.
d	de	Dios, Pedro	
e	e	Ernesto	
f	efe	Fernando	
g	ge	gato, gusto, gitano	The letter **g** before **a, o,** or **u** is pronounced like the English *g* in *gate*. Before **e** or **i**, the letter **g** is pronounced the same as Spanish **j** (or a hard English *h*).
h	hache	Hernán, hola, hotel	The letter **h** is always silent.
i	i	Inés	
j	jota	José	The letter **j** is like a hard English *h* sound.
k	ka	kilómetro, karate	The letter **k** is not common and usually appears only in words borrowed from other languages.
l	ele	Luis	
m	eme	María	
n	ene	Nora, nachos	
ñ	eñe	niño	The **ñ** sounds like *ny* as in *canyon*.
o	o	Óscar	
p	pe	Pepe	
q	cu	Quique, química	
r	ere	Laura, Rosa	At the beginning of a word, **r** is always pronounced like a trilled **rr**.
s	ese	Sara	
t	te	Tomás	
u	u	usted, Úrsula	
v	uve	Venus, vamos	The letters **b** and **v** are pronounced exactly alike, as a **b**.
w	doble uve	Washington, windsurf	The letter **w** is not common and usually appears only in words borrowed from other languages.
x	equis	excelente, México	Usually like *ks,* but also occasionally like Spanish **j**.
y	ye (i griega)	soy, Yolanda, maya	The letter **y** is a semivowel at the end of a syllable, as in English *toy,* or is a consonant at the beginning of a syllable, as in English *yard*.
z	zeta	Zorro, lápiz	In Latin America, the letter **z** is pronounced like English *s*. In most of Spain, it sounds like the English *th* in *thanks*.

---

¹That's how we do it!
²In 2010, the *Real Academia Española* revised the Spanish alphabet, eliminating *ch, ll* and changing the names of some letters. The *ch* and *ll* sequences still exist: Chile (pronounced as in English), llama (pronounced like [yama]).
³The letter **ñ** follows the **n** in the dictionary.

APLICACIÓN

1-6 ¿Qué vocal falta? Complete the names of these famous **hispanos** with the missing vowels. *¡Ojo!* (Watch out!): When a letter carries an accent, say **con acento** after saying the name of the letter: **eme - a - ere - i con acento - a (María).**

MODELO: _____ v _____   M _____ nd _____ s   (actriz)
          e, a, e, e (Eva Mendes)

1. J _____ nn _____ fer   L _____ p _____ z   (actriz y cantante)
2. C _____ mer _____ n   D _____ _____ z   (actriz)
3. R _____ f _____ el   N _____ d _____ l   (tenista)
4. J _____ ss _____ c _____   _____ lb _____   (actriz)
5. P _____ bl _____   P _____ c _____ ss _   (pintor)

¿Cómo se escribe "cigüeña" (*stork*)?

1-7 ¿Qué consonante falta? What consonants are missing from the names of these countries in the Spanish-speaking world?

MODELO: Mé ___ i ___ o
          x (equis), c (ce)

1. Ar _____ enti _____ a
2. Bo _____ i _____ ia
3. _____ erú
4. E _____ ua _____ or
5. Ve _____ e _____ ue _____ a

6. El Sa _____ _____ ado _____
7. Re _____ ública Do _____ ini _____ ana
8. Co _____ _____ a _____ ica
9. Para _____ ua _____
10. Espa _____ a

1-8 ¿Quién soy yo? (*Who am I?*) With your partner, take turns dictating your full names to each other. Then check to see whether your spelling is correct.

1-9A Otra vez, por favor (*please*). Take turns spelling out the words in parentheses to your partner while he/she writes them down. Be sure to first say in what category they belong. If you need to hear the spelling again, ask your partner to repeat by saying **Repite, por favor. Estudiante B,** please see **Appendix 1,** page A-1.

MODELO: cosa (*thing*) (quesadilla)
          ESTUDIANTE A: *Es una cosa, cu - u - e - ese - a - de - i - ele - ele - a*
          ESTUDIANTE B: (After writing down the word) *¿Es una quesadilla?*
          ESTUDIANTE A: *Correcto.*

Estudiante A:

I say and spell . . .	I write . . .
1. persona famosa (George López)	1. persona famosa: _____
2. ciudad (Lima)	2. ciudad (*city*): _____
3. cosa (banana)	3. cosa: _____
4. ciudad (Albuquerque)	4. ciudad: _____

Presencia hispana

The terms **hispano** and **latino** tend to be used interchangeably in the U.S. for people with origins in Spanish-speaking countries. The U.S. Office of Management and Budget currently defines **hispano** or **latino** as "a person of Mexican, Puerto Rican, Cuban, South or Central American, or other Spanish culture or origin, regardless of race." In the most recent U.S. Census, some 75% of all **hispanos** spoke Spanish in the home. What are the advantages of being bilingual in today's world?

2. The numbers *0–100*

Numbers in Spanish are expressed as follows:

0–9	10–19	20–29	30–39
cero	diez	veinte	treinta
uno	once	veintiuno	treinta y uno
dos	doce	veintidós	treinta y dos
tres	trece	veintitrés	treinta y tres
cuatro	catorce	veinticuatro	treinta y cuatro
cinco	quince	veinticinco	treinta y cinco
seis	dieciséis	veintiséis	treinta y seis
siete	diecisiete	veintisiete	treinta y siete
ocho	dieciocho	veintiocho	treinta y ocho
nueve	diecinueve	veintinueve	treinta y nueve

40–49:	cuarenta, cuarenta y uno, cuarenta y dos, cuarenta y tres…
50–59:	cincuenta, cincuenta y uno, cincuenta y dos, cincuenta y tres…
60–69:	sesenta, sesenta y uno, sesenta y dos, sesenta y tres…
70–79:	setenta, setenta y uno, setenta y dos, setenta y tres…
80–89:	ochenta, ochenta y uno, ochenta y dos, ochenta y tres…
90–99:	noventa, noventa y uno, noventa y dos, noventa y tres…
100–109:	cien, ciento uno, ciento dos, ciento tres…

- **Uno** becomes **un** before a masculine singular noun and **una** before a feminine singular noun.

un libro	*one book*	**una mesa**	*one table*
un profesor	*one professor (male)*	**una profesora**	*one professor (female)*

- In compound numbers, **-uno** becomes **-ún** before a masculine noun and **-una** before a feminine noun.

veintiún libros	*twenty-one books*
veintiuna profesoras	*twenty-one female professors*

- The numbers **dieciséis** through **diecinueve** (16–19) and **veintiuno** through **veintinueve** (21–29) are generally written as one word. The condensed spelling is not used after 30.

- **Cien** is used when it precedes a noun or when counting the number 100 in sequence.

cien estudiantes	*one hundred students*
noventa y ocho, noventa y nueve, **cien**	*ninety-eight, ninety-nine, one hundred*

- **Ciento** is used in compound numbers from 101 to 199.

ciento uno	*one hundred and one*
ciento cuarenta y cinco	*one hundred and forty-five*
ciento diez	*one hundred and ten*
ciento noventa y nueve	*one hundred and ninety-nine*

The ancient Maya developed a precise base-20 counting system that included zero (shell), one (dot), and five (bar). Can you see the number 18?

APLICACIÓN

1-10 ¿Qué número falta? Figure out the patterns of numbers below and complete them with the logical numbers in Spanish.

MODELO: uno, _____*tres*_____, cinco, _____*siete*_____, nueve, _____*once*_____

1. dos, _____, seis, ocho, _____, doce, _____

2. _____, _____, cinco, siete, _____, once

3. uno, cinco, nueve, _____, diecisiete, veintiuno, _____

4. cinco, diez, _____, veinte, veinticinco, _____, _____

5. treinta, cuarenta, _____, _____, setenta, _____,
_____

6. once, veintidós, _____, cuarenta y cuatro, cincuenta y cinco _____,
setenta y siete, _____

7. veintiuno, veintitrés, veinticinco, _____, veintinueve, _____

8. noventa, ochenta, _____, sesenta, cincuenta, _____, _____

¿Cuál es tu número favorito?

Cultura en vivo

There is variation among cultures when counting off numbers on fingers. In some Hispanic cultures, they start with a closed hand and extend fingers beginning with the thumb as they count. Others begin with an open hand facing down and fold their fingers in as they count, beginning with the little finger. Try counting from 1 to 10 with each method to see how each feels. What method do you usually use to count on your fingers?

1-11 Te toca a ti (*It's your turn*). Challenge a classmate with an original sequence of numbers. See the previous activity for models.

1-12 ¿Cuál (*What*) es tu número de teléfono? In preparation for getting together to work on future projects, exchange phone numbers with three or four other classmates. Notice that telephone numbers in Spanish can be stated in groups of two digits rather than in single digits.

MODELO: E1: *¿Cuál es tu número de teléfono?*
E2: *(301) 555-2240: tres, cero, uno, cinco, cincuenta y cinco, veintidós, cuarenta*

En Guatemala, ¿qué número marcas para llamar al extranjero (*internationally*)?

1-13 ¿Qué se hace en Madrid (*What do people do . . .*)? On what page of the tourist guide can you find information about what to do in Madrid?

En Madrid

La **Semana Santa** en Madrid ofrece un buen número de procesiones.

El 30 se corre la famosa **Mapoma** (Maratón Popular de Madrid).

El 23 se celebra el **Día del Libro.** Se ofrece una gran variedad de libros por todo el centro de la ciudad.

Atención: Noten que los museos tienen horas especiales durante la Semana Santa.

Bienvenida a los participantes del Congreso de Inmunología Humana que tiene lugar en el Hotel Principado.

El teléfono turístico: 902 202 202.

La línea turística proporciona amplia información sobre hoteles, restaurantes, camping, hostales, etc., las mejores ofertas para viajar, dónde y cómo reservar.

010 Teléfono del consumidor.

Toda la información cultural y de servicios del Ayuntamiento de Madrid.

MARZO - 2010

Ballet	.13	Fiestas	.20
Conciertos	.12	Miscelánea	.23
Congresos	.18	Música	.20
Datos útiles	.26	Niños	.22
Deportes	.14	Ópera	.14
Exposiciones	.4	Paseo del arte	.31
Ferias	.14	Puntos de interés	.27

EDITA Patronato Municipal de Turismo Mayor, 69, 28013
Madrid. Tel. 91 588 29 00
El p.m.t. no se responsabiliza de los cambios de última hora.

MODELO: ___20___ música
en la página veinte

1. _____ puntos de interés
2. _____ datos útiles
3. _____ congresos
4. _____ niños
5. _____ conciertos

6. _____ ballet
7. _____ paseo del arte
8. _____ deportes
9. _____ fiestas
10. _____ ópera

3. The days of the week, the months, and the seasons

Los días de la semana (*Days of the week*)

- The days of the week in Spanish are written in lower-case and are all masculine.

- Calendars usually begin the week with Monday, not Sunday.

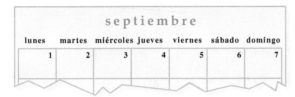

septiembre						
lunes	martes	miércoles	jueves	viernes	sábado	domingo
1	2	3	4	5	6	7

- The definite article is not used after **es** when telling what day of the week it is.

  Hoy **es jueves.**　　　　　　*Today is Thursday.*

- *On Monday . . . , on Tuesday . . .* , etc., is expressed by using the definite article **el.**

  El examen es **el lunes.**　　　*The exam is on Monday.*

- In the plural, the days of the week express the idea of doing something regularly.

  Voy al gimnasio **los sábados.**　　*I go to the gym on Saturdays.*

- Days that end in **-s** have the same form in the singular and the plural. **El lunes** becomes **los lunes** in the plural.

  La clase de filosofía es **los lunes,**　　*Philosophy class is on Mondays,*
  　los miércoles y **los viernes.**　　*Wednesdays, and Fridays.*

Los meses del año (*Months of the year*)

- Months are written in lower-case in Spanish.

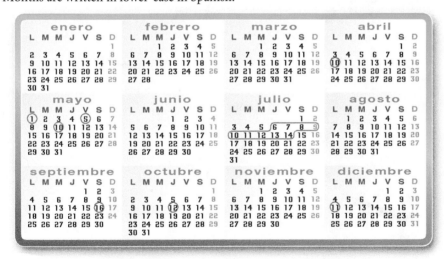

Mi cumpleaños es en **noviembre.**　　*My birthday is in November.*
Hay veintiocho días en **febrero.**　　*There are twenty-eight days in February.*

- To ask the date say:

  ¿Cuál es la fecha?
  ¿Qué fecha es? } *What's today's date?*

  To answer say:

  Hoy es (el) dos de febrero.[1] *Today is February 2nd.*

- Use cardinal numbers with dates (**el cuatro, el once**), except for the first day of the month which is **el primero.**

  el cinco de mayo. *May 5th.*
  el primero de enero. *January 1st.*

Las estaciones del año (*Seasons of the year*)

- The seasons in Spanish are not capitalized.

el invierno

la primavera

el verano

el otoño

- The definite article is used to talk about the seasons but is omitted to say what season it is.

  ¿Cómo es **la primavera** aquí? *What is spring like here?*
  Es **verano** ahora en Argentina. *It's summer now in Argentina.*

---

[1]Spanish speakers will often omit **el** before the number when referring to today's date.

APLICACIÓN

1-14 **Fiestas importantes en el mundo hispano.** Match the holidays to the dates they are celebrated in the Spanish-speaking world.

MODELO: El día de la Independencia de México es en el otoño.
El 16 de septiembre es el día de la Independencia de México.

1. _____ En EE. UU. es una fiesta para celebrar la cultura mexicana.

2. _____ El día de la Raza (o el día de Cristóbal Colón) es en el otoño.

3. _____ La fiesta de la Virgen de Guadalupe es en el invierno.

4. _____ El día festivo (*holiday*) para los trabajadores es en la primavera.

5. _____ En Costa Rica, el día de la Madre es en el verano.

6. _____ En Pamplona, España, se celebran los sanfermines[1] por nueve días en el verano.

a. el 12 de diciembre
b. del 6 al 14 de julio
c. el 5 de mayo
d. el 15 de agosto
e. el 12 de octubre
f. el primero de mayo

Ernest Hemmingway conmemoró las fiestas de San Fermín en *The Sun Also Rises.*

1-15 **Fechas importantes en EE. UU. y Canadá.** Tell the dates of the following celebrations.

MODELO: *el diecisiete de marzo*

1.

2.

3.

4.

[1]**Los sanfermines** is a masculine one-word plural noun referring to the festivities that honor Saint Fermin (**San Fermín**) in Spain.

Cinco de Mayo marks the victory of Mexican forces under General Ignacio Zaragoza over the French at the Battle of Puebla on May 5, 1862. Although the Mexican army suffered defeats soon afterward, the *Batalla de Puebla* came to symbolize Mexican unity and patriotism. Today, it has been highly commercialized and is celebrated more actively in the U.S. than in Mexico, which instead celebrates its independence from Spain on September 16, 1810. Do you celebrate **Cinco de mayo**?

1-16 Las estaciones del año. Remember that the seasons in the northern and southern hemispheres are inverted. Write the season in which each month falls in the northern hemisphere. Then do the same with the southern hemisphere (*el Cono Sur*).

	Hemisferio Norte	**Cono Sur**
1. agosto	_____	_____
2. julio	_____	_____
3. diciembre	_____	_____
4. marzo	_____	_____
5. octubre	_____	_____
6. septiembre	_____	_____

Es junio y Miguel esquía en Bariloche, Argentina.

1-17A Los días, los meses y las estaciones. Take turns asking each other questions to fill in the missing days, dates, and months on each of your grids. **Estudiante B**, please see **Appendix 1**, page A-2.

MODELO: ESTUDIANTE A: (You need) *¿Un mes de otoño?*
ESTUDIANTE B: (You have) *octubre*

Estudiante A:

You need . . .	My partner gives me . . .	Your partner needs . . .
1. el día de la Independencia		el 14 de febrero
2. un día con nueve letras		enero
3. un mes con treinta días		mayo
4. un día que no hay (*there are no*) clases		febrero
5. un mes de verano		el lunes

1-18 ¿Cuándo es tu cumpleaños? In groups of six or seven students, take turns reporting your birthdays. Have one person fill in the dates for each month reported. Present your findings to the class using the following questions as a guide.

MODELO: *Mi cumpleaños es el 17 de enero.*

1. ¿Cuál (*Which*) es el mes más común?
2. ¿Cuál es el mes menos común?
3. ¿Hay (*Are there*) dos personas con el mismo día de cumpleaños?

Los cumpleaños de los estudiantes										
enero	17									
febrero										
marzo										
abril										
mayo										
junio										
julio										
agosto										
septiembre										
octubre										
noviembre										
diciembre										

¿Cuánto saben?

01-23 to 01-27

First, ask yourself whether you can perform the following functions in Spanish. Then act out the scenarios with two or three classmates. Ask and respond to at least three questions in each situation.

✓ CAN YOU . . .

☐ meet and greet others?

☐ spell your name?

☐ perform simple math problems in Spanish?

☐ talk about the calendar and dates?

WITH YOUR CLASSMATE(S) . . .

Situación: En clase
This is your first day of class. Take turns introducing yourself as a professor or student and ask others their names.
Para empezar (*Getting started*): *¿Cómo te llamas?*
¿Cómo se llama usted?

Situación: En el centro de estudiantes internacionales
You and your partner are welcoming students to a reception for international students and need to write everyone's name on name tags. Take turns asking their names and how to spell them.
Para empezar: *¿Cómo te llamas?* *¿Cómo se escribe...?*

Situación: Planes para una fiesta
Challenge each other to calculate how many soft drinks (*refrescos*) and pizzas you need if you invite 5, 10, or another number of friends.
Para empezar: *Con cinco amigos, necesitamos diez refrescos y... pizzas. Con... amigos, necesitamos...*

Situación: En un café
Share within the group your favorite holidays. Which ones do you have in common?
Para empezar: *¿Cuál es tu día festivo favorito?*
El día festivo favorito de muchos (many) *es...*

📖 Perfiles

Mi experiencia

SOY BILINGÜE

1-19 Para ti (*For you*). Do you have friends or family members who speak more than one language? Did they grow up speaking two languages, learn a second language in school, or live in a place where English was not the primary language? What are the economic, political, and social advantages to being bilingual and bicultural in today's world? Read the excerpt from Oscar Ponce Torres's blog below about growing up bilingual.

¡Hola! ¿Qué pasa? My name is Óscar Ponce Torres and I live in New York City. My family is originally from Puerto Rico; my parents moved to New York when I was just a kid. Growing up, I spoke Spanish at home and learned English in school, like most of my friends in the neighborhood. I'm very proud of my Puerto Rican heritage and of being both bicultural and bilingual. Currently, I study international business at New York University, and in the future I hope to work with a company with locations here and abroad. I know that being able to speak two languages offers many professional and social opportunities, but for me, speaking Spanish and English with family and friends is what I know; it's my experience. And when we get together, there's always music playing in the background, including the latest by the group Aventura. Listen to the song "Mi corazoncito" for a sense of what it sounds like to live in a bilingual world.

Presencia hispana

Because the Spanish settled much of the North American continent before other nationalities, when states came into the Union, many of the inhabitants were descendents of the first settlers who arrived with Spanish explorers. Can you name the states that were originally territory dominated by Spain?

👥 1-20 **En su opinión.** With a partner, explore your experiences and ideas about bilingualism by discussing the following questions.

1. What are your reasons for studying Spanish?

2. Do you plan to use Spanish in a particular career or in another facet of your life? How so?

3. Have you studied or do you speak other languages besides English and Spanish? What about your friends and family?

4. Do you think it is important to know more than one language? Why or why not?

5. What other people in the media or public eye can you name that are bilingual? How has it helped them?

Mi música

"MI CORAZONCITO" (AVENTURA, EE. UU.)

The group Aventura formed in the Bronx in 1994. Their musical style is **bachata,** whose themes are often romantic with tales of heartbreak. Aventura has a particular **bachata** style combining the traditional sound with hip-hop, R & B, and reggaeton, as well as using both English and Spanish lyrics. The members of Aventura are "Romeo" Santos, Lenny Santos, Max Santos, and Henry Santos Jeter.

Antes de ver y escuchar (*Pre-viewing and -listening*)

1-21 Estilos musicales. With what American or Latin rap artists are you familiar? Which ones have been honored with a Grammy? Have you ever heard a **bachata**? Of the following musical styles, which ones do you prefer and why?

country   metálica   pop   R & B   rap   rock

1-22 Mi corazoncito. The title of the song means "my little heart" and is typical of a **bachata** rhythm and theme. Here are some of the words you will hear in the song. Guess their meanings and write down their equivalents in English before listening to the song. If necessary, consult a Spanish-English dictionary.

1. amor _____
2. imaginación _____
3. hombre _____
4. bohemio loco _____
5. poeta _____
6. negro _____

Para ver y escuchar (*Viewing and listening*)

1-23 La canción. Connect with the Internet to find a site on which Aventura performs this piece. You may also want to search for the lyrics (*letra*). In what way is this song considered a **bachata**? How does it compare to country music in the U.S.?

> **Busca[1]:** mi corazoncito aventura video; mi corazoncito aventura letra
>
> **If you would like to purchase this song:** *Go to iTunes Store>Music>More to Explore>iMix>Arriba 6e*

Después de ver y escuchar (*Post-viewing and -listening*)

1-24 Descripciones. You are a true aficionado/a of **bachata** music. Indicate in the spaces below with an "X" which statements you believe to be true of "Mi corazoncito." Most descriptions use a cognate.

_____ Es interesante.   _____ Es misteriosa.   _____ Es romántica.

_____ Es fascinante.   _____ Es divertida (*fun*).   _____ Es exótica.

1-25 Investigación. Research information about the lead singer of Aventura and complete this biographical information about him: **nombre completo, lugar de nacimiento, el título de una canción *hit*.**

> **Busca:** romeo santos aventura

---

[1]Note that accents, *tildes* and capital letters are not required for Internet searches.

Segunda parte

¡Así lo decimos! VOCABULARIO

 ¡Así es la vida! En la clase de geografía

 ¿Qué pasa hoy en la clase de la profesora García?

Paulina — Miguel — Ramón

PROFESORA GARCÍA:	Buenos días. Saquen la tarea para hoy. Miguel, lee el número uno, por favor.
MIGUEL:	Perdone, profesora, no tengo la tarea.
PROFESORA GARCÍA:	¿Paulina?
PAULINA:	Un momento, profesora. Necesito mi portátil.
PROFESORA GARCÍA:	¿Ramón?
RAMÓN:	Perdone, profesora. Repita, por favor.
PROFESORA GARCÍA:	Pero, ¡qué barbaridad! ¡Qué estudiantes!

Vocabulario En la clase

01-31 to 01-37

Variaciones

A few words for colors vary in the Spanish-speaking world. **Color café** may be expressed as **pardo** or **marrón**. **Rosado** may be **color rosa**, and **morado** may be **púrpura** or **color violeta**. Also, **anaranjado** may be simply **naranja**.

Variaciones

Names for technology also vary: *laptop* is **la (computadora) portátil** in Latin America and **el (ordenador) portátil** in Spain. Cell phone is generally **el (teléfono) celular** in Latin America and **el (teléfono) móvil** in Spain.

¿De qué color es? | What color is it ?

amarillo/a   *yellow*
anaranjado/a   *orange*
azul   *blue*
blanco/a   *white*
color café   *brown*
gris   *gray*
morado/a   *purple*
negro/a   *black*
rojo/a   *red*
rosado/a   *pink*
verde   *green*

Objetos en la clase | Objects in the classroom

el bolígrafo   *pen*
la calculadora   *calculator*
la computadora (portátil)   *computer (laptop)*
el cuaderno   *notebook*
el diccionario   *dictionary*
el lápiz   *pencil*
el libro   *book*
el mapa   *map*
el marcador   *marker*
la mesa   *table*
la mochila   *backpack*
el papel   *paper*
la pizarra (blanca)   *chalkboard (whiteboard)*
la puerta   *door*
el reloj   *clock, watch*
la silla   *chair*
el teléfono celular/móvil   *cell phone*
la tiza   *chalk*

Otros sustantivos | Other nouns

el hombre   *man*
la mujer   *woman*

Adjetivos | Adjectives

barato/a   *cheap, inexpensive*
caro/a   *expensive*
claro/a   *light (color)*
grande   *big*
oscuro/a   *dark (color)*
pequeño/a   *small*

Adverbio | Adverb

aquí   *here*

Verbos | Verbs

hay   *there is/are*
necesitar   *to need*
ser   *to be*
tengo (tener)   *I have (to have)*

Otras expresiones | Other expressions

¡Qué barbaridad!   *What nonsense!*
¡Qué estudiantes!   *What students!*

el cuaderno verde

la computadora portátil

Expresiones para los estudiantes | Expressions for students

No comprendo.   *I don't understand.*
No sé.   *I don't know.*
Repita[1], por favor.   *Repeat, please.*

Expresiones para la clase[2] | Expressions for the class

Abre (Abran) el libro.   *Open your book(s).*
Cierra (Cierren) el libro.   *Close your book(s).*
Contesta (Contesten) en español.   *Answer in Spanish.*
Escribe (Escriban) en la pizarra.   *Write on the board.*
Escucha. (Escuchen.)   *Listen.*
Estudia. (Estudien.)   *Study.*
Lee (Lean) el diálogo.   *Read the dialog.*
Repite. (Repitan.)   *Repeat.*
Saca (Saquen) la tarea.   *Take out your homework.*
Ve (Vayan) a la pizarra.   *Go to the board.*

[1] **Repita** is a formal command, appropriate to use with your professor.
[2] These commands are for one student. Commands for the whole class are given in parentheses.

APLICACIÓN

1-26 ¿Qué hay en la clase? Take inventory of your classroom. Indicate how many of each item there are.

MODELO: _20_ estudiantes
Hay veinte estudiantes.

_____ pizarra(s)   _____ cuaderno(s)
_____ bolígrafo(s)   _____ silla(s)
_____ mesa(s)   _____ reloj(es)
_____ mapa(s)   _____ libro(s) de español

1-27 ¿Cuál es tu color favorito? What determines color preferences among different people? The following activity presents a possible factor.

Paso 1 Find out which colors are most popular in your class. Ask the person next to you what his/her favorite color is. That person will ask the next, and so forth until everyone has responded. One person will tally the results for the class by sex (men vs. women).

Paso 2 Now read the following article from *Vanidades*, a popular magazine throughout Latin America, based on a survey of men and women and their color preferences. Skim the reading. Don't try to understand every word. Read for general meaning to answer the questions below.

Ellos, ellas y los colores

En un hospital de París se desarrolló un estudio en el que se les pidió a pacientes adultos, hombres y mujeres, que pintaran acuarelas con sus colores favoritos. En los resultados se observó que el 85% de los hombres prefirió usar los tonos verdes y los azules, mientras que la mayoría de las mujeres escogió los rojos y los amarillos, mostrando así —una vez más— las marcadas diferencias que en cuanto a preferencias de colores existen entre los dos sexos.

Vanidades, 34 (20), p. 16.

1. Where did the study take place?

2. Who were the subjects interviewed?

3. What percentage of men is mentioned?

4. What colors are mentioned?

5. Now compare your class with the subjects in the article by responding **Sí** or **No** to these statements:
   "Los hombres del estudio son como (*like*) los hombres (*men*) de la clase".
   "Las mujeres del estudio son como las mujeres (*women*) de la clase".

1-28 ¿Qué haces cuando...? (*What do you do when . . . ?*) Listen to a Spanish teacher make various requests in the classroom, and write the number of each request next to what you would do.

_____ I answer in Spanish.

_____ I open my book.

_____ I read the dialog.

_____ I write the sentence.

_____ I close the book.

_____ I listen to the music.

_____ I repeat the month.

_____ I go to the board.

1-29A ¡Escucha bien! Take turns telling each other in Spanish what to do using the cues in English and acting out the commands. **Estudiante B,** please see **Appendix 1,** page A-2.

MODELO: (Open your book.)

ESTUDIANTE A: *Abre el libro.*

ESTUDIANTE B: (opens his/her book)

ESTUDIANTE A: *Correcto.*

Estudiante A:

> You say in Spanish:
>
> 1. (Go to the door.)
> 2. (Repeat your name.)
> 3. (Write the date.)

1-30A Un pedido (*order*) por teléfono. You are a student departmental worker. Below is a list of items you need for your department. Call the bookstore and give the clerk your supply order. Mark the items your clerk can supply as he/she may have a lesser quantity. When you finish, compare your lists. **Estudiante B,** please see **Appendix 1,** page A-2.

MODELO: ESTUDIANTE A: *Necesitamos cinco calculadoras. ¿Hay cinco calculadoras?*

ESTUDIANTE B: *Sí, tengo diez. / No, solamente (only) hay cuatro.*

Estudiante A:

_____ 1 reloj	_____ 14 cuadernos	_____ 20 diccionarios
_____ 10 sillas	_____ 80 bolígrafos	_____ 75 cajas (*boxes*) de tiza
_____ 5 mapas	_____ 90 lápices	_____ 100 cajas de papel
_____ 33 libros	_____ 11 mesas	

1-31 Veo algo... (*I see something . . .*) Describe an object to see whether your classmate can guess what it is. Use colors and adjectives from **¡Así lo decimos!**

MODELO: E1: *Veo algo verde y grande.*

E2: *¿Es la pizarra?*

4. Subject pronouns and the present tense of *ser*

01-38
to 01-40

In Spanish, subject pronouns refer to people (*I, you, he,* etc.).[1]

¿Quién es usted?

¿Yo?

Subject pronouns			
SINGULAR		**PLURAL**	
yo	*I*	**nosotros/nosotras**[3]	*we*
tú	*you* (inf.)[2]	**vosotros/vosotras**[3]	*you* (inf., Spain)
usted (Ud.)	*you* (for.)[2]	**ustedes (Uds.)**	*you* (for.)
él, ella	*he, she*	**ellos, ellas**[3]	*they* (m./f.)

Just like the verb *to be* in English, the verb **ser** in Spanish has irregular forms. You have already used several of them. Here are all of the forms of the present indicative, along with the subject pronouns.

ser (*to be*)					
SINGULAR			**PLURAL**		
yo	**soy**	*I am*	nosotros/as	**somos**	*we are*
tú	**eres**	*you are* (inf.)	vosotros/as	**sois**	*you are* (inf.)
usted (Ud.)	**es**	*you are* (for.)	ustedes (Uds.)	**son**	*you are* (for.)
él/ella	**es**	*he/she is*	ellos/ellas	**son**	*they are*

- Because the verb form indicates the subject of a sentence, subject pronouns are usually omitted unless they are needed for clarification or emphasis.

¿Eres de Puerto Rico?	*Are you from Puerto Rico?*
Sí, soy de Puerto Rico.	*Yes, I'm from Puerto Rico.*
Yo no, pero **ellos** son de Puerto Rico.	*I'm not, but they're from Puerto Rico.*

- There are four ways to express *you*: **tú, usted, vosotros/as,** and **ustedes. Tú** and **usted** are the singular forms. **Tú** is used in informal situations, that is, to address friends, family members, and pets. **Usted** denotes formality or respect and is used to address someone with whom you are not well acquainted or a person in a position of authority (a supervisor, teacher, or older person).[4]

- **Vosotros/as** and **ustedes** are the plural counterparts of **tú** and **usted,** respectively, but in all of Latin America, **ustedes** is used for both the informal and formal plural *you.* **Vosotros/as** is used in Spain to address more than one person in an informal context (a group of friends or children).[5]

- Although **tú** is the most commonly used subject pronoun in Spanish to express informal *you* in the singular, many speakers, like those in Argentina, Uruguay, and Chile, use **vos.**

---

[1]Subject pronouns are not generally used for inanimate objects or animals (except when referring to pets).
[2]Abbreviations: inf. (informal); for. (formal).
[3]**Nosotros, vosotros, ellos:** masculine, or masculine and feminine group; **nosotras, vosotras, ellas:** all feminine group.
[4]In the families of some Hispanic countries, children use **usted** and **ustedes** to address their parents as a sign of respect.
[5]**¡Arriba!** uses **ustedes** as the plural of **tú,** except where cultural context would require otherwise.

- The pronouns **usted** and **ustedes** are commonly abbreviated as **Ud.** and **Uds.** or **Vd.** and **Vds.**

- The verb **ser** is used to express origin, occupation, or inherent qualities.

¿De dónde **eres**?	*Where are you from?*
Soy de Toronto.	*I am from Toronto.*
¿Cómo **es** la profesora?	*What is the teacher like?*
Es muy paciente.	*She is very patient.*

APLICACIÓN

1-32 **Dos artistas importantes.** Learn more about the two artists whose artwork is featured in the chapter opener.

Paso 1 Read the description below and underline the forms of **ser.**

Salvador Dalí y Diego Rivera son dos de los artistas más famosos del mundo. Sus pinturas son admiradas por expertos y por estudiantes de arte. Los dos artistas son del siglo XX, pero sus experiencias y sus estilos son muy diferentes. Salvador Dalí es español. Es de Figueras, un pueblo cerca de Barcelona. Su esposa, Gala, también es famosa. Dalí es famoso no sólo por su arte surrealista, sino también por su apariencia extravagante. *El descubrimiento de América por Cristóbal Colón* conmemora el famoso viaje de Colón en 1492. La muerte de Dalí es en 1989 a la edad de ochenta y cuatro años.

Diego Rivera es mexicano. Es de Guanajuato, una ciudad colonial al norte de la Ciudad de México. El año de su nacimiento es 1886 y el año de su muerte es 1957. Rivera es famoso por sus murales que describen (*depict*) la historia de México, especialmente la conquista de México por los españoles. *Historia de México desde la conquista hasta el futuro* es un mural muy grande. Su estilo es realista. La esposa de Diego Rivera es Frida Kahlo, una artista mexicana muy famosa también.

Paso 2 Now answer in Spanish, based on the reading in **Paso 1** about Salvador Dalí and Diego Rivera.

1. Where is Dalí from? Where is Rivera from?

2. What do Rivera and Dalí have in common?

3. How do they differ?

4. Have you ever seen a painting or mural by either of these artists?

5. Both artists had wives who also were well known in their own right. Who are they?

1-33 En la clase de arte moderno. Complete María Antonia's description of her art class using the correct form of **ser** in each blank.

Hay veinte estudiantes en la clase de arte moderno. Nosotros (1) _____ estudiantes de arte en la Universidad de Granada. La profesora de la clase (2) _____ la señora Martínez. Ella (3) _____ de Colombia y (4) _____ pintora. Las clases (5) _____ muy buenas, pero los exámenes (6)_____ difíciles. Los artistas españoles (7) _____ muy interesantes y los latinoamericanos (8) _____ excelentes. Los estudiantes (9) _____ inteligentes y yo (10) _____ muy feliz (*happy*) en la clase.

1-34 Ramón y Rosario. Two students meet in the student union before class.

Paso 1 Fill in the blanks in the following conversation with the correct forms of the verb **ser.**

RAMÓN: Hola, yo (1) _____ Ramón Larrea Arias.

ROSARIO: Encantada, Ramón. (2) _____ Rosario Vélez Cuadra.

RAMÓN: ¿De dónde (3)_____?

ROSARIO: (4) _____ de Puerto Rico, ¿y tú?

RAMÓN: (5) _____ de Panamá, pero mis padres (*parents*) (6) _____ de Colombia.

ROSARIO: ¿Cómo (7) _____ tu clase de inglés?

RAMÓN: Mi clase (8) _____ muy interesante y mis compañeros de clase (9) _____ muy simpáticos (*nice*).

ROSARIO: ¿Cómo (10) _____ la profesora?

RAMÓN: (11) _____ muy inteligente. Ella (12) _____ de Canadá.

ROSARIO: ¡Ay, lo siento! Tengo clase ahora. Hasta luego, Ramón.

RAMÓN: Nos vemos, Rosario.

Paso 2 Now create a similar dialog to exchange information about yourselves or a personality you create.

5. Nouns and articles

Words that identify persons, places, or objects are *nouns*.
Spanish nouns—even those denoting nonliving things—are
either masculine or feminine in gender.

El género de los sustantivos (*The gender of nouns*)

The definite article (*the*) must agree with the noun.

	Masculine		Feminine	
Singular	**el muchacho**	*the boy*	**la muchacha**	*the girl*
	el libro	*the book*	**la mesa**	*the table*
	el hombre	*the man*	**la mujer**	*the woman*

There are many clues that will help you identify the gender of a noun.

- Most nouns ending in **-o** or those denoting male persons are masculine: **el libro,
  el hombre.** Most nouns ending in **-a** or those denoting female persons are
  feminine: **la mesa, la mujer.** Some common exceptions are: **el día** and **el mapa,**
  which are masculine.

- Many person nouns have corresponding masculine **-o** and feminine **-a** forms.

el amigo / la amiga	*male/female friend*
el niño / la niña	*boy/girl*

- Most masculine person nouns ending in a consonant simply add **-a** to form the
  feminine.

el profesor / la profesora	*male/female professor*
el señor / la señora	*Mr./Mrs.*

- Certain person nouns use the same form for masculine and feminine, but the article
  used indicates the gender.

el artista / la artista	*male/female artist*
el estudiante / la estudiante	*male/female student*
el poeta / la poeta	*male/female poet*

- Nouns ending in **-e** or a consonant can be masculine or feminine. The article indicates
  what the gender of the noun is.

la clase	*class*
el lápiz	*pencil*

- Most nouns ending in **-ad** and **-ión** are feminine.

la universidad	*university*
la nación	*nation*

- Most nouns ending in **-ma** are masculine.

el problema	*problem*
el drama	*drama*
el enigma	*enigma*

Los artículos definidos (*Definite articles*)

In Spanish, there are four forms of the definite article (*the* in English):

	Masculine	Feminine
Singular	el	la
Plural	los	las

- Use the definite article with titles when talking about someone (even yourself), but not when addressing someone directly.

El profesor Gómez es interesante.	*Professor Gómez is interesting.*
Soy **el** profesor Gómez.	*I'm Professor Gómez.*
¡Buenos días, profesor Gómez!	*Good morning, Professor Gómez!*

El plural de los sustantivos (*Plural forms of nouns*)

Masculine		Feminine	
los muchachos	*the boys*	**las muchachas**	*the girls*
los libros	*the books*	**las mesas**	*the tables*
los hombres	*the men*	**las mujeres**	*the women*

- Nouns that end in a vowel form the plural by adding **-s.**

  el libro → los libros   **la mesa → las mesas**   **la clase → las clases**

- Nouns that end in a consonant add **-es.**

  la mujer → las mujeres   **la universidad → las universidades**

- Nouns that end in a **-z** change the **z** to **c** in the plural.

  el lápiz → los lápices   **la actriz** (*actress*) **→ las actrices**

- When the last syllable of a word that ends in a consonant has an accent mark, the accent is no longer needed in the plural.

  la lección → las lecciones   **la conversación → las conversaciones**

Los artículos indefinidos (*Indefinite articles*)

In Spanish, there are four forms of the indefinite article (*a/an* in English):

	Masculine		Feminine	
Singular	**un** bolígrafo	*a pen*	**una** silla	*a chair*
Plural	**unos** bolígrafos	*some pens*	**unas** sillas	*some chairs*

- Indefinite articles (*a, an, some*) also agree with the noun they modify. **Un** and **una** are equivalent to *a* or *an*. **Unos** and **unas** are equivalent to *some* (or *a few*).

- In Spanish, the indefinite article is omitted when telling someone's profession, unless you qualify the person (good, bad, hardworking, etc.).

Lorena es profesora de matemáticas.	*Lorena is a mathematics professor.*
Lorena es **una** buena profesora.	*Lorena is a good professor.*

APLICACIÓN

1-35 ¿Masculino o femenino? Say whether the following nouns are masculine (M) or feminine (F). Then provide the definite article.

MODELO: _____ libro
M: el libro

1. _____ universidad
2. _____ mesa
3. _____ muchacho
4. _____ mujer

5. _____ problema
6. _____ lápiz
7. _____ silla
8. _____ poema

1-36 ¿Qué necesita? Say what the following people or places need. Use the indefinite article and the items below.

bolígrafos	cuaderno	lápices	mesa	puerta
calculadora	diccionario	libros	microscopio	reloj
computadora	estudiantes	mapas	papeles	sillas

MODELO: ¿Qué necesita un profesor de informática (_computer science_)?
Necesita una computadora…

¿Qué necesita…

1. un profesor de historia?
2. un científico (_scientist_)?
3. una profesora de biología?
4. un matemático?
5. una profesora de ingeniería (_engineering_)?
6. un estudiante?

1-37 ¿Qué hay? Describe where the following items can be found using the correct definite and indefinite articles.

MODELO: _Hay una profesora en la clase._

¿Qué hay?	¿Dónde? (Where?)
cuaderno(s)	silla(s)
estudiante(s)	clase
puerta	mesa(s)
teléfono(s) celular(es)	pizarra
computadora portátil	mochila
mochilas	
ejemplos de gramática	
diccionarios	

1-38 ¿Qué hay en tu mochila? Ask each other what you have in your backpacks.

MODELO: E1: _¿Hay un lápiz en tu mochila?_
E2: _Sí, hay un lápiz. (No, no hay un lápiz.)_

6. Adjective forms, position, and agreement

Un lápiz azul, por favor.

Solo tengo lápices rojos.

* Descriptive adjectives, such as those denoting size, color, and shape, describe and give additional information about objects and people.

una clase **grande**	*a big class*
un cuaderno **rosado**	*a pink notebook*

* Here are some adjectives to help you talk about yourself and others.

aburrido/a	*boring*	**perezoso/a**	*lazy*
bueno/a	*good*	**simpático/a**	*nice, amusing*
malo/a	*bad*	**trabajador/a**	*hardworking*

* This list of adjectives is made up of cognates, words that are similar in Spanish and English. Can you guess their meanings?

exótico/a	**introvertido/a**
extrovertido/a	**misterioso/a**
fascinante	**optimista**
ideal	**paciente**
idealista	**pesimista**
impaciente	**realista**
inteligente	**romántico/a**
interesante	**tímido/a**

* Descriptive adjectives agree in gender and number with the nouns they modify; they generally follow the nouns.

el profesor **bueno**	*the good professor*
la señora **simpática**	*the nice lady*
los bolígrafos **rojos**	*the red pens*

* The adjectives **bueno** and **malo** may be placed before or after nouns. When placed before a masculine singular noun, the final **-o** is dropped.

un **buen** estudiante	*a good student*
un **mal** cantante	*a bad singer*

* Adjectives ending in **-e** or a consonant have the same masculine and feminine forms.

un libro **grande**	*a big book*
una clase **grande**	*a big class*
un carro **azul**	*a blue car*
una silla **azul**	*a blue chair*

* For adjectives of nationality that end in a consonant, and adjectives that end in **-dor,** add **-a** to form the feminine.

el profesor **español**	*the Spanish professor*
la estudiante **española**	*the Spanish student*
un libro **francés**[1]	*a French book*
una mujer **francesa**	*a French woman*
un hombre **trabajador**	*a hardworking man*
una profesora **trabajadora**	*a hardworking professor*

* The adjective **grande** changes to **gran** before a singular noun to mean *great.*

una universidad **grande**	*a big university*
una **gran** universidad	*a great university*

---

[1]If the masculine has an accented final syllable, the accent is dropped in the feminine and the plural forms.

APLICACIÓN

1-39 Parejas. Choose logical adjectives below and write them in the blanks to modify the nouns that follow. Pay close attention to the gender and number of the nouns.

anaranjadas	caros	extrovertidas	morado	rosada	simpática	tímido	trabajadores

1. las sillas _____
2. el bolígrafo _____
3. los relojes _____
4. la mochila _____

5. la estudiante _____
6. el muchacho _____
7. los profesores _____
8. las amigas _____

1-40 ¿De qué color? Look at the following items in your classroom and state what color each is.

MODELO: la pizarra
La pizarra es negra.

1. el mapa
2. los lápices
3. el libro de español
4. los cuadernos

5. las sillas
6. la puerta
7. los papeles del profesor / de la profesora
8. la mochila de… (John, etc.)

1-41 Palifruta. Answer these questions based on the ad at the right.

1. ¿De qué color es el palifruta de limón?
2. ¿De qué color es el palifruta de grosella (*currant*)?
3. ¿Son saludables (*healthy*) los palifrutas? ¿Por qué?

1-42 ¿Cómo es? ¿Cómo son? Combine nouns and adjectives to make logical sentences in Spanish. Remember to use the correct forms of **ser** and make articles, nouns, and adjectives agree in gender and number.

MODELO: los estudiantes
Los estudiantes son buenos.

el libro de español		fascinante
los profesores		interesante
las sillas		simpático
la clase		inteligente
mis amigos y yo		bueno/malo
la pizarra	(no) ser	norteamericano/español/…
yo		rojo/anaranjado/amarillo/negro/…
el bolígrafo		barato/caro
la universidad		grande/pequeño
mis clases		trabajador

1-43 Una encuesta. Take a survey of class members to find out what they consider to be the ideal qualities of the following people, places, and things. Respond with your own opinions as well.

MODELO: E1: *¿Cómo es la clase ideal?*
E2: *La clase ideal es pequeña.*
E1: *La clase ideal es interesante.*

1. ¿Cómo es el/la profesor/a ideal?

2. ¿Cómo son los amigos/as ideales?

3. ¿Cómo es el libro ideal?

4. ¿Cómo es la universidad ideal?

5. ¿Cómo son los carros (*cars*) ideales?

6. ¿Cómo son los restaurantes ideales?

Media Share

01-51
to 01-54

¿Cuánto saben?

First, ask yourself whether you can perform the following functions in Spanish. Then act out the scenarios with two or three classmates. Ask and respond to at least three questions in each situation.

✓ CAN YOU . . .

☐ describe your classroom?

☐ respond to classroom instructions?

☐ talk about yourself and others?

☐ identify colors and talk about your favorite color?

WITH YOUR CLASSMATE(S) . . .

Situación: En la universidad
You each have a different Spanish class. Describe them to each other including the professors, students, and classroom objects. Include descriptive adjectives with colors when appropriate.
Para empezar (*Getting started*): *¿Cómo es tu clase de español? ¿Cómo son…?*

Situación: En la clase de español
Take turns using classroom expressions to tell the group what to do. They will either perform the function, ask the person to repeat it, or say that they do not understand or don't know.
Para empezar: *Abre…*

Situación: Yo soy…
You and your classmates are running for office in your university's student government. Introduce yourselves, say where you are from and describe the kind of people you are.
Para empezar: *Me llamo/Soy… Soy de… y soy…*

Situación: En clase
Ask your partner about his/her favorite color. Then challenge each other to identify the color of different objects around you as one of you points them out. What color is most prevalent?
Para empezar: *¿Cuál es tu color favorito? ¿De qué color es esto (this)? El… es el color más común.*

Observaciones

01-55
to 01-57

¡Pura vida! EPISODIO 1

¡Pura vida! is an ongoing series that takes place in Costa Rica.

Antes de ver el video

1-44 ¿Cómo es Costa Rica? Costa Rica, known for its natural beauty and national efforts to maintain a varied ecosystem, is a tropical country with several climatic zones and four mountain ranges with seven active volcanoes. Earth tremors and small quakes shake the country from time to time. Read about San José, its capital, and answer the questions that follow in English.

> San José, la capital de Costa Rica, está situada[1] en el valle central del país[2], a una elevación de 3.795 pies de altura, con los volcanes Poás, Irazú y Barba al norte y la Sierra de Talamanca al sur. La ciudad tiene una población de 350.000 habitantes; la temperatura promedio[3] oscila entre 19 y 22 grados centígrados.
>
> En el centro de San José los turistas pueden ver[4] el Teatro Nacional, con su arquitectura barroca y neoclásica. Es el edificio[5] más notable de la ciudad. Otros lugares[6] de interés son el Museo del Oro Precolombino, el Museo de Jade, el Museo Nacional y el Museo de Arte Moderno. El suburbio de Escazú tiene excelentes restaurantes y una animada[7] vida nocturna.

[1]*located* [2]*country* [3]*average* [4]*see* [5]*building* [6]*places* [7]*lively*

1. Where is the capital of Costa Rica located?

2. What volcanoes are to the north of San José?

3. What is San José's average temperature?

4. What is the most remarkable building in San José?

5. Where can you find excellent restaurants and lively nightlife?

El Museo de Arte
Moderno en San José

A ver el video

1-45 Los personajes. Watch the first episode of **¡Pura vida!** and watch for the ways the characters greet each other. Take note of what seems to cause cultural confusion. Then, identify the characters using the brief descriptions below.

DM: Doña María   **H: Hermés**   **F: Felipe**

1. _____ Es fotógrafo.

2. _____ Tiene una camioneta (*van*).

3. _____ Compra (*buys*) fruta.

4. _____ Va al trabajo (*work*).

Después de ver el video

1-46 La ciudad de San José. Connect with the Internet to search for photographs of the city of San José. Write three adjectives to describe the city.

> **Busca:** san jose costa rica

MODELO: La ciudad es…

treinta y tres ●●● **33**

Panoramas

 ## La diversidad del mundo hispano

01-58

Throughout *¡Arriba!* we encourage you to discover the diversity of Hispanic cultures across five continents. Use these images and your inference skills to understand the text. Look for words that are similar to English words (cognates) to help you derive their meaning. How does the Spanish colonization of the Americas differ from that of the English?

A partir del siglo XVI, los exploradores españoles sacaron oro (*gold*) y plata (*silver*) de las Américas. Guardaban (*They kept*) las riquezas en la Torre de Oro en Sevilla.

La Torre de Oro, Sevilla, España

Tikal, Guatemala

En el Nuevo Mundo, los españoles encontraron civilizaciones avanzadas como las de los incas, los aztecas y los mayas. Encontraron también paisajes extraordinarios.

Hace siglos (*For many centuries*) que se usan barcos de juncos (*reeds*) en el lago Titicaca.

Parque Nacional Torres del Paine, Chile

Lago Titicaca, Perú

La diversidad del mundo hispano

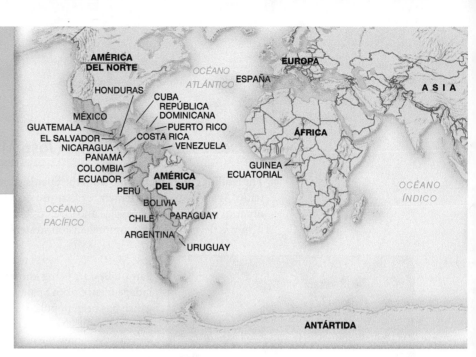

Número de hispanohablantes

en el mundo:	417 millones
en EE.UU.:	45 millones (15%)
en Canadá:	800.000 (25%)
Estatus del español:	2° en el mundo (después del mandarín)
El español es lengua oficial en:	21 países

1-47 Identifica. Use the information in the photo captions and the Fact Box to identify the following.

1. the number of countries where Spanish is an official language

2. what was kept in the Torre de Oro de Sevilla

3. motives for the exploration of the Americas

4. important pre-Columbian cultures in the Americas in the sixteenth century

5. an adjective in Spanish to describe the Parque Nacional Torres del Paine, Chile

6. the number of Spanish speakers in the world

7. the percentage of the U.S. population that speaks Spanish

1-48 Desafío. Without looking at the map, work together to see how many Spanish-speaking countries you can name. After checking your answers, compare your results with those of other groups in the class.

1-49 Proyecto: El Viejo Mundo y el Nuevo Mundo. The cultural and physical diversity of the Hispanic world offers a wealth of opportunities for travel. Choose from **Barcelona, Cartagena de Indias, la Patagonia, Machu Picchu, Sevilla, Tikal,** or another place that interests you, to investigate more about its characteristics. Use the Modelo to write a summary of what you find; include the information that follows.

- su nombre y dónde está (*where it's located*)
- cómo es
- algún sitio histórico o de belleza (*beauty*) natural interesante
- una foto representativa

> **Busca:** barcelona, cartagena de indias, patagonia, machu picchu, sevilla, tikal

MODELO: *El sitio arqueológico de Copán está en Honduras. Es un sitio muy importante de la antigua civilización maya. Es importante ver las pirámides y las estelas de Copán. La foto es de Waxakajuun Ub'aah K'awiil.*

Para empezar: *[Nombre] está en... Es un sitio muy [adjetivo]. Tiene (it has)... Es importante ver (see)... La foto es de...*

Páginas

01-59

Versos sencillos, "XXXIX" (José Martí, Cuba)

The readings in *Páginas* come from the Spanish-speaking world and were written for native Spanish speakers. Remember that you do not have to comprehend every word in order to understand the passage and glean essential information. The related activities will help you develop reading comprehension strategies.

José Martí (1853–1895) was a prolific writer, intellectual, and patriot. Besides being known for his struggle to gain Cuba's independence from Spain, he is famous for his poetry, some of which has been popularized through song ("Guantanamera"). This selection comes from a series of short poems entitled *Versos sencillos* and discusses how the poet treats both his friends and his enemies.

ANTES DE LEER (*PRE-READING*)

1-50 Los cognados. Spanish and English share many cognates, words or expressions that are identical or similar in two languages— for example, **profesor**/professor and **universidad**/university. When you read Spanish, cognates will help you understand the text. Skim the poem and list the cognates you see. Then for each cognate, guess the meaning of the phrase in which it appears.

A LEER (*READING*)

1-51 El poema. First read the poem silently. Then, when you feel confident of its meaning, read it aloud.

XXXIX

Cultivo una rosa blanca,	
En julio como en enero,	
Para el amigo sincero	
Que me da° su mano° franca.	*gives/hand*
Y para el cruel que me arranca°	*yanks out*
El corazón° con que vivo,	*heart*
Cardo° ni ortiga° cultivo:	*thistle/nettle, a prickly plant*
Cultivo una rosa blanca.	

1-52 ¿Comprendiste? (*Did you understand?*) Which of the following seem to describe the poet from what he writes?

1. Es blanco.

2. Es optimista.

3. Tiene amigos.

4. Tiene enemigos.

5. Es generoso.

6. Su mes favorito es julio.

1-53 Los símbolos. We often use colors as symbols for other things. Work with a classmate to match these colors with what you believe they could symbolize. What else do they symbolize for you?

1. _____ el rojo
2. _____ el amarillo
3. _____ el blanco
4. _____ el verde
5. _____ el negro

a. la pureza (*purity*), la paz (*peace*)
b. el misterio
c. la juventud (*youth*)
d. la pasión
e. la cobardía (*cowardice*)

1-54 Guantanamera. The song based on *Versos sencillos* has been performed and recorded countless times. Connect with the Internet to search for a version of the song. Write a short paragraph to answer the questions that follow.

> **Busca:** guantanamera video

- ¿Cómo se llama el/la cantante o el grupo?
- ¿De dónde es/son?
- ¿Cómo es/son?
- ¿Cómo es la canción?

1-55 Tu "Guantanamera". This song was written in the 1920's and popularized on a local Cuban radio program where the host closed each show by commenting in song on a current (often controversial) news event. The verse structure with eight syllables lent itself to fresh content any time the singer wished to improvise. Work together to compose a verse in English for "Guantanamera," and then share yours with the rest of the class.

MODELO: *I have an app for directions*
and one for restaurants around
I have an app for directions
and one for restaurants around
but when it comes to learning Spanish
I find that no good apps abound. . .
Guantanamera, guajira guantanamera...

1-56 Una carta de presentación. When you write a letter of introduction, you want to tell something about your physical and personal characteristics and something about your life. In this first introduction, think of information you would share with a potential roommate. Follow the steps below to write five sentences in Spanish to include with a housing application.

Santa Clara, CA
25 de septiembre de 2011

¡Hola!

Me llamo Susanita. Soy extrovertida y simpática. Tengo clases muy interesantes. Mi profesora de español es la señora Carro. Es muy inteligente y trabajadora. Mi cumpleaños es el 10 de abril. Mi color favorito es el amarillo. . .

¡Hasta pronto!

Susanita

ANTES DE ESCRIBIR (*PRE-WRITING*)

- Write a list of adjectives that describe you.
- Write a list of adjectives that describe your classes and your professors.

A ESCRIBIR (*WRITING*)

- Introduce yourself.
- Using adjectives from your list, describe what you are like. Use the connector **y** (*and*) to connect thoughts.
- Describe your classes and your professors.
- Say what your favorite color is (**Mi color favorito es el...**).
- Add any other personal detail about yourself (your birthday, favorite day of the week, etc.).

DESPUÉS DE ESCRIBIR (*POST-WRITING*)

- **Revisar** (*Review*)
  - ☐ Go back and make sure all of your adjectives agree with the nouns they modify.
  - ☐ Check your use of the verb **ser.**

- **Intercambiar** (*Exchange*)
  Exchange your letter with a classmate's. Then make suggestions and corrections, and add a comment about the letter.

- **Entregar** (*Turn in*)
  Rewrite your letter, incorporating your classmate's suggestions. Then turn in the letter to your instructor.

🔊 Vocabulario

Primera parte

Saludos   Greetings

Buenos días.   *Good morning.*
Buenas noches.   *Good evening.*
Buenas tardes.   *Good afternoon.*
¿Cómo está usted?   *How are you?* (for.)
¿Cómo estás?   *How are you?* (inf.)
Hola.   *Hello, Hi.*
¿Qué pasa?   *What's happening? What's up?* (inf.)
¿Qué tal?   *How are you? What's up?* (inf.)

Presentaciones   Introductions

¿Cómo se llama usted?   *What's your name?* (for.)
¿Cómo te llamas?   *What's your name?* (inf.)
Me llamo...   *My name is ...* (lit. *I call myself...*)
Mi nombre es...   *My name is ...*
Soy...   *I am ...*

Respuestas   Responses

De nada.   *You're welcome.*
¿De verdad?   *Really?*
Encantado/a.   *Nice to meet you.*
Gracias.   *Thank you.*
Igualmente.   *Likewise.*
Lo siento.   *I'm sorry.*
Más o menos.   *So-so* (lit. *More or less.*)
Mucho gusto.   *Nice to meet you*
(Muy) Bien.   *(Very) Good.*
(Muy) Mal.   *(Very) Bad*
Todo bien.   *All's well*

Despedidas   Farewells

Adiós.   *Good-bye.*
Hasta luego.   *See you later.*
Hasta mañana.   *See you tomorrow.*
Hasta pronto.   *See you soon.*
Nos vemos.   *See you.*

Títulos   Titles

el señor (Sr.)   *Mr.*
la señora (Sra.)   *Mrs., Ms.*
la señorita (Srta.)   *Miss*

Sustantivos   Nouns

la clase   *class*
el estudiante   *student (male)*
la estudiante   *student (female)*
el profesor   *professor (male)*
la profesora   *professor (female)*
la tarea   *homework*
la universidad   *university*

Otras palabras y expresiones   Other words and expressions

¿Cómo se escribe...?   *How do you spell ...?*
con   *with*
mi/mis   *my*
o   *or*
tu/tus   *your* (inf.)
y   *and*

Segunda parte

En la clase   In the classroom

el bolígrafo   *pen*
la calculadora   *calculator*
la computadora (portátil)   *computer (laptop)*
el cuaderno   *notebook*
el diccionario   *dictionary*
el lápiz   *pencil*
el libro   *book*
el mapa   *map*
el marcador   *marker*
la mesa   *table*
la mochila   *backpack*
el papel   *paper*
la pizarra (blanca)   *chalkboard (white board)*
la puerta   *door*
el reloj   *clock, watch*
la silla   *chair*
el teléfono celular/móvil   *cell phone*
la tiza   *chalk*

Otros sustantivos   Other nouns

el hombre   *man*
la mujer   *woman*

Adjetivos   Adjectives

barato/a   *cheap, inexpensive*
caro/a   *expensive*
claro/a   *light (color)*
grande   *big*
oscuro/a   *dark (color)*
pequeño/a   *small*

Los colores   Colors

amarillo/a   *yellow*
anaranjado/a   *orange*
azul   *blue*
blanco/a   *white*
color café   *brown*
gris   *gray*
morado/a   *purple*
negro/a   *black*
rojo/a   *red*
rosado/a   *pink*
verde   *green*

Adverbio   Adverb

aquí   *here*

Verbos   Verbs

hay   *there is/are*
necesitar   *to need*
ser   *to be*
tengo (tener)   *I have (to have)*

Otras expresiones   Other expressions

¡Qué barbaridad!   *What nonsense!*
¡Qué estudiantes!   *What students!*

Numbers 0–100   *See page 10.*
Expressions for students and the class   *See page 21.*
The days of the week   *See page 13.*
Subject pronouns   *See page 24.*
The months and the seasons   *See page 13–14.*
Descriptive adjectives   *See page 30.*

2
¿De dónde eres?

1 **Primera parte**

		OBJETIVOS COMUNICATIVOS
¡Así lo decimos! Vocabulario	Las descripciones y las nacionalidades	• Describing yourself, other people, and things
¡Así lo hacemos! Estructuras	Telling time	• Asking and responding to simple questions
	Formation of *yes/no* questions and negation	• Asking for and telling time
	Interrogative words	
Perfiles		
Mi experiencia	Nombres, apellidos y apodos	
Mi música	"Looking for Paradise" (Alejandro Sanz, España; Alicia Keys, EE. UU.)	

2 **Segunda parte**

¡Así lo decimos! Vocabulario	¿Qué haces? ¿Qué te gusta hacer?	• Talking about what you do, what you like to do, and what you should do
¡Así lo hacemos! Estructuras	The present tense of regular **-ar** verbs	• Talking about what you have and what you have to do
	The present tense of regular **-er** and **-ir** verbs	
	The present tense of **tener**	
Observaciones	¡Pura vida! Episodio 2	

 **Nuestro mundo**

Panoramas	Descubre España
Páginas	"*Cinemundo* entrevista a Pedro Almodóvar"
Taller	Una entrevista y un sumario

Readiness
Check

Descubre España

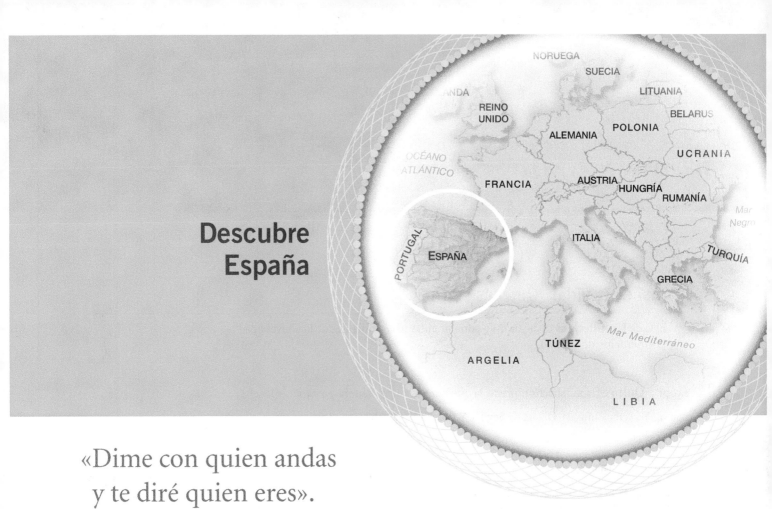

«Dime con quien andas
y te diré quien eres».

Refrán: You can judge a man by the company he keeps.

Con sus tres grandes victorias en 2010 (Roland Garros, Wimbledon y el US Open), Rafael Nadal se ha convertido en el número uno del mundo en tenis por segunda vez en tres años. Es el mejor tenista en la historia de España.

Pablo Picasso, pintor prolífico, nació en Málaga. Esta es una de sus obras más famosas.

¡Así lo decimos! VOCABULARIO

¡Así es la vida! ¿Quiénes son?

 El Café Hemisferio es un lugar muy popular entre los estudiantes de la Universidad Complutense de Madrid.

PACO: ¿Quién es la muchacha morena, la que tiene la computadora portátil?

CHEMA: Es Isabel, una estudiante de Sevilla. Y la otra muchacha, con el suéter negro, es Clara.

ISABEL: ¿Quién es el chico joven con la mochila?

CLARA: Es Carlos. Y la mujer que está con él es la profesora Vargas. Es venezolana y muy buena profesora de filosofía.

ÁNGELES: ¡Pero, hombre! ¿De quién recibes tantos correos electrónicos?

RAMÓN: ¡Es que tengo muchos amigos!

02-02
to 02-06

Vocabulario Las descripciones y las nacionalidades

Variaciones

In the Spanish-speaking world, many terms are used to describe an attractive physical appearance. In Spain, **guapo/a** is used frequently to describe both males and females. In Mexico, **linda** is typical to refer to a female. The terms **bonita** and **hermosa** are used in many countries, but again, only for a female. In addition to **guapo,** a man is usually **atractivo, apuesto, buen tipo,** or **bien parecido.**

Adjetivos descriptivos · Descriptive adjectives

activo/a *active*
alto/a *tall*
bajo/a *short*
bonito/a *pretty, cute*
delgado/a *slender*
entusiasta *enthusiastic*
feo/a *ugly*
flaco/a *skinny*
gordo/a *fat*
guapo/a *good-looking*
joven *young*
moreno/a *dark (skin, hair)*
nuevo/a *new*
pobre *poor*
rico/a *rich*
rubio/a *blond (fair)*
viejo/a *old*

La mujer es joven, bonita y rica.

Algunas nacionalidades[1] · Some nationalities

argentino/a *Argentine*
canadiense *Canadian*
chileno/a *Chilean*
colombiano/a *Colombian*
cubano/a *Cuban*
dominicano/a *Dominican*
ecuatoriano/a *Ecuadorian*
español/a *Spanish*
mexicano/a *Mexican*
norteamericano/a (estadounidense) *American*
panameño/a *Panamanian*
peruano/a *Peruvian*
puertorriqueño/a *Puerto Rican*
salvadoreño/a *Salvadoran*
venezolano/a *Venezuelan*

El muchacho colombiano es entusiasta.

Los lugares · Places

la capital *capital city*
la ciudad *city*
el país *country*

Las personas · People

el/la amigo/a *friend*
el/la muchacho/a *boy/girl*
los padres *parents*

Adverbios · Adverbs

ahora (mismo) *(right) now*
también *also*
tarde *late*
temprano *early*

Conjunciones · Conjunctions

pero *but*
porque *because*

El muchacho es alto y la muchacha es baja.

---

[1]Adjectives of nationality are not capitalized in Spanish.

APLICACIÓN

2-1 ¿Quién eres tú?   Listen to José and his friends talk about themselves. Based on the information in **¡Así es la vida!,** write the number of each monologue next to the corresponding name.

_____ Carlos   _____ Isabel   _____ Paco   _____ Ramón   _____ la profesora Vargas

2-2 La Feria del Caballo.   Complete the conversation between two people who meet at the *Feria del Caballo* in southern Spain. Use words and expressions from the following list.

amiga	aquí	capital	cómo
argentino	eres	española	me llamo

JUAN: ¡Hola! Soy Juan Luis Ruiz. ¿(1) _____ te llamas?

MARISOL: (2) _____ Marisol. ¿De dónde (3) _____, Juan?

JUAN: Soy (4) _____.

MARISOL: ¡Ah! Mi (5) _____ Ana es de Mendoza, en el oeste de Argentina.

JUAN: Yo soy de Buenos Aires, la (6) _____. ¿Y tú, Marisol? ¿De dónde eres?

MARISOL: Ay, yo soy (7) _____. Soy de (8) _____, de Jerez de la Frontera.

La gente baila en la calle durante la Feria del Caballo en Jerez de la Frontera, España.

2-3 **¿Cómo son?**   Take turns describing the people, places, and things listed below using words from the list and see if you agree with each other. Say **Sí, es cierto** to indicate that you agree. If you don't, offer your own opinion. Be sure that adjectives agree with the nouns they modify.

dominicano/a	moreno/a	bonito/a
norteamericano/a	la capital	un país
una ciudad	pequeño/a	colombiano/a
peruano/a	delgado/a	grande
español/a	puertorriqueño/a	joven
rico/a	mexicano/a	rubio/a
chileno/a	viejo/a	

MODELO: Madrid
> E1: *Madrid es una ciudad pequeña.*
> E2: *No es cierto. Es grande.*

México	Isabel Allende	Bolivia
Buenos Aires	Manny Ramírez	Penélope Cruz
Lima	Los Ángeles	Madrid

2-4 **¿Cuál es su (*his/her*) nacionalidad?**   Give the names of the countries where the following people are from and their nationalities.

MODELO: Felipe de Borbón / España
> E1: *¿De dónde es Felipe de Borbón?*
> E2: *Es de España. Es español.*

1. Shakira / Colombia
2. Penélope Cruz y Pedro Almodóvar / España
3. José Martí / Cuba
4. Mariano Rivera / Panamá
5. Salma Hayek / México
6. Pedro Martínez / República Dominicana
7. Yo...
8. Nosotros...

Pedro Almodóvar, director, con Penélope Cruz, actriz

Shakira, cantautora y roquera

Pedro Martínez, beisbolista

2-5 **Yo soy...**   With a partner, take turns introducing yourselves, saying where you are from and what you are like.

MODELO: *Hola, soy _____. Soy de_____. Soy_____ y_____. No soy_____.*

1. Telling time

02-07
to 02-10

¿Qué hora es?

- The verb **ser** is used to express the time of the day in Spanish. Use **Es la una** for *one o'clock* (singular for one hour). With all other hours, use **Son las (dos, tres, ...)**.

  Es la una.   It's one o'clock.
  Son las dos de la tarde.   It's two o'clock in the afternoon.

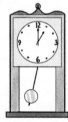

- To express minutes *past* or *after* an hour, use **y.**

  Son las tres **y** veinte.   It's twenty past three. (It's three twenty.)

- To express minutes before an hour (*to* or *till*) use **menos.**[1]

  Son las siete menos diez.   It's ten to (till) seven.

- The terms **cuarto** and **media** are equivalent to the English expressions *quarter* (fifteen minutes) and *half* (thirty minutes). The numbers **quince** and **treinta** are interchangeable with **cuarto** and **media.**

  Son las cinco menos **cuarto (quince).**   It's a quarter to five. (It's four forty-five.)
  Son las cuatro y **media (treinta).**   It's half past four. (It's four thirty.)

- For *noon* and *midnight*, use **(el) mediodía** and **(la) medianoche. El** and **la** may be used when saying that something occurs *at noon* or *at midnight.*

  Es **mediodía.**   It's noon (midday).
  Mi amigo llega a **(la) medianoche.**   My friend arrives at midnight.

---

[1]This is how time is traditionally told. It is now common to use **y** for :01 to :59. **7:50 = Son las siete y cincuenta.**

- To ask at what time an event takes place, use **¿A qué hora...?** To answer, use **a la/las** + *time.*

   ¿A qué hora es la clase?   *(At) What time is the class?*
   Es **a las** ocho y media.   *It is at half past eight.*

- The expressions **de la mañana, de la tarde,** or **de la noche** are used when telling specific times. **En punto** means *on the dot* or *sharp.*

   La fiesta es a las ocho **de la noche.**   *The party is at eight o'clock in the evening.*

   El partido de fútbol es a las nueve **en punto.**   *The soccer game is at nine sharp.*

- The expressions **por la mañana, por la tarde,** and **por la noche** are used as a general reference to *in the morning, in the afternoon,* and *in the evening.*

   No tengo clases **por la mañana.**   *I don't have classes in the morning.*

- In many Spanish-speaking countries, the 24-hour clock is used for schedules and official timekeeping. The zero hour is equivalent to midnight, and 12:00 is noon. The p.m. hours are 13:00–24:00. To convert from the 24-hour clock, subtract 12 hours from hours 13:00 and above.

   21:00 = **las nueve de la noche**
   16:30 = **las cuatro y media de la tarde**

Study tips – Learning to tell time in Spanish

1. To become proficient in telling time in Spanish, you'll need to make sure you have learned Spanish numbers well. Practice counting by fives to thirty: **cinco, diez, quince, veinte, veinticinco, treinta.**

2. Think about and say aloud times that are important to you: **Tengo clases a las nueve, a las diez..., Hay una fiesta a las...,** etc.

3. Every time you look at your watch, say the time in Spanish.

APLICACIÓN

2-6 La vida diaria de Rafael Nadal.   Refer back to page 41 to see a photo of Rafael Nadal, the famous Spanish tennis player. Read about Nadal's schedule then answer the questions that follow in Spanish.

> Rafael Nadal, el famoso tenista español, tiene un día muy activo. A las siete de la mañana, está en la cancha de tenis. Practica con su instructor hasta[1] las diez de la mañana. A las once y media, está en casa con su familia. A la una y cuarto de la tarde, está en un restaurante. A las cinco, está en la Casa del Café en el centro. A las nueve de la noche, está otra vez en casa con su familia. Ahora, son las once y media y Rafael ve[2] la televisión. Mañana es otro[3] día.

------
[1]*until* [2]*is watching* [3]*another*

1. ¿A qué hora está en un restaurante?

2. ¿Dónde está a las cinco?

3. ¿A qué hora está en casa con su familia?

4. ¿Qué hora es ahora?

5. Y tú, ¿dónde estás a las siete y media de la mañana?

2-7 **Mi día.** What is a typical day for you? How does your schedule compare to those of your classmates?

Paso 1 First complete these statements as they relate to you.

MODELO: Estoy en la universidad *a las ocho de la mañana.*

1. Me levanto (*get up*) _____.
2. Trabajo (*I work*) _____.
3. Estudio _____.
4. Estoy en clase _____.
5. Estoy en casa _____.
6. Estoy en la cafetería de la universidad _____.

Paso 2 Now compare your responses with those of a classmate.

MODELO: *Yo estoy en la universidad a las ocho de la mañana. ¿Y tú?*

2-8 **¿Qué hora es?** Look at the clocks and say whether the following statements are **cierto** or **falso.** Correct any false statements.

MODELO:

Son las dos y cuarto de la tarde.
Falso, son las dos y media de la tarde.

1. Son las dos y cuarto de la noche.

2. Son las siete menos cuarto de la mañana.

3. Son las ocho menos veinte de la noche.

4. Son las cuatro menos cuarto de la mañana.

5. Son las doce menos diez de la noche.

6. Es medianoche.

2-9A ¿A qué hora?   Complete your calendar by asking your partner when the events with missing times take place. To ask your partner to repeat something, remember to say: **Repite, por favor. Estudiante B,** please see **Appendix 1,** page A-3.

MODELO: la clase de inglés (9:30)
ESTUDIANTE A: *¿A qué hora es la clase de inglés?*
ESTUDIANTE B: *Es a las nueve y media de la mañana.*

Estudiante A:

Hora	Actividad
08:00	la clase de historia
_____	la clase de arte
11:45	la clase de español
_____	la conferencia[1]
14:55	la reunión
_____	el examen
17:40	el partido de fútbol
_____	el programa "Ídolo americano" en la televisión
21:15	la fiesta
_____	el programa de noticias en la televisión

[1] lecture

2-10   **Investigación. El AVE.**   *El AVE (Tren de Alta Velocidad)* is Spain's popular high-speed train. Connect to the Internet and search for links to the *AVE* web page, where you will find information about schedules and train service from Madrid to Barcelona, Málaga, and Sevilla. Select the destination city and route most interesting to you and provide the following information.

> ↖ **Busca:** renfe horarios y precios; renfe ave

- un destino desde Madrid
- número de tren
- hora de salida (*departure*)
- hora de llegada (*arrival*)
- días y fechas que no tiene servicio
- precio para clase turista
- 2 prestaciones (*services*) en clase turista
- precio total en dólares

Cultura en vivo ✳

Many believe that punctuality is more relaxed in the Hispanic world. It is true that in social contexts, guests often arrive later than the appointed time for a party. However, in most countries, trains and buses adhere to strict schedules and leave and arrive on time. In business and academic contexts, practices vary, but it is becoming more common for meetings and classes to begin on time. When is punctuality important for you, and when is it acceptable to be late?

2. Formation of *yes/no* questions and negation

02-11
to 02-16

La formación de preguntas *sí/no*

- In Spanish, a *yes/no* question uses rising intonation. There are three ways to form a *yes/no* question, depending on the intent of the speaker. Note that an inverted question mark (**¿**) is used at the beginning of the question, and the standard question mark (**?**) closes the question.

- To request new information, invert the order of the subject (S) and verb (V) found in a declarative sentence.

  Declarative (S + V):

  Picasso es de Málaga.   *Picasso is from Málaga.*

  Request new information: (V + S):

  ¿Es Picasso de Málaga?   *Is Picasso from Málaga?*

- To express disbelief about information already given, maintain the declarative order (S + V), but with rising intonation (called an *echo* question).

  ¿Picasso es de Málaga?   *Picasso is from Málaga?*

- To confirm information already given or supposed, simply add a tag word or phrase, such as **¿no?** or **¿verdad?** with rising intonation to the end of the statement.

  Rafael Nadal es de Mallorca, ¿no?
  Penélope Cruz es de Madrid, ¿verdad?

Negación

- To make a sentence negative, simply place **no** before the verb.

  Juan **no** es de Portugal.   *Juan is not from Portugal.*

  Nosotros **no** somos de España.   *We're not from Spain.*

- When answering a question in the negative, the word **no** followed by a comma also precedes the verb phrase.

  ¿Son los cantantes Thalia y   *Are the singers Thalia*
  José José de España?   *and José José from Spain?*
  No, no son de España.   *No, they're not from Spain.*

APLICACIÓN

2-11 ¿Es verdad? Take turns asking and answering *yes/no* questions. Comment on the truthfulness of each other's responses. Include one original question.

MODELO: E1: *¿Eres norteamericano/a?*
E2: *No, no soy norteamericano/a.*
E1: *¿De verdad?*
E2: *Sí, de verdad. Soy de Francia.*

1. ¿Eres canadiense?
2. ¿Son profesores tus padres?
3. Tus amigos son trabajadores, ¿no?
4. ¿Eres de San Francisco?
5. Tu familia es rica, ¿verdad?
6. ¿Son pobres los profesores?
7. Eres bajo/a, ¿no?
8. ¿...?

2-12 ¿Verdad? Ask each other questions based on the following statements by inverting the subject and the verb, or using a tag question. Respond to your partner's questions in a truthful manner.

MODELO: La novela *Don Quijote* es famosa.
E1: *¿Es famosa la novela* Don Quijote? *(La novela* Don Quijote *es famosa, ¿verdad?)*
E2: *Sí, la novela* Don Quijote *es famosa.*

1. La actriz Eva Mendes es baja y fea.
2. Pedro Almodóvar es director de cine.
3. Pablo Picasso es pintor.
4. El flamenco es un baile español.
5. Los tenistas españoles son perezosos.
6. Édgar Rentería es jugador de béisbol.
7. Penélope Cruz y Javier Bardem son poetas.
8. Alberto Contador es un ciclista famoso.

Alberto Contador, ganador del Tour de Francia 2010

3. Interrogative words

02-17
to 02-22

¿Quién eres tú?

- Interrogative words are often used at the beginning of a sentence to form questions. Here is a list of the most frequently used interrogative words:

Palabras interrogativas		Ejemplos	
¿Cómo...?	How . . .? What . . .?	¿Cómo estás? ¿Cómo eres?	How are you? What are you like?
¿Cuál(es)...?	Which (one/ones) . . .?	¿Cuál es tu libro?	Which one is your book?
¿Cuándo...?	When . . .?	¿Cuándo es tu clase de español?	When is your Spanish class?
¿Cuánto/a(s)?	How much (many) . . .?	¿Cuántos estudiantes hay?	How many students are there?
¿Dónde...?	Where . . .?	¿Dónde hay una silla?	Where is there a chair?
¿De dónde...?	From where . . .?	¿De dónde es Almodóvar?	Where is Almodóvar from?
¿Adónde...?	(To) Where . . .?	¿Adónde vas?	Where are you going?
¿Por qué...?	Why . . .?	¿Por qué no hay clase hoy?	Why is there no class today?
¿Qué...?	What . . .?	¿Qué estudias?	What are you studying?
¿Quién(es)...?	Who . . .?	¿Quién es ella?	Who is she?
¿De quién(es)...?	Whose . . .?	¿De quién es el bolígrafo?	Whose is the pen?

- When you ask a question using an interrogative word, your intonation usually will fall.

¿Cómo se llama el profesor?   *What is the professor's name?*

- Both **qué** and **cuál** may be translated as *what* or *which*, but they are not interchangeable. Generally, **qué** is used to request a definition or explanation. It can also be followed by a noun to mean *which*. **Cuál** implies a choice or selection and generally is not followed by a noun. Use the plural **cuáles** when that choice includes more than one person or thing.

¿**Qué** tienes?	*What do you have?*
¿**Qué** es esto?	*What is this?*
¿**Qué** clase tienes ahora?	*Which (What) class do you have now?*
¿**Cuál** prefieres?	*Which (one) do you prefer?*
¿**Cuál** es la fecha de hoy?	*What is today's date?*
¿**Cuáles** son los meses del año?	*What are the months of the year?*

APLICACIÓN

2-13 **Los sanfermines.** People from around the world flock to Pamplona for *San Fermín,* one of Spain's most famous festivals.

Paso 1 First read the description of this festival; then match the questions and their responses that follow.

La fiesta de San Fermín en España es muy famosa. Siempre es en Pamplona, en el norte de España. El primer día es el 6 de julio y el último día es el 14 de julio. Durante nueve días sueltan[1] los toros que corren[2] por las calles. Los jóvenes corren delante[3] de los toros. Es muy peligroso, pero también muy emocionante.[4] El novelista norteamericano Ernest Hemingway, famoso por *The Sun Also Rises,* describió muy bien la fiesta de los sanfermines.

---

[1]*turn loose*   [2]*run*   [3]*in front*   [4]*exciting*

1. _____ ¿Dónde es la fiesta?
2. _____ ¿Cuándo es el primer día de la fiesta?
3. _____ ¿Cuál es el último día de la fiesta?
4. _____ ¿Quiénes corren por las calles?
5. _____ ¿Cómo es la fiesta?
6. _____ ¿Quién es el autor norteamericano que se asocia con esta fiesta?

a. Ernest Hemingway
b. emocionante
c. el 6 de julio
d. en Pamplona, España
e. los toros y los jóvenes
f. el 14 de julio

Paso 2 Now use interrogative words to complete the following conversation between two people who meet in Pamplona and are planning to run with the bulls.

JESÚS: Hola, (1) ¿_____ te llamas?

CARMEN: Me llamo Carmen Domínguez. ¿Y tú?

JESÚS: Soy Jesús Sánchez, soy de Salamanca. Y tú, (2) ¿_____ eres?

CARMEN: Soy de Bilbao. (3) ¿_____ estás aquí en Pamplona?

JESÚS: Pero chica, ¡estoy aquí para correr con los toros en las fiestas! Es mi primera visita a Pamplona.

CARMEN: Pues, yo participo casi todos los años. (4) ¿_____ haces[1] en Salamanca?

JESÚS: Soy estudiante de literatura inglesa. Me gusta mucho Hemingway y estoy aquí para vivir los sanfermines como en la novela.

CARMEN: ¡Genial! (5) ¿_____ estudias?

JESÚS: En la Universidad de Salamanca... Ay, estoy un poco nervioso. ¿(6) _____ son los toros? ¿Son muy grandes?

CARMEN: ¡Imagínate! Son grandes y rápidos, pero es una experiencia muy emocionante.

JESÚS: Y ¿_____ empezamos[2] a correr?

CARMEN: ¡Ahora! ¡Vamos! ¡Ya están aquí los toros!

JESÚS: ¡Ay, Dios mío!

---

[1]*do you do*   [2]*begin*

¡Hola!

Cultura en vivo ✳

Many of the residents of Pamplona leave the city during *los sanfermines* as more than 200,000 tourists descend on the town for that week. These inexperienced runners often take risks that cause unnecessary injuries. What kind of event or festival would make you want to leave town for a few days?

2-14 Rafael Nadal. Read the description about Rafael Nadal, and then answer the questions below.

Rafael Nadal Perera es uno de los tenistas más famosos del mundo. Es originalmente de la isla de Mallorca, España, donde nace el 3 de junio de 1986. En 2002, a los quince años, gana en Mallorca el primer torneo importante. Es uno de los tenistas más jóvenes en alcanzar[1] el puesto[2] número dos del mundo. En 2008 gana treinta y dos torneos, incluyendo los *ATP Master Series* de Monte Carlo, Roma, Montreal, Madrid y Wimbledon y llega a ser número uno del mundo en tenis. Sus fanáticos están convencidos de que Rafa permanecerá[3] en ese puesto por muchos años.

---

[1]*reach* [2]*position* [3]*will remain*

1. ¿De dónde es Rafael Nadal?

2. ¿Cuándo nace?

3. ¿Qué gana a los quince años?

4. ¿Cuántos torneos gana en 2008?

5. ¿De qué están convencidos sus fanáticos?

2-15 ¿Qué? o ¿Cuál? Complete the questions with **qué** or **cuál(es)** depending on the context. Then answer the questions.

MODELO: *¿Cuál* es la fecha de hoy?
Es 2 de octubre.

1. ¿ _____ hora es?

2. ¿ _____ es tu clase favorita?

3. ¿ _____ es tu cuaderno?

4. ¿ _____ día es hoy?

5. ¿A _____ hora es la clase de español?

6. ¿ _____ es la fecha de tu cumpleaños?

7. ¿ _____ son tus libros en la mesa?

8. ¿ _____ hay en tu mochila?

2-16A ¿Quién eres? ¿Cómo eres? Ask questions to learn about your partner's new identity.

Paso 1 Assume the identity of one of the people outlined below and read through the information. **Estudiante B,** please see **Appendix 1,** page **A-3.**

Estudiante A:

♂	♀
Ramón Santos Gómez	Luisa Pérez Fernández
Universidad Autónoma Nacional	Universidad Complutense de Madrid
España	Colombia
biología	sociología
el profesor Sánchez	la profesora Alvarado
fantástico	muy interesante
50 estudiantes en la clase	25 estudiantes en la clase
alto y delgado	baja y bonita

Paso 2 Ask each other about yourselves to find out what you have in common. Use interrogatives such as **qué, dónde, cómo, cuántos/as,** and **cuál** in the following prompts to help you form your questions. **Estudiante B,** please see **Appendix 1,** page A-3.

MODELO: ESTUDIANTE A: *¿Dónde estudias?*
ESTUDIANTE B: *Estudio en la Universidad Nacional. ¿Y tú? ¿Dónde estudias?*
ESTUDIANTE A: *Estudio...*

Estudiante A:

1. ¿_____ te llamas?
2. ¿_____ estudias?
3. ¿De _____ eres?
4. ¿_____ eres?

5. ¿_____ es tu clase de...?
6. ¿_____ es el profesor de...?
7. ¿_____ es tu clase favorita?
8. ¿_____ estudiantes hay en la clase?

 2-17 Profesor/a... Ask your professor several questions. He/she will respond truthfully to some, but not all of the questions. See if you can guess which answers are true and react with **¡Es cierto!** or **¡No es verdad!**

MODELO: ESTUDIANTE: *Profesor/a, ¿de dónde es usted?*
PROFESOR/A: *Soy de Bolivia.*
ESTUDIANTE: *¿De verdad?*
PROFESOR/A: *Sí, es cierto, de la ciudad de La Paz.*

Media Share

02-23 to 02-27

¿Cuánto saben?

First, ask yourself if you can perform the following functions in Spanish. Then act out the scenarios with two or three classmates. Ask and respond to at least three questions in each situation.

✓ CAN YOU . . .

☐ describe yourself, other people, and things?

☐ ask and respond to simple questions?

☐ ask for and tell time?

WITH YOUR CLASSMATE(S) . . .

Situación: Gente bonita
You're looking at a magazine with popular personalities. Take turns describing the people you see and agree or disagree with each other according to your opinion. Use descriptive adjectives such as **alto/a, guapo/a, joven,** etc.
Para empezar: *Para mí, Penélope Cruz es...*

Situación: En un café
You meet each other for the first time when you share a table in the coffee shop. Ask each other questions to find out what you have in common. Use interrogatives such as **cómo, dónde, qué, cuál,** etc.
Para empezar: *Hola, ¿cómo te llamas? ¿Cuál es tu...?*

Situación: En grupo
You've formed a small group to work on a joint project. Ask each other what time your classes are to see when it is convenient to meet outside of class. Include **de la mañana, de la tarde,** and **de la noche** as needed.
Para empezar: *¿A qué hora...? ¿Cuándo...?¿Tienes clase a ...?*

📖 Perfiles

02-28
to 02-29

Mi experiencia

NOMBRES, APELLIDOS Y APODOS (*NICKNAMES*)

2-18 **Para ti.**   How does a name reflect a person's heritage? When do women in the U.S. and Canada keep their maiden names after marriage? Are there instances when married women use both their maiden and their married names? If you are a woman, do you plan to keep your maiden name if you marry? Why or why not? Do you have a nickname? Read about Gladys's experiences in Spain learning about names and think about what your complete name would be if you followed the same custom.

¡Saludos de Gladys García Sandoval! ¡Escribo desde Salamanca, España! This is my first year abroad studying film at the Universidad de Salamanca, and I'm writing this blog to keep my friends up-to-date with my experiences.

This week the department is doing a film series of one of my favorite actors, Penélope Cruz Sánchez, although you probably know her best as Penélope Cruz. People's names here fascinate me: people use both their paternal surnames (**el apellido paterno**) and their maternal surnames (**el apellido materno**), so in Penélope's case, you can guess that her father's last name is **Cruz** and her mother's **Sánchez**. Recently married, she still keeps **Cruz** as her surname. I think there are advantages to these naming practices; for example, if a woman gets married (or divorced, for that matter), her name never changes, as she keeps her paternal surname throughout her life. This way too, her children will keep her family name alive. It's curious though, that some people are known by their **apellido materno,** as is the case with president José Rodríguez **Zapatero** and the famous actor **Javier** Ángel Encinas **Bardem.** I think the popular media may be responsible for this usage, or perhaps these are personal choices. What is important for me is that with this custom, a person's name becomes his/her identification for life and reflects family pride. Of course many people here also use **apodos.** In magazines I see that Penélope's friends call her **Pe,** but other nicknames can be hard to figure out. For example, everyone calls my friend, **Chema,** which is a popular nickname in Spain for José María, his real name.

One of my favorite Spanish musicians is Alejandro Sánchez Pizarro, better known as Alejandro Sanz. He's so handsome! I'm hoping to meet him while I'm here! Ha, ha! Have you heard his song with Alicia Keys? You really need to listen to their song, "Looking for Paradise." ¡Es genial!

👭 2-19 **En su opinión.**   Take turns asking and answering the following questions.

1. ¿Cuál es el apellido paterno del Presidente del Gobierno de España? ¿Cuál es el apellido materno de Penélope?

2. ¿Cuál es la nacionalidad de todas estas personas famosas? ¿Cuáles son sus apodos?

3. ¿Cuál es tu apellido materno? ¿Y tu apellido paterno?

4. ¿Tienes apodo? ¿Tienes algún amigo con un apodo raro o extraño? ¿Por qué tiene ese apodo?

Mi música

"LOOKING FOR PARADISE" (ALEJANDRO SANZ, ESPAÑA; ALICIA KEYS, EE. UU.)

Throughout his life and professional career, Alejandro Sanz has worked to broaden his musical style while never venturing far from his strengths. By the end of the nineties, he'd expanded his fan base from Spain to the world, collaborating with fellow Latin superstars, most memorably Shakira in her massive Grammy-winning hit "La Tortura." In "Looking for Paradise" from *Paraíso Express*, Sanz collaborates with Alicia Keys in a bilingual love song.

Antes de ver escuchar

2-20 La letra.   Complete the table below with the correct definite and indefinite articles for the words found in the lyrics of "Looking for Paradise." Guess what each means, and then use a bilingual dictionary and the glossary at the back of the textbook to find out the meanings of the words.

Palabra	Artículo definido	Artículo indefinido	Significado en inglés
paraíso			
mundo			
momento			
sentimiento			
vida			
música			
camino			

Para ver y escuchar

 2-21 La canción.   This song relates a search for someone. Connect to the Internet to search for a video or recording of Sanz and Keys performing this piece. You may also want to search for the lyrics (*letra*).

> 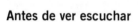 **Busca:** looking for paradise sanz video; looking for paradise sanz letra
>
> **If you would like to purchase this song:** *Go to iTunes Store>Music> More to Explore>iMix>Arriba 6e*

As you listen or watch, write down your answers to the following questions.

1. ¿Cuál es el título de la canción?
2. ¿Qué instrumentos escuchas en la canción? (el piano, el sintetizador, la guitarra, el violín...)
3. ¿Cómo es el ritmo de la canción? (lento, rápido, melancólico...)
4. ¿Cómo es la canción en tu opinión? ¿Te gusta? ¿Por qué?

Después de ver y escuchar

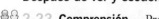 **2-22 Comprensión.**   Practice asking and answering the questions in 2-21 with a partner.

2-23 Descripciones.   Use the photo of Alejandro Sanz and Alicia Keys and adjectives from **¡Así lo decimos!** to describe each artist in Spanish.

MODELO: *Alejandro Sanz es...   Alicia Keys es...*

¡Así lo decimos! VOCABULARIO

📖 ¡Así es la vida! ¿Qué pasa?

02-30

En la Facultad de Lenguas en la Universidad Complutense de Madrid, Celia busca un tutor.

SECRETARIA: Hola, buenas tardes.

CELIA: Buenas tardes. Soy estudiante de intercambio[1] de Canadá y…

SECRETARIA: Muy bien. ¿Y…?

CELIA: Necesito ayuda. Estudio lenguas y…

SECRETARIA: Ya sé. Mañana tiene examen y necesita tutor. ¿Su nombre y número de teléfono…?

[1]*exchange*

SECRETARIA: Hola, Rogelio. ¿Qué pasa?

ROGELIO: Bueno, busco trabajo como tutor de lenguas.

SECRETARIA: ¡Qué suerte! Aquí tienes el nombre y número de teléfono de una chica que tiene examen mañana.

ROGELIO: Perfecto. Hablo con ella ahora mismo. ¡Gracias!

Vocabulario ¿Qué haces? ¿Qué te gusta hacer?

Otras nacionalidades (País) | Other nationalities (Country)

alemán[1], alemana (Alemania)   *German (Germany)*
brasileño/a (Brasil)   *Brazilian (Brazil)*
chino/a (China)   *Chinese (China)*
coreano/a (Corea)   *Korean (Korea)*
francés, francesa (Francia)   *French (France)*
inglés, inglesa (Inglaterra)   *English (England)*
italiano/a (Italia)   *Italian (Italy)*
japonés, japonesa (Japón)   *Japanese (Japan)*
portugués, portuguesa (Portugal)   *Portuguese (Portugal)*
ruso/a (Rusia)   *Russian (Russia)*

Me gusta
leer un libro.

¿Qué haces? | What do you do?

abrir   *to open*
asistir a   *to attend*
aprender   *to learn*
ayudar   *to help*
bailar   *to dance*
beber   *to drink*
buscar   *to look (for)*
comer   *to eat*
comprar   *to buy*
comprender   *to understand*
creer   *to believe*
deber (+ *infinitive*)   *to owe (to ought to do something)*
decidir   *to decide*
desear   *to wish*
enseñar   *to teach*
escribir   *to write*
escuchar   *to listen*
estudiar   *to study*
hablar   *to speak, talk*
leer   *to read*
llegar   *to arrive*
mirar   *to look at*
practicar (un deporte)   *to practice, to play (a sport)*
preparar   *to prepare*
recibir   *to receive*
tomar   *to drink, to take*
trabajar   *to work*
vender   *to sell*
ver   *to see, to watch*
viajar   *to travel*
vivir   *to live*

Me gusta ver la
televisión.

Variaciones

In Mexico, the verb **platicar** is used commonly in place of **hablar** to express *to talk or to have a conversation.* **Hablar,** in contrast, usually means *to call (by phone)* in Mexico, whereas in other countries, **llamar** is the verb typically used.

Me gusta hablar
por teléfono.

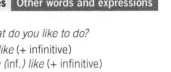

¿Te gusta
tomar café?

Adjetivos | Adjectives

difícil   *difficult*
fácil   *easy*

Otras palabras y expresiones | Other words and expressions

las lenguas   *languages*
¿Qué te gusta hacer?   *What do you like to do?*
Me gusta[2] (+ *infinitive*)   *I like (+ infinitive)*
Te gusta (+ *infinitive*)   *You (inf.) like (+ infinitive)*
¡Qué suerte!   *How lucky!*

---

[1]In Spanish, the masculine singular form of the nationality will often correspond to the language spoken in the country.
[2]You will learn more about *gustar* and similar verbs in *Capítulo 6.*

 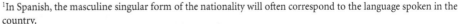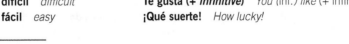

¡Hola!

02-35
to 02-36

Letras y sonidos

More on vowels in Spanish

In addition to the vowel sounds for **i** and **u** (**li-bro, lu-nes**), these letters also may represent *glides,* which are brief, weak sounds that combine with a vowel to form a single syllable. The letter **y** also represents a glide in some words.

a-di̱ós	si̱e-te	vei̱n-te	soy̱	hay̱
nu̱e-vo	gu̱a-po	Eu̱-ro-pa	es-tu-di̱ái̱s	U-ru-gu̱ay

The letters **i** and **u** are not always glides when next to other vowels in Spanish, however. When they are vowels and not glides, a written accent mark is used.

dí-a	rí-o	pa-ís	Ra-úl

APLICACIÓN

2-24 ¿Quién es?   Refer to **¡Así es la vida!** on page 58 and identify the speaker of each statement below.

C: Celia   **R:** Rogelio   **S:** la secretaria

1. _____ Busco trabajo.
2. _____ Necesito tutor.
3. _____ Tengo examen mañana.
4. _____ Trabajo en una oficina.
5. _____ Soy estudiante de intercambio.
6. _____ Mi clase es difícil.
7. _____ Soy un poco impaciente.
8. _____ Hablamos más de una lengua.

2-25 ¿Qué pasa?   Listen to a description of what is happening and match each drawing with the corresponding statement you hear.

_____   _____   _____   _____   _____   _____

2-26A ¿De dónde eres?   Take turns identifying the country your partner is from based on the language he/she tells you he/she speaks. Remember that in Spanish, the masculine form of the nationality corresponds to the language spoken there. **Estudiante B,** please see **Appendix 1,** page A-4.

MODELO: ESTUDIANTE A: *Hablo italiano.*
               ESTUDIANTE B: *¿Eres de Italia?*
               ESTUDIANTE A: *Sí, es verdad.*

Estudiante A:

Hablo...	Mi compañero/a es de...
1. inglés	Alemania
2. coreano	Japón
3. ruso	China
4. portugués	España

2-27 ¿Qué te gusta hacer? Tell a classmate three activities that you like and three that you don't like to do. Do you have any interests in common?

MODELO: *Me gusta practicar fútbol, pero no me gusta leer novelas.*

(No) Me gusta…

hablar con mi familia	escuchar música
comer chocolate	tomar café
comprar por Internet	aprender lenguas
escribir poesía	preparar comida mexicana
practicar los verbos	ver la televisión
trabajar por la noche	leer novelas
llegar temprano a clase	beber agua mineral
vivir en la residencia	asistir a conciertos
viajar	bailar en el Carnaval

2-28 ¿Debo o no? There are some things you ought to do and others you ought not do.

Paso 1 First, check off the things which, in your opinion, you should and shouldn't do from the following list.

Debo…	No debo…	
☐	☐	aprender los verbos en español
☐	☐	bailar hip-hop
☐	☐	beber café descafeinado
☐	☐	comer en casa
☐	☐	ayudar a los amigos
☐	☐	vivir en España
☐	☐	escribir un mensaje de texto en clase
☐	☐	estudiar francés
☐	☐	escuchar música clásica
☐	☐	leer novelas románticas
☐	☐	vender mi carro
☐	☐	comprar una bicicleta

Paso 2 Now compare your lists with those of a partner to see what you have in common and how you differ.

MODELO: E1: *Debo asistir a la clase de español.*
E2: *Yo también debo asistir a la clase de español.*

El Carnaval es popular en muchos países hispanos. Este es un desfile (*parade*) por las calles de Tenerife, España.

 ¡Hola!

Cultura en vivo

The celebration of *Carnaval* was originally a pagan ritual. It was outlawed in Spain during the Franco dictatorship, but has seen a revival since his death in 1975. In Latin America, the most famous *Carnaval* is in Rio de Janeiro; however, it is celebrated widely throughout the continent, each place adapting it to the local culture. Which U.S. city is famous for its celebration of *Carnaval*?

4. The present tense of regular -ar verbs

02-37
to 02-39

Spanish verbs are classified into three groups according to their infinitive ending (-ar, -er, or -ir). Each of the three groups uses different endings to produce verb forms (conjugations) in the various tenses.

- The present tense endings of -ar verbs are as follows.

hablar (*to speak*)		
yo	habl + o	→ hablo
tú	habl + as	→ hablas
Ud.	habl + a	→ habla
él/ella	habl + a	→ habla
nosotros/as	habl + amos	→ hablamos
vosotros/as	habl + áis	→ habláis
Uds.	habl + an	→ hablan
ellos/as	habl + an	→ hablan

- The following verbs are regular -ar verbs that are conjugated like **hablar**.

ayudar	*to help*	**estudiar**	*to study*
bailar	*to dance*	**llegar**	*to arrive*
buscar	*to look for*	**mirar**	*to look at*
comprar	*to buy*	**preparar**	*to prepare*
desear	*to wish*	**tomar**	*to take, to drink*
enseñar	*to teach*	**trabajar**	*to work*
escuchar	*to listen*	**viajar**	*to travel*

- The Spanish present indicative tense has several equivalents in English. In addition to the simple present, it can express ongoing actions and even the future tense. Note the following examples.

Estudio ingeniería.
{ *I study engineering.*
I am studying engineering.

Practicamos golf mañana.
We will play golf tomorrow.

Study tips – Learning regular verb conjugations

1. The first step is being able to recognize the infinitive stem: the part of the verb before the ending.

Infinitive			Stem
hablar	hablar	→	habl
estudiar	estudiar	→	estudi
trabajar	trabajar	→	trabaj

2. Practice conjugating several -ar verbs in writing first. Identify the stem, then write the various verb forms by adding the present tense endings listed.

3. Next practice -ar verb conjugations orally. Create two sets of index cards. Write a subject pronoun on each card for one set. For the other, write a regular -ar verb. Select one card from each set and conjugate the verb with the selected pronoun.

4. Think about how each verb action relates to your own experience by putting verbs into a meaningful context. For example, **Estudio matemáticas. Juan estudia ingeniería.**

APLICACIÓN

2-29 Preguntas y respuestas. With a classmate, take turns matching the following questions with logical responses.

1. _____ ¿Qué compras en la librería?
2. _____ ¿Quién enseña literatura española?
3. _____ ¿Qué necesitas para la clase de matemáticas?
4. _____ ¿Con quiénes estudias?
5. _____ ¿Qué instrumento musical practicas?
6. _____ ¿Quién prepara la comida en tu casa?
7. _____ ¿Dónde trabajas?
8. _____ ¿Cuándo y dónde escuchas música?

a. con mis amigos de la residencia
b. una calculadora
c. mi padre (*father*)
d. la profesora Rodríguez
e. libros y lápices
f. por la noche en mi dormitorio
g. en una oficina
h. el trombón

2-30 ¿Qué hacen? What is everyone doing today?

Paso 1 Match each drawing with an activity listed below, then create a sentence based on the information you have.

MODELO: practicar tenis
Eugenia practica tenis.

Eugenia

a. **Jacinto**

b. **Arturo**

c. **Víctor / Catalina**

d. **Leonor**

e. **Luis / Memo**

f. **Sonia**

g. **Ramona**

h. **Alma / Lili**

1. _____ bailar en una fiesta
2. _____ buscar trabajo
3. _____ estudiar en la biblioteca
4. _____ preparar una pizza
5. _____ hablar por teléfono
6. _____ viajar a España
7. _____ escuchar música
8. _____ trabajar en el laboratorio

Paso 2 Now use the drawings in **Paso 1** to ask a classmate whether he/she does these activities and when.

MODELO: E1: *¿Y tú? Practicas tenis como* (like) *Eugenia?*
E2: *Sí, practico tenis.*
E1: *¿Cuándo?*
E2: *Todos los días. ¿Y tú?*

5. The present tense of regular -er and -ir verbs

02-40
to 02-44

• You have just learned the present tense forms of regular **-ar** verbs. The following chart includes the forms for regular **-er** and **-ir** verbs.

	comer (*to eat*)	vivir (*to live*)
yo	como	vivo
tú	comes	vives
Ud.	come	vive
él/ella	come	vive
nosotros/as	comemos	vivimos
vosotros/as	coméis	vivís
Uds.	comen	viven
ellos/as	comen	viven

• The present tense endings of **-er** and **-ir** verbs are identical except for the **nosotros** and **vosotros** forms.

• The following verbs are regular **-er** and **-ir** verbs.

-er		-ir	
aprender (a + *infinitive*)	*to learn (to do something)*	**abrir**	*to open*
beber	*to drink*	**asistir a**	*to attend*
comprender	*to understand*	**decidir**	*to decide*
creer	*to believe*	**escribir**	*to write*
deber (+ *infinitive*)	*to owe (ought to do something)*	**recibir**	*to receive*
leer	*to read*		
vender	*to sell*		

• **Ver** (*to see, to watch*) is an **-er** verb with an irregular **yo** form. Also note that the **vosotros/as** form has no accent because it is only one syllable.

ver (*to see, to look at*)			
yo	**veo**	nosotros/as	**vemos**
tú	**ves**	vosotros/as	**veis**
Ud.	**ve**	Uds.	**ven**
él/ella	**ve**	ellos/as	**ven**

APLICACIÓN

2-31 **Cecilia Álvarez.** Cecilia is a student at a Spanish university.

Paso 1 Read about Cecilia and her plans. Underline all **-er** and **-ir** verbs and identify the infinitive of each one. **OJO** (*watch out!*): Some verbs are neither.

MODELO: Todos los días <u>escribe</u> un email a sus padres. (*escribir*)

Hola, soy Cecilia Álvarez y vivo en Madrid, España. Asisto a la Universidad Complutense donde estudio relaciones internacionales. Creo que es importante aprender otras lenguas y comprender otras culturas, por eso también estudio francés e inglés. Asisto a clase los lunes, miércoles y viernes. Los viernes después de las clases, mis amigos y yo vamos[1] a un bar cerca de la universidad donde tomamos una caña y unas tapas y decidimos qué hacer[2] por la noche. Normalmente vamos a la discoteca Danzoo y allí vemos a todos los amigos. Después de bailar toda la noche, tomamos chocolate y churros en un café que abre a las 6:00 de la mañana. ¿Y el resto del fin de semana? ¡Vivimos en la biblioteca!

Chocolate y churros,
¡qué ricos!

[1]*go* [2]*to do*

Paso 2   Now answer questions based on what you have just read.

1. ¿Dónde vive Cecilia?

2. ¿Por qué estudia otras lenguas?

3. ¿Qué hace (*does she do*) los lunes, miércoles y viernes?

4. ¿Adónde va después de clase?

5. ¿A quiénes ven en la discoteca

6. ¿Qué come Cecilia por la mañana con sus amigos?

2-32 Unas actividades típicas.   Complete the following sentences logically by conjugating the verb in parentheses and adding a logical ending.

MODELO: Mis compañeros y yo (asistir a)…
asistimos a la clase de español los lunes, miércoles y viernes.

1. Mi familia y yo (vivir)…

2. En clase los profesores (escribir)…

3. Normalmente tú (recibir)…

4. En el mercado, el comerciante (vender)…

5. En el café, tú y yo (beber)…

6. Antes de (*Before*) entrar en clase, la profesora (abrir)…

7. Yo siempre (leer)…

8. En casa, mis amigos (ver)…

2-33 ¿Cuándo? ¿A qué hora?   How do you compare your routines?

Paso 1   Take turns asking each other when or at what time you do the following activities. Be sure to conjugate the verbs in your questions and responses.

MODELO: ¿cuándo / **ver** / la televisión?
E1: *¿Cuándo ves la televisión?*
E2: *Veo la televisión los sábados.*

1. ¿cuándo / **vender** / los libros?

2. ¿a qué hora / **asistir** / a clase?

3. ¿cuándo / **escribir** / correos electrónicos?

4. ¿a qué hora / **deber** / trabajar?

5. ¿a qué hora / **beber**/ café?

6. ¿a qué hora / **ver** / las noticias (*news*)?

Paso 2   Now summarize what you have in common and how you differ.

MODELO: *Nosotros vemos la televisión los sábados. Él/ella también ve la televisión los viernes pero yo no.*

Presencia hispana
Spanish cuisine has become increasingly popular in the U.S. Go to any large city to find a **tapas** bar where you can sample some of the popular delicacies found in Spanish bars, such as **chorizo** (*sausage*), **pinchos de tortilla** (*slices of Spanish omelet*), and **calamares** (*squid*), to name a few. You can eat **tapas** any time, usually accompanied by a glass of wine or a **caña,** a small beer. How do **tapas** compare with the snacks that you usually have?

♕♕ 2-34 **¿Qué pasa?**   Take turns using the verbs listed below to describe the scene in the photograph: include what there is, who the people are, what they are like, what they are doing, and what they are not doing. Use your imagination.

abrir	caminar	escuchar	hablar	mirar	ver
asistir a	escribir	vender	leer	ser	vivir

MODELO: (ver) *Veo un reloj...*

♕♕ 2-35A **Entrevistas.**   Ask each other questions to share the information below. Be sure to respond using complete sentences and logical information. **Estudiante B,** please see **Appendix 1,** page A-4.

MODELO: ESTUDIANTE A: *¿A qué hora llegas a clase?*
ESTUDIANTE B: (1:30 p.m.) *Llego a la una y media de la tarde.*

Estudiante A:

Mis preguntas	Mis respuestas
1. ¿Cuándo estudias?	• sí, es muy interesante
2. ¿Qué lenguas hablas bien?	• programas de *reality*
3. ¿Lees el periódico?	• pizza
4. ¿Asistes a clase los martes?	• música popular o de *rap*
5. ¿Qué deporte practicas?	• en casa o en la biblioteca

2-36 **¿Y tú?**   Write a short paragraph in which you discuss your activities using verbs that end in **-ar, -er,** and **-ir** (refer back to **¡Así lo decimos!** for a list). Connect your thoughts by using the expressions **pero, y,** and **también.**

MODELO: *Estudio dos lenguas: inglés y español. También estudio ciencias y administración de empresas. Trabajo en la cafetería. Me gusta escribir poesía y asistir a conciertos de música rock.*

📖 6. The present tense of *tener*

02-45
to 02-47

• The Spanish verb **tener** (*to have*) is irregular. As in English, **tener** is used to show possession.

Tengo tres clases y un laboratorio.	*I have three classes and a lab.*
¿**Tienes** un bolígrafo?	*Do you have a pen?*

tener (*to have*)			
yo	**tengo**	nosotros/as	**tenemos**
tú	**tienes**	vosotros/as	**tenéis**
Ud.	**tiene**	Uds.	**tienen**
él/ella	**tiene**	ellos/as	**tienen**

• **Tener que** + *infinitive* is used to express obligation (*to have to*).

Mañana **tengo que** asistir a clase.	*Tomorrow I have to attend class.*
¿**Tienes que** leer una biografía de Picasso?	*Do you have to read a biography about Picasso?*

Tengo que terminar esta pintura para las cinco de la tarde.

APLICACIÓN

2-37 Mis obligaciones. There's often not enough time in the day to do all you have to.

Paso 1 First, check off the activities you need to do tomorrow.

Tengo que...

☐ asistir a clase.
☐ llegar temprano a clase.
☐ estudiar la lección.
☐ comprar comida.
☐ escribir una composición.
☐ ver una película.
☐ practicar un deporte.
☐ escuchar música.
☐ ayudar a un/a amigo/a.

 Paso 2 Refer back to your responses above to compare what you each have to do and not do tomorrow. Which of you has more obligations?

MODELO: E1: *¿Qué tienes que hacer mañana?*
E2: *Mañana tengo que practicar tenis y hablar con el profesor. No tengo que estudiar. ¿Y tú?*
E1: *Pues, creo que tengo más obligaciones…*

2-38 ¿Qué tienen en común? Write eight sentences in Spanish, saying what various people have in common. Use the verbs **ser** and **tener,** as well as other verbs from the chapter.

MODELO: *Christina Aguilera y Shakira son bonitas. Tienen muchos amigos. Trabajan mucho.*

Christina Aguilera	El príncipe Felipe de España	Shakira
Alberto Contador	Eva Méndez	Penélope Cruz
Paz Vega	Enrique Iglesias	Eva Longoria Parker
Yo	Bono	Peyton Manning
Bill Gates	Tú	Pitbull
Venus Williams	Rafael Nadal	Benjamin Bratt

2-39A ¿Tienes? Take turns asking each other if you have the items on your list. If your partner has the item you want, you make a pair. The first person who has five pairs of items wins. **Estudiante B**, please see **Appendix 1**, page A-4.

MODELO: ☐ un libro de historia
ESTUDIANTE A: *¿Tienes un libro de historia?*
ESTUDIANTE B: *Sí, tengo. (No, no tengo libro de historia, pero tengo un libro de física.)*

Estudiante A:

☐ un libro de español	☐ una novela de Hemingway
☐ una pintura de Picasso	☐ un reloj grande
☐ un examen fácil	☐ un buen amigo
☐ una mesa roja	☐ un/a profesor/a inteligente
☐ un lápiz azul	☐ un libro nuevo
☐ una mochila negra	☐ un cuaderno viejo

Media Share

02-48
to 02-52

¿Cuánto saben?

First, ask yourself if you can perform the following functions in Spanish. Then act out the scenarios with two or three classmates. Ask and respond to at least three questions in each situation.

✓ CAN YOU . . .

☐ talk about what you do and what you like to do?

☐ talk about what you have, and what you have to do or should do?

WITH YOUR CLASSMATE(S) . . .

Situación: En un café
You've just been introduced to each other. Discuss what you do on a daily basis and what you like to do to find out what you have in common. Use a variety of **-ar, -er, -ir** verbs, and **(no) me gusta** with infinitives.
Para empezar: *Me gusta estudiar... También yo...*

Situación: En una fiesta
Which of you is busier? Take turns comparing your busy lives, each trying to outdo the other in order to get some sympathy. Be sure to use **tener que** and **deber**, and appropriate responses, such as **Lo siento** and **¿De verdad?**
Para empezar: *Tengo que preparar... Debo estudiar...*

Observaciones

¡Pura vida! EPISODIO 2

Antes de ver el video

2-40 **Silvia es española.** Read the following information about Spain, and then decide whether the statements that follow are **cierto (C)** or **falso (F).** Correct any false statements.

España es el tercer país más grande de Europa después de Rusia y Francia. Por su diversidad y su mezcla[1] de gentes y tradiciones, España es un país muy diferente al resto de Europa. Los grupos que han influido[2] en la historia del país son: los iberos, los celtas, los griegos, los romanos, los árabes y los judíos.

Ahora, España está dividida en 17 comunidades autónomas y dos ciudades autónomas. Aunque hay diferencias entre las comunidades, todas comparten[3] muchas tradiciones y costumbres, como el horario.

En España el horario es muy diferente al de EE. UU. y Canadá. Por ejemplo, en los restaurantes se sirve el almuerzo[4] entre las 13:00 y las 15:30 horas. La cena[5] se sirve de las 20:30 a las 23:00 horas. En los bares y restaurantes se comen *tapas,* los deliciosos aperitivos españoles, todo el día.

Se comen las tapas a cualquier hora del día.

[1]*mixture* [2]*have influenced* [3]*share* [4]*lunch* [5]*dinner*

1. _____ España es más grande que Francia.

2. _____ Las diferentes comunidades comparten muchas de las tradiciones.

3. _____ En España se sirve el almuerzo al mediodía.

4. _____ Las tapas se sirven en el desayuno.

A ver el video

2-41 **Los otros (*other*) personajes.** Watch the second episode of **¡Pura vida!** and listen to the characters describe each other. Then, write a description for Silvia, Patricio, and Marcela, using correct forms of logical adjectives from the following list.

alegre	colombiano	cubano	español
guapo	inteligente	moreno	simpático

Silvia

Patricio   **Marcela**

Después de ver el video

2-42 **¿Cuál es tu opinión?** Choose two of these countries and state why you would visit them.

Argentina   Colombia   Costa Rica   Cuba   España   México

MODELO: *Visito_____ porque es _____ y _____.*

Panoramas

📖 Descubre España

02-57
to 02-58

Millones de turistas visitan España todos los años para experimentar sus bellas vistas, su rica historia, su innovador presente y su fabulosa comida.

La Alhambra de Granada construida por los árabes, siglo XIV

El acueducto de Segovia construido por los romanos, siglo I–II

Las altas montañas de Sierra Nevada, Andalucía

Mariscos del mar Cantábrico

L'Hemisfèric (derecha) y Museo de las Ciencias Príncipe Felipe (izquierda) (1998) diseñados por el arquitecto español Santiago Calatrava

El encantador pueblo de Calella de Palafrugell, Costa Brava, Cataluña

España

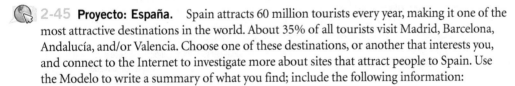

Población: 40,5 millones

Lengua nacional: castellano (español)

Lenguas regionales: gallego, eusquera (vasco), aranés, catalán, valenciano

Turistas cada año: 60 millones

Estudiantes universitarios: 1,5 millones

Edad mínima para beber alcohol: 16 años

Edad mínima para conducir[1]: 18 años

_____

[1] *drive*

2-43 Identifica. Use the information in the photos and Fact box to identify the following.

1. unas montañas altas _____

2. el nombre de un arquitecto español famoso _____

3. una construcción romana _____

4. una construcción árabe _____

5. el número de turistas que visitan España cada año _____

6. dónde está la Costa Brava _____

2-44 Desafío. Locate these places using the map of Spain above.

1. la capital de España
2. donde está situada la Alhambra
3. donde está situado el acueducto de Segovia
4. la Costa Brava
5. el Mar Cantábrico
6. las Islas Canarias

2-45 Proyecto: España. Spain attracts 60 million tourists every year, making it one of the most attractive destinations in the world. About 35% of all tourists visit Madrid, Barcelona, Andalucía, and/or Valencia. Choose one of these destinations, or another that interests you, and connect to the Internet to investigate more about sites that attract people to Spain. Use the Modelo to write a summary of what you find; include the following information:

- su nombre y dónde está (*where it is*)
- su población
- cómo es
- unos sitios históricos importantes
- un producto importante
- una foto representativa

> **Busca:** Spain tourism

MODELO: *La ciudad de Segovia está a media hora en tren de Madrid, y el tren cuesta solo diez euros. Tiene 55.000 habitantes. Es una bella ciudad con monumentos romanos y árabes. Entre los tesoros arquitectónicos figuran el acueducto romano del siglo I y el Alcázar (un castillo árabe) del siglo XI. Los turistas también visitan la Catedral de Segovia del siglo XVI. En Segovia la cerámica y los productos de cuero (leather) son muy populares.*

Cinemundo entrevista a Pedro Almodóvar

Pedro Almodóvar is one of Spain's most celebrated movie directors. Almodóvar's success derives from his own keen observations of film techniques and of life in general. His films and their actors have earned numerous awards, including an Oscar for Best Foreign Language Film for *Todo sobre mi madre.* Here Pedro Almodóvar (**PA**) responds to an interview by a reporter for the film magazine, *Cinemundo* (**CM**).

ANTES DE LEER

2-46 Conocimiento previo. It often helps to refer to background knowledge to help understand a reading. What are some of the question words you would expect to see in an interview? What kinds of questions would you expect to be asked by someone interviewing a movie director?

A LEER

2-47 Busca las palabras interrogativas. Skim through the interview and underline interrogatives in the text. Do the types of questions coincide with your conjecture about the content of the interview?

Cinemundo entrevista a Pedro Almodóvar

CM: Señor Almodóvar, muchas gracias por concederme[1] esta entrevista. Para empezar, ¿cuál es su nombre completo?

PA: Me llamo Pedro Almodóvar Caballero, pero no uso mi apellido materno. Creo que es más fácil así.

CM: Es verdad, especialmente porque usted es tan conocido[2]. Y entre los amigos, ¿tiene apodo?

PA: No, por Dios. No me gustan los apodos, soy simplemente Pedro para todos. Sólo[3] en mi pueblo me llaman Pedrito, y bueno, sólo a ellos se lo permito.

CM: ¿Y de dónde es usted originalmente?

PA: Soy manchego[4], de Calzada de Calatrava, un pequeño pueblo de La Mancha. Estudié en la ciudad de Cáceres. A la edad de dieciséis años fui solo[5] a Madrid. Fue difícil vivir sin mi familia, pero poco a poco aprendí a vivir en una ciudad nueva.

CM: Usted tiene mucho éxito con sus películas. ¿Cuál de ellas prefiere?

PA: Estoy muy orgulloso de todas mis películas, pero la que más me gusta es *Los abrazos rotos* en la que aparece Penélope Cruz. Ella es una actriz extraordinaria y sin duda, merece otro Óscar más. En la película, ella vive dos vidas y tiene dos apariencias y personalidades muy diferentes. En la primera vida tiene el pelo castaño[6] y es muy seria. En su otra vida, es rubia, despreocupada[7] y escandalosa[8]. Como en muchas de mis películas, hay humor, pero también hay un mensaje[9] social.

CM: ¿Es verdad que sus películas son autobiográficas?

PA: Bueno, todas tienen algo autobiográfico, pero aún más que eso[10], presento tabúes sociales. Quiero que las personas que vean mis películas cuestionen sus creencias[11] y la moralidad social.

CM: ¿Cuál va a ser su próxima película?

PA: Primero voy a ir de vacaciones a las Islas Canarias y tomar algún tiempo para recuperar mi creatividad. Luego, vamos a ver...

CM: Muchísimas gracias, señor Almodóvar, y ¡muy buena suerte!

PA: ¡Igualmente!

---

[1]*grant me* [2]*well known* [3]*Only* [4]*native of La Mancha* [5]*by myself* [6]*brown hair* [7]*carefree* [8]*outrageous* [9]*message* [10]*even more than that* [11]*beliefs*

2-48 Haz las preguntas. Complete the questions with the most appropriate interrogative words. Then answer the questions.

1. ¿ ————— se llama la revista?

2. ¿ Con ————— es la entrevista?

3. ¿ De ————— es?

4. ¿ En ————— ciudad estudia?

5. ¿ ————— es su película favorita?

6. ¿ ————— va de vacaciones ahora?

2-49 ¿Qué opinas tú? Indicate your response to each of the following statements to express your opinions.

1. Voy mucho al cine.   **Sí**   **No**

2. Prefiero ver videos en casa.   **Sí**   **No**

3. Me gustan las películas internacionales.   **Sí**   **No**   **No sé** (*I don't know*)

4. Me gustan las películas de Almodóvar.   **Sí**   **No**   **No sé**

5. En mi opinión, Penélope Cruz es una excelente actriz.   **Sí**   **No**   **No sé**

2-50 Penélope Cruz. This talented actress has performed in several Almodóvar films. Connect with the Internet to see images of her; then write a short paragraph describing her.

Busca: penelope cruz foto bio

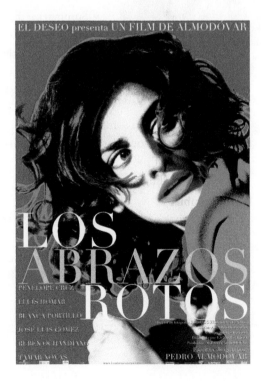

EL DESEO presenta UN FILM DE ALMODÓVAR

LOS ABRAZOS ROTOS

PEDRO ALMODÓVAR

2-51 **Una entrevista y un sumario.** Summarize information from an interview for an article in *¡Aló!*, a Spanish magazine that depicts the lives of the rich and famous.

ANTES DE ESCRIBIR

- Write questions you'd like to ask a famous Spaniard, such as Fernando Alonso, Penélope Cruz, Javier Bardem, José Rodríguez Zapatero, Picasso, Santiago Calatrava, Rafael Nadal, Alejandro Amenábar, or Alejandro Sanz. Use the following interrogatives:

  ¿Cómo...?

  ¿Dónde...?

  ¿Qué...?

  ¿Cuándo...?

  ¿Por qué...?

  ¿Cuál(es)...?

  ¿Quién(es)...?

  ¿De dónde...?

- Write at least one question using the verb **tener**.

- **Entrevista.** Interview a classmate who will role-play as a famous Spaniard, then write up the responses.

A ESCRIBIR

- Summarize the information for your article. Use connecting words such as **y, pero** (*but*), and **por eso** (*therefore*).

- Write at least six sentences about your famous person.

DESPUÉS DE ESCRIBIR

- **Revisar.** Review your summary to assure the following:
  - ☐ agreement of nouns, articles, and adjectives
  - ☐ agreement of subjects and verbs
  - ☐ correct spelling, including accents

- **Intercambiar**
  Exchange your summary with a classmate's; make suggestions and corrections.

- **Entregar**
  Rewrite your summary, incorporating your classmate's suggestions. Then turn in the summary to your instructor.

🔊 Vocabulario

Primera parte

Adjetivos de nacionalidad Adjectives of nationality

argentino/a *Argentine*
canadiense *Canadian*
chileno/a *Chilean*
colombiano/a *Colombian*
cubano/a *Cuban*
dominicano/a *Dominican*
ecuatoriano/a *Ecuadorian*
español/a *Spanish*
mexicano/a *Mexican*
norteamericano/a (estadounidense) *American*
panameño/a *Panamanian*
peruano/a *Peruvian*
puertorriqueño/a *Puerto Rican*
salvadoreño/a *Salvadorian*
venezolano/a *Venezuelan*

Adjetivos descriptivos Descriptive adjectives

activo/a *active*
alto/a *tall*
bajo/a *short*
bonito/a *pretty, cute*
delgado/a *slender*
entusiasta *enthusiastic*
feo/a *ugly*
flaco/a *skinny*
gordo/a *fat*
guapo/a *good-looking*
joven *young*
moreno/a *dark (skin, hair)*
nuevo/a *new*
pobre *poor*
rico/a *rich*
rubio/a *blond (fair)*
viejo/a *old*

Lugares Places

la capital *capital city*
la ciudad *city*
el país *country*

Las personas People

el/la amigo/a *friend*
el/la muchacho/a *boy/girl*
los padres *parents*

Adverbios Adverbs

ahora (mismo) *(right) now*
también *also*
tarde *late*
temprano *early*

Conjunciones Conjunctions

pero *but*
porque *because*

Segunda parte

Verbos Verbs

abrir *to open*
asistir a *to attend*
aprender *to learn*
ayudar *to help*
bailar *to dance*
beber *to drink*
buscar *to look for*
comer *to eat*
comprar *to buy*
comprender *to understand*
creer *to believe*
deber (+ *infinitive*) *to owe (to ought to do something)*
decidir *to decide*
desear *to wish*
enseñar *to teach*
escribir *to write*
escuchar *to listen*
estudiar *to study*
hablar *to speak*
leer *to read*
llegar *to arrive*
mirar *to look at*
practicar (un deporte) *to practice, to play (a sport)*
preparar *to prepare*
recibir *to receive*
tener *to have*
tomar *to drink, to take*
trabajar *to work*
vender *to sell*
ver *to see, to watch*
viajar *to travel*
vivir *to live*

Adjetivos Adjectives

difícil *difficult*
fácil *easy*

Otras nacionalidades (País) Other nationalities (Country)

alemán, alemana (Alemania) *German (Germany)*
brasileño/a (Brasil) *Brazilian (Brazil)*
chino/a (China) *Chinese (China)*
coreano/a (Corea) *Korean (Korea)*
francés, francesa (Francia) *French (France)*
inglés, inglesa (Inglaterra) *English (England)*
italiano/a (Italia) *Italian (Italy)*
japonés, japonesa (Japón) *Japanese (Japan)*
portugués, portuguesa (Portugal) *Portuguese (Portugal)*
ruso/a (Rusia) *Russian (Russia)*

Otras palabras y expresiones Other words and expressions

las lenguas *languages*
¿Qué te gusta hacer? *What do you (inf.) like to do?*
Me gusta (+ *infinitive*) *I like (+ infinitive)*
Te gusta (+ *infinitive*) *You (inf.) like (+ infinitive)*
¡Qué suerte! *How lucky!*

Telling time *See page 46.*   **Interrogative words** *See page 52.*

3

¿Qué estudias?

1 Primera parte

		OBJETIVOS COMUNICATIVOS
¡Así lo decimos! Vocabulario	Las materias académicas y la vida estudiantil	• Exchanging information about classes
¡Así lo hacemos! Estructuras	The numbers 101–3.000.000	• Talking about things that belong to you
	Possessive adjectives	
	Other expressions with **tener**	• Talking about how you and others feel
Perfiles		
Mi experiencia	Mi universidad: La UNAM	
Mi música	"Eres" (Café Tacvba, México)	

2 Segunda parte

¡Así lo decimos! Vocabulario	Los edificios de la universidad	• Describing yourself and others
¡Así lo hacemos! Estructuras	The present tense of **ir** and **hacer**	• Making plans to do something with someone
	The present tense of **estar**	
	Summary of uses of **ser** and **estar**	
Observaciones	¡Pura vida! Episodio 3	• Asking for and giving simple directions

Nuestro mundo

Panoramas	¡México fascinante!
Páginas	"El Museo de Antropología de México"
Taller	Un correo electrónico a un/a amigo/a

Readiness
Check

¡México fascinante!

«La educación no es para enseñar qué pensar, sino a pensar».

Refrán: "Education serves not to teach *what* to think, but rather *to think*."

Frida Kahlo pintó muchos autorretratos (*self-portraits*) y cuadros menos personales, como *Viva la vida*. Hoy en día se le considera una de las mejores (*best*) pintoras del mundo hispano. Fue la esposa del gran muralista mexicano Diego Rivera.

Los mariachis son los más genuinos exponentes de la música mexicana. Son populares en los restaurantes, los bailes, las fiestas y las bodas.

¡Así lo decimos! VOCABULARIO

📖 ¡Así es la vida! La vida universitaria
03-01

Un horario complicado.

MARCELA: Oye, Pedro, ¿qué materias tienes este semestre?

PEDRO: A ver, tengo siete en total: historia económica, economía política, teoría económica, investigación, matemáticas...

MARCELA: ¡Estás loco! ¡Todas son muy difíciles! Yo solamente tengo cuatro clases este semestre.

PEDRO: Sí tienes razón, pero mis clases son todas obligatorias para la carrera de economía.

Ana tiene prisa mientras Beatriz escribe un correo electrónico.

ANA: ¿Tienes hambre? Yo sí. ¿Vamos a comer algo?

BEATRIZ: Ahora mismo no. Tengo que escribir otro correo electrónico más y después comemos.

ANA: ¡Escribe más rápido! Ya es la una y tenemos que comer antes de la clase de geología a las dos.

Vocabulario Las materias académicas y la vida estudiantil

03-02 to
03-06

Variaciones
In Spain,
la administración de empresas is more commonly **las empresariales**.

Las materias (Academic) Subjects

la administración de empresas *business administration*
la arquitectura *architecture*
el arte *art*
la biología *biology*
el cálculo *calculus*
las ciencias políticas *political science*
las ciencias sociales *social sciences*
las comunicaciones *communications*
la contabilidad *accounting*
el derecho *law*
el diseño *design*
la educación física *physical education*
la economía *economics*
la estadística *statistics*
la filosofía *philosophy*
las finanzas *finance*
la física *physics*
la geografía *geography*
la geología *geology*
la historia *history*
la informática / la computación *computer science*
la ingeniería (eléctrica) *(electrical) engineering*
las matemáticas *mathematics*
la medicina *medicine*
la pedagogía *teaching, education*
la química *chemistry*
la veterinaria *veterinary science*

La chica estudia informática.

Sustantivos Nouns

la carrera *career, field*
el/la chico/a *boy/girl*
el correo electrónico *e-mail*
el dinero *money*
el horario (de clases) *(class) schedule*
el semestre *semester*
el trimestre *trimester*
el videojuego *video game*

el correo electrónico

Variaciones
In Mexico and other Latin American countries, the noun **chico/a** is used as an adjective synonymous with **pequeño/a** or *small*, for example, **un país chico** (or even **chiquito, chiquitito**). The term **chavo/a** is a common alternative for *boy/girl* in Mexico.

Adjetivos Adjectives

complicado/a *complicated*
exigente *challenging, demanding*
obligatorio/a *obligatory, required*

el chico con un videojuego

Adverbios Adverbs

antes (de) *before*
bastante *quite, fairly*
después (de) *after*
solamente *only*

APLICACIÓN

3-1 Y tú, ¿qué estudias?   Talk about what you study.

Paso 1   First, check off the subjects you have this term.

MODELO: *Estudio...*

       ☑ biología, ☑ cálculo, ☑ español y ☑ química.

☐ administración de empresas	☐ ciencias sociales	☐ francés	☐ matemáticas
☐ alemán	☐ comunicaciones	☐ geografía	☐ medicina
☐ álgebra	☐ coreano	☐ geología	☐ música
☐ antropología	☐ chino	☐ historia	☐ pedagogía
☐ árabe	☐ derecho	☐ informática	☐ portugués
☐ arte	☐ educación física	☐ ingeniería	☐ psicología
☐ biología	☐ español	☐ inglés	☐ química
☐ cálculo	☐ filosofía y letras	☐ japonés	☐ ruso
☐ ciencias políticas	☐ física	☐ literatura	☐ sociología

EXPANSIÓN

More on structure and usage

todo (*every, all*) can be an adjective or a pronoun.

todo/a/s (adj.) *all (of), every*

    todo el día *all day*

    todo el mundo *all the world (everyone, everybody)*

    todas las noches *every night*

    todos los días *every day*

todo/a/s (pron.) *everything, all, everyone, everybody*

    Me gusta todo. *I like it all.*

    Todos están aquí. *Everyone is here.*

Paso 2   Now, compare your list with that of another student.

MODELO: E1: *Estudio biología, cálculo, español y química. Todas mis materias son difíciles. Y tú, ¿qué estudias?*

          E2: *Estudio biología, español, historia y sociología. Tengo clase todos los días.*

3-2 Materias en El Tec.   El Instituto Tecnológico de Estudios Superiores de Monterrey (ITESM), popularly known as El Tec, has campuses all over Mexico, each with a particular academic strength.

Paso 1   Here is a schedule of classes for students in international business at El Tec. Choose three courses that interest you and create a possible schedule in the grid below.

Curso	Días	Hora
Administración de empresas	lunes y miércoles	8:30–10:00
Análisis de información	lunes y miércoles	10:30–12:00
Contabilidad financiera I	viernes	16:00–19:00
Derecho privado	lunes y miércoles	8:30–10:00
Japonés II	martes y jueves	15:00–17:00
Derecho público	viernes	16:00–19:00
Matemáticas II	lunes y miércoles	10:30–12:00
Psicología avanzada	lunes y miércoles	8:30–10:00
Estadística administrativa	martes y jueves	15:00–17:00
Principios de microeconomía	martes y jueves	15:00–17:00
Recursos humanos	lunes y miércoles	8:30–10:00
Negocios internacionales	martes y jueves	15:00–17:00
Principios de macroeconomía	lunes y miércoles	8:30–10:00

Cursos	Días	Horas
1.		
2.		
3.		

Paso 2 Share your schedule with a classmate and answer the questions that follow based on your conversations.

> **MODELO:** E1: *¿Qué estudias este semestre?*
> E2: *Administración de empresas.*
> E1: *¿Cuándo?*
> E2: *Los lunes y los miércoles a las ocho y media.*

1. ¿Quién tiene el horario más conveniente? ¿Por qué?

2. ¿Quién tiene el horario más difícil? ¿Por qué?

3. ¿Quién tiene el horario más interesante? ¿Por qué?

3-3 El horario de Alberto y Carmen. Listen to Alberto and Carmen talk about their schedules. Then select the name of the person described in each statement.

1. Estudia matemáticas.	Alberto	Carmen
2. Estudia química.	Alberto	Carmen
3. Tiene examen hoy.	Alberto	Carmen
4. Tiene que hablar con el profesor.	Alberto	Carmen
5. Trabaja esta noche.	Alberto	Carmen
6. Va a una fiesta esta noche.	Alberto	Carmen
7. Tiene una clase difícil.	Alberto	Carmen
8. Tiene un profesor exigente (*demanding*).	Alberto	Carmen

3-4 ¿Cuántas? In groups of three or four students, make a chart similar to the one below to decide on a time when you are all free to meet outside of class to work on a group project. Take turns asking the following questions so that all members share their schedules.

1. ¿Qué estudias este semestre (trimestre)?

2. ¿A qué hora es la clase de ...? ¿Qué días de la semana?

3. ¿Cuándo trabajas?

	lunes	martes	miércoles	jueves	viernes	sábado	domingo
9:00	Sara: cálculo		Sara: cálculo		Sara: cálculo	Sara: trabajo	
10:00	Todos: español	Todos: español	Todos: español	Todos: español			
11:00							
¿...?							

¡Hola!

Cultura en vivo

Students in Mexico, as in many parts of the world, begin their specializations very early in their university careers. The curriculum is usually fixed and the number of courses students must take varies with the *facultad*. During their final semesters students have more choice, but still mostly within their majors. In your opinion, what are advantages and disadvantages of this type of curriculum?

¡Así lo hacemos! ESTRUCTURAS

1. The numbers *101 – 3.000.000*

03-07
to 3-10

Quinientos, seiscientos, setecientos, ochocientos, novecientos, ¡mil!

Numbers greater than 100 are expressed as follows:

101	ciento uno/a	800	ochocientos/as
200	doscientos/as	900	novecientos/as
300	trescientos/as	1.000	mil
400	cuatrocientos/as	4.000	cuatro mil
500	quinientos/as	100.000	cien mil
600	seiscientos/as	1.000.000	un millón (de)
700	setecientos/as	3.000.000	tres millones

- **Ciento** is used in compound numbers between 100 and 200.
  ciento diez, **ciento** treinta y cuatro, etcétera
- When 200 to 900 modify nouns, they agree in gender with them.
  doscien**tas** universidades   quinien**tos** libros
  seiscien**tas** veintiuna alumnas   cuatrocien**tos** cincuenta y un profesores
- **Mil** is never used with **un** and is never used in the plural for counting.
  mil, dos **mil**, tres **mil**, etcétera
- In Spanish, the year is always expressed in thousands.

  mil novecientos noventa y dos   *nineteen ninety-two (1992)*
  dos mil once   *two thousand eleven/twenty eleven (2011)*
- The plural of **millón** is **millones**, and when followed immediately by a noun, both take the preposition **de**.
  un millón **de** pesos
  dos millones **de** dólares
  dos millones trescientas mil personas
- In Spain and in most of Latin America, thousands are marked by a period and decimals by a comma.

Spain/Latin America	**United States/Canada**
$1.000	$1,000
$2,50	$2.50
$10.450,35	$10,450.35
2.341.500	2,341,500

APLICACIÓN

3-5 ¿Qué número es? Write the numerals that are represented below.

MODELO: doscientos cuarenta y nueve
249

1. quinientos noventa y dos   _____
2. diez mil setecientos once   _____
3. un millón seiscientos treinta y tres mil doscientos nueve   _____
4. novecientos mil ciento veintiuno   _____
5. dos millones ochocientos mil ochocientos ochenta y ocho   _____
6. ciento cuarenta y cinco   _____

3-6 **¿En qué año?**   When did these events take place?

Paso 1   Write out each year, and then match it with an historical event.

MODELO: 1776
   mil setecientos setenta y seis; la independencia de Estados Unidos

1. _____ 1492   a. los Juegos Olímpicos en Londres
2. _____ 2012   b. la Guerra Civil española
3. _____ 2000   c. la Gran Depresión
4. _____ 1929   d. el nuevo milenio
5. _____ 1810   e. la conquista de México por Hernán Cortés
6. _____ 1936   f. la Guerra de Independencia de México
7. _____ 1521   g. la llegada (*arrival*) de Cristóbal Colón a Santo Domingo
8. _____ 2010   h. la Copa Mundial de Fútbol en Sudáfrica

Paso 2   Now, write out two other important years and have classmates say what other events took place.

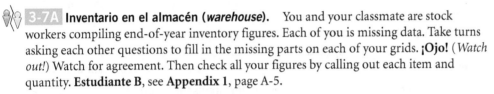 **3-7A** **Inventario en el almacén (*warehouse*).**   You and your classmate are stock workers compiling end-of-year inventory figures. Each of you is missing data. Take turns asking each other questions to fill in the missing parts on each of your grids. **¡Ojo!** (*Watch out!*) Watch for agreement. Then check all your figures by calling out each item and quantity. **Estudiante B**, see **Appendix 1**, page A-5.

MODELO: Estudiante A: (You need) *¿Cuántas mesas tienes?*
      Estudiante B: (You have) *Tengo setecientas cuarenta y siete mesas.*

Estudiante A:

_____ escritorios	525 calculadoras
816 pizarras	_____ computadoras
111.000 cuadernos	1.526 diccionarios
_____ mapas	2.400 libros de texto
110 sillas	_____ bolígrafos
11.399 lápices	600.450 CD

3-8 **La lotería del Tec de Monterrey.**   The Tec has a yearly lottery in which they give away houses, furniture, cars, and shopping sprees. You have just won the million **peso** (about $69,000) shopping spree. Together with a partner, decide how you will spend your prize money without going over budget.

MODELO: E1: *Compramos dos escritorios ejecutivos por treinta mil pesos.*
      E2: *No, mejor compramos uno ejecutivo y uno pequeño por diecisiete mil pesos.*

Presupuesto (*Budget*) $1.000.000 (PESOS)

escritorio ejecutivo	$15.000	reloj Rolex	$645.000
bicicleta	$1.290	carro híbrido	$387.000
silla de plástico	$250	sillón de cuero (*leather*)	$3.000
computadora portátil	$15.000	iPhone	$2.500
televisor plasma	$10.000	televisor pequeño	$1.500
mesa pequeña	$1.800	reproductor Blu-Ray	$2.500
carro alemán	$640.000	miscelánea	¿...?

Presencia hispana
Mexican Americans are U.S. residents who trace their ancestry to Mexico. They are variously known as *chicanos*, *xicanos*, *mexicanos*, or Mex-Americans, although *chicano* is the preferred identification for many. In the U.S. there are currently 25 million legal residents of Mexican heritage, and an estimated 6 to 7 million undocumented immigrants. Mexico allows its citizens to maintain dual citizenship with the U.S. How does this law benefit Mexican Americans?

2. Possessive adjectives

- You have already used **mi(s)** and **tu(s)** to express possession. Here are all the forms of possessive adjectives in Spanish.

Subject pronoun	With singular nouns	With plural nouns	
yo	**mi**	**mis**	*my*
tú	**tu**	**tus**	*your (inf.)*
Ud.	**su**	**sus**	*your (form.)*
él/ella	**su**	**sus**	*his, her*
nosotros/as	**nuestro/a**	**nuestros/as**	*our*
vosotros/as	**vuestro/a**	**vuestros/as**	*your (inf.)*
Uds.	**su**	**sus**	*your (form.)*
ellos/as	**su**	**sus**	*their*

- In Spanish, two factors determine the form of a possessive adjective: the possessor and the entity or thing possessed. Possessive adjectives agree in number with the nouns they modify, not the possessor. Note that **nuestro/a** and **vuestro/a** are the only possessive adjectives that show both gender and number agreement.

mi libro	*my book*	**mis** libros	*my books*
nuestra universidad	*our university*	**nuestras** universidades	*our universities*

- Possessive adjectives are always placed before the nouns they modify.

  Tus clases son grandes. — *Your classes are big.*
  Nuestros amigos llegan a las ocho. — *Our friends arrive at eight o'clock.*

- In Spanish, the construction **de** + *noun* can also be used to indicate possession. It is equivalent to the English *apostrophe s*.

  La música de Tacvba es bonita. — *Tacvba's music is pretty.*
  La hermana de Marcela estudia derecho. — *Marcela's sister studies law.*

- When the preposition **de** is followed by the definite article **el**, it contracts to **del**: **de** + **el** = **del**.[1]

  Los exámenes del profesor son difíciles. — *The professor's exams are difficult.*
  No es mi cuaderno, es de él. — *It's not my notebook, it's his.*

EXPANSIÓN **More on structure and usage**
Su and *sus*

The possessive adjectives **su** and **sus** can have different meanings (*your, his, her, their*). The context in which they are used indicates who the possessor is.

María y José leen **su** libro. — *María and José read their book.*
Ramón habla con **sus** amigos. — *Ramón speaks with his friends.*

When the identity of the possessor in the third person is not clear, the construction **de** + *noun* or **de** + *pronoun* can be used for clarification.

¿**De quién** es el libro? — *Whose book is it?*
Es **su** libro. Es el libro **de Paco**. — *It's his book. It's Paco's book.*
¿Son **sus** amigas? — *Are they her friends?*
Sí, son las amigas **de ella**. — *Yes, they're her friends.*

---

[1]The preposition **de** does not contract with the subject pronoun **él**.

APLICACIÓN

3-9 Pedro. Pedro is a student at a university in Monterrey, Mexico.

Paso 1 Read about Pedro and underline all of the possessive adjectives.

Soy Pedro, estudiante del Tec de Monterrey. Mi carrera es ingeniería eléctrica. Tengo clases por la mañana y trabajo por la tarde. Vivo en un apartamento cerca de la universidad, pero voy a mi casa los fines de semana. Mi familia vive en Guanajuato. Mis clases más difíciles son informática y estadística. El profesor de estadística tiene su doctorado de una universidad norteamericana. Este año voy a ser estudiante de intercambio[1] en Canadá, donde voy a estudiar francés, también. Mi novia[2] es de Quebec. Voy a conocer[3] a su familia y a sus amigos.

[1]*exchange student*   [2]*girlfriend*   [3]*meet*

Paso 2 Now write as many questions as you can about him to ask a classmate.

MODELO: E1: *¿Cuándo son sus clases?*
E2: *Sus clases son por la mañana.*

3-10 ¿De quién/es es/son? Combine elements from each column to say to whom or what the following things belong.

MODELO: *La clase de ingeniería eléctrica es del profesor joven. Es su clase.*

la clase de ingeniería eléctrica	el departamento de ingeniería
el reloj de plástico	los profesores de química
las sillas	*el profesor joven*
los diccionarios	el estudiante de geografía
el libro de arte	mi amigo
la mochila vieja	la niña pequeña
los bolígrafos rojos	la universidad
el horario de clases	el banco (*bank*)
los mapas	la profesora de diseño
el dinero	la cafetería
el correo electrónico	la estudiante de arte
las clases difíciles	la biblioteca (*library*)

3-11 Un campus excepcional. Think about your own university campus.

Paso 1 Complete the sentences with appropriate possessive adjectives and mark whether each statement is true for you or your campus. Then add two or three statements of your own.

	Cierto	Falso
MODELO: *Yo tengo cinco materias. Todas <u>mis</u> materias son interesantes.*	☑	☐

1. Nosotros tenemos un gimnasio impresionante. _____ gimnasio es nuevo y conveniente. ☐ ☐

2. La librería vende muchos libros, y _____ precios son buenos. ☐ ☐

3. Yo tengo un apartamento en el campus. _____ apartamento es grande y moderno. ☐ ☐

4. Tú tienes una computadora portátil. _____ computadora es nueva y rápida. ☐ ☐

5. Elena y Carmen tienen buenos horarios de clase. Todas _____ clases son después de las 10:00 de la mañana. ☐ ☐

6. La profesora de geología tiene doscientos estudiantes en una de _____ clases. Todos _____ estudiantes son inteligentes y trabajadores. ☐ ☐

Paso 2 Now, compare your opinions with a classmate. Do you agree?

MODELO: E1: *Yo tengo cinco materias. Todas <u>mis</u> materias son interesantes.*
E2: *Yo también. (Yo tengo cuatro materias. Todas mis materias son interesantes también.)*

3-12 ¿Cómo es? Take turns telling each other what the following things and people are like. Be sure to ask at least two follow-up questions to find out more about each topic.

MODELO: clase
E1: *¿Cómo es tu clase de inglés?*
E2: *Mi clase es buena.*
E1: *¿Sí? ¿Por qué?*
E2: *Porque el profesor es muy interesante.*
E1: *¿Sí? ¿Quién es?*
E2: *Es el Profesor Anderson.*

1. amigos	3. ciudad/pueblo (*town*)	5. profesor/a de...	7. trabajo
2. apartamento	4. universidad	6. familia	8. horario

3-13 Una universidad excepcional. In groups of three, write a description of your university using the features below and others that occur to you. Then read your description aloud to see which group has the most detailed description. Be sure that all adjectives agree with the nouns they modify.

la universidad	el programa de estudios	los equipos deportivos
los salones de clase	los estudiantes	los profesores
la cafetería	el horario de clases	los exámenes
las computadoras	los clubes sociales	la librería (*bookstore*)
el campus	los amigos	las clases de lenguas

MODELO: *Nuestra universidad es pequeña pero bonita. Tiene...*

📖 **3.** Other expressions with *tener*

03-15
to 03-17

- You have used **tener** to show possession and to say you *have to* (*do something*).

Tengo muchos amigos.	*I have many friends.*
Tienes que asistir a clase.	*You have to attend class.*

- There are other common expressions that use **tener** where English uses the verb *to be*. Note that many of these refer to things we might feel (hunger, thirst, cold, etc.)

¿**Tienes** hambre?	*Are you hungry?*
No, pero **tengo** frío.	*No, but I'm cold.*
Tenemos prisa.	*We're in a hurry.*
Tienen ganas de visitar México.	*They feel like visiting (are eager to visit) Mexico.*

¡Maribel tiene miedo!

tener calor	tener frío	tener hambre	tener sed	tener miedo	tener sueño

tener cuidado	tener prisa	tener razón	tener ganas (de)

- Use the verb **tener** to express age.

tener... años	*to be . . . years old*
¿Cuántos años tienes?	*How old are you?*

ochenta y siete ●●● **87**

APLICACIÓN

3-14 **En un concierto de Café Tacvba.** Silvia and Patricio are going to a Café Tacvba concert.

Paso 1 First, read the conversation between Silvia and Patricio before the concert. Underline all of the expressions that use **tener.**

PATRICIO: El concierto es en media hora, ¿quieres algo?

SILVIA: Sí, una limonada porque tengo mucho calor y mucha sed.

PATRICIO: Tengo ganas de tomar un café fuerte porque tengo un poco de sueño. Con siete materias, siempre tengo que estudiar hasta muy tarde.

SILVIA: Como tenemos prisa, ¿por qué no vamos al bar de la esquina ahora y también comemos un sándwich?

PATRICIO: Tienes razón, tengo hambre. Vamos al bar ahora mismo.

Paso 2 Now answer the questions using expressions with **tener.**

1. ¿Por qué quiere una limonada Silvia?
2. ¿De qué tiene ganas Patricio y por qué?
3. ¿Por qué tiene sueño Patricio?
4. ¿Por qué crees que tienen prisa Silvia y Patricio?
5. ¿Qué van a hacer (*do*) antes del concierto? ¿Por qué?

3-15 **¿Y tú…?** Match these statements to say when you feel the following and expand the context to explain. If none of the choices are appropriate, supply a new one. More than one answer is possible in some cases.

MODELO: *Tengo ganas de visitar… México porque allí hablan español.*

1. _____Tengo frío…   a. en el desierto…
2. _____Tengo calor…   b. en el verano…
3. _____Tengo ganas de comer…   c. en un examen…
4. _____Tengo sed…   d. a las dos de la mañana…
5. _____Tengo prisa…   e. en el invierno…
6. _____Tengo cuidado…   f. en una película (*movie*) de horror…
7. _____Tengo sueño…   g. en un buen restaurante…
8. _____Tengo miedo…   h. cuando tengo que llegar a tiempo (*on time*)…

3-16 ¿Cuántos años tienen? You may be familiar with these famous Mexicans. Take turns saying how old they are.

MODELO: Felipe Calderón, presidente de México (1962)
Tiene... años.

1. Carlos Fuentes, autor (1928)
2. Carlos Slim, empresario y uno de los hombres más ricos del mundo (1940)
3. Alfonso Cuarón, director de cine, *Y tu mamá también* (1961)
4. Carlos Santana, músico (1947)
5. Salma Hayek, actriz (1966)
6. Carlos Contreras, deportista de NASCAR (1970)
7. Laura Esquivel, novelista, *Como agua para chocolate* (1950)
8. Alejandro González Iñárritu, director de cine, *Amores perros* (1963)

 3-17 Investigación. Research the group Café Tacvba and write a paragraph about them in which you answer the questions that follow.

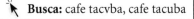 **Busca:** cafe tacvba, cafe tacuba

- ¿Cuáles son sus nombres completos y sus apodos (*nicknames*)?
- ¿De dónde son?
- ¿Cuántos años tienen?
- ¿Cómo es su música?
- ¿Dónde va a ser su próximo concierto?
- ¿Vas a asistir? (*Sí, voy ... / No, no voy ...*)

¿Cuántos años tiene el presidente Felipe Calderón?

¿Cuánto saben?

First, ask yourself if you can perform the following functions in Spanish. Then act out the scenarios with two or three classmates. Ask and respond to at least three questions in each situation.

✓ CAN YOU ...	WITH YOUR CLASSMATE(S) ...
☐ exchange information about classes?	**Situación: En el centro estudiantil** Talk about your classes, say what you are studying and ask the others about their classes and what they are like. **Para empezar:** *¿Qué estudias? ¿Cómo es tu clase de...?*
☐ talk about things that belong to you?	**Situación: En clase** Use possessive adjectives to discuss who owns the things you have in front of you. **Para empezar:** *¿De quién es...?*
☐ talk about how you and others feel?	**Situación: En un café** Talk about how you feel by using expressions with **tener** such as **tener hambre, sueño, ganas de,** etc. and then explain why you feel that way. **Para empezar:** *Tengo ganas de... porque...*

📖 Perfiles

03-23
to 03-24

Mi experiencia

MI UNIVERSIDAD: LA UNAM

3-18 **Para ti.** How many students are in your university? Which college or department is the largest? Is there an entrance exam for your university? Read about Susana Buendía and her experiences at UNAM (Universidad Nacional Autónoma de México).

¡Hola y muchos saludos desde San Cristóbal de las Casas, Chiapas! Estoy aquí para empezar mi año de servicio social en una escuela rural de Chiapas.

¡Qué día me espera[1] mañana! Tengo que preparar una presentación sobre la UNAM para un grupo de estudiantes. El objetivo es animarles a pensar en[2] ir a estudiar a México algún día. Menos mal[3] que solo es sobre la Facultad de Filosofía y Letras y no de toda la universidad. En mi presentación, tengo que explicar que en el sistema de la UNAM hay unos 168.000 estudiantes pero que en mi facultad somos 7.000. Mi amiga Marta dice que en la Facultad de Derecho, donde ella estudia, hay aproximadamente 23.000 estudiantes. ¡Órale! ¡Es enorme!

Mi experiencia en la UNAM es fantástica. Tengo clases de tipo conferencia[4] y también talleres[5] más pequeños donde conversamos sobre[6] la materia y le hacemos preguntas al profesor. El examen de admisión es bastante caro y difícil, pero como es una universidad pública, la matrícula es muy baja. Acabo de recibir[7] mi licenciatura[8] pero como todos los estudiantes que estudian en la UNAM, tengo que hacer un año de servicio público. Por eso[9] estoy aquí en Chiapas este año.

Para mi presentación, voy a ponerles también música de uno de mis grupos favoritos, Café Tacvba, que es muy popular entre mis amigos en la UNAM.

[1]*awaits me*   [2]*to encourage them to think about*   [3]*Thank goodness*   [4]*lecture*   [5]*workshops*   [6]*about*
[7]*I have just received*   [8]*bachelor's degree*   [9]*That's why*

3-19 **En su opinión.** What similarities and differences can you perceive between la UNAM and your own university? Working in small groups, discuss your opinions and record your group's responses. Be prepared to share with the class.

Semejanzas:	Diferencias:

Mi música

Café Tacvba (or **Tacuba**) is a Mexican alternative rock band that has taken the world by storm in the last few years, winning several Grammy and Latin Grammy awards, including one each for "Best Rock Song" and "Best Alternative Song." One of the most daring and versatile bands, their music combines modern rhythms from rock to hip-hop with Latin folk (**mariachi, ranchero, tejano,** and **samba**) styles. "Eres" is on the album *Cuatro caminos* (2003).

Antes de ver y escuchar

3-20 El tema de la canción. The following words or phrases appear in the song "Eres." Match the English for each and hypothesize what the song is about.

1. _____ por ti   a. my life
2. _____ aquí me tienes   b. my salvation
3. _____ en este mundo   c. in this world
4. _____ le hace falta   d. profound
5. _____ profundo   e. for you
6. _____ mi vida   f. the first
7. _____ mi salvación   g. what I want most
8. _____ preciosa   h. is lacking or he/she needs
9. _____ lo primero   i. precious
10. _____ lo que más quiero   j. here you have me

Para ver y escuchar

3-21 La canción. Go to the Internet to find the song or a video of Café Tacvba singing this song.

> **Busca:** cafe tacvba, cafe tacuba, eres video tacvba eres letra
>
> **If you would like to purchase this song:** *Go to iTunes Store>Music>More to Explore>iMix>Arriba 6e*

As you listen or watch, write three complete sentences in Spanish to describe what you hear or see.

MODELO: *Los artistas son muy activos.*

1. La canción...   2. El ritmo...   3. Los artistas...

Después de ver y escuchar

3-22 ¿Y tú? Create your own version of the song "Eres." Use the theme and some of the expressions listed in **3-20** to write five or six lines about someone or something important in your life. Your version can be serious or funny. Present it to the class and include a dedication.

MODELO: *"Eres" escrito por..., dedicada a... (mi universidad, mi madre, mi compañero/a de cuarto...)*

¡Así lo decimos! VOCABULARIO

📖 **¡Así es la vida!** ¿Dónde está la librería?

03-25

El campus de la Universidad Nacional Autónoma de México (UNAM) es enorme y tiene muchos edificios. Los estudiantes nuevos en la universidad buscan diferentes lugares en el mapa.

MARCELA: Pedro, tengo que ir a la librería para comprar un diccionario. ¿Dónde está?

PEDRO: Mira el mapa. Está enfrente de la Facultad de Medicina. ¿Vamos juntos ahora?

BETO: Oye, Tomás, ¿sabes dónde está la biblioteca?

TOMÁS: Pues mira, está cerquita[1], al lado de la librería.

ROSA: ¿Y la cancha de tenis?

TOMÁS: Está detrás del estadio. Vamos, te acompaño.

---

[1]cerquita = cerca. In Mexico it is common to use diminutives, in this case meaning "really close."

Vocabulario Los edificios de la universidad

03-26
to 03-30

03-26
to 03-30

Los edificios `Buildings`

el auditorio *auditorium*
la biblioteca *library*
la cafetería *cafeteria*
la cancha de tenis *tennis court*
el centro estudiantil *student union*
el estadio *stadium*
la Facultad de Arte *School of Art*
la Facultad de Ciencias *School of Science*
la Facultad de Derecho *School of Law*
la Facultad de Filosofía y Letras *School of Humanities*
la Facultad de Ingeniería *School of Engineering*
la Facultad de Medicina *School of Medicine*
la Facultad de Pedagogía *School of Education*
el gimnasio *gymnasium*
el laboratorio (de lenguas / de computadoras) *(language/computer) laboratory*
la librería *bookstore*
el museo *museum*
el observatorio *observatory*
la rectoría *president's office*
el teatro *theater*

Variaciones

In Spain, **la cancha de tenis** is more commonly **la pista de tenis**. In Argentina and Chile, the noun **cancha** is used in numerous expressions outside of sport, such as **¡Abran cancha!** (*Make way!*) and **sentirse en su cancha** (*to be in one's element*).

¿Dónde está? `Where is it?`

al lado (de) *beside, next to*
a la derecha (de) *to the right (of)*
a la izquierda (de) *to the left (of)*
cerca (de) *nearby (close to)*
delante (de) *in front (of)*
detrás (de) *behind*
enfrente (de) *facing, across (from)*
entre *between*
lejos (de) *far (from)*

Adverbios `Adverbs`

casi *almost*
siempre *always*
solo *only*

Otras palabros y expresiones `Other words and expressions`

mira *look*
pues *well*
Te acompaño *I'll go with you*
Vamos *Let's go*

Verbos `Verbs`

estar *to be*
hacer *to do, to make*
ir (a) *to go*

en el museo

en el teatro

en la biblioteca

el observatorio

03-31
to 03-33

Letras y sonidos

Syllabification

In Spanish, a syllable is a unit of timing for rhythm. Every syllable contains one vowel, which may be accompanied by glides and/or consonants.[1] Consonants combine with vowels to form syllables as follows.

- A single consonant (including **ch, ll, rr**) attaches to the following vowel.

  se-ño-ri-ta   mu-cha-cho   bo-ca-di-llo   pi-za-rra

- Two consonants attach to the following vowel when they consist of a strong consonant (**p, b, t, d, c, g, f**) followed by **r** or **l**.

  a-brir   pro-ble-ma   no-so-tros   bo-lí-gra-fo

  When two consonants do not form this combination, they are separated.

  tar-de   de-por-te   blan-co   es-tu-dian-te

- With combinations of three consonants that include **p, b, t, d, c, g, f** plus **r** or **l**, in positions two and three, the last two consonants attach to the following vowel.

  com-pli-ca-do   hom-bre   es-cri-to-rio   in-glés

  Without this sequence of sounds, only the last consonant attaches to the following vowel.

  pers-pec-ti-va   ins-ta-lar   cons-tan-te   sols-ti-cio

- With four consonants, the last two always attach to the following vowel.

  ins-truc-tor   abs-trac-to

APLICACIÓN

3-23 **¿Dónde está...?**   Give the location of the following buildings using the maps on page 92. What do you associate with these places?

MODELO: _____ la cancha de tenis

Está cerca del estadio. En la cancha de tenis los estudiantes practican tenis. Es un deporte rápido y difícil.

Lugares

1. _____ la librería
2. _____ la biblioteca
3. _____ la cafetería
4. _____ el gimnasio
5. _____ el teatro
6. _____ el estadio

Direcciones

a. Está al lado del estadio.
b. No está en el mapa.
c. Está al lado de la librería.
d. Está enfrente de la Facultad de Medicina.
e. Está a la izquierda del gimnasio.
f. Está detrás de la biblioteca.

3-24 **Nuestra universidad.**   Work together with a partner to write five sentences about where buildings are located on your campus, some true and others false. Then find a new partner and take turns reading your sentences, answering whether they are true or false and correcting false ones. Be prepared to share some of your sentences with the class.

MODELO: E1: *La biblioteca está lejos del laboratorio de lenguas.*
E2: *¡No es cierto! La biblioteca está muy cerca del laboratorio de lenguas.*

---

[1]Syllables with glides are discussed in *Capítulo 2*.

3-25 **En la cola** (*Standing in line*).   Listen to a description of people standing in line. Place the number of the description in front of the name of each person.

_____ Marcela

_____ Mercedes

_____ Pepe

_____ Adrián

_____ Paula

Marcela   Pepe   Paula   Mercedes   Adrián

3-26 ¿Dónde están? ¿Cómo son?   Where or who are the people in the following drawings? Include a few additional ideas about each.

MODELO: El profesor Romero está en un laboratorio de...
la Facultad de Ciencias.
Enseña química. Es viejo.

1.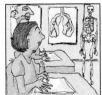
   Lisa está en una clase de...

2.
   Ana y Germán están en...

3.
   Catalina y Jacobo compran libros en... .

3-27A Las materias, la hora, el lugar.   Take turns asking and answering questions in order to complete the missing information on your class schedules. **Estudiante B**, see **Appendix 1,** page A-5.

MODELO: ESTUDIANTE A: *¿A qué hora es la clase de...?*
ESTUDIANTE B: *¿Qué clase es a la/s...?*
ESTUDIANTE A: *¿Dónde es la clase de…?*
ESTUDIANTE B: *¿Quién es el/la profesor/a de…?*

Estudiante A:

Hora	Clase	Lugar	Profesor/a
	cálculo		María Gómez García
9:00	diseño	Facultad de Arte	
	biología		Julia Gómez Salazar
12:00		Facultad de Letras	Juan Ramón Jiménez
	física		Carlos Santos Pérez

4. The present tense of *ir* and ***hacer***

03-34
to 03-39

¡Hola, Susana! ¿Adónde vas?

Voy a hacer mi tarea en la biblioteca.

- The Spanish verbs **ir** and **hacer** are irregular.

ir (*to go*)			
SINGULAR		PLURAL	
yo	**voy**	nosotros/as	**vamos**
tú	**vas**	vosotros/as	**vais**
Ud.	**va**	Uds.	**van**
él/ella	**va**	ellos/as	**van**

hacer (*to do; to make*)			
SINGULAR		PLURAL	
yo	**hago**	nosotros/as	**hacemos**
tú	**haces**	vosotros/as	**hacéis**
Ud.	**hace**	Uds.	**hacen**
él/ella	**hace**	ellos/as	**hacen**

- **Hacer** is only irregular in the first-person singular: **hago**.

  Hago la tarea por las noches.   *I do homework at night.*

- **Ir** is generally followed by the preposition **a**. When the definite article **el** follows the preposition **a**, they contract to **al: a + el = al.**

  Luis y Ernesto van **al**   *Luis and Ernesto are going*
    centro estudiantil.   *to the student center.*

- The construction **ir a** + *infinitive* is used in Spanish to express future action. It is equivalent to the English construction *to be going to + infinitive.*

  ¿Qué **vas a hacer** esta noche?   *What are you going to do tonight?*
  Voy a estudiar en la biblioteca.   *I'm going to study in the library.*

- When you are asked a question using **hacer**, you usually respond with another verb.

  Ricardo, ¿qué **haces** aquí?   *Ricardo, what are you doing here?*
  Busco un libro para mi clase.   *I'm looking for a book for my class.*

- **Hacer** is also used in idiomatic expressions such as: **hacer un viaje** (*to take a trip*) and **hacer preguntas** (*to ask questions*).

  Tengo que **hacer una pregunta.**   *I have to ask a question.*
  Susana va a **hacer un viaje**   *Susana is going to take a trip*
    a San Miguel.   *to San Miguel.*

APLICACIÓN

3-28 Gael García Bernal. This Mexican film star (*Amores perros, Y tu mamá también, Babel, Diarios de motocicleta*) is considered one of Mexico's finest actors, and has been recognized by *People en español* as one of the 25 most beautiful people in the world.

Paso 1 First, read the newspaper article from *La Opinión* about what he is going to do next; underline all forms of the verb **ir a** + *infinitive.*

Un hijo para Gael

En una entrevista con *People en español*, Gael García Bernal informa que ahora con la llegada de su primer hijo va a dedicar los próximos meses a su familia, especialmente a su novia, la actriz Dolores Fonzi, y al pequeño, Lázaro. Los tres van a pasar un tiempo juntos en Guadalajara cerca de la familia de él. Sus padres van a ayudar a cuidar al niño. En ese tiempo, Gael también va a preparar su próximo papel[1] con el director Alfonso Cuarón. Es la segunda vez que los dos van a trabajar juntos. Entre las estrellas de la película, se incluyen además Javier Bardem y Salma Hayek. Según los rumores, van a filmar la película en México. Seguro que va a ser otro éxito[2] más para el joven actor.

[1]*role* [2]*success*

Paso 2 Now, using the expressions given below, prepare questions based on the previous article. Then take turns asking and answering questions with a partner.

MODELO: E1: *¿Con quiénes va a pasar unos meses?*
E2: *Con su novia y su hijo. ¿Dónde...?*

1. ¿Dónde...?
2. ¿Cuándo...?
3. ¿Qué...?
4. ¿Quiénes...?
5. ¿Por qué...?
6. ¿Cómo...?

3-29 ¿Qué hacen? Guess what the following people are doing according to where they are. Complete each sentence with the correct form of **hacer** and an appropriate completion from the list below.

| amigos | la comida | ejercicios | la lección | la tarea | el trabajo |

MODELO: sándwiches
En la cafetería, la señora *hace sándwiches*.

1. En la biblioteca, yo _____.
2. En clase, nosotros _____.
3. En el gimnasio, tú _____.
4. En la oficina, los secretarios _____.
5. En el restaurante, el chef _____.
6. En una fiesta, todos nosotros _____.

3-30 Planes para un partido. In groups of three, make plans to attend a soccer game at a rival university. Use the following questions to guide you.

MODELO: ¿Adónde van?
Vamos a Indiana University para asistir al partido de fútbol.

1. ¿Con quiénes van?
2. ¿Adónde van?
3. ¿Por cuánto tiempo van?
4. ¿A qué hora van?
5. ¿Qué van a hacer?
6. ¿Qué no van a hacer?
7. ¿Qué van a comprar?
8. ¿Cuándo van a regresar (*return*)?

Presencia hispana

Over the decades, the language of many Mexican Americans, as well as that of other Spanish-speaking immigrants, has been so heavily influenced by English that many refer to it as *Spanglish*. However, Spanish-language newspapers such as *La Opinión* in Los Angeles and *La Raza* in Chicago help promote Spanish language literacy among their readers. What are the benefits of being literate in two languages?

5. The present tense of *estar*

The English verb *to be* has two equivalents in Spanish, **ser** and **estar**. You have already learned the verb **ser** in **Capítulo 1,** and you have used some forms of **estar** to say how you feel, to ask how someone else feels, and to say where things and places are. The chart shows the present tense forms of **estar**.

estar (*to be*)			
SINGULAR		**PLURAL**	
yo	**estoy**	nosotros/as	**estamos**
tú	**estás**	vosotros/as	**estáis**
Ud.	**está**	Uds.	**están**
él/ella	**está**	ellos/as	**están**

- **Estar** is used to indicate the location of specific objects, people, and places.

    Ana Rosa y Carmen **están** en la cafetería.   *Ana Rosa and Carmen are in the cafeteria.*
    La cafetería **está** en el centro estudiantil.   *The cafeteria is in the student center.*

- **Estar** is also used to express a condition or state, such as how someone is feeling.

    ¡Hola, Luis! ¿Cómo **estás**?   *Hi, Luis! How are you?*
    Hola, Sara. **Estoy** cansado. Elena **está**   *Hi, Sara. I'm tired. Elena is sick.*
      enferma.

- Adjectives that describe physical, mental, and emotional conditions are used with **estar**.

aburrido/a	*bored*	**enojado/a**	*angry*
cansado/a	*tired*	**nervioso/a**	*nervous*
casado/a (con)	*married (to)*	**ocupado/a**	*busy*
contento/a	*happy*	**preocupado/a**	*worried*
enamorado/a (de)	*in love (with)*	**triste**	*sad*
enfermo/a	*sick*		

Samuel y Eva **están** casados.   *Samuel and Eva are married.*
Ramón **está** divorciado.   *Ramón is divorced.*
Alicia **está** enamorada del novio de Úrsula.   *Alicia is in love with Úrsula's boyfriend.*

APLICACIÓN

3-31 Frida y Diego. Frida Kahlo lived her final years in her family home, La Casa Azul, with her husband, muralist Diego Rivera. After her death, the house was converted into a museum.

Paso 1 First, read the description of the Frida Kahlo museum housed in La Casa Azul. Underline the forms of **estar.**

La Casa Azul, Museo Frida Kahlo está en la colonia[1] de Coyoacán, un barrio bonito que está cerca de la UNAM. La casa está pintada de azul, el color favorito de Frida. El museo reúne una colección extensa de fotografías, libros y otros objetos personales de Frida y Diego que representan diferentes aspectos de su vida personal y artística. En una foto vemos a Frida que está en su estudio donde pinta uno de sus cuadros famosos. Los colores de las frutas y de los animales son muy vívidos. En otra foto Frida y Diego están juntos. Frida es muy delgada y baja. Diego, en cambio, es muy alto y gordo. Ellos están muy contentos y es fácil ver que están muy enamorados. En muchas fotos, Frida está con personajes importantes como Leon Trotsky y André Breton. El museo está abierto[2] de martes a domingo de 10 a 6 de la tarde.

[1]neighborhood [2]open

Paso 2 Now, answer the questions based on what you read above.

1. ¿Dónde está la casa de Frida y Diego?

2. ¿De qué color está pintada la casa?

3. ¿Qué hace Frida en una de las fotos?

4. ¿Con quién está en otra foto?

5. ¿Cómo están Frida y Diego cuando están juntos? ¿Por qué?

La Casa Azul

3-32 Planes para una visita al Museo Frida Kahlo. Complete the telephone conversation between two friends planning to visit the Frida Kahlo Museum with the correct forms of the verb **estar.**

JULIA: ¿Bueno?

CELIA: Julia, habla Celia. ¿Cómo (1) _____ (tú)?

JULIA: Muy bien, ¿y tú?

CELIA: Yo (2) _____ bastante ocupada y estoy atrasada (*late*). ¡Oye!, ¿dónde (3) _____ (tú) ahora?

JULIA: (4) _____ en mi oficina.

CELIA: Pero, ¿no te acuerdas (*you remember*) que hoy vamos al Museo Frida Kahlo con Carlos y Juan?

JULIA: ¡Es verdad! ¿Qué hora es? ¿Dónde (5) _____ Carlos y Juan?

CELIA: Ellos ya (*already*) (6) _____ en Coyoacán.

JULIA: Ay, van a (7) _____ preocupados, ¿no?

CELIA: No creo, pero me imagino que (8) _____ aburridos de esperar (*waiting*). ¡Tenemos que (9) _____ allí ya!

JULIA: Salgo inmediatamente.

CELIA: (10) _____ bien. Nos vemos en quince minutos.

Manuela
Juanito
Esteban
Luis
Gloria
Pedro
Rubén

3-33 **En la cafetería.** Challenge each other to identify people in the drawing by saying how they feel and why. Use **estar** with adjectives and expressions with **tener.**

cansado/a	enamorado/a
contento/a	enfermo/a
enojado/a	ocupado/a
nervioso/a	preocupado/a

MODELO: E1: *Está enfermo. Tiene mucho frío y necesita ir a casa.*
E2: *Es Pedro. Es verdad; tiene que ir a casa.*

3-34 **¿Cómo estás?** Imagine that you are in the following situations. Say how you feel using the verb **estar** and an appropriate adjective from the list, and explain why.

aburrido/a	contento/a	enojado/a	nervioso/a	enfermo/a
cansado/a	enamorado/a de	ocupado/a	triste	preocupado/a

MODELO: en una fiesta
Estoy contento/a porque estoy con mis amigos.

1. a la medianoche
2. en clase
3. después de un examen
4. cuando hay mucho trabajo
5. en el hospital
6. con una persona especial
7. con Gael García Bernal
8. en una ciudad grande
9. en el gimnasio
10. lejos de la familia

3-35 **Lo siento, no está aquí.** Imagine that you are trying to avoid talking to someone on the telephone. Take turns inventing excuses for each other when the person calls. Here are some possibilities.

Lugares		**Razones**	
biblioteca	museo	enfermo/a	partido
hospital	restaurante	examen	clase de arte
estadio	centro estudiantil	proyecto importante	reunión con amigos

MODELO: E1: *Hola, ¿está Carlos?*
E2: *Lo siento, Carlos está en el gimnasio. Está con su novia.*
E1: *¿De verdad? ¡Yo estoy en el gimnasio y ellos no están aquí!*

3-36A **¿Dónde estoy?** Take turns acting out your situations while your partner tries to guess where you are on campus. **Estudiante B,** see **Appendix 1,** page A-5. Then challenge other members of the class to guess where you are by acting out what you are doing.

MODELO: ESTUDIANTE A: (act out reading a book) *¿Dónde estoy?*
ESTUDIANTE B: *Estás en la biblioteca.*

Estudiante A:

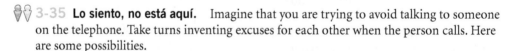

1. (eating in the cafeteria)
2. (playing baseball in the stadium)
3. (listening to *¡Arriba!* dialogs in the language lab)
4. (buying books in the bookstore)
5. ¿...?

6. Summary of uses of *ser* and *estar*

03-45
to 03-50

In general, *ser* is used to express "traits." More specifically, it is used . . .

- with the preposition **de** to indicate origin and possession, and to tell what material something is made of.

Salma y Gael son de México.	*Salma and Gael are from Mexico.*
Las pinturas son de Diego.	*The paintings are Diego's.*
El bolígrafo es de plata.	*The pen is (made of) silver.*

- with adjectives to express characteristics of the subject, such as size, color, shape, religion, and nationality.

Tomás es alto y delgado.	*Tomás is tall and thin.*
Los jóvenes son católicos.	*The young men are Catholic.*
Somos mexicanos.	*We are Mexican.*

- with the subject of a sentence when followed by a noun or noun phrase that restates the subject.

Mi hermana es artista.	*My sister is an artist.*
Leo y Ligia son mis padres.	*Leo and Ligia are my parents.*

- to express dates, days of the week, months, and seasons of the year.

Es primavera.	*It's spring.*
Es (el) 10 de octubre.	*It's October 10th.*

- to express time.

Son las cinco de la tarde.	*It's five o'clock in the afternoon.*
Es la una de la mañana.	*It's one in the morning.*

- with the preposition **para** to tell for whom or for what something is intended or to express a deadline.

¿Para quién es la calculadora?	*For whom is the calculator?*
La composición es para el viernes.	*The composition is for (is due) Friday.*

- with impersonal expressions.

Es importante ir al laboratorio.	*It's important to go to the laboratory.*
Es fascinante estudiar la cultura hispana.	*It's fascinating to study Hispanic culture.*

- to indicate where and when events take place.

La fiesta es en mi casa.	*The party is at my house.*
El concierto es a las ocho.	*The concert is at eight.*

In general, *estar* is used to express "states." More specifically, it is used . . .

- to indicate the location of persons and objects.

La librería está cerca.	*The bookstore is nearby.*
Guadalajara está en México.	*Guadalajara is in Mexico.*

- with adjectives to describe the state or condition of the subject.

Las chicas están contentas.	*The girls are happy.*
Pedro está enfermo.	*Pedro is sick.*

- with descriptive adjectives (or adjectives normally used with **ser**) to indicate that something is exceptional or unusual. This structure is often used this way when complimenting someone and in English is sometimes expressed with *look*.

Carlitos, tienes ocho años; ¡estás muy grande!

Carlitos, *you're eight years old; you are (look) so big!*

Señora Rubiales, usted está muy elegante esta noche.

Mrs. Rubiales, *you are (look) especially elegant tonight.*

Changes in meaning with *ser* and *estar*

- Some adjectives have different meanings depending on whether they are used with **ser** or **estar.**

Adjective	With *ser* (traits)	With *estar* (states)
aburrido/a	*to be boring*	*to be bored*
bonito/a	*to be pretty*	*to look pretty*
feo/a	*to be ugly*	*to look ugly*
guapo/a	*to be handsome*	*to look handsome*
listo/a	*to be clever*	*to be ready*
malo/a	*to be bad, evil*	*to be ill*
rico/a	*to be rich*	*to taste good (food)*
verde	*to be green (color)*	*to be green (not ripe)*
vivo/a	*to be smart, cunning*	*to be alive*

- Remember to use **hay** to say *there is/are*. It's frequently used with **mucho, poco,** or a number.

Esta noche **hay** una fiesta en mi casa.

There's a party at my house tonight.

Hay más de 44.000.000 de hispanos que viven en EE. UU.

There are more than 44,000,000 Hispanics living in the U.S.

Hay muchos jóvenes en la discoteca.

There are many young people at the disco.

APLICACIÓN

3-37 La familia Montesinos. The Montesinos family lives in Mexico's second largest city, known also as the birthplace of the *mariachi.*

Paso 1 First, read the description of the Montesinos family and underline all the forms of **ser** and **estar.** Identify why they are used in each example.

MODELO: Los señores Montesinos <u>son</u> mexicanos. (*trait: nationality*)

La familia Montesinos

La familia Montesinos es una familia mexicana que vive en Guadalajara. Guadalajara está cerca de la costa pacífica de México. Guillermo, el papá, es muy trabajador. Olga Marta, la mamá, es de la Ciudad de México y es muy simpática. Ellos tienen tres hijos: Billy, Martita y Érica. Billy es muy responsable. Está casado con María Josefa y ahora ellos están en Alemania donde Billy estudia ingeniería. Martita es muy inteligente. Ahora está en la capital donde visita a sus abuelos. Érica es muy alta y delgada y además, es muy trabajadora como su papá. Ella está en la biblioteca porque tiene que hacer su tarea. Esta noche la familia está muy contenta porque va a tener una fiesta para el aniversario de Guillermo y Olga Marta. Es importante invitar a toda la familia y a todos los amigos.

Paso 2 Now answer the following questions based on what you have read about the Montesinos family.

1. ¿De dónde es la familia?

2. ¿Dónde está la ciudad?

3. ¿Cómo es el papá?

4. ¿Cuántos hijos tienen?

5. ¿Quién está casada con Billy?

6. ¿Dónde viven los abuelos?

7. ¿Cómo es Érica?

8. ¿Por qué invitan a toda la familia esta noche?

En febrero la familia Montesinos visita el refugio de las monarcas en Michoacán donde cada año llegan millones de mariposas.

3-38 En la casa de mi hermandad (*sorority*). Ana belongs to a sorority in her university.

Paso 1 First, complete Ana's description of her sorority and what is happening tonight using the correct forms of **ser** or **estar,** or the verb **hay.**

Mi hermandad (1) _____ grande, (2) _____ treinta y cuatro hermanas. La casa (3) _____ un poco pequeña. (4) _____ en la avenida Florida que (5) _____ en el centro de la ciudad y muy cerca de la universidad. Esta noche (6) _____ una fiesta en nuestra casa. La fiesta para reclutar (*recruit*) nuevas hermanas (7) _____ a las ocho de la noche. Las nuevas hermanas siempre llegan temprano y ahora (8) _____ en la sala con Claudia, la presidenta de la hermandad. Ella (9) _____ muy social. (10) _____ también muy inteligente. La profesora Pérez, nuestra consejera, (11) _____ simpática. Ella (12) _____ psicóloga. Todas las hermanas (13) _____ en el patio con la profesora Pérez. Rosa, mi compañera de cuarto no, porque (14) _____ enferma. Rosa (15) _____ en cama (*bed*). (16) _____ las ocho y quince de la noche y (17) _____ muchas chicas en mi casa. Hay dos futuras hermanas muy interesantes. Carlota (18) _____ una joven alta y atlética; Sara (19) _____ la joven baja y rubia. (20) _____ argentinas, de Buenos Aires. ¡Bienvenidas, amigas! (21) _____ música, refrescos y comida. ¡Todo (22) _____ para celebrar esta importante ocasión!

Paso 2 Now write a short paragraph about someone you know. Include the following information:

¿Quién es?

¿Dónde está en este momento?

¿De dónde es?

¿Qué hace ahora?

¿Cómo es?

¿Qué va a hacer en el futuro?

¿Por qué?

¡Hola!

Cultura en vivo

La lucha libre (*wrestling*) is a popular spectator sport in Mexico. One of the most famous wrestlers was *El Santo,* who became a folk hero and a symbol of justice for the common man through his appearances in comic books and movies. The anniversary of his death in 1984 is still commemorated by pilgrimages from all over Mexico to his mausoleum in Mexico City. Can you name a personality in the U.S. with a similar following since his or her death?

3-39A ¿Quién es? Take turns describing the following people using **ser, estar,** and **tener** and guessing who the person is. **Estudiante B**, see **Appendix 1,** page A-6.

MODELO: ESTUDIANTE A: *Es una mujer. Tiene treinta años. Es muy inteligente. Está aquí en la clase con nosotros...*

ESTUDIANTE B: *¡Es la profesora!*

Estudiante A:

1. Óscar de la Hoya (*champion boxer*)
2. LeBron James (*professional basketball player*)
3. Hulk Hogan (*professional wrestler*)
4. ¿...?

03-51 to 03-55

¿Cuánto saben?

First, ask yourself if you can perform the following functions in Spanish. Then act out the scenarios with two or three classmates. Ask and respond to at least three questions in each situation.

✓ CAN YOU . . .	WITH YOUR CLASSMATE(S) . . .
☐ describe yourself and others?	**Situación: En una fiesta** Introduce yourself and talk about yourself using the verb **ser** to say where you are from, your profession, what you are like, and the verb **estar** to say how you feel with adjectives such as **cansado/a, enojado/a, ocupado/a**, etc. and where places are located. Ask questions to find out about the other person, as well. **Para empezar:** *Hola, yo soy... y soy de...*
☐ make plans to do something with someone?	**Situación: En la biblioteca** Ask and answer questions about where you are going later and what you are going to do. Make plans to do something tonight. **Para empezar:** *¿Qué haces?*
☐ ask for and give simple directions?	**Situación: Estudiantes nuevos** Ask for and give directions to several places on campus. Use adverbs such as **cerca de, enfrente de**, etc. to say where things are. **Para empezar:** *¿Dónde está...?*

104 ●●● ciento cuatro

Observaciones

¡Pura vida! EPISODIO 3

Antes de ver el video

3-40 Nuestra Tierra. Patricio and Silvia decide to meet at *Nuestra Tierra*, a restaurant in San José. Read the following review; then judge whether the statements that follow are **cierto (C)** o **falso (F)**.

> ¡Qué lugar más divertido! Este restaurante ofrece "cocina local típica" y tiene una atmósfera atractiva para complementar la comida. A primera vista es un lugar rústico, sin embargo, hay un señor que toca la guitarra y meseros que sirven la comida de una manera cordial. Como decoración hay cebollas[1] que cuelgan del techo[2], y cestas de legumbres[3] frescas.
>
> En este restaurante se puede comer bien y barato, y tomar la famosa cerveza *Imperial*. Sirven platos típicos costarricenses y es un gran lugar para empezar la noche. Está abierto[4] 24 horas todos los días y está ubicado en la Calle 15 con la Avenida 2, de San José.

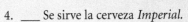

[1]onions [2]hanging from the ceiling [3]vegetables [4]open

1. ___ *Nuestra Tierra* es un restaurante de comida típica salvadoreña.
2. ___ Los meseros son bastante impacientes.
3. ___ Es un lugar muy elegante.
4. ___ Se sirve la cerveza *Imperial*.
5. ___ Está cerrado (*closed*) los lunes.

A ver el video

3-41 Los otros personajes. Watch the third episode of **¡Pura vida!** where you will hear Silvia use the word **manzana** and Patricio will correct her using the word **cuadra**. Can you guess what the words mean? Then complete the following sentences by matching the phrases below.

Silvia   Patricio   Hermés

1. ___ Silvia está cerca de...
2. ___ El restaurante está...
3. ___ Patricio desea estudiar...
4. ___ Es necesario tomar un examen...
5. ___ Patricio solicita...
6. ___ Uno de los requisitos para Patricio es ser...

a. en una universidad norteamericana.
b. bastante lejos.
c. una beca *Fulbright*.
d. la Avenida Central.
e. colombiano.
f. de inglés.

Después de ver el video

3-42 Cómo llegar a *Nuestra Tierra*. Connect with the Internet to search for a map of downtown San José. Find the *Avenida Central* and see if you can find the corner where *Nuestra Tierra* is located. How many blocks would you have to walk?

> **Busca:** mapa centro san jose costa rica

Nuestro mundo

Panoramas

¡México fascinante!

03-59
to 03-60

El México de hoy es una síntesis de influencias indígenas, coloniales, modernas y naturales.

México es famoso por su artesanía como los alebrijes hechos de papel maché o de madera (*wood*) y las calaveras, figuras talladas de madera o de azúcar (*sugar*). Los alebrijes (sobre estas líneas) representan figuras fantásticas mientras que las calaveras (a la derecha) fusionan las culturas indígenas y la española.

La Reserva de la biosfera Celestún, en la península de Yucatán, se extiende unos 600 km². Es reconocida internacionalmente por ser el refugio invernal (*winter*) de numerosos flamencos y de muchas otras especies de aves. Los flamencos de Celestún son los más rosados de todo el mundo.

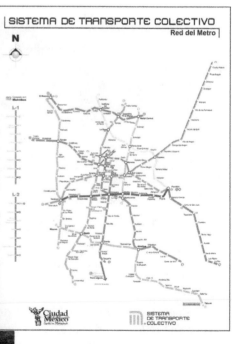

SISTEMA DE TRANSPORTE COLECTIVO
Red del Metro

N

Ciudad México

SISTEMA DE TRANSPORTE COLECTIVO

La capital de México es enorme, y su metro es uno de los más extensos del mundo. Durante la excavación para el metro, encontraron (*they found*) una pirámide azteca completa entre las Líneas 1 y 2 de la estación Pino Suárez. Los ingenieros dejaron la pirámide intacta en la estación.

México

Población: 112 millones

Alfabetismo: 91%

Expectativa de educación formal[1]: 13 años

Gastos para la educación: 5,5% PIB

Usuarios de la Internet: 23,3 millones

Usuarios de teléfonos celulares: 79 millones

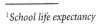

[1]*School life expectancy*

3-43 Identifica. Use the photos and the information presented above to supply the following information.

1. una artesanía (*handcraft*) popular
2. un medio de transporte en la capital
3. el origen de los colonizadores
4. una antigua civilización
5. una especie de ave

3-44 Desafío. Without looking at the map, see how many of these places you can identify. Check the map to confirm your responses.

1. la capital de México
2. una playa famosa
3. una ciudad en la frontera con EE. UU.
4. una península

3-45 Proyecto: México, D.F. Mexico, D.F., was built on top of the Aztec city of Tenochtitlán. During excavations, many of the ancient pyramids and Aztec artifacts have been rediscovered. Today, the Metro makes Mexico City accessible to inhabitants and visitors alike.

Learn more about Mexico City by researching some of the following places or others that interest you: **el Palacio de Bellas Artes, el parque Chapultepec, el Zócalo, la Plaza Garibaldi, el Museo Nacional de Antropología, la Zona Rosa, la Basílica de la Virgen de Guadalupe, la Casa Azul.** Then, starting from Metro Station Universidad (where UNAM is located), create an itinerary of the places you would visit and include the following information:

- su nombre y dónde está
- la línea de Metro que tienes que tomar
- qué tiene de interés
- una foto representativa

Busca: mexico DF metro

MODELO: *Voy a visitar el zoológico en el parque Chapultepec. Para ir, tengo que tomar la Línea 3 hasta Balderas, y después la Línea 1 hasta Chapultepec. Allí voy a ver los osos panda. El costo del boleto en el Metro es...*

El Museo de Antropología de México

ANTES DE LEER

3-46 Una hipótesis. Use the text format, title, and other visual clues along with background knowledge to get an idea of what the text is about. As you read, test your hypothesis to see if your initial guesses were correct. Sometimes, you will have to revise your hypothesis as you read.

3-47 Formular una hipótesis. Answer these questions before reading to formulate a hypothesis about its content.

1. ¿Dónde? 2. ¿Quiénes? 3. ¿Cuándo?

A LEER

3-48 El museo. Read the following text to discover more about this world-famous museum.

Visite el Museo Nacional de ANTROPOLOGÍA de México

El Museo Nacional de Antropología del Distrito Federal de México fue inaugurado en 1964 para albergar[1] lo más representativo de los avances de la época en la investigación antropológica sobre el mundo prehispánico y sus descendientes, los pueblos indígenas de México.

La Sala de los mayas en el museo contiene una importante colección de piezas[2] de las ancestrales comunidades mayas, que nos permiten apreciar diferentes etapas[3] y escenarios de su historia y su visión del mundo. En la sala hay testimonios de la vida diaria[4], de sus costumbres y tradiciones en torno a[5] la guerra[6], al comercio y a su pensamiento[7] religioso con prácticas rituales.

Los mayas desarrollaron una brillante cultura, construyendo grandes centros cívico-ceremoniales con pirámides y bellas obras[8] de arte.

De martes a domingo de 9:00 a 19:00 hrs. El lunes permanece cerrado.

ADMISIÓN:

$51.00 M.N., de martes a sábado

Exentos de pago de 9:00 a 17:00 hrs:
- Niños menores de 13 años
- Estudiantes y profesores con credencial vigente[9]
- Adultos mayores de 60 años
- Jubilados[10], pensionados y discapacitados[11]
- Pasantes[12] e investigadores[13] que cuenten con el permiso del INAH (Instituto Nacional de Antropología e Historia)
- Todos los visitantes están exentos de pago los domingos de 9:00 a 17:00 hrs.

[1]house [2]pieces, items [3]stages [4]daily [5]pertaining to [6]war [7]thought [8]works [9]in force, in effect [10]retired persons [11]disabled [12]Teachers [13]researchers

DESPUÉS DE LEER

3-49 ¿Comprendiste?   Complete each statement logically.

1. El museo está en...
   a. Teotihuacán.
   b. México, D.F.
   c. Cancún.

2. La colección maya incluye...
   a. figuras de guerreros.
   b. pinturas de los años 1950.
   c. animales prehistóricos.

3. La colección refleja...
   a. la vida religiosa.
   b. las fiestas del pueblo.
   c. el uso de animales domésticos.

4. Si no quieres pagar (*pay*), lo visitas el...
   a. sábado.
   b. domingo.
   c. lunes

5. Los martes no paga(n)...
   a. nadie (*no one*).
   b. las mujeres.
   c. los adultos mayores de sesenta años.

 3-50 El Museo Nacional de Antropología.   Connect with the Internet to visit this renowned museum in Mexico City. Look for the information that follows.

> **Busca:** museo nacional antropologia mexico

1. tres salas permanentes
2. una exposición temporal
3. una pieza interesante

3-51 En mi opinión.   Compare your opinions with a classmate's by responding to the following statements using one of the expressions from the list.

> Sí, seguramente...   Sí, probablemente...   No...

1. Tengo ganas de visitar México algún día.
2. Voy a visitar el Museo Nacional de Antropología.
3. Voy a visitar las pirámides.
4. Me gusta la arqueología.
5. Me gusta el arte.

Los mayas y los aztecas conmemoraban la muerte de sus enemigos con tallados (*carvings*) de sus víctimas.

Taller

3-52 **Un correo electrónico a un/a amigo/a.** How would you describe your college experience to a Spanish-speaking friend or student in an e-mail?

A:	rmejias@lenguaspearson.mx
DE:	sbuendia@arribamail.com
ASUNTO:	Mi universidad

Hola, Raquel:
Hoy es 14 de octubre y estoy aquí en la biblioteca del Tec...
Espero recibir tu respuesta pronto.
Un abrazo de...

ANTES DE ESCRIBIR

- Respond to these questions before writing an e-mail to a friend about your student experience.

¿Cuál es la fecha de hoy?	¿Cómo son los profesores?
¿Dónde estás?	¿Dónde haces tu tarea?
¿Te gusta la universidad?	¿Dónde comes?
¿Qué estudias este semestre (trimestre/año)?	¿Adónde vas por la noche?
¿A qué hora son tus clases?	¿Qué vas a hacer mañana?
¿Recibes buenas notas (*grades*)?	¿...?

A ESCRIBIR

- Use the e-mail format above, beginning with **A, DE, ASUNTO**, and a greeting.

- Incorporate your answers to the previous questions in the e-mail. Connect your ideas with words such as **y, pero,** and **porque**.

- Ask your addressee for a reply to your e-mail.

- Close the e-mail with a farewell: **Un abrazo de**...

DESPUÉS DE ESCRIBIR

- **Revisar.** Review the following elements of your e-mail:
  - ☐ use of **ir, hacer,** and other **-er** and **-ir** verbs
  - ☐ use of **ser** and **estar**
  - ☐ agreement of subjects and verbs
  - ☐ agreement of nouns and adjectives
  - ☐ correct spelling, including accents

- **Intercambiar**
  Exchange your e-mail with a classmate's; make grammatical corrections and content suggestions. Then, respond to the e-mail.

- **Entregar**
  Rewrite your original e-mail, incorporating your classmate's suggestions. Then, turn in your revised e-mail and the response from your classmate to your instructor.

 **Vocabulario**

Las materias (Academic) Subjects

la administración de empresas *business administration*
la arquitectura *architecture*
el arte *art*
la biología *biology*
el cálculo *calculus*
las ciencias políticas *political science*
las ciencias sociales *social science*
las comunicaciones *communications*
la contabilidad *accounting*
el derecho *law*
el diseño *design*
la educación física *physical education*
la economía *economics*
la estadística *statistics*
la filosofía *philosophy*
las finanzas *finance*
la física *physics*
la geografía *geography*
la geología *geology*
la historia *history*
la informática / la computación *computer science*
la ingeniería (eléctrica) *(electrical) engineering*
las matemáticas *mathematics*
la medicina *medicine*
la pedagogía *teaching, education*
la química *chemistry*
la veterinaria *veterinary science*

Sustantivos Nouns

la carrera *career, field*
el/la chico/a *boy/girl*
el correo electrónico *e-mail*
el dinero *money*
el horario (de clases) *(class) schedule*
el semestre *semester*
el trimestre *trimestre*
el videojuego *video game*

Adjetivos Adjectives

complicado/a *complicated*
exigente *challenging; demanding*
obligatorio/a *obligatory; required*

Adverbios Adverbs

antes (de) *before*
bastante *quite; fairly*
después (de) *after*
solamente *only*

Otras expresiones con tener Other expressions with *tener*

tener... años *to be . . . years old*
tener calor *to be warm, hot*
tener cuidado *to be careful*
tener frío *to be cold*
tener ganas (de) *to feel like*
tener hambre *to be hungry*
tener miedo *to be afraid*
tener prisa *to be in a hurry*
tener razón *to be right*
tener sed *to be thirsty*
tener sueño *to be sleepy*

Segunda parte

Los edificios Buildings

el auditorio *auditorium*
la biblioteca *library*
la cafetería *cafeteria*
la cancha de tenis *tennis court*
el centro estudiantil *student union*
el estadio *stadium*
la Facultad de Arte *School of Art*
la Facultad de Ciencias *School of Science*
la Facultad de Derecho *School of Law*
la Facultad de Filosofía y Letras *School of Humanities*
la Facultad de Ingeniería *School of Engineering*
la Facultad de Medicina *School of Medicine*
la Facultad de Pedagogía *School of Education*
el gimnasio *gymnasium*
el laboratorio (de lenguas / de computadoras) *(language/computer) laboratory*
la librería *bookstore*
el museo *museum*
el observatorio *observatory*
la rectoría *president's office*
el teatro *theater*

¿Dónde está...? Where is . . .?

al lado (de) *beside, next to*
a la derecha (de) *to the right (of)*
a la izquierda (de) *to the left (of)*
cerca (de) *nearby (close to)*
delante (de) *in front (of)*
detrás (de) *behind*
enfrente (de) *facing, across (from)*
entre *between*
lejos (de) *far (from)*

Adverbios Adverbs

casi *almost*
siempre *always*
solo *only*

Otras palabras y expresiones Other words and expressions

mira *look*
pues *well*
Te acompaño *I'll go with you*
Vamos *Let's go*

Verbos Verbs

estar *to be*
hacer *to do; to make*
ir *to go*

Expressions with *todo/a/os/as* See page 80.
Expressions with *hacer* See page 96.
The Numbers *101–3.000.000* See page 82.
Adjectives with *estar* See page 98.
Possessive adjectives See page 84.

4

¿Cómo es tu familia?

1 Primera parte

OBJETIVOS COMUNICATIVOS

¡Así lo decimos! Vocabulario — Miembros de la familia

¡Así lo hacemos! Estructuras — The present tense of stem-changing verbs: **e → ie, e → i, o → ue**

Direct objects, the personal **a,** and direct object pronouns

Perfiles

   Mi experiencia — La familia hispana ¿típica?

   Mi música — "El encarguito" (Guillermo Anderson, Honduras)

- Talking about your family
- Expressing desires and preferences
- Planning activities

2 Segunda parte

¡Así lo decimos! Vocabulario — El ocio

¡Así lo hacemos! Estructuras — Demonstrative adjectives and pronouns

The present tense of **poner, salir,** and **traer**

Saber and **conocer**

Observaciones — ¡Pura vida! Episodio 4

- Extending invitations
- Pointing out people and things to others
- Discussing things and people you know

Nuestro mundo

Panoramas — América Central I: Guatemala, El Salvador, Honduras

Páginas — *Sobreviviendo Guazapa,* Cinenuevo

Taller — Una invitación

Readiness
Check

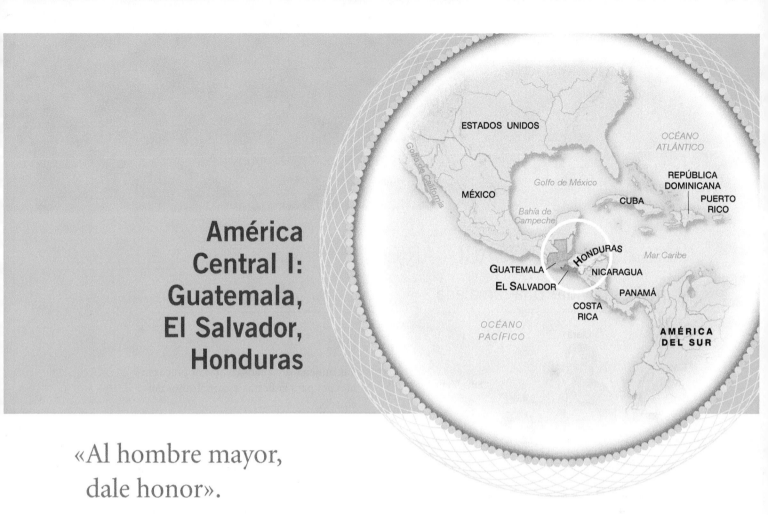

América Central I: Guatemala, El Salvador, Honduras

«Al hombre mayor, dale honor».

Refrán: Respect your elders.

Rigoberta Menchú recibió el Premio Nobel por su lucha por los derechos humanos de los indígenas de Guatemala.

Tikal, Guatemala, es uno de los sitios más importantes de la civilización maya.

¡Así lo decimos! VOCABULARIO

¡Así es la vida! Una tamalada

Chela

Clara

Anita

doña Marina

Las mujeres de la familia Suárez preparan tamales para la fiesta de cumpleaños del abuelo.

CLARA: Suegra, ¿qué servimos con los tamales?

CHELA: Suegra, ¿qué piensas que prefiere tomar el abuelo?

ANITA: Tía Chela, tenemos refrescos, ¿no?

Los hombres de la familia Suárez esperan la comida.

JOAQUÍN: Feliz cumpleaños, papá.

EL ABUELO
(DON RAMÓN): Gracias, hijo. ¡Qué deliciosos van a estar los tamales de tu mamá!

TOMÁS: ¡Salud!

TOMASITO: Papi, ¿cuándo vamos a almorzar? ¡Tengo hambre!

Tomás

Joaquín

don Ramón

Tomasito

Vocabulario Miembros de la familia

04-02 to
04-06

Variaciones

In Mexico, **padre** is used as an adjective to mean *awesome*, as in **¡Qué padre!, Está muy padre,** or **¡Padrísimo!** The term **madre** is used in a lot of Mexican slang, so much so that it often is avoided in favor of **mamá** when speaking about someone's mother.

Variaciones

In Spain, the terms **tío/tía** have a colloquial meaning roughly equivalent to American English *guy/gal, dude, buddy.*

Miembros de la familia — Family members

el/la abuelo/a	*grandfather/grandmother*
el/la cuñado/a	*brother-in-law/sister-in-law*
el/la esposo/a	*husband/wife*
el/la hermanastro/a	*stepbrother/stepsister*
el/la hermano/a	*brother/sister*
el/la hijo/a	*son/daughter*
la madrastra	*stepmother*
la madre	*mother*
el/la nieto/a	*grandson/granddaughter*
el/la novio/a	*boyfriend/girlfriend, groom/bride*
la nuera	*daughter-in-law*
el padrastro	*stepfather*
el padre	*father*
el/la perro/a	*dog*
el/la primo/a	*cousin*
el/la sobrino/a	*nephew/niece*
el/la suegro/a	*father-in-law/mother-in-law*
el/la tío/a	*uncle/aunt*
el yerno	*son-in-law*

mi abuela
Marina: 65 años

mi abuelo
Ramón: 70 años

mi madre
Clara: 30 años

mi padre
Tomás: 35 años

mi tío
Joaquín: 45 años

mi tía
Chela: 45 años

mi hermana
Anita: 10 años

yo (Tomasito): 6 años

mi primo
Beto: 8 años

Verbos — Verbs

almorzar (ue)	*to have lunch*
costar (ue)	*to cost*
dormir (ue)	*to sleep*
empezar (ie)	*to begin*
encontrar (ue)	*to find*
entender (ie)	*to understand*
ganar	*to earn*
jugar a (ue)	*to play*
pasar	*to spend (time)*
pensar (ie) en	*to think (about)*
pensar (ie) (+infinitive)	*to plan (to do something)*
pedir (i)	*to ask for, to request*
perder (ie)	*to lose*
poder (ue)	*to be able, can*
preferir (ie)	*to prefer*
querer (ie)	*to want, to love*
recordar (ue)	*to remember*
repetir (i)	*to repeat, to have a second helping*
servir (i)	*to serve*
soñar (ue) (con)	*to dream (about)*
venir (ie)	*to come*
volver (ue)	*to return*

Adjetivos — Adjectives

casado/a	*married*
divorciado/a	*divorced*
mayor	*older*
menor	*younger*
soltero/a	*single, unmarried*
unido/a	*close, close-knit*

Otras palabras y expresiones útiles

algún día	*someday*
la comida	*food*
conmigo	*with me*
contigo	*with you*
el refresco	*soft drink*

APLICACIÓN

4-1 ¿Quién es quién? Look at Tomasito's family tree on the previous page and explain the relationships between the members.

MODELO: Tomasito y Anita.
Son hermanos. Anita es la hermana de Tomasito y él es el hermano de ella.

1. don Ramón y doña Marina
2. Chela y Beto
3. Chela y don Ramón
4. Anita y Beto

5. Beto y Tomás
6. don Ramón y Anita
7. Joaquín y Clara
8. Tomás y don Ramón y doña Marina

4-2 La boda (*wedding*) de Clara y Tomás. Answer the following questions based on the invitation to the wedding of Clara Sosa Sánchez and Tomás Suárez Ferrero.

1. ¿Quiénes son los novios?

2. ¿Cómo se llama el padre de la novia?[1]

3. ¿Cómo se llama la madre de la novia?

4. ¿Quiénes son los futuros suegros de Clara?

5. ¿Dónde es la ceremonia? ¿Y la recepción?

6. ¿En qué fecha y a qué hora es la ceremonia?

José Sosa Beléndez
Elena Sánchez de Sosa
y
Ramón Suárez Buenahora
Marina Ferrero de Suárez
tienen el honor de invitarle
al matrimonio de sus hijos
Clara y Tomás
el viernes veintisiete de mayo
de dos mil once
a las tres de la tarde
Misa Nupcial en
Iglesia San Jorge
San Salvador, El Salvador
Recepción y cena
Salón Real, Hotel Princesa

---

[1]See **Perfiles: Nombres, apellidos y apodos** in **Capítulo 2** for information on Hispanic last names.

 4-3 **Entre familia.** Learn about Clara's family before she married Tomás.

Paso 1 Listen as Clara describes her family and complete her family tree by writing the names of the three generations of family members that live at home.

Clara

Paso 2 Take another look at the family tree you completed in **Paso 1** and give the relationships for each of these people.

MODELO: *Clara es la hija de José Luis…*(etc.)

4-4 **Tu árbol genealógico.** Draw a family tree, based on your own family, in which some of the members are real and some are fictitious. Take turns describing your family and deciding if each is telling the truth about family members.

MODELO: E1: *Mi abuelo se llama don Juan. Es moreno, muy guapo y bastante rico. Es muy popular entre las mujeres.*
E2: *No es verdad. No te creo. / ¿De verdad? Cuéntame más.* (Tell me more.)

4-5 **¿Cómo es tu familia?** With a classmate, take turns asking and answering questions about your families.

MODELO: E1: *¿Viven tus abuelos con tu familia?*
E2: *Sí, viven con nosotros. ¿Y tus abuelos?*
E1: *No, mis abuelos no viven con nosotros.*

1. ¿Viven tus abuelos con tu familia?
2. ¿Dónde vive tu familia?
3. ¿Cuántos hermanos o hermanas tienes?
4. ¿Trabajan o estudian tus hermanos?
5. ¿Cuántos primos tienes?
6. ¿Viven cerca tus primos?
7. ¿…?

1. The present tense of stem-changing verbs: *e* → *ie*, *e* → *i, o* → *ue*

04-07 to
04-12

¿Quiere un
sándwich de pollo?

No señor, prefiero
una hamburguesa.

You have already learned how to form the present tense of regular -**ar**, -**er**, and -**ir** verbs and a few irregular verbs. The following verbs require a change in the stem vowel[1] of the present forms, except in **nosotros/as** and **vosotros/as.** There are three main stem changes: **e** to **ie; e** to **i; o** to **ue.** There is one verb, **jugar,** that has a **u** to **ue** stem change.

El cambio e → ie

- In this stem-changing pattern, the **e** of the stem changes to **ie** in all forms except **nosotros/as** and **vosotros/as.**

querer (*to want, to love*)			
yo	qu**ie**ro	nosotros/as	queremos
tú	qu**ie**res	vosotros/as	queréis
Ud.	qu**ie**re	Uds.	qu**ie**ren
él/ella	qu**ie**re	ellos/as	qu**ie**ren

- The following are some common **e** → **ie** verbs.

empezar	*to begin*
entender	*to understand*
pensar (en)	*to think (about)*
pensar (+ *infinitive*)	*to plan (to do something)*
perder	*to lose*
preferir	*to prefer*

Te **quiero,** cariño.	*I love you, dear.*
Siempre **pensamos en** nuestro abuelo.	*We always think about our grandfather.*
Pienso ver una película esta noche.	*I plan to see a movie tonight.*
¿A qué hora **empieza** la función?	*At what time does the show start?*

- Like **tener,** the verb **venir** (*to come*) has an additional irregularity in **yo.**

tener			
yo	**tengo**	nosotros/as	tenemos
tú	tienes	vosotros/as	tenéis
Ud.	tiene	Uds.	tienen
él/ella	tiene	ellos/as	tienen

venir			
yo	**vengo**	nosotros/as	venimos
tú	vienes	vosotros/as	venís
Ud.	viene	Uds.	vienen
él/ella	viene	ellos/as	vienen

Tengo que pasar por mi novia a las ocho.	*I have to stop by for my girlfriend at eight.*
Si Ester y Rubén **vienen** el viernes, yo **vengo** también.	*If Ester and Rubén come Friday, I'll come too.*

---

[1]In these forms the stem contains the stressed syllable.

El cambio e → i

- Another stem-changing pattern changes the stressed **e** of the stem to **i** in all forms except **nosotros/as** and **vosotros/as.**

¡Repito! ¡No estoy enojada contigo!

pedir (*to ask for, to request*)			
yo	pido	nosotros/as	pedimos
tú	pides	vosotros/as	pedís
Ud.	pide	Uds.	piden
él/ella	pide	ellos/as	piden

- All **e → i** stem-changing verbs have the **-ir** ending. The following are some other common **e → i** verbs.

repetir	*to repeat, to have a second helping*
servir	*to serve*

La instructora **repite** las instrucciones solo una vez.	*The instructor repeats the instructions only one time.*
¿**Servimos** la sopa primero?	*Do we serve the soup first?*

El cambio o → ue

- Another category of stem-changing verbs is one in which the **o** changes to **ue.** As with **e → ie** and **e → i,** there is no stem change in the **nosotros/as** and **vosotros/as** forms.

Ella siempre sueña que está en la playa.

volver (*to return, to come back*)			
yo	**vue**lvo	nosotros/as	volvemos
tú	**vue**lves	vosotros/as	volvéis
Ud.	**vue**lve	Uds.	**vue**lven
él/ella	**vue**lve	ellos/as	**vue**lven

- Other commonly used **o → ue** stem-changing verbs include the following:

almorzar	*to have lunch*
costar[1]	*to cost*
dormir	*to sleep*
encontrar	*to find*
jugar[2] **a**	*to play*
poder	*to be able, can*
recordar	*to remember*
soñar (con)	*to dream (about)*

Mañana **juego** al tenis con mi tía.	*Tomorrow I'm playing tennis with my aunt.*
Almorzamos con mis abuelos todos los domingos.	*We have lunch with my grandparents every Sunday.*
¿**Sueñas con** ser rico algún día?	*Do you dream about being rich someday?*
No **recuerdo** a mi tía muy bien.	*I don't remember my aunt very well.*

---

[1]**Costar** is conjugated only in the third person of singular and plural.
[2]**Jugar** follows the same pattern as **o → ue** verbs, but the change is **u → ue.**

4-6 **Una entrevista con Rigoberta Menchú.**   Rigoberta Menchú won the Nobel Peace Prize in 1992 for her work with the indigenous peoples of Guatemala.

Paso 1   Read the interview with her and underline all of the stem-changing verbs.

REPORTERA: Señora Menchú, usted es famosa por su trabajo con los indígenas de Guatemala. También tiene un Premio Nobel por sus esfuerzos[1]. ¿Qué piensa hacer ahora?

RIGOBERTA: Pienso trabajar por los derechos humanos[2] para las personas oprimidas[3] del mundo.

REPORTERA: ¿Viene a Washington este año?

RIGOBERTA: No, este año no pienso ir porque estoy en Nueva York. Sirvo en un comité de las Naciones Unidas.

REPORTERA: Veo que usted no pierde la oportunidad de continuar su trabajo y el Premio Nobel de la Paz confirma su dedicación. Por cierto, ¿cómo recuerda la ceremonia de los Premios Nobel?

RIGOBERTA: Pues, recuerdo muy bien la ceremonia, pero no puedo recordar los nombres de toda la gente[4]. Algún día voy a volver a Estocolmo para visitar los museos y pasar más tiempo con la gente.

REPORTERA: ¿Con qué sueña usted?

RIGOBERTA: Sueño con un mundo mejor y pido paz para todos.

REPORTERA: Encuentro admirable su generosidad. Gracias.

---

[1]*efforts* [2]*human rights* [3]*oppressed* [4]*people*

Paso 2   Answer the following questions based on the interview.

1. ¿Por qué es famosa Rigoberta Menchú?

2. ¿Qué piensa hacer este año?

3. ¿Qué hace en Nueva York?

4. ¿Qué no recuerda bien de su tiempo en Estocolmo?

5. ¿Por qué quiere volver a Estocolmo?

6. ¿Con qué sueña ahora?

7. ¿Para quiénes pide paz?

4-7 Ana María y Antonio hacen planes.   Antonio has invited his friend, Ana María, to visit him in Ciudad de Guatemala. Complete her explanation with the correct forms of logical verbs from the list. (You may use some verbs more than once.)

costar	jugar	perder	poder
entender	pensar	preferir	querer

Antonio y yo (1) _____ hacer planes para el viernes. Nosotros
(2) _____ ir al cine. Antonio (3) _____ ver una película nueva
de El Salvador que se llama *Sobreviviendo Guazapa*[1]. Yo (4) _____ las películas
francesas, pero Antonio no (5) _____ francés. Su madre (6) _____
que debemos jugar al tenis. Antonio (7) _____ jugar al tenis, pero yo no
(8) _____ muy bien. A Antonio le gusta jugar conmigo porque yo siempre
(9) _____. También hay un concierto de música hondureña el viernes, pero los
boletos (*tickets*) (10) _____ mucho. ¡Es mejor pasar el viernes en casa con la
familia!

4-8 Desafío: Entre familia.   Using the verbs listed below, race to write as many meaningful sentences in Spanish as you can. Each sentence must have a different subject, verb, and complement, and must include family members. The first person who believes he/she has six correct sentences calls out *¡TENGO!* The rest of the group will judge if your sentences are correct.

MODELO: *(Yo) Almuerzo con mis primos en la universidad.* (correcto)

costar	jugar (a)	poder	recordar
dormir	pedir	preferir	soñar (con)
empezar	pensar	querer	volver (a)

---

[1]See *Páginas* for a review of this movie

4-9 **En casa.**   Every household is different.

Paso 1   First write complete sentences as they are true for your household. Be sure to conjugate the verbs to agree with their subjects.

MODELO: En casa nosotros (**servir**)… (refrescos; café; agua; cerveza…) con la cena (*dinner*).
En casa, servimos refrescos con la cena.

En casa…

1. Yo (**almorzar**)… (solo/a; con mi novio/a; con mi familia; con mis amigos/as…).

2. Durante la cena, mi familia (**preferir**)… (ver la televisión; hablar de política; escuchar la radio; hablar de fútbol…).

3. Nosotros (**dormir**) la siesta… (después de la cena; todos los días; por una hora; cuando tenemos sueño…).

4. Mis (amigos/hermanos) (no) (**poder**)… (comer conmigo; ver la televisión conmigo; estudiar conmigo; trabajar conmigo…).

5. Mañana nosotros (**pensar**) preparar comida … (mexicana; italiana; francesa; americana…).

6. Cuando hay una comida especial, mis (padres; hermanos; amigos) (**volver**)… (tarde; temprano; a tiempo).

7. Hoy, yo (no) (**querer**)… (preparar la cena; jugar al tenis; ir a la biblioteca…).

8. Esta noche, mis amigos (**soñar**) con… (ir a un concierto; tener una fiesta; jugar a…).

Paso 2   Now compare your households to see what you have in common.

MODELO: E1: *En mi casa, servimos refrescos con la cena. ¿Y en tu casa?*
E2: *Bueno, en mi casa servimos agua o café.*

En mi casa servimos tamales en Navidad.

4-10 Festival de cine. Take a look at the announcement below to see what movies will be shown during the Latino film festival. Then in groups, discuss which movies you prefer to see and why. Which is the most popular among your group? Use the different types of movies listed to help in your discussion.

En el cine

Los abrazos rotos (2009, España) ★★★★★
Director: Pedro Almodóvar
Género: Filme negro
Interpretación: Penélope Cruz, Lluis Homar...
Cuatro personajes en una historia de amor, poder, secretos, engaño[1] y venganza[2]...
Reseñas: 👍 "Todo Almodóvar; sin igual." 👍 "Almodóvar define el cine moderno." 👍 "Sin duda, otro Óscar para Cruz."

Corazón marchito (2007, México) ★★★
Director: Eduardo Lucatero
Género: Comedia romántica
Interpretación: Mauricio Ochmann, Ana Seradilla
Como todos sus amigos, él siempre busca el amor verdadero. Ella es la mujer perfecta, pero...
Reseñas: 👍 "Encantadora." 👍 "Graciosa." 👎 "Un poco predecible".

Amorosa soledad (2008, Argentina) ★
Género: Comedia dramática
Director: Martín Carranza; Victoria Galardi
Interpretación: Inés Efron
Una chica fracasa en el amor y decide suicidarse, pero...
Reseñas: 👎 "Poco original." 👎 "No representa el mejor cine argentino." 👎 "Ni cómica ni romántica."

Crónica de una fuga (2008, Argentina) ★★★★
Género: Drama
Director: Adrián Caetano
Interpretación: Rodrigo Sendero
Un futbolista es secuestrado[3] y torturado por la policía secreta. Ahora decide escaparse de un centro de detención...
Reseñas: 👍 "Suspensiva." 👍 "Cuenta sobre una época lamentable en Argentina." 👍 "¡Que no se repita jamás esta triste historia!"

[1]*deceit* [2]*revenge* [3]*kidnapped*

películas... de acción
sentimentales
de 3D
de misterio
trágicas
humorísticas
del director español Almodóvar
de suspenso
mexicanas/argentinas/españolas...

MODELO: *Quiero ver* Corazón marchito *porque prefiero las comedias sentimentales.*

¿Quieres invitar a Jorge?

¡Sí, vamos a invitarlo!

2. Direct objects, the personal *a*, and direct object pronouns

04-13 to 04-19

Los complementos directos

- A direct object is the noun that generally follows and receives the action of the verb. The direct object is identified by asking *whom* or *what* about the verb. Note that the direct object can either be an inanimate object (**un carro**) or a person (**su amigo Luis**).

  Pablo va a comprar **un carro**.   *Pablo is going to buy a car.*

  Anita llama **a su amigo Luis**.   *Anita calls her friend Luis.*

La *a* personal

- When the direct object is a definite person or persons, an **a** precedes the noun in Spanish. This is known as the personal **a**. However, the personal **a** is usually omitted after the verb **tener**.

  Quiero mucho **a** mi papá.   *I love my father a lot.*

  Julia y Ricardo tienen un hijo.   *Julia and Ricardo have a son.*

- The personal **a** is not used with a direct object that is an unspecified or indefinite person.

  Ana quiere un novio inteligente.   *Ana wants an intelligent boyfriend.*

- The preposition **a** followed by the definite article **el** contracts to form **al**.

  Alicia visita **al** médico.   *Alicia visits the doctor.*

- When the interrogative **quién(es)** requests information about the direct object, the personal **a** precedes it.

  ¿**A** quién llama Elisa?   *Whom is Elisa calling?*

- The personal **a** is required before every specific human direct object in a series.

  Visito **a** Emilio y **a** Lola.   *I visit Emilio and Lola.*

Los pronombres de complemento directo

A direct object noun is often replaced by a direct object pronoun. The chart below shows the forms of the direct object pronouns.

Te quiero mucho.

	Singular		Plural
me	*me*	**nos**	*us*
te	*you* (inf.)	**os**	*you* (inf.)
lo/la	*you* (for.) (masc./fem.)	**los/las**	*you* (for.) (masc./fem.)
lo/la	*him/her, it* (masc./fem.)	**los/las**	*them* (masc./fem.)

- Direct object pronouns are generally placed directly before the conjugated verb. If the sentence is negative, the direct object pronoun goes between **no** and the verb.

  ¿**Me** buscas?   *Are you looking for me?*

  No, no **te** busco.   *No, I'm not looking for you.*

- Third-person direct object pronouns agree in gender and number with the nouns they replace.

  Quiero **el dinero.** → **Lo** quiero.
  Necesitamos **los cuadernos.** → **Los** necesitamos.
  Llamo **a Mirta.** → **La** llamo.
  Buscamos **a las chicas.** → **Las** buscamos.

- Direct object pronouns are commonly used in conversation when the object is established or known. When the conversation alternates between first and second persons (*me, us, you*), remember to make the proper transitions.

Hijo, ¿cuándo **nos** llamas?	*Son, when will you call us?*
Los llamo esta noche, padre.	*I'll call you tonight, father.*
Querida, ¿**me** quieres de verdad?	*Dear, do you really love me?*
Sí, **te** quiero con todo el corazón.	*Yes, I love you with all my heart.*

- In constructions that use the infinitive, direct object pronouns may either precede the conjugated verb or be attached to the infinitive.

Adolfo va a llamar **a Ana.**	*Adolfo is going to call Ana.*
Adolfo va a llamar**la.** ⎫	
Adolfo **la** va a llamar. ⎭	*Adolfo is going to call her.*

- In negative sentences, the direct object pronoun is placed between **no** and the conjugated verb, or is attached to the infinitive.

Adolfo no **la** va a llamar. ⎫	
Adolfo no va a llamar**la.** ⎭	*Adolfo is not going to call her.*

APLICACIÓN

4-11 **Una visita al Museo Popol Vuh.** This museum houses an impressive collection of art and artifacts.

Paso 1 Read about the museum and underline all direct objects.

El Museo Popol Vuh reúne una de las mejores colecciones de arte prehispánico y colonial de Guatemala. La colección incluye obras maestras[1] del arte maya elaboradas en cerámica, piedra[2] y otros materiales. Además, posee un importante conjunto[3] de obras de platería[4] e imaginería[5] colonial.

El museo está en el Campus Central de la Universidad Francisco Marroquín, en Ciudad de Guatemala. Este museo ofrece una oportunidad única para apreciar la historia y cultura de Guatemala. Si visitas esta ciudad, tienes que visitar el museo y apreciar sus artefactos mayas.

Dirección: Avenida La Reforma, 8-60, Zona 9, 6° piso.

Horario: de lunes a sábado de 9:00 a 16:30 hrs.

---
[1]*masterpieces* [2]*stone* [3]*group* [4]*silver* [5]*statuary*

Paso 2 ¿Cómo es el museo? Now answer questions based on what you have read above.

1. ¿Dónde está el museo?

2. ¿Por qué es importante?

3. ¿A qué hora lo abren de lunes a sábado? ¿Y los domingos?

4-12 En la Universidad Francisco Marroquín. Juan Antonio is a student at the Universidad Francisco Marroquín in Ciudad de Guatemala. Read the conversation between him and Ana María; underline the direct objects and write the personal **a** (or **al**) wherever necessary.

ANA MARÍA: Oye, Juan Antonio. ¿(1) _____ quién ves todos los días?

JUAN ANTONIO: Yo siempre veo (2)_____ Tomás en la universidad. Tomamos (3) _____ café todas las tardes.

ANA MARÍA: ¿Ven (4) _____ muchos amigos allí?

JUAN ANTONIO: Sí, claro. Siempre vemos (5) _____ Mercedes y (6) _____ Gustavo. A veces (*Sometimes*) sus compañeros de cuarto toman (7) _____ un refresco con nosotros también.

ANA MARÍA: ¿Son interesantes sus compañeros de cuarto?

JUAN ANTONIO: Tomás y Gustavo tienen (8) _____ un compañero de cuarto muy simpático y la compañera de cuarto de Mercedes es muy sociable. Esta noche todos, menos Gustavo, vamos a ver (9) _____ una película muy buena. Gustavo no puede ir porque tiene que visitar (10) _____ padre de su novia.

ANA MARÍA: ¿Invitas (11) _____ mi amigo Héctor también?

JUAN ANTONIO: ¡Claro que sí!

4-13 Servicio en una escuela rural hondureña. Students from several universities in the U.S., Mexico, and Canada often perform service in rural Honduras. Complete the exchanges between Ester and the director of this school in Concepción. First underline the direct object in each question and then answer the questions using a direct object pronoun.

MODELO: DIRECTOR: ¿Tienes la cámara para sacar fotos de los niños?
ESTER: *Sí, la tengo.*

Los estudiantes en Concepción posan para la cámara.

DIRECTOR: ¿Tienes las medicinas para los niños?

ESTER: 1. _____

DIRECTOR: ¿Quieres ver la biblioteca de la escuela?

ESTER: 2. _____

DIRECTOR: ¿Tienes tu cuaderno para escribir tus observaciones?

ESTER: 3. _____

DIRECTOR: ¿Ves a los niños que vienen a saludarte?

ESTER: 4. _____

DIRECTOR: ¿Deseas visitar la clínica ahora?

ESTER: 5. _____

DIRECTOR: ¿Quieres visitar el mercado de artesanías de los estudiantes?

ESTER: 6. _____

4-14A **Una entrevista para** *Prensa Libre.* *Prensa Libre* is an independent newspaper in Guatemala. You are reporters who are preparing to interview the **Presidente de la República**. Ask and respond logically to each other's questions, being careful to use correct object pronouns and verb forms. **Estudiante B,** please see **Appendix 1,** page A-6.

MODELO: ESTUDIANTE A: *¿Tienes tu cámara?*
ESTUDIANTE B: *Sí, la tengo.*

Estudiante A

Mis preguntas	Mis respuestas a las preguntas de mi compañero/a
1. ¿Tienes la dirección de la casa del presidente?	_____ Claro, quiere verlo.
2. ¿El presidente tiene la lista de preguntas?	_____ No lo toca bien, pero le gusta la música.
3. ¿Necesitamos fotografías de la familia?	_____ Sí, pero no lo juega muy bien.
4. ¿El presidente habla inglés?	_____ Sí, lo recibe en el palacio presidencial.
5. ¿Escucha música clásica?	_____ No, no tiene tiempo para leerla.
6. ¿El presidente y su familia van a visitar El Salvador en mayo?	_____ Si, voy a llamarlo ahora.

4-15 **En tu familia.** Ask each other who does the following activities in your family. Be careful to conjugate the verbs in boldface and use the correct object pronouns in your responses.

MODELO: siempre **leer** novelas románticas
E1: *En tu familia, ¿quién siempre lee novelas románticas?*
E2: *Mi hermana siempre las lee.*

1. **ver** mucho la televisión
2. **llamarte** por teléfono constantemente
3. siempre **buscar** su celular
4. siempre **necesitar** dinero
5. **querer** ver videos de acción
6. **estudiar** muchas lenguas extranjeras
7. **preferir** música *rock*
8. **pedir** café en un restaurante

¿Cuánto saben?

04-20 to 04-25

With two or three classmates, act out the following scenarios. Ask and respond to at least four questions in each situation.

✓ CAN YOU . . .	WITH YOUR CLASSMATE(S) . . .
☐ talk about your family?	**Situación: En el centro estudiantil** Ask about each other's families, what they do, and what they're like. **Para empezar:** *¿Cómo es tu...? ¿Qué hace tu...?*
☐ express desires and preferences?	**Situación: Por teléfono** Call a friend on the phone to make plans to do something tomorrow. Use stem-changing verbs like **preferir, querer, costar, jugar, perder, poder,** etc. **Para empezar:** *¿Aló...? Habla... ¿Quieres ver una película o prefieres...?*
☐ plan activities?	**Situación: Una fiesta** Make plans for a party. Discuss several options, stating what you are going to serve and do for the party. Ask and respond to questions using direct objects and direct object pronouns, **lo, la, los, las.** **Para empezar:** *¿Vamos a servir tamales o pizza? ¡Tamales y pizza! Vamos a comprarlos en la pizzería hondureña...*

📖 Perfiles

04-26 to 04-27

Mi experiencia

LA FAMILIA HISPANA ¿TÍPICA?

4-16 **Para ti.** Which family members do you consider to be part of your immediate family? How many of them live at home? Would any of your family members ever consider moving away for economic reasons? Do you know any non-traditional couples? Read the following response from a young Honduran woman to a posting on Pregunta.com asking about the typical Hispanic family. Do you think there is such a thing as a typical Hispanic family?

Chicacuriosa pregunta: ¿Hay una familia típica hispana?
Mejor respuesta:
Maríahondureña responde:

Desde mi punto de vista, hay tanta variedad que es imposible generalizar el concepto de "familia hispana". Además,[1] con la globalización, la movilidad y los cambios culturales durante los últimos[2] años, el término "familia" es muy dinámico. Primero, tenemos que considerar la migración, especialmente en los países centroamericanos por razones económicas y políticas. En mi país, Honduras, es común que los padres y los hijos mayores dejen[3] a sus familias y busquen trabajo para luego mandarles[4] dinero. Las mujeres, como mi mamá y yo, tenemos que trabajar para mantener a los niños más pequeños. Sin embargo, tenemos el apoyo[5] familiar de mis tíos y de mis abuelos para mantener la unidad familiar. Segundo, con el aumento[6] del nivel de educación de la mujer, el índice de natalidad[7] ha bajado[8] de más de cuatro hijos por mujer a solo tres. Así que la idea del núcleo familiar con madre, padre e hijos no es universal y es imposible decir que hay un solo modelo.

Un cantautor popular hondureño que habla de este tema de la globalización es Guillermo Anderson. Me gustan mucho sus canciones porque combina el humor con la realidad.

[1]*In addition* [2]*recent* [3]*leave behind* [4]*send them* [5]*support* [6]*increase* [7]*birthrate* [8]*has decreased*

4-17 **En su opinión.** Take turns reacting to each of the following statements.

MODELO: Me gusta vivir en casa con mis padres.
Estoy de acuerdo (I agree). / *No estoy de acuerdo.*

1. Para mí, el núcleo familiar consiste en los padres, los hijos, los abuelos y toda la familia política (*in-laws*).
2. Me gusta vivir cerca de mi familia.
3. Tengo una buena relación con mis primos.
4. Los recién casados (*newlyweds*) deben vivir lejos de los suegros.
5. Es importante que la mujer sea económicamente independiente.
6. Creo que es natural permitir el matrimonio entre parejas homosexuales.

Mi música

Guillermo Anderson was born in the port town of La Ceiba, where all Caribbean cultures of Honduras are in evidence: descendants of Mayans and other indigenous people, the **garífuna** slaves from West Africa, European settlers, and **mestizos.** His music reflects all of these ethnic groups.

"El encarguito" is a humorous piece about **un encarguito** (*care package*) that a person sends to a family member abroad.

Antes de ver y escuchar

4-18 **Comida hondureña.** Use context and cognates to match some of the foods mentioned in the song with their English meaning. Have you ever seen or tasted any of them?

1. _____ un chicharrón con yuca	a. two pounds of cheese curd
2. _____ una sopa de capirotadas	b. donkey milk
3. _____ los nacatamales	c. type of tamal
4. _____ dos libras de cuajada	d. egg bread and rose bread
5. _____ pan de yema y pan de rosa	e. cracklings (fried pig skin) with yucca
6. _____ leche de burra	f. a soup made with broth and corn fritters with eggs and cheese

Para ver y escuchar

 4-19 **La canción.** Connect with the Internet to search for a link to Guillermo Anderson performing this song. He expresses concerns about getting his **encarguito** safely through customs (*la aduana*). Which of the following likely represents his dilemma?

 Busca: guillermo anderson video encarguito; guillermo anderson letra encarguito

If you would like to purchase this song: *Go to iTunes Store>Music>More to Explore>iMix>Arriba 6e*

1. _____ El encarguito es demasiado (*too*) grande.
2. _____ No se permite entrar con comida ni bebidas (*drinks*) en otro país.
3. _____ La persona que lleva el encarguito lo va a comer en el viaje.
4. _____ La persona que recibe el encarguito ha cambiado de casa (*changed address*).

Después de ver y escuchar

 4-20 **Investigación: La garífuna.** In the 17th century, several slave ships destined for Central America sank in storms, but some of the slaves were rescued by the indigenous Caribs who quickly assimilated them into their culture. The West Africans contributed instruments and rhythms to Latin music. Search the Internet for an example of **garífuna** music, and then write a paragraph describing the music, performers and your impressions. Use at least five different verbs from **Capítulo 4**, **Primera parte.**

Busca: musica garifuna video

Segunda parte

¡Así lo decimos! VOCABULARIO

¡Así es la vida! Una invitación
04-28

🔊 Raúl invita a Laura a ver una película.

RAÚL: Laura, soy Raúl. Te llamo para ver si quieres ir al cine esta noche.

LAURA: Me gustaría... ¿Sabes qué película ponen?

RAÚL: Sí, hay una película nueva en el Rialto de El Salvador. No sé si la conoces. Se llama *Sobreviviendo Guazapa*. Es a las siete. ¿Vamos?

LAURA: Un momento, me llama mi madre. Te llamo en unos minutos.

🔊 Pasan unos minutos y Laura llama a Raúl.

LAURA: Hola Raúl, lo siento, pero no puedo salir esta noche. ¿Qué tal si vamos mañana?

RAÚL: Sí, claro. Nos vemos mañana.

04-29 to
04-33

🔊 Vocabulario Lugares de ocio

El ocio `Leisure time`

el café (al aire libre) *(outdoor) cafe*
el centro *downtown*
el cine *movie theater*
el concierto *concert*
la entrada *admission ticket*
la función *show*
la orquesta *orchestra*
el parque *park*
el partido *game*
la película *movie*

Verbos `Verbs`

conocer *to know (someone), to be*
  familiar with (something)
invitar *to invite*
pasear *to take a walk*
poner *to put, to place*
poner una película *to show a movie*
saber *to know something*
saber + infinitive *to know how to do something*
salir *to leave, to go out*
tocar *to play (an instrument, music)*
traer *to bring*

Para hacer una invitación `Extending invitations`

¿Qué tal si...? *How about . . . ?*
¿Quieres ir a...? *Do you want to go to . . . ?*
¿Te gustaría (+ infinitive)...? *Would you like*
  (+ infinitive) . . . ?
¿Vamos a...? *Should we go . . . ?*

Para aceptar una invitación `Accepting invitations`

De acuerdo. *Fine with me, Okay.*
Me encantaría. *I would love to.*
Paso por ti. *I'll come by for you, I'll pick you up.*
Sí, claro. *Yes, of course.*

Para rechazar una invitación `Rejecting invitations`

Estoy muy ocupado/a. *I'm very busy.*
Gracias, pero no puedo... *Thanks, but I can't . . .*
Lo siento, tengo que... *I'm sorry, I have to . . .*

Toman un refresco en un café al aire libre.

Escuchan la música clásica que toca
la orquesta.

Piensan asistir
a una función.

04-34 to
04-35

Letras y sonidos

Word stress and written accent marks in Spanish

Most words in Spanish (for example, all nouns, verbs, adjectives, and adverbs) carry word stress, where one syllable in the word is given special emphasis. In Spanish, word stress always falls on one of the last three syllables of the word: **tra-ba-ja-dor**, **in-te-li-gen-te, sim-pá-ti-co.** In some cases, word stress is indicated in writing with an accent mark, or **acento (ortográfico),** according to the following rules:

- Usually, words ending in a consonant (except **n** or **s**) are stressed on the *last syllable.*

  a-<u>brir</u>   ins-truc-<u>tor</u>   es-pa-<u>ñol</u>   re-<u>loj</u>   us-<u>ted</u>   ac-<u>triz</u>

  Exceptions to this rule require a written accent mark.

  <u>Víc</u>-tor   <u>ú</u>-til   di-<u>fí</u>-cil   <u>fút</u>-bol   <u>lá</u>-piz   <u>sánd</u>-wich

- Usually, words ending in a vowel or the consonant **n** or **s** are stressed on the *second to last syllable.*

  bo-<u>ni</u>-ta   tra-<u>ba</u>-jo   tra-<u>ba</u>-jan   <u>jo</u>-ven   tra-<u>ba</u>-jas   no-<u>so</u>-tros

  Exceptions to this rule require a written accent mark.

  es-<u>tá</u>   a-<u>quí</u>   es-<u>tán</u>   lec-<u>ción</u>   es-<u>tás</u>   in-<u>glés</u>

- Words with stress on the *third to last syllable* always require a written accent mark.

  <u>nú</u>-me-ro   <u>mú</u>-si-ca   bo-<u>lí</u>-gra-fo   <u>jó</u>-ve-nes   <u>miér</u>-co-les

- Some words are identical in spelling but different in emphasis and meaning. In such cases, words with emphasis are marked with a written accent to differentiate them from the versions without emphasis, which have a different meaning.

  <u>él</u> = *he*   <u>tú</u> = *you*   <u>mí</u> = **(to)** *me*   **¿<u>Qué</u>?** = *What?*   **¿<u>Có</u>-mo?** = *How?*

  el = *the*   tu = *your*   mi = *my*   que = *that*   co-mo = *how, as, like*

- A written accent mark also is used with an **i** or **u** to indicate hiatus (that is, when one of these letters, adjacent to another vowel, represents a separate syllable).

  <u>dí</u>-a   <u>grú</u>-a   pa-<u>ís</u>   Ra-<u>úl</u>

APLICACIÓN

4-21 Una invitación. State whether each statement is **cierto** or **falso** or **no se sabe** (*no information*) based on the conversation between Laura and Raúl in **¡Así es la vida!** Correct any false statements.

1. _____ Raúl invita a Laura al cine.

2. _____ Raúl sabe qué película ponen.

3. _____ La película es a las siete y media.

4. _____ Laura pasa por la casa de Raúl.

4-22 Otras actividades. Complete this paragraph about Raúl and Laura's day together with logical words or expressions from **¡Así lo decimos!**

Raúl y Laura van al (1) _____ para ver una película. Llegan unos minutos antes para comprar (3) _____. Después de la película, caminan por (2) _____ y toman refrescos en un café (4) _____. La música que toca la (5) _____ es maravillosa. El día siguiente, Laura invita a Raúl a ir a un (6) _____ de béisbol.

Una Cordial Invitación

Te invito a...

4-23 Marilú invita a José. Listen as Marilú and José talk on the telephone. Then complete each statement based on their conversation.

1. Marilú invita a José a _____.

   a. comer   b. bailar   c. pasear por el parque

2. José acepta la invitación para _____.

   a. esta noche   b. mañana   c. las tres de la tarde

3. Los chicos también van a ver _____.

   a. un partido   b. una película   c. un programa de televisión

4. Es evidente que los chicos son _____.

   a. hermanos   b. amigos   c. novios

5. Marilú y José no tienen que estudiar porque _____.

   a. mañana no hay clases   b. su clase es fácil   c. no hay tarea para mañana

4-24 Ahora tú. Take turns inviting each other to do something together. Ask what day, where, what time, and so on. The model will give you some ideas of questions you can ask in your conversation.

MODELO: E1: *Oye, ... ¿Quieres ir . . . ?*
              E2: *No sé. (¿Cuándo? / ¿Dónde? / ¿A qué hora? / ¿Por qué? / ¿Con quiénes?)*
              E1: *. . .*

4-25A ¡Estoy aburrido/a! Tell a classmate that you are bored so that he/she will invite you to do something. Reject at least three of the invitations, making excuses. Accept one or more that seem the most interesting. **Estudiante B,** please see **Appendix 1,** page A-6.

MODELO: ESTUDIANTE A: *Estoy aburrido/a.*
              ESTUDIANTE B: *¿Quieres ir a bailar?*
              ESTUDIANTE A: *Me encantaría. ¡Vamos! / Gracias, pero no puedo. No tengo dinero.*

Estudiante A:

Algunas excusas:		
estar cansado/a	no tener carro	no tener dinero
no tener ganas	no tener tiempo	tener mucho trabajo

4-26 El fin de semana. In groups of three or four, make plans for this weekend. Use the questions below as a guide for your conversation. Then, prepare a summary for the class.

¿Adónde quieren ir?   ¿Qué necesitan?   ¿Con quiénes van?

¿Qué quieren hacer?   ¿Qué día?   ¿Quién paga?

¿Cómo es?   ¿A qué hora empieza?   ¿A qué hora vuelven a casa?

MODELO: *Vamos a un partido de fútbol el sábado a la una de la tarde. Después vamos a pasear por el centro y ver a nuestros amigos. Los invitamos a tomar un refresco en el Café Luna. Luego, volvemos a casa en autobús. Llegamos a casa a las siete y media.*

¡Hola!

Cultura en vivo

In Spanish-speaking countries, it is common for one person to pay for each round of drinks or a meal rather than for each person to pay for his or her own. Additionally, it is normal for a person who is celebrating a birthday to invite everyone else rather than be invited. Do you invite or get invited on your birthday?

¡Así lo hacemos! ESTRUCTURAS

3. Demonstrative adjectives and pronouns

Adjetivos demostrativos

Demonstrative adjectives point out people and objects and the relative position and distance between the speaker and the object or person modified. The chart below shows the forms of demonstrative adjectives in Spanish.

	Singular	Plural		Related adverbs
masculine	este	estos	*this/these (close to me)*	aquí (*here*)
feminine	esta	estas		
masculine	ese	esos	*that/those (close to you)*	allí (*there*)
feminine	esa	esas		
masculine	aquel	aquellos	*that/those (over there,*	allá (*over there*)
feminine	aquella	aquellas	*away from both of us)*	

Este chico es muy guapo.

Sí, pero aquel es muy rico.

- Demonstrative adjectives are usually placed before a modified noun and agree with them in number and gender.

  ¿De quién son **esos** refrescos?   *To whom do those soft drinks belong?*

- Note that the **ese/esos** and **aquel/aquellos** forms, as well as their feminine counterparts, are equivalent to the English *that/those*. In normal, day-to-day usage, these forms are interchangeable, but the **aquel** forms are preferred to point out objects and people that are relatively farther away than others.

  ¿Cuánto cuestan **esas** rosas   *How much are those roses and those*
  y **aquellas** violetas?   *violets (further away, over there).*

- Demonstrative adjectives are usually repeated before each noun in a series.

  Esta película y **estos** actores   *This movie and these actors are*
  son mis favoritos.   *my favorites.*

Pronombres demostrativos

- When you omit the noun, the adjective becomes a pronoun (this one, those ones, etc.) and maintains the same form as the adjective.

  ¿Ves a **ese** hombre alto?   *Do you see that tall man?*
  ¿Cuál? ¿**Ese** o **aquel**?   *Which one? That one (closer) or*
  that one (farther away)?

- The neuter forms **esto, eso,** and **aquello** do not have plural forms. They are used to point out ideas, actions, or concepts, or to refer to unspecified objects or things.

  Aquello no me gusta.   *I don't like that.*
  No comprendo **eso**.   *I don't understand that.*
  Esto está mal.   *This is wrong.*

- These forms are also used to ask for a definition of something.

  ¿Qué es **esto** /**eso**?   *What's this/that?*
  Es un teatro.   *It's a theater.*

APLICACIÓN

4-27 **Información: San Salvador.** Laura is visiting San Salvador for the first time and is gathering information about what she should do during her stay.

Paso 1 Read the conversation between Laura and a Tourist Information agent who explains some of the most popular points of interest. Underline the demonstrative adjectives and pronouns.

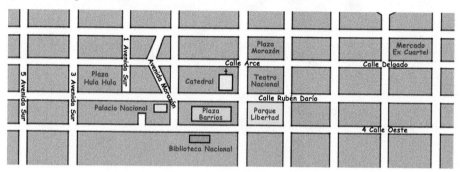

AGENTE: Este es un mapa del centro de la ciudad y algunos puntos de interés.

LAURA: Ah, verdad. ¿Qué es esto enfrente de la Plaza Barrios?

AGENTE: Bueno, hay tres edificios enfrente de la Plaza. Ese, cerca de usted, es la Biblioteca Nacional, donde mucha gente hace investigación sobre la historia de El Salvador. Este, cerca de mí, es el Palacio Nacional.

LAURA: ¿Y aquella iglesia?

AGENTE: Aquella es la Catedral. Usted debe visitarla.

LAURA: ¿Y el mercado?

AGENTE: Es aquel edificio en la Calle Delgado. Si quiere, puede ir en taxi o caminar unas cuadras. En ruta, puede comprar entradas para un concierto en aquel edificio, el Teatro Nacional.

LAURA: ¡Mil gracias por toda esta información!

Paso 2 Using the information about San Salvador from **Paso 1**, discuss with your partner what places you would like to visit. Use the drawing above to ask and respond to questions about the city.

MODELO: E1: *¿Quieres visitar esta catedral?*
E2: *No, prefiero visitar aquel parque.*

4-28 **¿Qué es esto?** Take turns asking each other to identify at least three classroom objects.

MODELO: E1: (point to table close to both of you) *¿Qué es esto?*
E2: *Es una mesa. ¿Y aquello (away from both of you)?*
E1: *Es...*

4-29 **Mi familia.** Bring in a photo of your family or make a drawing of an imaginary family. Hold up your photo/drawing for the others to see and take turns asking and telling about family members.

MODELO: E1: *¿Quién es esa señora?*
E2: *Esta es mi madre. Es alta y delgada. Tiene... años.*
E3: *¿Cómo se llama aquel señor?*

El Salvador has a population of 6 million people. It is estimated that due to political, social, and economic strife, some 2 million have emigrated to the U.S. or Canada. This means that hundred of thousands of families left behind in El Salvador have been affected as well. Many fear that the massive migration has led to the deterioration of those families and contributed to the country's wide-spread delinquency. How can families maintain cohesion when members are forced to be separated?

4. The present tense of *poner*, *salir*, and *traer*

¿Traes la comida ahora?

Sí, la pongo en la mesa en un momento.

You have already learned some Spanish verbs that are irregular only in the **yo** form of the present indicative tense (**hacer → hago; ver → veo**). With these verbs, all other forms follow the regular conjugation patterns.

	poner (*to put, to place*)	salir (*to leave, to go out*)	traer (*to bring*)
yo	**pongo**	**salgo**	**traigo**
tú	pones	sales	traes
Ud.	pone	sale	trae
él/ella	pone	sale	trae
nosotros/as	ponemos	salimos	traemos
vosotros/as	ponéis	salís	traéis
Uds.	ponen	salen	traen
ellos/as	ponen	salen	traen

Si **traes** tu libro, te ayudo.
Siempre **salgo** a las ocho.

If you bring your book, I'll help you.
I always go out at eight.

EXPANSIÓN
More on *salir*
Each of the following expressions with **salir** has its own meaning.

salir de: *to leave a place, to leave on a trip*
   Salgo de casa a las siete.   *I leave home at seven.*

salir para: *to leave for (a place), to depart*
   Mañana **salen para** Tegucigalpa.   *Tomorrow they leave for Tegucigalpa.*

salir con: *to go out with, to date*
   Diana **sale con** Lorenzo.   *Diana goes out with Lorenzo.*

salir a (+ infinitive): *to go out (to do something)*
   Salen a cenar los sábados.   *They go out to have dinner on Saturdays.*

APLICACIÓN

4-30 Un correo electrónico de mamá. Clara's parents like to stay in touch.

Paso 1 Read the e-mail and underline the forms of **poner**, **salir**, and **traer**.

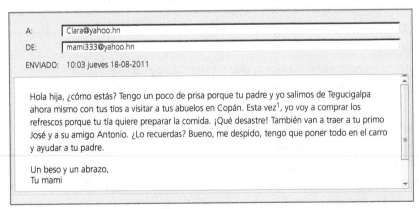

| A: | Clara@yahoo.hn |
| DE: | mami333@yahoo.hn |

ENVIADO: 10:03 jueves 18-08-2011

Hola hija, ¿cómo estás? Tengo un poco de prisa porque tu padre y yo salimos de Tegucigalpa ahora mismo con tus tíos a visitar a tus abuelos en Copán. Esta vez[1], yo voy a comprar los refrescos porque tu tía quiere preparar la comida. ¡Qué desastre! También van a traer a tu primo José y a su amigo Antonio. ¿Lo recuerdas? Bueno, me despido, tengo que poner todo en el carro y ayudar a tu padre.

Un beso y un abrazo,
Tu mami

[1]*This time*

Paso 2 Now, answer the following questions based on the e-mail.

1. ¿Dónde viven los padres de Clara? ¿Dónde viven sus abuelos?

2. ¿Qué hacen los padres de Clara hoy?

3. ¿Quién compra los refrescos?

4. ¿Qué hacen a las diez de la mañana?

5. ¿Quién prepara la comida?

6. ¿Quiénes más van con los padres de Clara?

Si estás en Copán, debes visitar las ruinas mayas.

4-31 **Tomás y Clara van a San Salvador.** Complete the following paragraph about a business trip Clara is taking with her husband using the correct forms of logical verbs from the list below. **¡Ojo!** (*Watch out!*) You will have to use the infinitive form for one of them.

poner	salir	traer	ver

Esta tarde mi esposo Tomás y yo (1) _____ para la capital de El Salvador. Antes de (2) _____, (yo) (3) _____ la guía turística en mi maleta[1]. Después, (4) _____ las noticias en la televisión para escuchar el pronóstico meteorológico para la capital. En mi oficina, mi secretaria me (5) _____ el itinerario con la información del hotel y las fechas. Ella (6) _____ todos mis papeles en el maletín[2]. Ahora todo está en orden para salir. Mi esposo y yo vamos al aeropuerto dos horas antes del vuelo[3]. Desafortunadamente, cuando quiero pagar al taxista, veo que no (7) _____ dinero. Afortunadamente, mi esposo tiene dinero, y yo después, (8) _____ a buscar un cajero automático[4].

_____
[1]*suitcase* [2]*briefcase* [3]*flight* [4]*ATM*

4-32 **En una fiesta familiar.** You and your partner are getting ready for a family gathering, which you both will attend tonight. Separately, write four questions about who is responsible for what tasks in preparation for the party. Use a different subject, verb, and complement in each question. Then ask each other your questions, being careful to respond with an appropriate subject.

MODELO: E1: *¿Quién pone las flores en la mesa?*
E2: *Mi padre las pone.*

Acción necesaria:	Persona(s) responsable(s):
comprar los nachos	los invitados (*guests*)
hacer los sándwiches	tú
poner la comida en la mesa	mi hermana
preparar los refrescos	todos nosotros
salir a buscar más sillas	mis tíos
traer la música	los padres
invitar al novio de Ana	mi primo

4-33 ¿Con quién sale…? Have fun imagining who is dating whom these days. Take turns asking each other about following people, and add other names you want to spoof. Then ask for additional information, such as where they are going, what time they are leaving, and why they are going.

tú	Manny Ramírez	el presidente de Guatemala
John Leguizamo	Alexis Bledel	Wilmer Valderrama
Jamie-Lynn Sigler	ustedes	su esposo/a
nosotros	Rigoberta Menchú	el ministro de cultura de Colombia
Batman	Mario López	la esposa del presidente de El Salvador

MODELO: Shakira
E1: *¿Con quién sale Shakira ahora?*
E2: *Sale con Antonio de la Rúa.*
E1: *¿Adónde van?*
E2: *Van a Colombia.*
E1: *¿A qué hora salen? ¿Por qué van?*
E2: *Salen a la medianoche. Van porque quieren visitar a los padres de ella.*

4-34 Planes. Take turns finding out about each other's plans for the weekend.

MODELO: ¿A qué hora **salir** (tú) para…?
E1: *¿A qué hora sales para la casa de tu familia?*
E2: *Salgo para su casa a las diez de la mañana.*

1. ¿Adónde **salir** (tú) …?
2. ¿Con quiénes **ir** (tú) a…?
3. ¿Quién **hacer**…?
4. ¿Dónde **poner** (tú)…?
5. ¿Quién **traer**…?
6. ¿Qué **ver**(tú)…?

4-35 ¿Quiénes? Walk around the classroom and ask your classmates questions using the information in the chart below. Make sure you ask each person a different question. Then write their response in the box.

MODELO: **poner** sus libros en la mochila
E1: *Becky, ¿pones tus libros en la mochila?*
E2: *Sí, los pongo en la mochila. (No, no los pongo.)*
YOU WRITE: *Becky (no) pone sus libros en la mochila.*

poner tomate en su hamburguesa	traer su libro a clase	salir tarde para sus clases
_____	_____	_____
salir los sábados con los amigos	ver a su familia este fin de semana	ver películas españolas
_____	_____	_____
traer dinero hoy	poner azúcar en su café	traer su teléfono celular
_____	_____	_____
ver el fútbol en la televisión	salir para su casa este fin de semana	poner chocolate en su leche (*milk*)
_____	_____	_____

5. *Saber* and *conocer*

04-43 to
04-46

Although the verbs **saber** and **conocer** can both mean *to know*, they are not interchangeable. Note that both verbs have irregular **yo** forms while all other forms follow the regular conjugation patterns.

	saber (*to know*)	conocer (*to know*)
yo	**sé**	**conozco**
tú	**sabes**	**conoces**
Ud.	**sabe**	**conoce**
él/ella	**sabe**	**conoce**
nosotros/as	**sabemos**	**conocemos**
vosotros/as	**sabéis**	**conocéis**
Uds.	**saben**	**conocen**
ellos/as	**saben**	**conocen**

¡Ellos saben bailar muy bien!

- The verb **saber** means *to know a fact* or to have knowledge or information about someone or something.

¿**Sabes** dónde está el cine?	*Do you know where the movie theater is?*
No **sé.**	*I don't know.*

- With an infinitive, the verb **saber** means *to know how to do something.*

La tía Berta **sabe** bailar tango.	*Aunt Berta knows how to dance the tango.*

- **Saber** may be followed with an interrogative word or **si** (*if*).

¿**Sabes dónde** es la fiesta?	*Do you know where the party is?*
No **sé si** mis padres quieren salir esta noche.	*I don't know if my parents want to go out tonight.*

- **Conocer** means *to be acquainted* or *to be familiar* with a person, place, or thing.

Tina **conoce** a mis abuelos.	*Tina knows (is acquainted with) my grandparents.*
Conozco San Salvador.	*I know (am acquainted with) San Salvador.*

- Use the personal **a** with **conocer** to express that *you know a specific person.*

La profesora **conoce a** mis tíos.	*The professor knows my aunt and uncle.*

María, conoces a Pablo, ¿verdad?

Study tips for *saber* and *conocer*

saber

- knowing a fact or information
- knowing a skill (how to do something)
- may be followed by an infinitive or interrogative word or **si**

conocer

- knowing people
- knowing a place
- *never* followed by an infinitive or **si**

APLICACIÓN

4-36 Una chica extraordinaria. Julia Catalina Flores has an extraordinary talent for a girl her age.

Paso 1 First read the article about Julia and answer the questions based on the reading.

Julia Catalina Flores: la charanguista más joven de El Progreso

Julia Catalina Flores Ramírez sabe tocar la guitarra y desde la edad de 6 años toca en la banda de su papá. (Foto por Suyapa Carias)

¿Conoces a Julia? Pues si la ves en el grupo de su padre, vas a saber que es una chica extraordinaria. Aunque es pequeña y tímida, es una experta tocando el *charango*, un instrumento hondureño similar a la guitarra. Ella dice que conoce su charango como a un miembro de su familia.

Julia vive en el pueblo de El Progreso en el norte de Honduras donde todos la conocen. Cuando las personas la escuchan tocar, están maravilladas por su talento. Ella dice que le gusta tocar con su familia y hacer feliz a la gente. Ya sabe tocar más de 200 canciones. Si la quieres escuchar, el grupo cobra unos 25 lempiras por canción. Pero tienes que viajar a Honduras, porque ella es muy joven para salir de viaje como música profesional.

1. ¿Dónde vive Julia?

2. ¿Cómo es?

3. ¿Qué sabe hacer?

4. ¿Cuántas canciones sabe?

5. ¿La puedes escuchar en tu ciudad?

6. ¿Quieres conocerla algún día? ¿Por qué?

¡Hola!

Cultura en vivo

Instruments used in Salvadoran popular music include marimba, flutes, drums, scrapers, and gourds, as well more recently imported guitars and other instruments. Political chaos tore El Salvador apart in the late twentieth century, and music was often suppressed, especially that with strong indigenous influences. Why is music censored?

Paso 2 Now use the correct forms of **saber** and **conocer** to complete the following conversation between Marcela and Carmiña, who would like to meet Julia.

MODELO: Mi primo *conoce* a Julia Catalina Flores.

MARCELA: ¿(1) (tú) _____ a Julia también?

CARMIÑA: No, yo no la (2) _____ personalmente pero (3) _____ que es hondureña.

MARCELA: Todos (4) _____ que ella toca muy bien el charango, ese instrumento musical similar a la guitarra.

CARMIÑA: Marcela, ¿(5) _____ si Julia vive en El Progreso?

MARCELA: Sí, vive allí. Su familia es muy famosa. Mi esposo y yo (6) _____ a su tío, pero no (7) _____ dónde viven exactamente.

CARMIÑA: Quiero invitarlos a una fiesta, pero no (8) _____ si pueden ir. ¿(9) (tú) _____ si tienen planes este fin de semana?

MARCELA: Seguramente su tío lo (10) _____; voy a llamarlo ahora. (11) (yo) _____ que tengo su número de teléfono en casa.

CARMIÑA: ¿(12) _____ (tú) cuántos años tiene Julia ahora?

MARCELA: (Yo) No (13) _____ exactamente, pero (14) _____ que es muy joven.

4-37A Entrevista. Read the following profile about the person you will be role-playing. Answer your partner's questions based on the information you have. Then interview your partner using the questions below to find out about him/her. Write down his/her answers. **Estudiante B,** please see **Appendix 1,** page A-7.

MODELO: ESTUDIANTE A: *¿Conoces a alguna* (any) *persona famosa?*
ESTUDIANTE B: *Sí, conozco a Ricky Martin. Soy amigo/a de él.*

Estudiante A:

> Soy intérprete personal del presidente de Honduras.
>
> Juego muy bien al tenis.
>
> Voy mucho a El Salvador y a Honduras y muy poco a EE. UU.
>
> El músico Guillermo Anderson es un buen amigo.
>
> Hablo inglés y francés.
>
> Estudio la política y los gobiernos de Centroamérica.

1. ¿Sabes hablar alguna lengua indígena?
2. ¿Conoces las ruinas mayas en Guatemala?
3. ¿Qué instrumento sabes tocar?
4. ¿Sabes jugar bien al béisbol?
5. ¿Conoces a alguna persona famosa de Costa Rica?
6. ¿Qué ciudades centroamericanas conoces?

4-38 Desafío: Un sabelotodo (*know it all*). Write three truthful sentences in Spanish about things you and others know or know how to do, and three about people and places you know. Each sentence must have a different subject and complement. The first person who thinks he/she has three correct sentences with **saber** and three with **conocer** calls out *¡TENGO!* The rest of the group will judge if your sentences are correct.

MODELO: *Mi hermano sabe tocar la guitarra.*
Yo no conozco a Guillermo Anderson. (etc.)

Clara y Tomás no conocen bien la ciudad.

¿Tus amigos saben bailar?

4-39 ¿Quién? Ask as many classmates as possible questions regarding the topic in each box in the chart below. Write the name of each person on the chart, noting his/her answer (as **sí** or **no**). **¡OJO!** Be sure to use the correct verbs (**sabes/sé** or **conoces/conozco**) and the personal **a** as needed in your questions and responses.

MODELO: la fecha de hoy
  E1: *¿Sabes la fecha de hoy?*
  E2: *Sí, la sé. Es 15 de noviembre.*
  E2: *¿Conoces el restaurante mexicano de esta ciudad?*
  E1: *No, no conozco el restaurante mexicano de esta ciudad. (No, no lo conozco.)*

la fecha de mañana	el número de teléfono del/de la profesor/a	si hay un restaurante salvadoreño	una persona hispana
_____	_____	_____	_____
el restaurante español	una persona de Centroamérica	cuándo hay examen	dónde vive el presidente de Guatemala
_____	_____	_____	_____
cantar en español	jugar al béisbol	la capital de Honduras	preparar café
_____	_____	_____	_____
bailar bien	una ciudad interesante	un actor famoso	mi nombre
_____	_____	_____	_____

04-47 to 04-52

¿Cuánto saben?

With two or three classmates, act out the following scenarios.
Ask and respond to at least four questions in each situation.

✓ CAN YOU . . .

WITH YOUR CLASSMATE(S) . . .

☐ extend invitations?

Situación: Por teléfono
Call a friend and invite him or her to do something with you. Decide between you what you want to do, when, and who else you should invite.
Para empezar: *¿Aló...? ¿Te gustaría...?*

☐ point out people and things to others?

Situación: Actores y músicos
You are at a party with celebrities. Use demonstrative adjectives and pronouns (**este, ese, aquel** and their various forms) to talk about some of the people you see close by, further away, and far away from you. Be sure to use gestures to illustrate the demonstratives.
Para empezar: *Esta fiesta es muy buena, pero no me gusta ese actor. Aquella señorita que está allá es muy bonita...*

☐ discuss things and people you know?

Situación: Chismes (Gossip)
Try to one-up each other by saying what and whom you know and what you know how to do, using **conocer** and **saber**.
Para empezar: *Conozco a Peyton Manning...*

Observaciones

¡Pura vida! EPISODIO 4

In this episode you'll learn more about Felipe's family and an upcoming wedding.

Antes de ver el video

4-40 Una boda. In her blog, Marcela tells about a wedding she'll attend in her hometown in Mexico. Read her description and answer the questions that follow in Spanish.

Los mariachis tocan en una boda mexicana.

> Mi primo Tomás se casa con su novia Carolina el mes que viene. En mi pueblo, en el estado de Michoacán, una boda es un evento de tres días o más. Primero, hay fiestas familiares con amigos en las que los novios reciben regalos[1] para su nuevo hogar[2] . La boda es muy solemne; generalmente se celebra en una iglesia con una misa[3] . Después hay una gran fiesta con música de mariachis, baile y grandes cantidades de comida. Se sirven tamales, chiles rellenos y muchas cosas más. ¡Y claro, un pastel[4] grande! Esta fiesta dura hasta la madrugada[5] cuando todos desayunamos juntos. Las bodas en México son eventos de mucha fiesta y felicidad.

[1]gifts [2]home [3]mass [4]cake [5]dawn

1. ¿Dónde vive Marcela?
2. ¿Cuántos días dura una boda en su pueblo?
3. ¿Qué pasa después de la ceremonia en la iglesia?
4. ¿Cuántos días duran las bodas que tú conoces?

A ver el video

4-41 Hay una boda. Watch the fourth episode of **¡Pura vida!** You will hear Felipe and Marcela discuss an upcoming wedding. Complete the statements that follow.

Felipe recibe un traje (suit)

Marcela

Felipe

1. La boda es el _____.
2. Claudia es la _____ de Felipe.
3. Marcela tiene una _____, la hija de la segunda esposa de su papá.
4. En Madrid, Felipe tiene muchos _____.
5. Elvira es la _____ de Felipe.

Después de ver el video

4-42 Los mariachis. Connect with the Internet to search for more photos of mariachis and to hear their music. What instruments do you hear?

> ⤢ **Busca:** mariachis foto; mariachis video

_____ la guitarra   _____ el violín   _____ el tambor

_____ la trompeta   _____ el piano   _____ el guitarrón (guitarra grande)

Panoramas

 América Central I: Guatemala, El Salvador, Honduras

04-56 to
04-57

El paisaje (*landscape*), la economía y el modo de vivir en Guatemala, El Salvador y Honduras presentan contrastes notables. Los tres son países en vías de desarrollo (*developing*). La población, mayormente mestiza, todavía conserva muchas tradiciones de su pasado indígena.

Concepción, Honduras

Es·evidente el contraste de la vida en zonas rurales y en las ciudades grandes. Por razones económicas, muchas personas buscan mejores oportunidades en la capital o en el extranjero (*abroad*). Las remesas (envíos monetarios) que mandan representan una significante proporción de la economía de los países centroamericanos.

Centro comercial Miraflores,
Ciudad de Guatemala

Estas niñas usan hermosos huipiles tejidos (*woven*) y bordados a mano (*embroidered by hand*) como sus antepasados mayas.

En las zonas remotas, es común usar la antigua manera de moler (*grind*) el maíz.

El Salvador tiene 22 volcanes. Su terreno montañoso dificulta la comunicación entre los pueblos y las ciudades.

Guatemala, El Salvador, Honduras

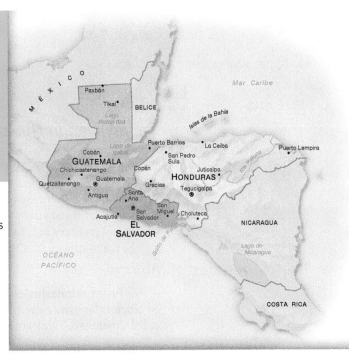

	GT	HN	SV
Población:	13 millones	7,6 millones	7 millones
Tasa de natalidad:	3,5 (hijos/mujer)	3,3	3
PIB[1] per cápita:	$5.400	$3.700	$6.400
Remesas:	12% (de la economía)	25%	18%
Otros sectores:	agricultura (69%)	agricultura (80%)	turismo (80%)

4-43 **Identifica.** Use the photos and the information from the Fact Box to identify or explain the following:

1. un producto agrícola importante en la dieta de Centroamérica

2. la gran civilización que dominaba mucho de Centroamérica en la época precolombina

3. qué es un huipil

4. la importancia de remesas (*monetary remittances*) en la economía de estos países

5. dónde viven los ricos en estos países

4-44 **Desafío.** Use the map above to identify these characteristics and places.

1. las capitales de estos tres países

2. el país que tiene frontera con México

3. el país más grande de los tres

4. los países con costa en el mar Caribe

 4-45 **Proyecto: Guatemala, El Salvador, Honduras.** Choose from the following places or themes: **Copán, el Petén, Guillermo Anderson, la topografía y el clima, Chichicastenango, el ecoturismo en El Salvador** or another that interests you and research more about the cultures of these countries. Write a summary of what you find; include the information that follows.

- su nombre y dónde está
- por qué es importante
- cómo es
- si quieres visitarlo o verlo algún día y por qué
- si piensas estudiar más sobre este tema
- una foto representativa

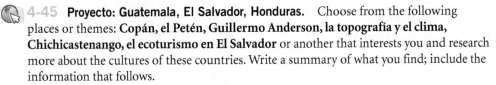

> **Busca:** [*nombre del lugar*]; ecotourism el salvador; guillermo anderson; topography [*nombre del lugar*]; etc.

MODELO: *La cultura maya es evidente en el sitio arqueológico de El Petén…*

---

[1] **PIB:** *Producto Interno Bruto* (GDP: Gross Domestic Product) is the market value of all final goods and services made within the borders of a country in a year. This figure is often positively correlated with standard of living.

Sobreviviendo Guazapa, Cinenuevo

From 1980–1992 in El Salvador, the right-wing military forces and the left-wing guerilla coalition FMLN engaged in a bloody civil war. The most infamous assassination was that of Archbishop Óscar Romero while he was celebrating mass in 1980. Much has been written about the culprits and victims of the war. *Sobreviviendo Guazapa* is the first feature-length film written and produced in El Salvador with a full cast of Salvadoran, primarily novice actors.

ANTES DE LEER

4-46 Pistas extratextuales (*Extra-textual clues*). The publication in which you find an article often gives away its content. The following selection comes from a web site called Cinenuevo. Think about these clues before you read the selection.

1. ¿Quiénes crees que visitan la página web Cinenuevo?
2. En tu opinión, ¿cuáles de estas películas **no** aparecen en Cinenuevo?

   las clásicas   las de Hollywood   las independientes   las premiadas (*award-winning*)

A LEER

4-47 Las secciones. As you read the review, identify the headings you see. What other headings would you expect?

GÉNERO: Aventura/Drama
DIRECTOR/PRODUCTOR: Roberto Dávila
DURACIÓN: 1 hora, 53 minutos
AUDIO: Español, Digital Surround

Sinopsis

Dos combatientes enemigos entre sí[1], atrapados en el caos de los ataques al volcán de Guazapa, se unen para salvar sus vidas. En el camino se encuentran con una niña perdida[2] y deciden ayudarla a volver con su familia. A partir de ese momento, enfrentan juntos múltiples pruebas de sobrevivencia[3].

Sobre la película

Es la primera película salvadoreña de ficción sobre la guerra civil realizada por salvadoreños. El inicio del rodaje[4], se vio retrasado por los huracanes *Wilma, Stan y Katrina*. Para el *casting* hubo convocatoria abierta a través de periódicos locales. Varios de los actores seleccionados no tenían experiencia, pero se destacaron[5] en la prueba.

Actores y extras recibieron entrenamiento militar previo al rodaje. Hubo dos accidentes durante el rodaje en que resultaron lastimados[6] los actores principales. La realización de la película tomó tres años.

Premios

Sobreviviendo Guazapa ha sido Selección Oficial en más de seis festivales internacionales de cine, galardonada con un Premio Especial en el Festival de Cine Hispano de Toronto, honrada como Premio deApertura del Festival de Cine de Viena, Austria y ganadora de Premio a Mejor Actor en el Festival Ícaro.

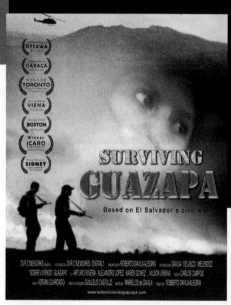

Según el crítico Héctor Ismael Sermeño (*Trazos culturales*): Su gran logro[7] es ver la guerra a la distancia, sin pasiones personales, ideologías partidarias o sentimentales... Dávila no quiere reflejar la historia, la utiliza como marco[8] para contar su argumento y lo hace con dignidad.

---

[1]*themselves* [2]*lost* [3]*survival* [4]*filming* [5]*they stood out* [6]*injured* [7]*achievement* [8]*framework*

4-48 **¿Comprendiste?** Respond briefly in Spanish to the following questions according to what you have read.

1. ¿Cuánto tiempo duró (*lasted*) la realización de la película?

2. ¿Por qué hubo (*were there*) demoras?

3. ¿Qué entrenamiento recibieron (*received*) los actores?

4. ¿Qué premios tiene?

5. ¿Qué opinión tiene de la película el crítico Héctor Ismael Sermeño?

4-49 **En su opinión.** Work together to express your opinions about these issues. Use the following statements in your discussion.

Estoy de acuerdo.	No opino.	No estoy de acuerdo.

1. En la guerra (*war*), son las familias las que sufren más.
2. No hay "guerra justa".
3. Los políticos verdaderamente no entienden el costo de una guerra.
4. Las mujeres deben participar con los hombres en la defensa de la patria.

El arzobispo Óscar Romero denunció la violencia militar de los años 70 en El Salvador. Este monumento a la Memoria y la Verdad en el parque Cuscatlán, San Salvador conmemora su vida y obras.

4-50 Una invitación. In this activity, you will write a short e-mail, similar to the one below, to invite a friend to spend the weekend with you.

A:	Pilardelagloria@fusion.com
DE:	Maluisa1992@ecorreo.hn
ASUNTO:	fin de semana en La Ceiba
ENVIADO:	30-5-2011, 21:00

¡Querida Pilar!
¿Qué tal? Aquí estamos toda la familia en La Ceiba, Honduras, para pasar dos semanas de vacaciones. Conoces a mi amigo, Pancho, ¿verdad? Pues, el 7 de junio es su cumpleaños y queremos invitarte a pasar el fin de semana con nosotros aquí en la costa…

ANTES DE ESCRIBIR

• Provide the information you plan to include in your invitation using the following list as a guide. Make a list based on the following information.

dónde estás ahora	¿Con quiénes?	¿Por cuánto tiempo?
la invitación	¿Cuándo?	cosas que necesita traer
algunas actividades	¿Por qué?	¿más información?

A ESCRIBIR

• **Saludo.** Use the e-mail format of the sample invitation above, including the headers and greeting. Choose from the following greetings: **Mi querido/a amigo/a** (*My dear friend*), **Queridísima familia** (*Dearest family*), **Querido/a…** (*Dear . . .*)

• **El mensaje.** Incorporate the information you listed above. Use words such as **y**, **pero**, and **porque** to link your ideas.

• **Respuesta.** Ask for a reply to your letter: **Responde pronto.**

• **Despedida.** Close the letter with a farewell. Choose from: **Un abrazo** (*A hug*), **Un beso** (*A kiss*), **Afectuosamente** (*Affectionately*), **Con cariño** (*With affection*), **Saludos de** (*Best wishes from*)

DESPUÉS DE ESCRIBIR

• **Revisar.** Review the following elements in your letter:
  ☐ use of stem-changing verbs **poner, salir,** and **traer**
  ☐ use of **saber** and **conocer** and the personal **a**
  ☐ use of direct objects and direct object pronouns
  ☐ use of demonstratives (**este, ese, aquel,** etc.)
  ☐ correct spelling, including accents

• **Intercambiar**
Exchange your invitation with a classmate's; make grammatical corrections and content suggestions. Then respond to the invitation.

• **Entregar**
Rewrite your original invitation, incorporating your classmate's suggestions. Then turn in your original invitation and the response from your classmate to your instructor.

🔊 Vocabulario

Primera parte

Miembros de la familia **Family members**

el/la abuelo/a *grandfather/grandmother*
el/la cuñado/a *brother-in-law/sister-in-law*
el/la esposo/a *husband/wife*
el/la hermanastro/a *stepbrother/stepsister*
el/la hermano/a *brother/sister*
el/la hijo/a *son/daughter*
la madrastra *stepmother*
la madre *mother*
el/la nieto/a *grandson/granddaughter*
el/la novio/a *boyfriend/girlfriend, groom/bride*
la nuera *daughter-in-law*
el padrastro *stepfather*
el padre *father*
el/la perro/a *dog*
el/la primo/a *cousin*
el/la sobrino/a *nephew/niece*
el/la suegro/a *father-in-law/mother-in-law*
el/la tío/a *uncle/aunt*
el yerno *son-in-law*

Verbos **Verbs**

almorzar (ue) *to have lunch*
costar (ue) *to cost*
dormir (ue) *to sleep*
empezar (ie) *to begin*
encontrar (ue) *to find*
entender (ie) *to understand*
ganar *to earn*
jugar a (ue) *to play*
pasar *to spend (time)*
pensar (ie) (en) *to think (about)*
pensar (ie) (+infinitive) *to plan (to do something)*
pedir (i) *to ask for, to request*
perder (ie) *to lose*
poder (ue) *to be able, can*
preferir (ie) *to prefer*
querer (ie) *to want, love*
recordar (ue) *to remember*
repetir (i) *to repeat, to have a second helping*
servir (i) *to serve*
soñar (ue) (con) *to dream (about)*
venir (ie) *to come*
volver (ue) *to return*

Adjetivos **Adjectives**

casado/a *married*
divorciado/a *divorced*
mayor *older*
menor *younger*
soltero/a *single, unmarried*
unido/a *close, close-knit*

Otras palabras y expresiones útiles

algún día *someday*
la comida *food*
conmigo *with me*
contigo *with you*
el refresco *soft drink*

Segunda parte

El ocio **Leisure time**

el café (al aire libre) *(outdoor) café*
el centro *downtown*
el cine *movie theater*
el concierto *concert*
la entrada *admission ticket*
la función *show*
la orquesta *orchestra*
el parque *park*
el partido *game*
la película *movie*

Verbos **Verbs**

conocer *to know (someone), to be familiar with (something)*
invitar *to invite*
pasear *to take a walk*
poner *to put, to place*
poner una película *to show a movie*
saber *to know something*
saber + *infinitive* *to know how to do something*
salir *to leave, to go out*
tocar *to play (an instrument, music)*
traer *to bring*

Hacer una invitación **Extending invitations**

¿Qué tal si...? *How about . . . ?*
¿Quieres ir a...? *Do you want to go to . . . ?*
¿Te gustaría (+ inf.)...? *Would you like (+ inf.) . . . ?*
¿Vamos a...? *Should we go . . . ?*

Para aceptar una invitación **Accepting invitations**

De acuerdo. *Fine with me, Okay.*
Me encantaría. *I would love to.*
Paso por ti. *I'll come by for you, I'll pick you up.*
Sí, claro. *Yes, of course.*

Para rechazar una invitación **Rejecting invitations**

Estoy muy ocupado/a. *I'm very busy.*
Gracias, pero no puedo... *Thanks, but I can't . . .*
Lo siento, tengo que... *I'm sorry, I have to . . .*

Direct object pronouns *See page 124.*   **Demonstrative adjectives and pronouns** *See page 134.*

5
¿Cómo pasas el día?

1 Primera parte

		OBJETIVOS COMUNICATIVOS
¡Así lo decimos! Vocabulario	Las actividades diarias	• Describing your daily routine and habits
¡Así lo hacemos! Estructuras	Reflexive constructions: Pronouns and verbs	
	Comparisons of equality and inequality	• Expressing needs related to personal care
Perfiles		• Expressing emotional states
Mi experiencia	Eco voluntariado en Costa Rica	
Mi música	"Everybody" (Los Rabanes, Panamá)	• Comparing objects and people

2 Segunda parte

¡Así lo decimos! Vocabulario	Los quehaceres domésticos	• Talking about what you do around the house
¡Así lo hacemos! Estructuras	The superlative	
	The present progressive	• Describing people or things using superlatives
Observaciones	¡Pura vida! Episodio 5	• Describing what is happening at the moment

Nuestro mundo

Panoramas	América Central II: Costa Rica, Nicaragua, Panamá
Páginas	"Playa Cacao"
Taller	Un anuncio de venta

Readiness
Check

América Central II: Costa Rica, Nicaragua, Panamá

ESTADOS UNIDOS

OCÉANO ATLÁNTICO

Golfo de California

Golfo de México

MÉXICO

Bahía de Campeche

CUBA

REPÚBLICA DOMINICANA

PUERTO RICO

HONDURAS

Mar Caribe

GUATEMALA

NICARAGUA

EL SALVADOR

PANAMÁ

COSTA RICA

OCÉANO PACÍFICO

AMÉRICA DEL SUR

«Un lugar para cada cosa y cada cosa en su lugar».

Refrán: A place for everything and everything in its place.

Los sensacionales paisajes y la increíble diversidad de flora y fauna atraen a muchos visitantes a Costa Rica, Nicaragua y Panamá todos los años.

Las molas tienen su origen en las islas de San Blas, Panamá, pero son populares por toda Centroamérica. Estos hermosos textiles representan la flora y la fauna de la región.

Primera parte

¡Así lo decimos! VOCABULARIO

¡Así es la vida! El arreglo personal

Fabián tiene cita con Rosario a las nueve de la mañana. Ahora son las nueve y quince.

FABIÁN: ¿Sí?

ROSARIO: ¡Hola, Fabián!

FABIÁN: ¿Sí? ¿Quién es?

ROSARIO: ¡Yo! ¡Rosario! Estoy aquí en el Café Solo. ¿Dónde estás tú?

FABIÁN: ¡Ay! En la cama. Llego en cinco minutos. Solo tengo que levantarme, ducharme, afeitarme, peinarme, vestirme…

ROSARIO: ¡Fabián! ¡Eres un caso!

 Rosario toma su desayuno y piensa…

ROSARIO: A veces este Fabián me pone furiosa. Nunca se despierta a tiempo. Bueno, también es un buen amigo y siempre nos divertimos juntos.

Vocabulario Las actividades diarias

05-02
to 05-07

Ramón se afeita con una navaja.

Actividades diarias Daily activities

acostarse (ue) *to go to bed*
afeitarse *to shave*
bañarse *to take a bath*
cepillarse (los dientes) *to brush (your teeth)*
despertarse (ie) *to wake up*
dormirse (ue, u) *to fall asleep*
ducharse *to take a shower*
lavarse (la cara) *to wash (your face)*
levantarse *to get up, to stand up*
maquillarse *to put on makeup*
peinarse (el pelo) *to comb (your hair)*
quitarse (la camisa) *to take off (your shirt)*
secarse *to dry oneself*
sentarse (ie) *to sit down*
vestirse (i, i) *to get dressed*

Variaciones

Levantarse can mean *to get up (in the morning)* or *to stand up (from a sitting position)*. In parts of Latin America, however, to stand up is often expressed with **pararse**.

Algunas partes del cuerpo Some parts of the body

la cara *face*
los dientes *teeth*
la mano *hand*
la nariz *nose*
el ojo *eye*
el pelo *hair*

María se maquilla después de bañarse.

Algunas emociones Some emotions

ponerse contento/a *to become happy*
furioso/a *angry*
molesto/a *annoyed*
sentirse (ie, i) *to feel*

Artículos de uso personal Personal care items

el brillo de labios *lip gloss*
el champú *shampoo*
la crema (de afeitar) *(shaving) cream*
el jabón *soap*
el maquillaje *makeup*
la máquina de afeitar *electric razor*
la navaja de afeitar *razor*
el peine *comb*
el secador *hair dryer*

José se cepilla los dientes.

Nieves se duerme en la biblioteca.

APLICACIÓN

5-1 Rosario está molesta. Contesta las preguntas basadas en la conversación entre Rosario y Fabián.

1. ¿Dónde está Rosario?
2. ¿Dónde está Fabián?
3. ¿Por qué está molesta Rosario?
4. ¿Qué tiene que hacer Fabián?
5. ¿Cuánto tiempo dice Fabián que necesita para llegar al café?
6. ¿Crees que Rosario va a ponerse furiosa al llegar Fabián al café?
7. ¿Cuánto tiempo necesitas normalmente para arreglarte (*get ready*) por la mañana?

5-2 ¿Qué tienen que hacer? Identifica qué tienen que hacer estas personas cada día. Añade (*Add*) más información sobre cada dibujo (*drawing*).

MODELO: *Pancho tiene que acostarse temprano porque mañana tiene que ir a la escuela.*

Pancho

1. **Juanito**   2. **Maribel**   3. **Alonso**   4. **Tomás**

5. **Carlos**   6. **Sara**   7. **doña María**   8. **tía Luisa**

5-3 ¿Qué asocian con...? Formen dos equipos (*teams*) para ver cuántas palabras o expresiones pueden asociar con las siguientes actividades.

MODELO: afeitarse

la cara, la crema de afeitar, la navaja,...

1. bañarse	5. despertarse	9. ponerse impaciente
2. mirarse	6. cepillarse	10. ponerse nervioso/a
3. secarse	7. sentarse	11. maquillarse
4. peinarse	8. levantarse	12. sentirse cansado/a

5-4 El arreglo personal. Hay una gran variedad de productos de maquillaje y arreglo personal.

Paso 1 Conéctate a la Internet y busca un producto de arreglo personal. Descríbelo e incluye cuánto cuesta. ¿Es para hombres o para mujeres? ¿Es un producto bueno en tu opinión? ¿Quieres comprarlo? ¿Por qué?

> **Busca:** productos belleza; maquillaje; secadores pelo; jabones; maquinas afeitar

MODELO: *Toja Sensible es una crema de afeitar para hombres. La compro porque...*

Paso 2 Ahora diseña un anuncio para vender un producto original. Usa el modelo.

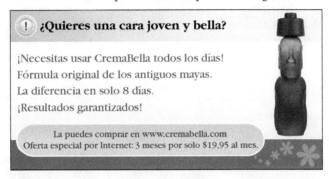

! **¿Quieres una cara joven y bella?**

¡Necesitas usar CremaBella todos los días!
Fórmula original de los antiguos mayas.
La diferencia en solo 8 días.
¡Resultados garantizados!

La puedes comprar en www.cremabella.com
Oferta especial por Internet: 3 meses por solo $19,95 al mes.

5-5 Los señores Rodríguez. Escucha la descripción de la rutina diaria de la familia Rodríguez. Indica a quién(es) se refiere cada oración a continuación: al Sr. Rodríguez, a la Sra. Rodríguez o a los dos.

La actividad	El señor	La señora	Los dos
1. Debe levantarse temprano todos los días.	_____	_____	_____
2. Trabaja en una oficina.	_____	_____	_____
3. Le gusta bañarse por la mañana.	_____	_____	_____
4. Tiene que afeitarse.	_____	_____	_____
5. Toma café en el desayuno.	_____	_____	_____
6. Almuerza con otras personas.	_____	_____	_____
7. Hace ejercicio después de comer.	_____	_____	_____
8. Prepara la cena.	_____	_____	_____

5-6A Compras para su clóset del baño. Tienen que equipar el clóset de su baño y no quieren gastar (*spend*) mucho dinero. Tú tienes una lista de productos; tu compañero/a tiene el volante (*flier*) con los productos en venta. Decidan qué productos van a comprar. ¿Cuánto gastan en total? **Estudiante B,** por favor ve al **Apéndice 1,** página A-7.

MODELO: ESTUDIANTE A: *Necesitamos... ¿Cuánto cuesta(n)?*
ESTUDIANTE B: *Está(n) en venta esta semana por... / Lo siento, no está(n) en venta esta semana.*
ESTUDIANTE A: *Bien, vamos a comprar... por... en total. / Entonces, necesitamos...*

Estudiante A:

> **Lista de compras:**
> ☐ 2 cepillos de dientes   ☐ jabón de mano   ☐ 2 peines de plástico
> ☐ champú para rubios   ☐ brillo de labios   ☐ secador eléctrico
> ☐ crema para afeitar   ☐ 2 navajas de afeitar   ☐ loción

1. Reflexive constructions: Pronouns and verbs

05-08 to 05-15

Isabel **se peina.**
Isabel combs her hair.

A reflexive construction is one in which the subject is both the performer and the receiver of the action expressed by the verb.

- The drawing on the left depicts a reflexive action (Isabel is combing her own hair); the drawing on the right depicts a nonreflexive action (Isabel is combing her sister's hair).

Isabel **peina** a su hermana.
Isabel combs her sister's hair.

Los pronombres reflexivos

- Reflexive constructions require the reflexive pronouns.

Subject pronoun	Reflexive pronoun	Verb (lavarse)
yo	**me** (*myself*)	**lavo**
tú	**te** (*yourself*)	**lavas**
Ud.	**se** (*yourself*)	**lava**
él/ella	**se** (*himself, herself*)	**lava**
nosotros/as	**nos** (*ourselves*)	**lavamos**
vosotros/as	**os** (*yourselves*)	**laváis**
Uds.	**se** (*yourselves*)	**lavan**
ellos/as	**se** (*themselves*)	**lavan**

- Reflexive pronouns have the same forms as direct object pronouns, except for the third-person singular and plural. The reflexive pronoun of the third-person singular and plural is **se.**

  Paco **se** baña. — *Paco bathes.*
  Los niños **se** levantan temprano. — *The children get up early.*

- As with object pronouns, reflexive pronouns are placed immediately before the conjugated verbs. In Spanish the definite article, not the possessive adjective, is used to refer to parts of the body and articles of clothing.

  Me lavo **las** manos. — *I wash my hands.*
  Pedro se pone **el** sombrero. — *Pedro puts on his hat.*

- With infinitives, reflexive pronouns are either attached to the infinitives or placed in front of the conjugated verbs.

  Sofía, ¿vas a maquillar**te** ahora?
  Sofía, ¿**te** vas a maquillar ahora? } *Sofía, are you going to put on your makeup now?*

- In English, reflexive pronouns are frequently omitted, but in Spanish, reflexive pronouns are required in all reflexive constructions.

  Pepe **se afeita** antes de acostarse. — *Pepe shaves before going to bed.*
  Marina siempre **se baña** a las ocho. — *Marina always bathes at eight.*

Los verbos reflexivos

• Verbs that describe personal care and daily habits carry a reflexive pronoun if the same person performs and receives the action.

Me voy a acostar temprano.	*I'm going to bed early.*
Mis hermanos se despiertan tarde todas las mañanas.	*My brothers wake up late every morning.*

• Such verbs can also be used nonreflexively when someone other than the subject receives the action.

Elena **acuesta** a su hija menor.	*Elena puts her youngest daughter to bed.*
¿**Despiertas** a tu compañero de cuarto?	*Do you wake up your roommate?*

• In Spanish, verbs that express feelings, moods, and conditions are often used with reflexive pronouns. A reflexive pronoun is usually not required in English. Instead, verbs such as *to get* or *to become* or other nonreflexive verbs are used.

alegrarse (de)	*to become happy*
divertirse (ie, i)	*to have fun*
enamorarse (de)	*to fall in love (with)*
enfermarse	*to become sick*
enojarse (con)	*to get angry*
olvidarse (de)	*to forget*

Me alegro de ganar.	*I am happy to win.*
Siempre **nos divertimos** en la fiesta.	*We always have fun at the party.*
Luis **va a enamorarse de** Ana.	*Luis is going to fall in love with Ana.*
Jorge **se enoja** si pierde.	*Jorge gets angry if he loses.*
Me olvido de todo cuando la veo.	*I forget everything when I see her.*

• Some verbs have different meanings when used with reflexive pronouns.

Nonreflexive		Reflexive	
acostar (ue)	*to put to bed*	**acostarse (ue)**	*to go to bed*
dormir (ue, u)	*to sleep*	**dormirse (ue, u)**	*to fall asleep*
encontrar	*to find*	**encontrarse (con)**	*to meet up with someone*
enfermar	*to make sick*	**enfermarse**	*to become sick*
ir	*to go*	**irse**	*to go away, to leave*
levantar	*to lift*	**levantarse**	*to get up*
llamar	*to call*	**llamarse**	*to be called (as when giving your name)*
poner	*to put, to set*	**ponerse**	*to put on (clothing), to become*
quitar	*to remove*	**quitarse**	*to take off (clothing)*
vestir (i, i)	*to dress*	**vestirse (i, i)**	*to get dressed*

Las construcciones recíprocas

• The plural reflexive pronouns **nos, os,** and **se** may be used with verbs that take direct objects to express reciprocal actions. The verbs can be reflexive or nonreflexive verbs, and these actions are conveyed in English with *each other* or *one another*.

Nos queremos mucho.	*We love each other a lot.*
Los novios **se ven** todos los días.	*The sweethearts see one another every day.*

APLICACIÓN

5-7 Mariano Rivera, un panameño en Nueva York. Mariano Rivera es uno de los beisbolistas más destacados (*prominent*) de los Yankees.

Paso 1 Lee sobre la vida de Mariano Rivera y subraya (*underline*) los verbos reflexivos. Indica cuál es el sujeto (*subject*) de cada verbo.

MODELO: Los beisbolistas <u>se alegran</u> cuando ganan un partido. (sujeto: los beisbolistas)

Mariano Rivera

Mariano Rivera es un jugador de los Yankees de Nueva York y lleva años en Manhattan. Su vida es muy activa. Tiene que levantarse temprano porque tiene que practicar béisbol todos los días para estar en buenas condiciones físicas. Después de practicar, se sienta en su club para ver la televisión. Por la tarde, se divierte con sus amigos en un café y se pone muy contento cuando tocan música latina, especialmente la de sus compatriotas Los Rabanes. Por la noche, después de hacer ejercicio en un gimnasio, se baña y se acuesta temprano, pues al día siguiente se despierta a las seis de la mañana porque tienen un partido en Boston esa noche. Seguramente todos van a divertirse mucho después de ganar el partido.

Paso 2 Ahora, prepara cuatro preguntas para hacerle a otro miembro de la clase y contesta las de él/ella.

MODELO: E1: *¿Dónde vive Mariano Rivera?*
E2: *Vive en Nueva York.*

5-8 ¿En qué orden lo haces? Pon (*put*) estas actividades en orden lógico según (*according to*) tu rutina diaria. Después, compara tu orden con el de un/a compañero/a. ¿Son similares o diferentes?

_____ me duermo	_____ me peino
_____ me lavo	_____ me cepillo los dientes
_____ me afeito	_____ me despierto
_____ me acuesto	_____ me lavo la cara

5-9 Parejas famosas. Describe la relación que tienen las siguientes personas.

Algunas parejas		Algunas relaciones
Peter Griffin y Brian Griffin (*Family Guy*)		quererse
Will Schuester y Sue Sylvester (*Glee*)		llamarse
Hugo Chávez y Evo Morales		escribirse
los republicanos y los demócratas		verse
los perros (*dogs*) y los gatos (*cats*)	(**no**)	admirarse
Marc Anthony y Jennifer López		detestarse
Tú y yo		adorarse
¿...?		tolerarse

Los guacamayos se quieren mucho.

MODELO: Romeo y Julieta
Romeo y Julieta se quieren mucho.

5-10 Nuestras rutinas. ¿Tienes mucho en común con tu compañero/a de clase?

Paso 1 Primero, indica si haces las siguientes actividades e incluye cuándo y cómo.

> despertarse antes de las siete de la mañana
>
> ducharse por la noche o por la mañana
>
> maquillarse todos los días
>
> acostarse temprano o tarde los fines de semana
>
> divertirse en una fiesta
>
> afeitarse con navaja o con máquina de afeitar

MODELO: *Siempre me despierto antes de las siete de la mañana.*

Paso 2 Ahora, pregúntale a tu compañero/a si hace estas mismas cosas (*same things*). Incluye dos preguntas originales. Después, describan qué tienen ustedes en común: **Mi compañero/a y yo nos ....**

MODELO: E1: *Siempre me despierto antes de las siete de la mañana. Y tú, ¿cuándo te despiertas?*

E2: *Normalmente, me despierto antes de las siete también. / No me despierto antes de las siete. Me despierto a las ocho.*

5-11 Las emociones y las reacciones. Túrnense para hacerse preguntas sobre cómo se sienten en las siguientes situaciones.

MODELO: llegas tarde a clase
E1: *¿Qué pasa cuando llegas tarde a clase?*
E2: *Me pongo nervioso/a.*

- sacas una "A" en un examen
- conoces a una persona importante
- pierdes tu libro de texto
- ves un programa violento en la televisión
- estás en una clase aburrida
- ves el "Daily Show" o el "Colbert Report" en *Comedy Central*
- te olvidas de la tarea
- el/la profesor/a llega tarde para un examen

5-12 Una relación especial. Túrnense para hacerse preguntas sobre relaciones especiales que tienen con algunas personas. Puede ser con un/a novio/a, un/a amigo/a o un familiar.

MODELO: E1: *¿Se conocen bien?*
E2: *Sí, nos conocemos bastante bien.*

1. ¿Con qué frecuencia se ven?
2. ¿Dónde se encuentran generalmente?
3. ¿Cuántas veces al día se llaman por teléfono?
4. ¿Qué se dicen cuando se ven?
5. ¿Se quieren mucho?
6. ¿Cuándo se mandan (*send*) textos por teléfono?
7. ¿Se entienden bien?
8. ¿Se respetan mucho?

5-13 Rétense (*Challenge each other*). Formen dos equipos y un miembro de la clase hace de árbitro (*referee*). Cada equipo tiene que escribir cinco preguntas para el otro equipo usando verbos reflexivos. Una persona diferente del equipo contesta para su equipo y el árbitro decide si contesta bien. Al final, el equipo que tiene el mayor número de respuestas correctas gana.

MODELO: EQUIPO 1: *¿Cúando te enojas?*
EQUIPO 2: *Me enojo cuando no tengo razón.*
ÁRBITRO: *¡Correcto! / Lo siento, no es correcto.*

2. Comparisons of equality and inequality

05-16
to 05-20

Comparaciones de igualdad

- To compare things that are equal, English uses *as ... as.* In Spanish, you make comparisons of equality with adjectives and adverbs by using the following construction.

> **tan** + *adjective/adverb* + **como**

Joaquín es **tan** amable **como** Roberto.	*Joaquín is as nice as Roberto.*
María no habla **tan** despacio **como** su hermana.	*María doesn't speak as slowly as her sister.*

- Make comparisons of equality with nouns by using the following construction. Note that **tanto** is an adjective and agrees in gender and number with the noun or pronoun it modifies.

> **tanto/a(s)** + *noun* + **como**

Marta tiene **tantos** amigos **como** ustedes.	*Marta has as many friends as you.*
Tú tienes **tanta** paciencia **como** Eugenio.	*You have as much patience as Eugenio.*

- Make comparisons of equality with verbs by using the following construction.

> *verb* + **tanto como**

Mis hermanos se enamoran **tanto como** tú.	*My brothers fall in love as much as you.*

Comparaciones de desigualdad

- A comparison of inequality expresses *more than* or *less than.* Use this construction with adjectives, adverbs, or nouns.

> **más/menos** + *adjective/adverb/noun* + **que**

adjective

Mercedes es **menos** responsable **que** Claudio.	*Mercedes is less responsible than Claudio.*

adverb

Yo me visto **más** rápidamente **que** tú.	*I get dressed faster than you.*

noun

Esta casa tiene **menos** cuartos **que** la otra.	*This house has fewer rooms than the other.*

- Make comparisons of inequality with verbs using the following construction:

> *verb* + **más/menos** + **que**

  Estudio **más que** tú.   *I study more than you (do).*

- With numerical expressions, use **de** instead of **que.**

  Tengo **más de** cinco buenos amigos. *I have more than five good friends.*

Resumen (*Summary*) de las comparaciones de igualdad y de desigualdad

Equal comparisons	
nouns:	**tanto/a(s)** + *noun* + **como** + *noun* or *pronoun*
adjectives/adverbs:	**tan** + *adj./adv.* + **como** + *noun* or *pronoun*
verbs:	*verb* + **tanto como** + *noun* or *pronoun*
Unequal comparisons	
adjs./advs./nouns:	**más/menos** + *adj./adv./noun* + **que** + *noun* or *pronoun*
verbs:	*verb* + **más/menos** + **que** + *noun* or *pronoun*
with numbers:	**más/menos** + **de** + *number*

Los adjetivos comparativos irregulares

Some Spanish adjectives have both regular and irregular comparative forms. The irregular forms do not require *más/menos*:

Adjective	Regular form	Irregular form	
bueno/a	más bueno/a	mejor	*better*
malo/a	más malo/a	peor	*worse*
viejo/a	más viejo/a	mayor	*older*
joven	más joven	menor	*younger*

- The irregular forms **mejor** and **peor** are more commonly used than the regular forms.

Esta casa es **mejor** que esa.	*This house is better than that one.*
Rafael es **peor** que Luis.	*Rafael is worse than Luis.*
Me siento **mejor** hoy.	*I feel better today.*
Dormimos **peor** cuando hace calor.	*We sleep poorly when it is hot.*

- **Mayor, menor,** and **más joven** are commonly used with people; **más viejo** may be used with inanimate objects.

Manuel es **menor** que Berta y yo soy **mayor** que Manuel.	*Manuel is younger than Berta and I am older than Manuel.*
San José, Costa Rica, es **más vieja** que Managua, Nicaragua.	*San José, Costa Rica, is older than Managua, Nicaragua.*

APLICACIÓN

5-14 **Dos chismosas (*gossips*).**   Estás en una fiesta cuando escuchas una conversación entre dos personas chismosas.

Paso 1   Subraya (*Underline*) las comparaciones de igualdad y de desigualdad en la conversación.

MODELO: La blusa de doña Carmen es <u>más fea que</u> la de doña Luisa.

CARLOTA: Creo que el champú que usa Elena es peor que el que uso yo.

ÁNGELA: Es verdad que su pelo no es tan bonito como el tuyo[1].

CARLOTA: ¿Crees que ella es tan rica como dice?

ÁNGELA: No, pero creo que es más rica que nosotras. Sin embargo, es menos rica que su esposo.

CARLOTA: Pero su esposo no tiene tantos carros como tú.

ÁNGELA: Es cierto, pero mis carros son menos grandes y elegantes que los carros de su esposo.

CARLOTA: ¿Y quién crees que es mayor? ¿Tú o Elena?

ÁNGELA: ¡Qué barbaridad! Yo soy mucho más joven que ella. Ella tiene más de cincuenta años. Yo tengo menos de cuarenta.

CARLOTA: Bueno, estoy aburrida. Vamos a casa. No me gusta la comida aquí. En casa la comida es mejor que la comida que hacen aquí.

ÁNGELA: Tienes razón. ¡Esta comida es peor que la comida nuestra! ¡Vamos!

CARLOTA: Perdón, Elena, pero estamos muy cansadas y tenemos que levantarnos más temprano que de costumbre[2] mañana. Gracias, su fiesta es perfecta. ¡La comida está deliciosa!

---

[1]*yours*   [2]*usual*

Paso 2   Ahora, túrnense para hacer y contestar preguntas sobre la conversación y añadir (*add*) más detalles.

MODELO: E1: *¿Cómo es el champú que usa Elena?*
E2: *Es peor que el champú que usa Carlota.*
E1: *¿Por qué?*
E2: *Porque no es tan caro. Elena compra el champú en Econo Mart.*

5-15 Los Grammy. Ustedes son reporteros/as para la ceremonia de los Grammy en Hollywood y ven llegar a las estrellas (*stars*). Cada uno/a debe hacer por lo menos cinco comparaciones según los datos publicados sobre estas personas. Añadan otros detalles basados en sus fotos.

Enrique Iglesias

Fecha de nacimiento: 1975
Estatura: 1,91 m
Número de premios Grammy: 2
Número de álbumes vendidos: 4 millones

Paulina Rubio

Fecha de nacimiento: 1971
Estatura: 1,63 m
Número de premios Grammy: 0
Número de álbumes vendidos: 25 millones

Rubén Blades

Fecha de nacimiento: 1948
Estatura: 1,80 m
Número de premios Grammy: 8
Número de álbumes vendidos: 75 millones

Gloria Estefan

Fecha de nacimiento: 1957
Estatura: 1,58 m
Número de premios Grammy: 6
Número de álbumes vendidos: 16 millones

Juanes

Fecha de nacimiento: 1972
Estatura: 1,72 m
Número de premios Grammy: 18
Número de álbumes vendidos: 12 millones

Christina Aguilera

Fecha de nacimiento: 1980
Estatura: 1,56 m
Número de premios Grammy: 5
Número de álbumes vendidos: 20 millones

MODELO: *Enrique Iglesias es más guapo que Rubén Blades.*

5-16 Sus preferencias. En grupos de tres, hablen de sus preferencias sobre los siguientes temas y por qué prefieren uno más que otro. Antes de empezar, preparen sus preferencias y opiniones. Usen comparaciones para expresar sus opiniones.

¡Hola! Cultura en vivo

In contrast with people in the U.S. and Canada, people in Latin America tend to prefer living in the city where they have easy access to public transportation, schools, and shopping. Instead of inner-city slums, the poor areas of a city are in the outskirts. Do you see trends changing in your city or town? Why or why not?

> las escuelas privadas *vs.* las escuelas públicas
> una casa *vs.* un apartamento
> vivir en la ciudad *vs.* vivir en las afueras
> los programas de cable *vs.* los de NBC, CBS o ABC
> los correos electrónicos *vs.* los mensajes de texto
> las películas de acción *vs.* las sentimentales

MODELO: E1: *Yo creo que las escuelas públicas son más baratas que las escuelas privadas.*
E2: *Sí, pero las clases en las escuelas privadas son más pequeñas.*
E3: *Pues yo prefiero las escuelas públicas porque tienen más deportes.*

¿Cuánto saben?

05-21 to 05-26

Primero, pregúntate si puedes llevar a cabo (*carry out*) las siguientes funciones comunicativas en español. Después, júntate con dos o tres compañeros/as de clase para presentar las situaciones. Hagan y respondan a por lo menos cuatro preguntas en cada situación.

✓ CAN YOU . . .

☐ describe your daily routine and habits?

☐ express needs related to personal care?

☐ express emotional states?

☐ compare objects and people?

WITH YOUR CLASSMATE(S) . . .

Situación: Un apartamento
Entrevista a otro/a estudiante para ver si son compatibles como compañeros/as de apartamento. Usen verbos reflexivos como **levantarse, acostarse, y dormirse** para describir sus rutinas diarias y hábitos. Al final, decidan si son o no son compatibles.
Para empezar: *Me gusta levantarme... Siempre me despierto...*

Situación: Un producto nuevo
Son un/a vendedor/a y un/a cliente interesado/a en una línea nueva de productos para el arreglo personal. Uno/a presenta los productos (**maquillaje, un secador, una máquina de afeitar**, etc.) y explica por qué son una buena compra. El/La otro/a estudiante hace preguntas sobre los productos.
Para empezar: *Usted debe comprar esta máquina de afeitar. Cuesta solo cien dólares y es super cómoda...*

Situación: Confesiones
Conversen sobre cómo reaccionan en diferentes situaciones. Usen verbos como **sentirse, alegrarse** y **ponerse**.
Para empezar: *Siempre me pongo nervioso cuando la profesora me hace una pregunta en clase. ¿Y tú?...*

Situación: En una fiesta
Conversen sobre las personas que observan en una fiesta y sus acciones. Usen comparaciones de adjetivos, adverbios y sustantivos.
Para empezar: *En esta fiesta hay tantos chicos como chicas. Creo que Ramón baila mejor que Luis, pero Luis es mucho más guapo...*

📖 Perfiles

Mi experiencia

ECO VOLUNTARIADO EN COSTA RICA

5-17 Para ti. ¿Hay parques nacionales en tu país que se dedican a conservar especies en peligro de extinción? ¿En qué lugares es popular hacer ecoturismo o eco voluntariado? Para ti, ¿qué diferencias hay entre el turismo y el ecoturismo? ¿Te interesa la naturaleza? ¿Por qué? Lee la entrada de Ramón Vázquez en un foro sobre el eco voluntariado.

Foro   Eco voluntariado en Tortuguero
        29-sep-2011

¡Hola! Acabo de tener otra experiencia súper emocionante aquí en Tortuguero, Costa Rica, uno de los parques nacionales más importantes del mundo para la protección de las tortugas marinas. Soy de Panamá pero cada año viajo hasta Tortuguero como voluntario para ayudar en la protección de esta especie de tortugas que está en peligro de extinción. Todos los años las tortugas llegan aquí entre julio y septiembre para poner sus huevos[1]. Participo con mis amigos en los programas de criadero[2] dirigidos por un grupo de naturalistas. Durante las masivas arribadas (así es como se llama la llegada de las tortugas a la playa), voluntarios como yo desenterramos[3] los huevos y los llevamos a un lugar seguro hasta que nacen las crías[4]. De esta manera aseguramos que un gran número de crías sobrevivan[5]. Después, recogemos las crías en cubetas[6] y vamos hasta la orilla del mar donde, con mucho cuidado, las depositamos. ¡Tienes que ver cómo corren las pequeñas tortugas hacia el mar! Repito esta experiencia todos los años aunque[7] es un viaje de más de setecientos kilómetros en carro desde Panamá, pero como voy con amigos y escuchamos música de nuestros grupos favoritos (Los Rabanes por ejemplo), el viaje es más entretenido. Acampamos por el camino y hasta[8] a veces dormimos en la playa. ¿Te animas[9]?

Ramon Vázquez
Panamá

[1]*lay their eggs* [2]*hatchery* [3]*dig up* [4]*hatchlings* [5]*survive* [6]*buckets* [7]*even though* [8]*even* [9]*Are you game*

👣👣 **5-18 En su opinión.** Túrnense para expresar y anotar sus opiniones. ¿En qué puntos están de acuerdo?

1. Cuando voy de vacaciones, me levanto temprano.   Sí   No
2. Me gusta el ecoturismo.   Sí   No
3. Es bueno proteger las especies en peligro de extinción.   Sí   No
4. Me gustaría hacer eco voluntariado algún día.   Sí   No
5. No es importante ducharme todos los días cuando estoy de vacaciones. Sí   No
6. Prefiero la ciudad al campo como destino cuando viajo.   Sí   No

🌐 **5-19 Una visita a Tortuguero.** Conéctate a la Internet para ver imágenes o videos de Tortuguero y usa comparaciones para escribir tres observaciones en forma de *blog* sobre el lugar.

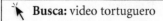 **Busca:** video tortuguero

MODELO: *La playa es más bonita que las playas de California.*

Mi música

"EVERYBODY" (LOS RABANES, PANAMÁ)

Los Rabanes es un grupo panameño ganador de un Grammy Latino. Originalmente tocaba en bares y clubes, pero rápidamente se conoció su música por todo el mundo. Hoy se le considera el grupo más popular de Panamá. Sus canciones mezclan letras (*lyrics*) en español y en inglés, pero muchas veces las palabras que usan en inglés son irónicas o sarcásticas. Su música combina reggaetón y rock. Los miembros son Emilio Regueira Pérez (voz y guitarra), Christian Torres (voz, bajo y guitarra) y Javier Saavedra (percusión).

Antes de ver y escuchar

5-20 Comparaciones. Usando comparaciones de igualdad y de desigualdad, escribe oraciones en español para comparar estas cosas o conceptos.

MODELO: bailar / cantar (fácil)
Es más fácil bailar bien que cantar bien.

1. tocar guitarra / cantar (interesante)
2. ir en carro / ir en autobús (rápido)
3. las vacaciones en la playa / las vacaciones en el campo (divertido)
4. bailar en una fiesta / observar a la gente en una fiesta (agradable)
5. escuchar música / ver un video musical (aburrido)

Para ver y escuchar

 5-21 La canción. Conéctate a la Internet para buscar un video de "Everybody" de Los Rabanes cantando esta canción. Escribe una descripción de los cantantes y las acciones en la canción. ¿Cómo son físicamente? ¿Cuántos años tienen? ¿Cómo es la canción? ¿Cómo es el ritmo? ¿Qué hacen los cantantes en el video? ¿Se divierten?

> **Busca:** everybody rabanes video; everybody rabanes letra
>
> **Si te interesa comprar la canción:** *Go to iTunes Store>Music>More to Explore>iMix>Arriba 6e*

Después de ver y escuchar

 5-22 ¿Cómo se comparan? Escribe un mínimo de cinco comparaciones iguales y/o desiguales que se te ocurran (*that occur to you*) al ver el video. Puedes incluir algunos de estos temas.

- la música
- el baile
- los músicos
- las personas que bailan
- el medio de transporte
- los animales

MODELO: *En el video hay tantas mujeres como hombres...*

Segunda parte

¡Así lo decimos! VOCABULARIO

¡Así es la vida! Vamos a limpiar

Vera quiere invitar a algunos amigos esta noche para una fiesta en el apartamento donde vive con sus tres amigos. Desgraciadamente, la casa está muy desordenada.

Ahora Vera está enojada y les escribe una nota a sus compañeros.

ENRIQUE— Debes vaciar el lavaplatos y sacar la basura.

ROGELIO— Tienes que recoger la ropa del piso y pasar la aspiradora en la sala.

ESTELA— Necesitas lavar el piso de la cocina y poner la mesa.

Yo voy a comprar los refrescos y vuelvo a las seis.

—Vera

Vocabulario Los quehaceres domésticos

Aparatos domésticos — Household appliamces

la aspiradora *vacuum cleaner*
la lavadora *washing machine*
el lavaplatos *dishwasher*
la plancha *iron*
la secadora *clothes dryer*

Muebles y accesorios — Furniture and accessories

la cama *bed*
la cómoda *dresser*
el cuadro *painting*
el estante *bookcase*
la lámpara *lamp*
la mesa de noche *nightstand*
el sillón *armchair, overstuffed chair*
el sofá *sofa, couch*

Las partes de una casa — Parts of a house

el baño *bathroom*
la casa *house, home*
la cocina *kitchen*
el comedor *dining room*
el cuarto *room, bedroom*
el dormitorio *bedroom*
el garaje *garage*
el jardín *garden*
el pasillo *hallway*
el patio *patio, backyard*
el piso *floor*
la sala *living room*
la terraza *terrace*

Los quehaceres domésticos — Household chores

hacer la cama *to make the bed*
lavar (el piso/los platos) *to wash (the floor / the dishes)*
limpiar/ordenar la casa *to clean / to straighten up the house*
llenar/vaciar el lavaplatos *to fill / to empty the dishwasher*
pasar la aspiradora *to vacuum*
poner/quitar la mesa *to set / to clear the table*
recoger la ropa (del piso / de la secadora) *to pick up / to collect clothes (from the floor / from the dryer)*
sacar la basura *to take out the garbage*

Variaciones

Depending on where you are, **piso** can mean *floor*, or *story (of a building)*. You will hear **piso** for *floor (of a room)* in Latin America, but in Spain **suelo** for *floor*, and **piso** for *apartment*. How then do you find an apartment in other countries? Use **departamento** in Mexico and Argentina, and **apartamento** in Colombia and other places.

Tomás va a recoger la ropa del piso.

Teresa pone la mesa.

Salva tiene que pasar la aspiradora.

¡Hola!

05-36
to 05-37

Letras y sonidos

The consonant *h* and the sequence *ch* in Spanish

In Spanish, the letter **h** is silent. In other words, it is a letter for which there is no corresponding sound.

ho-la	ha-cer	hom-bre	her-mo-sa	que-ha-ce-res

In the sequence **ch**, however, the letters **c** and **h** combine to create one single sound **ch**, which is pronounced the same as in English *church*.

mu-cho	no-che	plan-cha	cu-chi-lla	mu-cha-cho

APLICACIÓN

5-23 En el apartamento de Vera. Completa las siguientes frases lógicamente según las instrucciones de Vera en **¡Así es la vida!**

MODELO: Estela tiene que lavar... *el piso de la cocina.*

1. _____ Vera se pone...
2. _____ Limpian la casa antes de...
3. _____ Enrique necesita vaciar...
4. _____ Enrique tiene que sacar...
5. _____ Es necesario pasar...
6. _____ Rogelio necesita recoger la ropa...
7. _____ Estela tiene que poner...
8. _____ Vera escribe una lista de...

a. el lavaplatos.
b. los quehaceres.
c. la basura.
d. del piso.
e. la mesa.
f. la fiesta.
g. enojada.
h. la aspiradora.

5-24 ¡Emparejar! ¿Dónde encuentras las siguientes cosas? Empareja (*Match*) la letra del lugar con el objeto lógico y di (*say*) dónde está.

MODELO: el carro
El carro está en el garaje.

1. _____ la bicicleta
2. _____ el sofá
3. _____ la ropa
4. _____ la cama
5. _____ el lavaplatos
6. _____ la mesa y las sillas

a. el comedor
b. la cocina
c. la sala
d. la cómoda
e. el garaje
f. el dormitorio

5-25 ¿Quién lo hace en tu casa? Túrnense para decir quién hace estos quehaceres en su casa y decidan cuál de ustedes es más trabajador/a.

MODELO: lavar los platos
E1: *Mi hermano los lava.*
E2: *Pues, en mi casa yo los lavo. Creo que soy más trabajador que tú.*

1. pasar la aspiradora
2. hacer las compras
3. vaciar el lavaplatos
4. poner la mesa
5. sacar la basura
6. hacer las camas
7. lavar la ropa
8. ordenar la casa
9. limpiar el baño

🔊 5-26 **¡Todo lo que necesita para la casa!** Escucha el siguiente anuncio de radio sobre los productos para la casa. Escribe el nombre y el precio de cada producto debajo del dibujo correspondiente.

MODELO: *Una silla: $19*

¡Hola!

Cultura en vivo ✳

Because electricity is a comparatively expensive commodity, electrical appliances are not as common in many Latin American homes as in the U.S. and Canada. However, middle-class homes are more likely to have hired help to assist with daily chores. Would you prefer to have the latest electrical appliances, or hired help to assist you with your chores?

1.

_____

2.

_____

3.

_____

4.
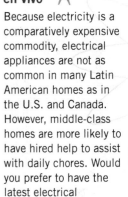

_____

5.

_____

6.

_____

5-27A **En la agencia de bienes raíces (*real estate*).** Buscas una casa o apartamento en Panamá para ti y algunos compañeros. A continuación tienes información para contestar a las preguntas del/de la agente de bienes raíces. **Estudiante B,** por favor ve al **Apéndice 1,** página A-8.

MODELO: ESTUDIANTE A: *Busco una casa o un apartamento.*
ESTUDIANTE B: *¿Para cuántas personas?*
ESTUDIANTE A: *Para cinco, y las mujeres quieren…*

Estudiante A:

- hay cinco personas: dos hombres y tres mujeres
- las mujeres quieren habitaciones privadas
- todos quieren estar cerca de la playa
- quieren una cocina grande y un patio
- tienen un perro

- la casa debe tener un garaje para un carro y cuatro bicicletas
- debe tener por lo menos dos baños, uno con ducha
- quieren estar cerca de la línea de autobús
- pueden pagar entre $1.000 y $1.200 al mes, luz y gas incluidos

5-28 **El plan (*floor plan*) de mi casa.** Dibuja (*Draw*) el plan de tu casa o apartamento (real o imaginario) en una hoja. Incluye los cuartos, los pasillos y los muebles. Descríbeselo a tu compañero/a para que él/ella lo reproduzca en su papel. Comparen los resultados. ¿Se comunican bien? Ahora escucha y dibuja la descripción de tu compañero/a.

MODELO: *Mi apartamento es pequeño. Tiene…*

EXPANSIÓN
Preposiciones de lugar
To describe the location of a person or an object, use the following prepositions:

arriba de *above*
contra *against*
debajo de *under, below*
dentro de *within, inside of*
sobre *on*

📖 3. The superlative

05-38
to 05-40

¡Yo soy la más alta!

¡Yo soy la más pequeña!

¡Yo soy la más inteligente!

- A superlative statement expresses the highest or lowest degree of a quality: for example, *the most, the greatest, the least,* or *the worst.* To express the superlative in Spanish, the definite article is used with **más** or **menos.** Note that the preposition **de** is the equivalent of *in* or *of* after a superlative.

> *definite article +* **más** *or* **menos** *+ adjective +* **de**

Antonio es **el más alto de** mis hermanos.	*Antonio is the tallest of my brothers.*
Este jabón es **el menos caro de** todos.	*This soap is the least expensive of all.*

- When a noun is used with the superlative, the definite article precedes the noun in Spanish.

Mi brillo de labios es **el** brillo de labios **más** caro que venden aquí.	*My lip gloss is the most expensive lip gloss they sell here.*
La casa de Carlos es **la** casa **más** popular **del** barrio.	*Carlos's house is the most popular house in the neighborhood.*

- Adjectives and adverbs that have irregular forms in the comparative use the same irregular forms in the superlative.

Juan es **el mejor de** mis amigos.	*Juan is the best of my friends.*
La tía Isabel es **la mayor de** mis tías.	*Aunt Isabel is the oldest of my aunts.*

APLICACIÓN

5-29 El Canal de Panamá. La nación de Panamá controla el canal desde el 31 de diciembre de 1999.

Más de 14.000 barcos pasan por el canal cada año.

Paso 1 Lee el párrafo siguiente y subraya los superlativos.

El Canal de Panamá no es el más largo, ni el más ancho[1], ni el más profundo[2], ni el más antiguo del mundo. Pero sí es el único que conecta dos océanos: el Atlántico y el Pacífico, y aún hoy es la vía de agua navegable más importante del mundo. Al principio, enfermedades como la malaria, la fiebre[3] amarilla y el cólera causaron los problemas más graves de la construcción del canal. De todos, primero los franceses y después los norteamericanos, George Goethals fue el ingeniero que tuvo más éxito[4] en terminar el proyecto. Cuando completó el canal en 1914, era[5] el peor momento de esa época: el comienzo de la Primera Guerra Mundial. Hoy en día, el canal todavía es una de las obras de ingeniería más impactantes del mundo.

———

[1]*widest* [2]*deepest* [3]*fever* [4]*success* [5]*it was*

Paso 2 Contesta las siguientes preguntas sobre el artículo para después escribir un breve resumen (*brief summary*) de la importancia que tiene el Canal de Panamá.

1. ¿Qué conecta el canal?

2. ¿Por qué es importante?

3. ¿En qué año se completó?

4. ¿Cuáles eran (*were*) los problemas más graves al principio?

5. ¿Cuál fue el ingeniero que tuvo (*had*) más éxito?

6. ¿Qué otro evento importante también comenzó en 1914?

5-30 **Otros superlativos de Centroamérica.** Busca en el mapa de Centroamérica en **Nuestro mundo** (página 179) el nombre de estos lugares superlativos.

MODELO: el país de Centroamérica más montañoso
Honduras es el país más montañoso de Centroamérica.

1. el país más grande de Centroamérica

2. el lago más grande de Nicaragua

3. el país más pequeño de Centroamérica

4. el país más estrecho (*narrow*)

5-31 **Entre todos.** Usen diferentes formas del superlativo y comparativo para comparar las personas, cosas o lugares en cada serie. Usen los verbos, los adjetivos y los sustantivos de la lista. Después, expresen su opinión sobre los diferentes aspectos o características de cada uno.

Verbos	Adjetivos		Sustantivos
actuar	caro/a – económico/a	grande – pequeño/a	actor/actriz
cantar	delicioso/a	lujoso/a (*luxurious*)	deporte
costar	divertido/a	mejor – peor	persona
maquillarse	emocionante	mayor – menor	
ser	generoso/a – tacaño/a	rápido/a	
vestirse	gordo/a – delgado/a	ridículo/a	

MODELO: Bill Gates – Carlos Slim – Elizabeth Taylor
E1: *Creo que Bill Gates es más rico que Elizabeth Taylor.*
E2: *Y Carlos Slim es el más rico de los tres.*
E3: *Pero Elizabeth Taylor es la más elegante de los tres...*

1. Queen Latifah – Oprah – Whitney Houston

2. Penélope Cruz – Daisy Fuentes – Mariah Carey

3. Enrique Iglesias – Juanes – Los Rabanes

4. los carros japoneses – los carros alemanes – los carros norteamericanos

5. la comida mexicana – la comida italiana – la comida francesa

6. el béisbol – el fútbol – el básquetbol

7. la ciudad de Miami – la ciudad de Chicago – la ciudad de San Francisco

Presencia hispana

Waves of immigration from Central American countries to the U.S. and Canada have been largely due to political upheaval in the home countries of immigrants, with the notable exceptions of those from Costa Rica and Panama. Costa Rican immigrants are often university-educated scholars who come for research opportunities not available at home. In the U.S. and Canada, they do not typically form **barrios** to the extent other immigrants do. In addition to political stability, what other factors would encourage a person to stay in his or her home country?

📖 4. The present progressive

Están llamándose
por teléfono.

- The present progressive tense describes an action that is in progress at the time the statement is made. It is formed using the present indicative of **estar** as an auxiliary verb and the present participle (the **-ando/-iendo** form) of the main verb. The present participle is invariable regardless of the subject. It never changes its ending. Only **estar** is conjugated when using the present progressive forms.

Present progressive of *hablar*			
yo	estoy hablando	nosotros/as	estamos hablando
tú	estás hablando	vosotros/as	estáis hablando
Ud.	está hablando	Uds.	están hablando
él/ella	está hablando	ellos/as	están hablando

- To form the present participle of regular **-ar** verbs, add **-ando** to the verb stem:

hablar + -ando → **hablando**

Los niños **están bailando** en la sala.   *The children are dancing in the living room.*

- To form the present participle of **-er** and **-ir** verbs, add **-iendo** to the verb stem:

comer + -iendo → **comiendo**   escribir + -iendo → **escribiendo**

Los niños **están bebiendo** leche.   *The children are drinking milk.*
Estoy escribiendo la composición.   *I'm writing the composition.*

- **Leer** has an irregular present participle. The **i** from **-iendo** changes to **y.**

leer + iendo → **leyendo**

- **-Ir** verbs with a stem change will also have a change in the participle. This change will be indicated when you first encounter the infinitive.

dormir (ue, u)	*to sleep*	→	**durmiendo**	*sleeping*
pedir (i, i)	*to ask for*	→	**pidiendo**	*asking for*
servir (i, i)	*to serve*	→	**sirviendo**	*serving*

- Reflexive pronouns and object pronouns can either precede **estar** or be attached to the participle. Add an accent when the pronoun is attached to the participle.

Carlos está vistiéndo**se.**
Carlos **se** está vistiendo.   } *Carlos is getting dressed.*

Estamos mirándo**te.**
Te estamos mirando.   } *We're looking at you.*

APLICACIÓN

5-32 ¿Qué estamos haciendo? Empareja el lugar donde estamos con la actividad más lógica que estamos haciendo.

MODELO: Estamos en el laboratorio de ciencias.
Estamos estudiando para un examen de biología.

1. _____ Estamos en un café.
2. _____ Estamos en el sofá.
3. _____ Estamos en el parque.
4. _____ Estamos en un concierto.
5. _____ Estamos en clase.
6. _____ Estamos en un partido.
7. _____ Estamos en la biblioteca.
8. _____ Estamos en casa a las dos de la mañana.

a. Estamos viendo la televisión.
b. Estamos escuchando música.
c. Estamos escribiendo apuntes en un cuaderno.
d. Estamos jugando al tenis.
e. Estamos leyendo un libro.
f. Estamos tomando un refresco.
g. Estamos durmiendo.
h. Estamos haciendo un pícnic.

5-33 ¡Imagínate! Escribe dónde te imaginas que están estas personas y lo que están haciendo ahora. Puedes usar las actividades de la lista.

asistir	dormir	jugar	pasar
cantar	escribir	lavarse	ponerse
cepillarse	hablar	limpiar	preparar
despertarse	hacer	maquillarse	vestirse

MODELO: el presidente de México
El presidente de México está en Washington. Está visitando al presidente de Estados Unidos.

Personajes

1. Peyton Manning y Brett Favre
2. Joaquín Phoenix
3. Derek Jeter
4. Eva Longoria Parker y Tony Parker

5. Pedro Almodóvar
6. Mariano Rivera
7. Ricky Martin y Shakira
8. el vicepresidente de EE. UU.

5-34 Lo siento, no está disponible (*available*). Ustedes son recepcionistas en un hotel de cinco estrellas en Ciudad de Panamá. Túrnense para inventar excusas para explicar por qué algunos de los huéspedes (*guests*) importantes no pueden atender las llamadas.

MODELO: E1: *Buenos días. ¿Me permite hablar con el presidente Obama?*
E2: *Lo siento; el señor Obama no está disponible ahora. Está hablando con el presidente de Panamá.*

Algunos de los huéspedes importantes

Mariah Carey y Paulina Rubio
Venus y Serena Williams
la chef Rachael Ray

Michelle Obama
Eminem y Kanye West
Roselyn Sánchez
(*Without a Trace*)

Kobe Bryant
Stephen Colbert
Homer y Marge
Simpson

EXPANSIÓN
When making excuses, there are several fillers you can use to stall for time and come up with a reasonable response:

este... *uhh . . .*
bueno... *well . . .*
el problema es que... *the problem is that . . .*
lo siento, pero... *I'm sorry, but . . .*

5-35A **¿Qué estoy haciendo?**   Mientras (*While*) actúas una de las siguientes situaciones, tu compañero/a trata de adivinar (*guess*) lo que estás haciendo. Túrnense para actuar y adivinar. **Estudiante B,** por favor ve al **Apéndice 1,** página A-9.

MODELO: afeitarse

ESTUDIANTE A: (act out shaving)
¿Qué estoy haciendo?
ESTUDIANTE B: *Estás afeitándote.*

Estudiante A:

> 1. cepillarse los dientes
> 2. maquillarse
> 3. bañarse
> 4. sacar la basura
> 5. acostarse
> 6. ponerse nervioso/a

Estoy afeitándome.

05-44
to 05-48

¿Cuánto saben?

Primero, pregúntate si puedes llevar a cabo (*carry out*) las siguientes funciones comunicativas en español. Después, júntate (*get together*) con dos o tres compañeros/as de clase para presentar las situaciones. Hagan y respondan a por lo menos cuatro preguntas en cada situación.

✓ CAN YOU . . .

☐ talk about what you do around the house?

☐ describe people or things using superlatives?

☐ describe what is happening at the moment?

WITH YOUR CLASSMATE(S) . . .

Situación: En casa
Decidan entre ustedes quién se encarga de (*is responsible for*) los quehaceres de la casa.
Para empezar: *Paco tiene que...*

Situación: Alquilo apartamento
Uno/a de ustedes quiere alquilar (*to rent*) su apartamento. Túrnense para describirlo y hacer preguntas sobre dónde está el apartamento, sus habitaciones y los muebles. Usen comparaciones y superlativos en su descripción.
Para empezar: *Mi apartamento es más grande que otros en el barrio y también es el más económico...*

Situación: Por teléfono
Observen a sus compañeros/as de clase y explíquense lo que están haciendo en este momento.
Para empezar: *Ana está escribiendo en su portátil...*

Observaciones

05-49
to 05-51

¡Pura vida! EPISODIO 5

En este episodio hay conflicto entre Hermés y Marcela.

Antes de ver el video

5-36 Los quehaceres de la casa. En muchas familias de clase media es común tener ayuda de alguien (*someone*) en la casa. Lee la situación de la familia de Silvia y contesta brevemente las siguientes preguntas en español.

Una casa de apartamentos en Madrid.

> Vivimos en Madrid. Como[1] mi padre y mi madre trabajan fuera[2] de casa, tenemos una señora que nos ayuda con los quehaceres. Se llama Ana y viene todos los lunes, miércoles y viernes. Pasa tres o cuatro horas lavando la ropa, ordenando la casa, lavando los platos y limpiando los pisos. Algunas veces, también va al mercado y hace las compras para la cena, pero mi mamá siempre prepara la comida. Con frecuencia tenemos visita[3] los viernes por la noche: mis abuelos y mis tíos o algunos amigos de la oficina de mis padres. En esas ocasiones, Ana prepara algo especial, como una paella o una torta. Gracias a la ayuda de Ana, el día siguiente solo tenemos que vaciar el lavaplatos.

[1]*Since* [2]*outside* [3]*guests*

1. ¿Dónde vive la familia de Silvia?

2. ¿Por qué necesitan a una señora que les ayuda a mantener la casa?

3. ¿Cuáles son los quehaceres de Ana?

4. ¿Quién normalmente prepara la cena?

5. Si hay visita el viernes, ¿qué tiene que hacer la familia los sábados?

A ver el video

5-37 Hay conflicto en casa. Mira el quinto episodio de **¡Pura vida!** para identificar el conflicto entre Marcela y Hermés. Luego, empareja (*pair*) las frases para formar oraciones lógicas.

Marcela	Marcela y Hermés	La lista de quehaceres

1. _____ Hermés trabaja...
2. _____ A Marcela le molestan...
3. _____ Hermés dice que siempre...
4. _____ Marcela dice que ella siempre...
5. _____ Según Silvia, cada uno...

a. los papeles que están en el piso.
b. saca la basura.
c. plancha su ropa y hace su cama.
d. lavando platos en un restaurante.
e. limpia el baño.

Después de ver el video

 5-38 Servicio de limpieza. Conéctate a la Internet para buscar un servicio de limpieza. Escoge uno que te guste y anota los servicios y el costo, si se incluye.

> **Busca:** servicio domestico; servicio limpieza domestica

Nuestro mundo

  Panoramas

América Central II:
Costa Rica, Nicaragua, Panamá

05-52
to 05-53

Los primeros habitantes de estas regiones llegaron (*arrived*) hace más de 30.000 años. Los españoles llegaron hace poco más de 500.

Según una leyenda salvadoreña, durante la colonia española una erupción de este volcán facilitó el triunfo de los campesinos sobre los ricos terratenientes (*landowners*) españoles.

En 2014, Panamá celebra el centenario de la construcción del Canal e inaugura una gran expansión del mismo. La nueva vía (*lane*) va a acomodar las súper naves que antes eran demasiado grandes para navegar el Canal.

La gran variedad de flora y fauna en las selvas centroamericanas se ve representada tanto en artefactos precolombinos como en artesanías indígenas.

Costa Rica, Nicaragua, Panamá

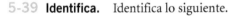

	Costa Rica	Nicaragua	Panamá
Población:	4 millones	6 millones	3 millones
Población urbana:	63%	57%	73%
Servicio militar:	No tiene fuerzas militares.	Voluntario	No tiene fuerzas militares.
Propiedad de viviendas[1]:	75 %	79%	78%
PIB per cápita:	$11.600	$2.900	$11.600

[1]*Home ownership*

5-39 Identifica. Identifica lo siguiente.

1. el país con la mayor población en las ciudades
2. el país con el menor PIB por persona
3. el tema (*theme*) de muchas de las artesanías
4. lo que va a pasar en el año 2014
5. un fenómeno natural relacionado con una leyenda (*legend*)
6. los países sin fuerzas militares

5-40 Desafío. Usa el mapa para identificar estos lugares y sus características.

1. las capitales de estos tres países
2. sus costas
3. el país más grande de los tres
4. el país con frontera con Honduras
5. la ruta del Canal (del norte al sur o del oeste al este)

5-41 Proyecto: América Central: Costa Rica, Nicaragua, Panamá. Estos tres países contribuyen mucho a la economía, la política y la cultura de la región. Escoge uno de los siguientes lugares, personas o temas, u otro que te interese, para investigar: **el Canal de Panamá, el ecoturismo, Óscar Arias, los indios Kuna, el fútbol en Costa Rica, una casa o apartamento en Costa Rica/Nicaragua/Panamá.** Usa el Modelo para escribir un resumen en el que incluyas lo siguiente:

- su nombre y dónde está
- por qué es importante o interesante
- cómo es
- si quieres visitarlo o verlo algún día y por qué
- si piensas estudiar más sobre este tema
- una foto representativa

> **Busca:** canal panama; oscar arias; kuna, etc.

MODELO: *El país de Costa Rica es muy popular entre muchos estadounidenses y canadienses para invertir* (invest) *en una segunda casa y eventualmente vivir allí....*

Páginas

05-54

Playa Cacao

ANTES DE LEER

5-42 Lo que ya sabes. Lo que (*What*) ya sabes es importante para entender lo que lees. Por ejemplo, en la construcción de una casa, los materiales dependen del clima y de otros factores como el gusto (*taste*) de la persona, su situación económica, etc. Antes de leer la descripción de la casa que aparece a continuación, piensa en tus preferencias para comprar una casa.

Para mí, la casa debe...

1. _____ tener muchos dormitorios
2. _____ respetar el medio ambiente (*environment*)
3. _____ estar cerca de buenas escuelas

4. _____ estar en un barrio seguro (*safe*)
5. _____ tener una cocina bien equipada
6. _____ costar más (menos) de $150.000
7. _____ otros requisitos (*requirements*)...

A LEER

5-43 Esta casa. Mientras lees la descripción de esta casa, compárala con tu casa ideal. ¿Qué tiene la casa que te gusta? ¿Qué tiene la casa que no te gusta?

Playa Cacao

Imagínate que puedes oír los exóticos cantos de pájaros y las olas[1] del mar a pocos metros de tu patio. Imagínate tener un perezoso[2] que vive en un árbol de tu jardín.

Imagínate tomando el café de la mañana en tu patio, contemplando la espectacular vista del mar y la selva[3]. La casa está construida tan cerca del mar como la ley y la naturaleza lo permiten. Tienes privacidad, sin vecinos inmediatos, en una playa con agua verde y cristalina para nadar. Puedes caminar kilómetros por las más bellas playas blancas y desiertas de Costa Rica.

Casa de madera, de construcción sencilla y rústica. Tiene dos pisos y está amueblada. No hay ni televisión ni aire acondicionado. No se necesita aire acondicionado, debido al clima fresco. Es un lugar para relajarse.

¡Si quieres, puedes comprar esta casa ideal!

Terreno:	1220 metros cuadrados
Casa:	132 metros cuadrados Dos dormitorios, dos baños y sauna al aire libre
Precio:	Con muebles incluidos: US $105.000
Financiamiento:	A pagar entre diez y veinte años

[1]*waves* [2]*sloth* [3]*jungle*

5-44 ¿Comprendiste?   Resume (*Summarize*) las características de la casa que aparece en la página web.

1. dónde está   _____

2. número de dormitorios   _____

3. accesorios incluidos   _____

4. número de pisos   _____

5. número de baños   _____

6. ¿A/C?   _____

7. precio (*price*)   _____

8. ¿vista (*view*)?   _____

5-45 ¿Compras esta casa?   Hablen sobre si piensan comprar o no esta casa y por qué.

MODELO: E1: *Compro esta casa porque...*
            E2: *Pues, yo no la compro porque...*

5-46 Comprar casa.   Conéctate a la Internet y busca una casa o un apartamento que se vende en Costa Rica, Panamá o Nicaragua. Escribe la información de la casa o apartamento en la lista a continuación.

> **Busca:** comprar casa costa rica, etc.

Dónde está: _____

El número de dormitorios: _____

Los metros cuadrados (o pies cuadrados): _____

El número de baños: _____

¿Tiene algo especial? _____

El precio: _____

¿Es una buena casa para tu familia? Explica por qué sí o por qué no. _____

Compro esta casa porque tiene un patio muy bonito.

5-47 **Un anuncio de venta.** En esta actividad vas a diseñar (*design*) un anuncio o página web para vender una casa como la que aparece en **Páginas**.

ANTES DE ESCRIBIR

- Comienza con una lista para dar más información sobre tu casa o condominio.
  - ☐ su ubicación (ciudad, país, cerca de...)
  - ☐ los metros cuadrados
  - ☐ los dormitorios y su descripción
  - ☐ los accesorios incluidos
  - ☐ los accesorios extras: patio, piscina (*pool*), vista, cancha de tenis, etcétera
  - ☐ las actividades que uno puede hacer en la casa o en la comunidad
  - ☐ el precio
  - ☐ las fotos o dibujos para ilustrar la casa o condominio

A ESCRIBIR

- **Descripción.** Ahora escribe dos párrafos para describir la casa. Recuerda, deseas venderla.

DESPUÉS DE ESCRIBIR

- **Revisar.** Revisa la descripción para verificar los siguientes puntos:
  - ☐ el uso correcto de los verbos reflexivos
  - ☐ el uso de comparativos y superlativos
  - ☐ el uso del presente progresivo
  - ☐ la ortografía, incluidos los acentos
- **Intercambiar**
  Intercambia tu anuncio con el de un/a compañero/a y comenten sobre el diseño de cada anuncio y si es efectivo.
- **Entregar**
  Revisa tu anuncio e incorpora las sugerencias de tu compañero/a. Después, dale el anuncio y las respuestas de tu compañero/a a tu profesor/a.

🔊 Vocabulario

Primera parte

Las actividades diarias   Daily activities

acostarse (ue)   *to go to bed*
afeitarse   *to shave*
bañarse   *to bathe*
cepillarse   *to brush*
despertarse (ie)   *to wake up*
dormirse (ue, u)   *to fall asleep*
ducharse   *to take a shower*
lavarse   *to wash*
levantarse   *to get up, to stand up*
maquillarse   *to apply makeup*
peinarse   *to comb*
quitarse (la camisa)   *to take off (your shirt)*
secarse   *to dry oneself*
sentarse (ie)   *to sit down*
vestirse (i, i)   *to get dressed*

Algunas emociones   Some emotions

ponerse contento/a   *to become happy*
           furioso/a   *angry*
           molesto/a   *annoyed*
sentirse (ie, i)   *to feel*

Algunas partes del cuerpo   Some parts of the body

la cara   *face*
los dientes   *teeth*
la mano   *hand*
la nariz   *nose*
el ojo   *eye*
el pelo   *hair*

Artículos de uso personal   Personal care items

el brillo de labios   *lip gloss*
el champú   *shampoo*
la crema (de afeitar)   *(shaving) cream*
el jabón   *soap*
el maquillaje   *makeup*
la máquina de afeitar   *electric razor*
la navaja de afeitar   *razor*
el peine   *comb*
el secador   *hair dryer*

Segunda parte

Los accesorios y los muebles   Furniture and accessories

los aparatos domésticos   *household appliances*
la aspiradora   *vacuum cleaner*
la cama   *bed*
la cómoda   *dresser*
el cuadro   *painting*
el estante   *bookcase*
la lámpara   *lamp*
la lavadora   *washing machine*
el lavaplatos   *dishwasher*
la mesa de noche   *nightstand*
la plancha   *iron*
la secadora   *clothes dryer*
el sillón   *armchair, overstuffed chair*
el sofá   *sofa, couch*

Los quehaceres domésticos   Household chores

hacer la cama   *to make the bed*
lavar (los platos / el piso)   *to wash (the dishes / the floor)*
limpiar/ordenar la casa   *to clean / straighten up the house*
llenar el lavaplatos   *to load the dishwasher*
pasar la aspiradora   *to vacuum*
poner la mesa   *to set the table*
quitar la mesa   *to clear the table*
recoger la ropa (del piso / de la secadora)   *to pick up / collect clothes (from the floor / dryer)*
sacar la basura   *to take out the garbage*
vaciar el lavaplatos   *to empty the dishwasher*

Las partes de una casa   Parts of a house

el baño   *bathroom*
la casa   *house, home*
la cocina   *kitchen*
el comedor   *dining room*
el cuarto   *room, bedroom*
el dormitorio   *bedroom*
el garaje   *garage*
el jardín   *garden*
el pasillo   *hallway*
el patio   *patio, backyard*
el piso   *floor*
la sala   *living room*
la terraza   *terrace*

Reflexive pronouns   *See page 156.*
Comparisons of equality and inequality   *See pages 161–162.*

Verbs that express feelings, moods, and conditions   *See page 157.*
Prepositions of place   *See page 171.*

Expressions with the noun *vez*   *See page 160.*
The superlative   *See page 172.*

6
¡Buen provecho!

1 Primera parte

		OBJETIVOS COMUNICATIVOS
¡Así lo decimos! Vocabulario	Las comidas y las bebidas	• Discussing food, eating preferences, and ordering meals
¡Así lo hacemos! Estructuras	Indirect objects, indirect object pronouns, and the verbs **decir** and **dar**	
	Gustar and similar verbs	• Talking about things and expressing to whom or for whom
Perfiles		• Expressing likes and dislikes
Mi experiencia	Tren de la ruta del vino	
Mi música	"Ahora" (Alberto Plaza, Chile)	

2 Segunda parte

¡Así lo decimos! Vocabulario	En la cocina	• Discussing foods, cooking, and recipes
¡Así lo hacemos! Estructuras	The preterit of regular verbs	
	Verbs with irregular forms in the preterit (1)	• Talking about events in the past
Observaciones	¡Pura vida! Episodio 6	

Nuestro mundo

Panoramas	Chile: un país de contrastes
Páginas	¿Eres un gastrosexual? ¿Conoces a uno?
Taller	Una reseña de un restaurante

Readiness
Check

Chile: un país de contrastes

«Disfruta, come y bebe que la vida es breve».

Refrán: Enjoy, eat, and drink, for life is short.

La larga costa de Chile abunda en pescado y otras delicias del mar.

El pintor chileno Claudio Bravo pintó *Contra Luz*, una naturaleza muerta (*still life*).

¡Así lo decimos! VOCABULARIO

06-01

¡Así es la vida! ¡Buen provecho!

El Café del Mar es un restaurante popular en Viña del Mar, Chile.

MANOLO: Mesero, la cuenta, por favor.

MESERO: Enseguida, señor.

JORGE: Oye Manolo, ¿cuánto dejamos de propina?

ELÍAS: ¿Qué te apetece, querida?

ESME: A ver... un bistec, una ensalada, el pastel de limón y una copa de vino tinto.

MATILDE: ¡No me gustan los mariscos!

GRACIELA: Pero Matilde, ¡son la especialidad de la casa!

Vocabulario Las comidas y las bebidas

06-02
to 06-09

Las comidas Meals

el almuerzo   *lunch*
la cena   *dinner*
el desayuno   *breakfast*
la merienda   *afternoon snack*

Las proteínas y las carnes Proteins and meats

el bistec   *steak*
el bocadillo / el sándwich   *sandwich*
los camarones   *shrimp*
el huevo   *egg*
el jamón   *ham*
los mariscos   *shellfish*
el pescado   *fish*
el pollo   *chicken*
el queso   *cheese*
la sopa   *soup*

Las frutas, las verduras... Fruits, vegetables . . .

el ajo   *garlic*
el arroz   *rice*
la banana   *banana*
la cebolla   *onion*
la fresa   *strawberry*
los frijoles   *beans, legumes*
las judías verdes   *green beans, string beans*
la lechuga   *lettuce*
el maíz   *corn*
la manzana   *apple*
la naranja   *orange*
el pan   *bread*
la papa   *potato*
el tomate   *tomato*
las uvas   *grapes*
la zanahoria   *carrot*

Los condimentos Condiments

el aceite (de oliva)   *(olive) oil*
el azúcar   *sugar*
la mantequilla   *butter*
la sal y la pimienta   *salt and pepper*
el vinagre   *vinegar*

Las bebidas Beverages

el agua (mineral)   *(mineral) water*
la cerveza   *beer*
el jugo   *juice*
la leche   *milk*
el té   *tea*
el vino (tinto, blanco)   *(red, white) wine*

Variaciones
Names for foods vary considerably in the Spanish-speaking world. In Spain, **la banana** is **el plátano**, **la papa** is **la patata**, and **el jugo** is **el zumo**.

Variaciones
Un sándwich in Mexico is on sliced white bread; most prefer **una torta** on a hard roll. In Spain, **un bocadillo** made on a fresh baguette is popular.

Variaciones
In Spain, **el/la mesero/a** is **el/la camarero/a**.

Le encanta la ensalada de lechuga y tomate.

Los postres Desserts

el flan   *custard dessert*
las galletas   *cookies*
el helado (de vainilla)   *(vanilla) ice cream*
el pastel (de manzana)   *(apple) pie*
la torta   *cake*
el yogur   *yogurt*

En un restaurante In a restaurant

la cuenta   *bill*
la especialidad de la casa   *house specialty*
el menú   *menu*
el/la mesero/a   *waiter/waitress*
la propina   *tip*

Expresiones Expressions

¡Buen provecho!   *Enjoy!*
¿Desea(n) algo de tomar/comer?   *Would you like something to drink/eat?*
Enseguida.   *Right away.*
¿Qué te apetece (comer)?   *What do you feel like (eating)?*

Adjetivos Adjectives

caliente   *hot*
picante   *hot (spicy)*

Verbos Verbs

cenar   *to have dinner*
dar   *to give*
decir (i, i)   *to say*
dejar   *to leave (behind)*
desayunar   *to have breakfast*

APLICACIÓN

6-1 En el restaurante.   Indica a quién se refiere lo siguiente en el restaurante en ¡Así es la vida!

1: Manolo   **2:** Esme   **3:** Jorge   **4:** Matilde   **5:** Graciela

1. _____ Detesta los mariscos.
2. _____ Pide la cuenta.
3. _____ Tiene mucha hambre.
4. _____ Pide una comida grande.
5. _____ Está un poco molesto/a.
6. _____ Está un poco preocupado/a.

6-2 ¿Qué es?   Empareja la comida con su descripción.

MODELO: Es verde. Forma parte de una ensalada.
  la lechuga

1. _____ Es una fruta amarilla.
2. _____ Se comen con el arroz.
3. _____ Es una carne rosada.
4. _____ Es un postre con muchas calorías.
5. _____ Es una bebida con cafeína.
6. _____ Es rojo y se usa en la salsa picante.
7. _____ Es un postre frío hecho con crema, huevos y azúcar.
8. _____ Se comen y también se usan para hacer vino.

a. el jamón
b. el tomate
c. la banana
d. las uvas
e. el té
f. los frijoles negros
g. el helado
h. la torta de chocolate

6-3 ¡Buen provecho!   Indica en la cuenta a la derecha la comida y la bebida que piden Marta y Arturo en el *Café El Náufrago* con **A** (Arturo) o **M** (Marta).

6-4 Ahora tú.   Primero seleccionen un restaurante que conocen y luego túrnense para preguntarse qué piden para cada comida.

MODELO: la cena
   E1: *¿Qué pides para la cena en Don Pancho?*
   E2: *Pido una ensalada de pollo.*
   E1: *¿Es todo?...*

1. la cena
2. el desayuno
3. la merienda
4. el almuerzo / la comida

PESCADOS Y MARISCOS

Café El Náufrago

Avenida Allende 489 • Tel. 311-1539 • Valparaíso

FECHA ___/___/___   MESERO/A _____   MESA _____   TOTAL

VINO _____ TINTO _____ BLANCO		
REFRESCO _____ AGUA MINERAL _____ CERVEZA		
JUGO DE MANZANA _____ DE NARANJA		
DE TORONJA		
CAMARONES _____		
ATÚN _____		
FILETE DE PESCADO _____		
CALAMARES _____		
SALMÓN _____		
BOCADILLO DE CHORIZO _____		
ENSALADA MIXTA _____		
PAPAS FRITAS _____ TOMATE Y CEBOLLA _____		
PAN _____ PAPA AL HORNO _____		
HELADO DE LIMÓN _____ DE CHOCOLATE _____		
FLAN _____		
ENSALADA DE FRUTAS _____		
CAFÉ _____ TÉ _____		
CUENTA TOTAL		
(IVA Y SERVICIO INCLUIDOS)		

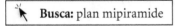 **6-5 Las rutinas.** En grupos de tres, descubran cuántas personas comparten (*share*) estas costumbres (*customs*) e indiquen los resultados.

MODELO: **desayunar** todos los días
E1: *¿Desayunas todos los días? Yo, sí.*
E2: *No, solo cuando tengo tiempo.*
E3: *Sí, siempre desayuno.*

Preferencias	Número de personas en su grupo que dicen sí
desayunar todos los días	_____
cenar a las diez de la noche	_____
ser vegetariano/a	_____
comer más pescado que carne	_____
tomar café con la comida	_____
ser alérgico/a a los mariscos	_____
almorzar en la universidad	_____
preferir la leche a los refrescos	_____

¿Eres vegetariano/a?

6-6 ¿Qué compramos para la cena? Decidan qué van a comprar para la cena en cada una de estas situaciones. Mencionen por lo menos tres alimentos para cada situación.

MODELO: Tienen invitados en casa y les gusta preparar platos tradicionales.
Vamos a comprar un pollo grande, papas, lechuga y tomates para hacer una ensalada. Para el postre...

1. Uno/a de Uds. es vegetariano/a.

2. Uno/a de Uds. está a dieta.

3. Uno/a de Uds. está entrenándose (*training*) para un maratón.

4. Uds. están muy ocupados/as y no tienen mucho tiempo.

6-7 Tu pirámide. En 2005 se introdujo una nueva pirámide de la alimentación.

Paso 1 Conéctate a la Internet para hacer un análisis de los alimentos que necesitas.

Busca: plan mipiramide

Completa el siguiente cuadro según los resultados.

Edad:	
Sexo:	
Número de calorías diarias:	
Cantidad de productos lácteos:	
Cantidad de aceites:	
Cantidad de carnes y otras proteínas:	
Límite diario de grasas sólidas y azúcares:	

Paso 2 Ahora compara tu cuadro con el de otra persona en la clase.

MODELO: E1: *Según la pirámide, debo tomar tres tazas de productos lácteos. Creo que tomo más de tres, porque tomo leche con todas las comidas y me gusta mucho el yogur. ¿Y tú?*
E2: *Pues, yo debo tomar...*

Presencia hispana

According to the U.S. Department of Agriculture (USDA), Hispanic-American families have a tremendous influence on food production in the U.S. First, they are more likely than other families to prepare their food at home. Second, they usually shop for fresh fruits and vegetables. However, because of the diversity of Hispanic cultures, their cuisine cannot be generalized. It ranges from bland to spicy, and may include corn tortillas, rice, or potatoes. What Hispanic foods can you find in your neighborhood supermarket?

1. Indirect objects, indirect object pronouns, and the verbs *decir* and *dar*

¿Me puede mostrar los modelos más económicos?

Los pronombres de complementos indirectos

An indirect object indicates to or for whom an action is carried out. In Spanish the indirect object pronoun is also used to indicate from whom something is bought, borrowed, or taken away.

Indirect object pronouns			
Singular		**Plural**	
me	*(to) me*	**nos**	*(to) us*
te	*(to) you*	**os**	*(to) you* (fam. Sp.)
le	*(to) you* (for.)	**les**	*(to) you*
le	*(to) him, her*	**les**	*(to) them*

- The indirect object pronouns are identical to the direct object pronouns, except for the third-person singular and plural forms.

- Indirect object pronouns agree only in number with the noun to which they refer. There is no gender agreement.

  Le lavo los platos. — *I'll wash the dishes for her.*
  ¿**Me** preparas arroz para la cena? — *Will you prepare rice for dinner for me?*

- Indirect object pronouns usually precede the conjugated verb.

  Te compramos el almuerzo. — *We'll buy you lunch.*

- In negative sentences the indirect object pronoun is placed between **no** and the conjugated verb.

  No **les** recomiendo ese restaurante. — *I won't recommend that restaurant to them.*

- In constructions with an infinitive, the indirect object pronouns may either precede the conjugated verb or be attached to the infinitive.

  El mesero **nos** va a traer la cuenta.
  El mesero va a traer**nos** la cuenta. } *The waiter is going to bring us the check.*

- Since **le** or **les** can have different meanings, you can add a prepositional phrase (**a él, a ella, a Ud., a ellos, a ellas, a Uds.**) for clarification.

  Le preparamos la comida. — *We prepare him / her / you (s.) the meal.*
  Le preparamos la cena **a ella.** — *We prepare **her** dinner.*
  Les traigo un refresco. — *I bring them / you (pl.) a drink.*
  Les traigo un refresco **a Uds.** — *I bring **you** (pl.) a drink.*

- The prepositional phrase can also be used for emphasis. In the following examples, the phrases **a mí, a ti** and **a nosotros** are not required grammatically, but the indirect object pronouns **me, te** and **nos** *are* required. Note that the pronouns that follow prepositions are the same as subject pronouns with the exception of **yo** and **tú.** These are replaced by **mí** and **ti.**

  Te invito a un café **a ti,** no a ellos. — *I'll invite **you** for coffee, not them.*
  ¡Juan **nos** va a hacer un pastel especial **a nosotros!** — *Juan is going to make a special cake for **us**!*
  ¡Mi novio **me** preparó una cena deliciosa **a mí!** — *My boyfriend prepared **me** a delicious dinner!*

- The familiar plural form, **os** (**vosotros**), is used in Spain.

Decir y dar

The irregular verbs **decir** and **dar** often take indirect object pronouns.

- **Decir** is an **e → i** stem-changing verb with an irregular first-person singular form (like **tener** and **venir**).

decir (*to say*)			
yo	di**g**o	nosotros/as	decimos
tú	dices	vosotros/as	decís
Ud.	dice	Uds.	dicen
él/ella	dice	ellos/as	dicen

- **Dar** has an irregular first-person singular form like **ser** and **estar**.

dar (*to give*)			
yo	d**oy**	nosotros/as	damos
tú	das	vosotros/as	dais
Ud.	da	Uds.	dan
él/ella	da	ellos/as	dan

Todos los días le **decimos** "buenos días" a la profesora.

Every day, we say "hello" to the professor.

Todos los días ella nos **da** una prueba.

Every day, she gives us a quiz.

APLICACIÓN

6-8 Sebastián Piñera, presidente de la República de Chile.   Antes de las elecciones, Sebastián Piñera pronunció (*he gave, delivered*) un discurso en el que hizo (*he made*) muchas promesas. La revista en línea *NuevaPolítica.com* publica un resumen de su plataforma.

Paso 1   Lee el resumen y subraya los pronombres de objeto indirecto.

> En un discurso esta semana, el candidato a la presidencia Sebastián Piñera nos promete que Chile va a continuar y aumentar los programas sociales de su predecesora Michelle Bachelet. "Primero, yo les digo a los chilenos fuerte y claro: en nuestro gobierno vamos a fortalecer[1] y ampliar[2] la red social para proteger no solamente a los más humildes, sino también a nuestra clase media". Además, nos afirma que va a "fortalecer el trabajo, la educación y la familia". Va a crearles a los chilenos un millón de trabajos para erradicar el desempleo, una de las más importantes causas de la pobreza. Nos dice que va a llevarles a los jóvenes pobres más oportunidades para hacer deporte. Y va a crearles más oportunidades de educación y trabajo a los discapacitados[3]. Finalmente, Sebastián Piñera va a darles a sus ministros la responsabilidad de proponer nuevas leyes para el bienestar de la nación. Nos explica el candidato, "Ustedes me dicen que quieren trabajar conmigo. Les prometo que voy a mejorar la economía, el sistema de seguro social y además, voy a trabajar para mejorar el sistema de educación. Les aseguro[4] que el gobierno va a respetar a todos los chilenos, hombres y mujeres. Hoy, le prometo a Chile que vamos a continuar nuestro desarrollo[5] económico, político y social para el bien de todos".

Sebastián Piñera, electo presidente de Chile en 2010.

[1]*strengthen*   [2]*expand*   [3]*disabled*   [4]*assure*   [5]*development*

Paso 2   Ahora, escribe una lista de por lo menos cinco promesas que el candidato Piñera les hace a los chilenos. ¿Cuál de esas promesas te parece la más importante y por qué?

MODELO: *Les promete a los chilenos que va a continuar los programas de su predecesora.*

6-9 **Ahora tú.** Te vas a Chile por un año. Contesta las siguientes preguntas sobre lo que va a pasar.

MODELO: ¿Cuándo vas a darnos tu nueva dirección?
Voy a darles mi nueva dirección ahora.

1. ¿Quién te compra el boleto (*ticket*) de avión?
2. ¿Quién te explica el sistema universitario chileno?
3. ¿A quién le vendes tu bicicleta o tu carro antes de salir del país?
4. ¿Quién te recoge la correspondencia en la oficina postal?
5. ¿A quiénes les mandas (*send*) fotos?
6. ¿A quiénes les escribes sobre tus experiencias?

6-10 **En tu familia.** Conversen sobre quiénes toman la responsabilidad de los siguientes quehaceres de la famila.

MODELO: prepararte una sopa cuando estás enfermo/a
Mi padre me prepara una sopa cuando estoy enfermo/a.

1. lavarte la ropa
2. enseñarte a cocinar
3. darle de comer a la mascota (*pet*)
4. prepararte un pastel en tu cumpleaños
5. hacerte la cama
6. limpiarles el baño a los padres

6-11 **Algo especial.** En grupos de tres o cuatro, hablen de lo que ustedes dan o dicen en las siguientes situaciones.

MODELO: a tu hermana en su cumpleaños
Le digo: "Feliz cumpleaños" y le doy un beso.

1. a tu madre el Día de las Madres
2. a tu padre el Día de los Padres
3. a tu esposo/a o novio/a el día de su aniversario
4. a tu profesor/a al final del curso

¡Hola!

Cultura en vivo

In many places, the cost of service is included in, or added to the check in a restaurant. Oftentimes, there will be a note at the bottom of the check that states **Servicio incluido.** Although you are not obligated to leave an additional tip, many patrons leave a few coins, especially if they are regular customers. When in doubt, ask the waiter if service is included.

6-12A **Las especialidades de la casa.** Túrnense para hacer el papel (*play the role*) de mesero/a y cliente en los restaurantes de su lista. El/La mesero/a le tiene que recomendar a su cliente algunos platos que sirven en su restaurante. El/La cliente tiene que pedir una de las recomendaciones. **Estudiante B,** por favor ve al **Apéndice 1,** página A-9.

MODELO: ESTUDIANTE A: *Por favor, ¿qué me recomienda Ud. aquí en Casa Roma?*
ESTUDIANTE B: *Nuestra especialidad es la comida italiana. Le recomiendo la pasta con mariscos o la pizza Margarita.*
ESTUDIANTE A: *¿Me trae por favor la pizza Margarita?*
ESTUDIANTE B: *¡Enseguida!*

Estudiante A:

Restaurantes que visito:	Restaurantes donde trabajo y sus especialidades:
El Unicornio	**El Rincón Argentino:** todo tipo de carnes: bistec, carne asada, hamburguesas
Café del Diablo	**Cafetería Universo:** especializado en sándwiches y ensaladas: sándwiches de jamón, queso, pavo, pescado; ensaladas de pollo y de verduras
Cocina Cándida	**Casa Miguel:** comida mexicana: quesadillas con pollo, mariscos o jamón; arroz con pollo

2. *Gustar* and similar verbs

The verb **gustar** is used to express preferences, likes, and dislikes. **Gustar** literally means *to be pleasing,* and the verb is used with an indirect object pronoun.

¿Te gusta mi coche?

Sí, me gusta mucho.

Me gusta desayunar todos los días.	*I like to eat breakfast everyday. (Eating breakfast is pleasing to me.)*
Los restaurantes caros no **le gustan**.	*He doesn't like expensive restaurants. (Expensive restaurants are not pleasing to him.)*

- The subject of the verb **gustar** is whatever is pleasing to someone. Because we generally use **gustar** to indicate that something (singular) or some things (plural) are pleasing, **gustar** is most often conjugated in the third-person singular or third-person plural forms, **gusta** and **gustan.** The indirect object pronoun indicates who is being pleased.

Nos gusta la torta de chocolate.	*We like chocolate cake.*
No me gustan los frijoles.	*I don't like beans.*

- To express the idea that one likes to do something, **gustar** is followed by an infinitive. In such cases the third-person singular of **gustar** is used, even when you use more than one infinitive.

Me gusta preparar la cena y lavar los platos.	*I like to prepare dinner and wash the dishes.*

- Some other verbs like **gustar** are listed below. Note that the equivalent expressions in English are not direct translations.

aburrir	*to bore, to tire*
apetecer	*to feel like (to appeal to)*
encantar	*to like very much, to be extremely pleasing*
fascinar	*to fascinate, to be attractive*
interesar	*to interest, to be in someone's interest*
molestar	*to be a bother, to annoy*
parecer	*to seem*
quedar	*to be left (over), to remain*

Me molestan las cocinas sucias.	*Dirty kitchens annoy me.*
Este vino **nos parece** caro.	*This wine seems expensive to us.*

- Remember, you can use a prepositional phrase beginning with **a** to emphasize, clarify, or contrast the indirect object pronoun.

A mí me encanta la cocina, pero **a ti** no.	*I love the kitchen, but you don't.*
A José le encantan los camarones, ¿y **a Uds.**?	*José loves shrimp, and you?*

APLICACIÓN

6-13 A los pingüinos… La Patagonia es una enorme región al extremo sur de Sudamérica situada en Argentina y Chile. Allí vive una variedad de vida marina, incluyendo lobos marinos (*sea lions*) y pingüinos.

Paso 1 Lee el párrafo siguiente sobre los pingüinos de la Patagonia chilena y subraya los verbos como **gustar** (V), sus sujetos (S) y sus complementos indirectos (I).

MODELO: A mí <u>me interesan</u> <u>los animales marinos</u>.
              I   V   S

A muchas personas les fascinan los pingüinos que habitan en las costas del sur de Chile. Son casi como pequeños seres humanos en la manera en que cuidan a sus crías[1]. A los pingüinos también les gusta observar a la gente y no le tienen miedo. Para comer, les encantan los calamares y otros mariscos que pescan del mar. Los pingüinos son protegidos estrictamente por los parques nacionales de Chile y está prohibido darles comida. A mí me parecen animales preciosos, pero no me interesa tener uno como mascota[2]. Prefiero verlos libres.

------

[1]*young*   [2]*pet*

Paso 2 Ahora, contesta las preguntas, basándote en la lectura en **Paso 1**.

1. ¿Dónde viven los pingüinos?
2. ¿Qué les gusta hacer?
3. ¿Qué les encanta comer?
4. ¿Por qué nos fascinan?
5. ¿A ti te interesa tener uno como mascota?

6-14 Me interesa(n). Me gusta(n). Me molesta(n). Todos tenemos nuestras preferencias. ¿Cuáles compartes (*share*) con tus compañeros/as de clase?

Paso 1 Completa el cuadro con cosas y actividades que te interesan, te gustan o te molestan. Puedes usar las siguientes frases.

preparar comida complicada	tomar vino con la cena	los restaurantes de especialidad… (india, mexicana, china…)
limpiar la cocina	las galletas	la comida vegetariana (picante, rápida…)
el café sin azúcar	conocer Chile	los restaurantes elegantes y caros
los vinos chilenos	salir a comer	trabajar como mesero/a

	interesar	gustar	molestar
MODELO:	*Me interesan las matemáticas.*	*Me gusta la comida picante.*	*Me molestan los restaurantes sucios.*

Paso 2 Ahora, levántense y pregúntenles a por lo menos tres otros estudiantes qué les interesa, gusta, molesta. ¿Qué tienen en común?

MODELO: E1: *¿Qué te interesa?*
E2: *Me interesa viajar. También me gusta…*

6-15 Una postal de la Patagonia. Usa los pronombres de complemento indirecto y los verbos correspondientes de la lista para completar la carta.

apetecer	encantar	fascinar	gustar	interesar	parecer	quedar

Querida Isabel:

Te escribo desde Chile para contarte sobre mi viaje a la Patagonia. Es una región bellísima con montañas y costas, y una gran variedad de animales. Nuestro guía Antonio conoce bien la flora y la fauna de esta región. A mí (1) _____ las plantas y los animales, pero a Carlos y Ana (2) _____ los lobos marinos[1] que llegan aquí para cuidar a sus crías[2]. A muchas personas (3) _____ observarlos durante este tiempo. Todos los días (4) (a mí) _____ salir temprano para ver los pájaros que viven en la costa. Desafortunadamente, solo (5) (a nosotros) _____ un día más aquí.

    En fin, Isabel, me encanta estar aquí. Y a ti, (6) ¿ _____ venir un día para ver los lobos marinos? (7) (A mí) ¡ _____ una idea excelente!

    Un abrazo,
    Eduardo

_____

[1]*sea lions* [2]*young*

Los lobos marinos están protegidos en toda la costa de Chile.

6-16 Su opinión. Conversen sobre sus opiniones acerca de las comidas.

MODELO: las cafeterías estudiantiles
       E1: *¿Te gustan las cafeterías estudiantiles?*
       E2: *¡Sí, me encantan porque son económicas! Y las sopas que sirven, ¡qué ricas!*

1. los platos picantes
2. los mariscos
3. las frutas tropicales
4. los postres
5. la comida rápida
6. los productos orgánicos

¿Cuánto saben?

06-24 to 06-29

Primero, pregúntate si puedes llevar a cabo (*carry out*) las siguientes funciones comunicativas en español. Después, júntate con dos o tres compañeros/as de clase para presentar las situaciones. Hagan y respondan a por lo menos cuatro preguntas en cada situación.

✓ CAN YOU ...

☐ discuss food, eating preferences, and ordering meals?

☐ talk about things and express to whom or for whom?

☐ express likes and dislikes?

WITH YOUR CLASSMATE(S) ...

Situación: En un restaurante
Dos de Uds. son clientes y otro/a es el/la mesero/a. Van a preguntar y responder sobre las especialidades de la casa y pedir comida y bebida. Usen el vocabulario y las expresiones en **¡Así lo decimos!**
Para empezar: *Buenas tardes, ¿desean algo de tomar?*

Situación: Un/a amigo/a enfermo/a
Uno/a de sus amigos está enfermo/a y no puede asistir a clase. Túrnese para decir qué van a hacer para él/ella.
Para empezar: *Le voy a preparar una sopa de pollo...*

Situación: Después de la clase
Van a hablar de sus opiniones sobre la universidad, los equipos de fútbol, etc., y otros temas de interés mutuo. Usen verbos como **gustar, interesar, molestar** y **parecer**.
Para empezar: *A mí me gusta(n)... ¿Y a ti?*

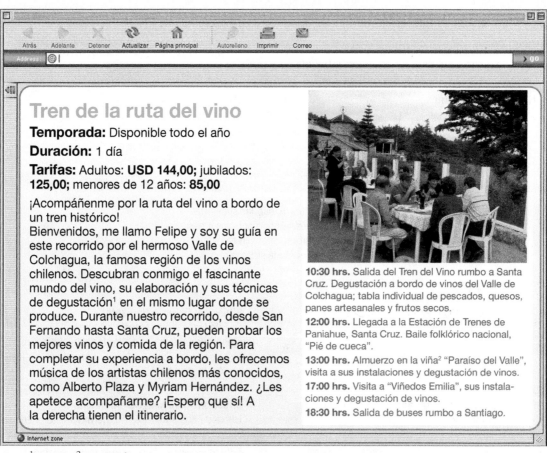

📖 Perfiles

Mi experiencia

TREN DE LA RUTA DEL VINO

6-17 **Para ti.**   Cuando vas a celebrar una comida especial, ¿vas siempre a un restaurante? ¿Comes en un lugar especial, como en un barco o un tren? ¿Conoces algún restaurante de degustación? ¿Cuáles son las ventajas (*advantages*) y las desventajas (*disadvantages*) de un menú de degustación (*tasting menu*)? A continuación, tienes un anuncio de la página web de la oficina de turismo de Chile sobre una "excursión culinaria". Mientras lees la descripción, piensa en las razones por las que te gustaría (*would like*) acompañar a Felipe, o no.

Tren de la ruta del vino

Temporada: Disponible todo el año

Duración: 1 día

Tarifas: Adultos: **USD 144,00;** jubilados: **125,00;** menores de 12 años: **85,00**

¡Acompáñenme por la ruta del vino a bordo de un tren histórico!
Bienvenidos, me llamo Felipe y soy su guía en este recorrido por el hermoso Valle de Colchagua, la famosa región de los vinos chilenos. Descubran conmigo el fascinante mundo del vino, su elaboración y sus técnicas de degustación[1] en el mismo lugar donde se produce. Durante nuestro recorrido, desde San Fernando hasta Santa Cruz, pueden probar los mejores vinos y comida de la región. Para completar su experiencia a bordo, les ofrecemos música de los artistas chilenos más conocidos, como Alberto Plaza y Myriam Hernández. ¿Les apetece acompañarme? ¡Espero que sí! A la derecha tienen el itinerario.

10:30 hrs. Salida del Tren del Vino rumbo a Santa Cruz. Degustación a bordo de vinos del Valle de Colchagua; tabla individual de pescados, quesos, panes artesanales y frutos secos.
12:00 hrs. Llegada a la Estación de Trenes de Paniahue, Santa Cruz. Baile folklórico nacional, "Pié de cueca".
13:00 hrs. Almuerzo en la viña[2] "Paraíso del Valle", visita a sus instalaciones y degustación de vinos.
17:00 hrs. Visita a "Viñedos Emilia", sus instalaciones y degustación de vinos.
18:30 hrs. Salida de buses rumbo a Santiago.

[1]*tasting*   [2]*vineyard*

🍦🍦 **6-18** **En su opinión.**   Comparen este tipo de experiencia culinaria con otra que hayan tenido (*you have had*) o que les gustaría (*would like*) tener. ¿Qué aspectos son similares? ¿Cuáles son distintos? ¿Te gustaría ir en el "tren de la ruta del vino"? ¿Por qué?

Mi música

"AHORA" (ALBERTO PLAZA, CHILE)

Al chileno Alberto Plaza se le considera uno de los cantautores contemporáneos más originales de Latinoamérica. Estudió tres carreras universitarias (ingeniería, economía y publicidad), pero no terminó ninguna, pues su amor por la música era más fuerte. Hasta ahora, ha dado más de mil conciertos y ha vendido más de un millón de discos. En esta canción le revela sus pensamientos a su exnovia.

Antes de ver y escuchar

6-19 Adiós. Imagínate que tu pareja termina su relación amorosa contigo. Piensa qué le dices y qué le das antes de que se vaya (*before he/she leaves*).

MODELO: *Le digo que es una buena persona...*

Para ver y escuchar

 6-20 La canción. Conéctate a la Internet para buscar un video de Alberto Plaza en el que (*in which*) le canta esta canción a su ex novia.

> **Busca:** video ahora alberto plaza; letra ahora alberto plaza
>
> **Si te interesa comprar la canción:** *Go to iTunes Store > Music>More to Explore>iMix>Arriba 6e*

¿Cuál de las siguientes declaraciones es la más probable y por qué?

1. _____ Él la ama pero ella se casa con otro.
2. _____ Ella lo ama a él, pero él ya no la ama a ella.
3. _____ Ella vuelve, pero sólo en los sueños de él.
4. _____ Él se va a buscarla.

Después de ver y escuchar

 6-21 Investigación. Myriam Hernández es otra cantante chilena contemporánea. Haz una investigación en la Internet para encontrar un video de ella. Primero describe el video. Luego compara su estilo de cantar con el de Alberto Plaza. ¿Prefieres uno al otro? Explica.

> **Busca:** myriam hernandez video

Segunda parte

¡Así lo decimos! VOCABULARIO

📖 **¡Así es la vida!** "Platos fáciles en veinte minutos o menos"

06-32

🔊 Ayer Enrique les preparó un plato sabroso a sus amigos.

MAMÁ: ¡Aló, hijo! ¿Cómo te va? ¿Recibiste el mensaje de texto que te mandé ayer?

ENRIQUE: Sí, mamá. Disculpa. No te llamé. Invité a algunos amigos para ver el partido de fútbol en la tele.

MAMÁ: ¿Ah sí? ¿Qué les preparaste?

ENRIQUE: ¡Algo fácil! Guacamole con nachos.

MAMÁ: Y... ¿cómo sabes tú hacer guacamole?

ENRIQUE: Encontré la receta en el sitio web: "Platos fáciles en veinte minutos o menos". Sólo tiene cinco ingredientes: un aguacate maduro, un limón, ajo, cilantro picado y sal. Se mezcla todo en un tazón de cristal. Es todo.

MAMÁ: Ay, hijo. ¡Ya no me necesitas para nada!

🔊 **Vocabulario** En la cocina

Variaciones

In Spain, **el refrigerador** is more commonly called **el frigorífico** or **la nevera,** and **la cocina** is used instead of **la estufa,** since **la estufa** refers to a portable space heater.

En la cocina   In the kitchen

la cafetera   *coffee maker*
la cazuela   *stewpot, casserole dish, saucepan*
la estufa   *stove*
el microondas   *microwave*
el refrigerador   *refrigerator*
la sartén   *skillet*
el tazón (de cristal)   *(glass) bowl*
la tostadora   *toaster*

Fríe los huevos en la sartén.

En la mesa   On the table

la cuchara   *spoon*
el cuchillo   *knife*
el plato   *plate*
la servilleta   *napkin*
la taza   *cup*
el tenedor   *fork*
el vaso   *glass*

Le echa pimienta a la ensalada.

Actividades en la cocina   Kitchen activities

calentar (ie)   *to heat*
cocinar   *to cook*
cortar   *to cut*
echar   *to add, throw in*
freír (i, i)[1]   *to fry*
guardar   *to save, to keep, to put away*
hornear   *to bake, to roast*
mezclar   *to mix*
pelar   *to peel*
picar   *to chop*
tostar (ue)   *to toast*

Mezcla los ingredientes en el tazón.

En la receta   In the recipe

asado/a   *roasted*
la cucharada   *tablespoon*
la cucharadita   *teaspoon*
frito/a   *fried*
al horno   *baked*
a la parrilla   *grilled*
la pizca   *pinch (of salt, pepper, etc.)*

Expresiones útiles   Useful expressions

¡Qué rico!   *How delicious!*
¡Qué sabroso!   *How delicious!*
¡Qué asco!   *How revolting!*
¡Qué ridículo!   *How ridiculous!*

Pica la cebolla.

---

[1]frío, fríes, fríe, freímos, freís, fríen; freí, freíste, frió, freímos, freísteis, frieron

Letras y sonidos

The sequences *s, z, ce, ci* in Spanish

Generally in Spanish, the letters **s** and **z**, as well as **c** before the vowels **e** and **i**, all correspond to the same sound: the *s* sound in English *sip*.

<u>s</u>al	de-<u>s</u>a-yu-no	a-<u>z</u>ú-car	<u>ce</u>-na	ha-<u>cer</u>	de-<u>c</u>ir

In most parts of Spain, only the letter **s** sounds like the *s* in English *sip*. The letter **z**, as well as **ce** and **ci,** are pronounced like the *th* sound in English *thanks*. Keep these differences in mind as you refine your listening skills. Follow the pronunciation that is consistent with the variety of Spanish that you want to speak, Latin American or Peninsular.

APLICACIÓN

6-22 ¿Qué necesitas para...? Indica un utensilio o aparato que necesitas para hacer lo siguiente.

MODELO: congelar el helado
  el congelador

1. _____ mezclar la sopa
2. _____ freír las papas
3. _____ pelar la manzana
4. _____ medir (*measure*) el azúcar
5. _____ mezclar los huevos
6. _____ preparar el café
7. _____ calentar la pizza

a. la sartén
b. la cafetera
c. la cuchara
d. el tazón
e. el microondas
f. la taza
g. el cuchillo

6-23 ¿Qué hacen? Describe lo que hacen las personas en cada dibujo con expresiones de **¡Así lo decimos!**

MODELO:

Mario
Mario hornea el pollo.

1.

Lola

2.

El señor Barroso

3.

Dolores

4.

Diego

5.

Estela

6.

Pilar

¡Hola!

Cultura en vivo

Bread is a staple in many cultures. In Hispanic cultures, it also figures in many expressions: "*Las penas* (sorrows) *con pan son menos*", or when something or someone is really good, "*tan bueno como el pan*", or "*Contigo pan y cebolla*", meaning that with you (my love) we can make do with only bread and onions. The term *compañero/a* derives from *con+pan+ero*, a person with whom you would share bread. What is the English equivalent of *compañero*?

6-24 En la cocina con el chef Emilio. Escucha la preparación del flan, un postre muy popular en todo el mundo hispano. Indica los ingredientes, los utensilios y las acciones que el chef Emilio utiliza para preparar esta receta.

El flan es un postre popular.

Ingredientes	Utensilios	Acciones
_____ agua	_____ estufa	_____ echar
_____ azúcar	_____ cucharada	_____ calentar
_____ huevos	_____ licuadora (*blender*)	_____ cortar
_____ jugo de limón	_____ molde	_____ guardar
_____ leche condensada	_____ sartén	_____ hornear
_____ leche evaporada	_____ tazón	_____ mezclar
_____ vainilla	_____ taza	_____ servir

6-25 En mi cocina. Túrnense para hacerse estas preguntas sobre sus rutinas y preferencias. ¿Qué tienen en común?

1. ¿Cómo prefieres el pescado? ¿Al horno, a la parrilla o frito?
2. ¿Cómo prefieres el pollo? ¿Asado, a la parrilla o frito?
3. ¿Qué comida hay en tu refrigerador en estos momentos?
4. ¿Qué le echas usualmente a la ensalada?
5. ¿Qué comidas preparas en el microondas?
6. ¿Qué frutas pelas antes de comerlas?

6-26A El arroz con pollo. El arroz con pollo es un plato muy conocido en todo el mundo hispano. **Estudiante A** tiene la receta y **Estudiante B** tiene algunos ingredientes y utensilios en su cocina. Escriban una lista de los ingredientes que necesitan comprar y los utensilios que necesitan pedir prestados (*borrow*) para preparar este plato. **Estudiante B,** por favor ve al **Apéndice 1,** página A-10.

MODELO: ESTUDIANTE A: *Necesitamos una taza de arroz.*
ESTUDIANTE B: *No tenemos suficiente arroz. Tenemos que comprarlo.*
ESTUDIANTE A: (Escribe en la lista) *arroz.*

Estudiante A:

Arroz con pollo

Ingredientes

aceite de oliva
un pollo grande
media taza de jugo de limón
dos dientes de ajo
una cebolla grande
un pimiento verde
sal
una taza de arroz

Utensilios

una cuchara grande
un cuchillo grande que corta bien
una sartén
un tazón de cristal

Para comprar:
arroz

Para pedir prestado (*borrow*):

---

3. The preterit of regular verbs

06-39 to 06-44

¿Comieron bien?

So far you have learned to use verbs in the present indicative tense. In this chapter you will learn about the preterit, one of two simple past tenses in Spanish. In **Capítulo 8,** you will be introduced to the imperfect, which is also used to refer to events in the past.

Preterit of regular *-ar*, *-er*, and *-ir* verbs			
	-ar	**-er**	**-ir**
	tomar	**comer**	**vivir**
yo	tom**é**	com**í**	viv**í**
tú	tom**aste**	com**iste**	viv**iste**
Ud.	tom**ó**	com**ió**	viv**ió**
él/ella	tom**ó**	com**ió**	viv**ió**
nosotros/as	tom**amos**	com**imos**	viv**imos**
vosotros/as	tom**asteis**	com**isteis**	viv**isteis**
Uds.	tom**aron**	com**ieron**	viv**ieron**
ellos/as	tom**aron**	com**ieron**	viv**ieron**

* The preterit tense is used to report actions completed at a given point in the past and to narrate past events.

Preparé sopa de mariscos para la cena.	*I prepared seafood soup for dinner.*
Ayer **comimos** en la cafetería de la universidad.	*Yesterday we ate at the university cafeteria.*

* The preterit forms for **nosotros** of **-ar** and **-ir** verbs are identical to the corresponding present tense forms. The situation or context of the sentence will clarify the meaning. Here are some expressions that are used to talk about the past.

anoche	*last night*
anteayer	*the day before yesterday*
ayer	*yesterday*
el año (lunes, martes, etcétera) pasado	*last year (Monday, Tuesday, etc.)*
el mes pasado	*last month*
la semana pasada	*last week*

Siempre **hablamos** de recetas de cocina.	*We always talk about cooking recipes.*
La semana pasada **hablamos** de tu receta de pollo.	*Last week we talked about your chicken recipe.*
Vivimos aquí ahora.	*We live here now.*
Vivimos allí el año pasado.	*We lived there last year.*

* Always use an accent mark in the final vowel for the first- and third-person singular forms of regular verbs, unless the verb is only one syllable.

Compré aceite de oliva.	*I bought olive oil.*
Ana Luisa no **comió** el postre.	*Ana Luisa didn't eat the dessert.*
Vi una receta interesante en ese libro.	*I saw an interesting recipe in that book.*

Los verbos que terminan en *-car*, *-gar* y *-zar*

- Verbs that end in **-car, -gar,** and **-zar** have the following spelling changes in the first-person singular of the preterit. All other forms of these verbs are conjugated regularly.

c → qu	buscar	yo	bus**qué**
g → gu	llegar	yo	lle**gué**
z → c	almorzar	yo	almor**cé**

Bus**qué** la receta en la Internet.　　*I looked for the recipe on the Internet.*
Lle**gué** muy contento ayer.　　*I arrived very happy yesterday.*
Almor**cé** poco hoy.　　*I had little for lunch today.*

- In addition to verbs such as **jugar (a), empezar,** and **practicar** you have already learned, the following verbs also follow this pattern.

explicar	*to explain*
pagar	*to pay*
tocar	*to touch, to play a musical instrument*

APLICACIÓN

6-27 Una tortilla española. La tortilla española es muy fácil de preparar. Camila la prepara con frecuencia para sus invitados (*guests*).

Paso 1 Lee el párrafo en el que Camila explica la preparación de la tortilla española y subraya los verbos en el pretérito.

Me levanté temprano y salí para el mercado donde compré seis huevos, dos cebollas y dos papas. Una vez en casa, lavé bien las papas y las pelé. Luego, corté las papas y las cebollas en pedazos muy pequeños. Eché un poco de aceite de oliva en una sartén. Lo calenté y cociné las papas y las cebollas. Batí seis huevos en un tazón. Les eché un poco de sal a los huevos y luego los eché a la sartén. Mezclé todos los ingredientes con la espátula. Le di la vuelta[1] a la tortilla a los cinco minutos y la cociné tres minutos más. Preparé un plato con un poco de perejil[2] y les serví la tortilla a mis invitados.

---

[1]*turned*　[2]*parsley*

Paso 2 Ahora, contesta las preguntas basadas en la actividad anterior.

1. ¿Cuándo salió Camila para el mercado?
2. ¿Cuáles son los ingredientes de la tortilla española?
3. ¿Qué cocinó primero?
4. ¿Cuántos huevos usó?
5. ¿Por cuánto tiempo cocinó la tortilla?
6. ¿Quiénes la comieron?

6-28 Un a cena inolvidable. Usa el pretérito de los verbos de la lista para completar el párrafo.

buscar	encontrar	invitar	llegar	salir
comer	gustar	llamar	pagar	tomar

El sábado pasado encontré un restaurante que me (1) _____ mucho. Nosotros (2) _____ el nombre del restaurante en la guía telefónica. Yo (3) _____ para hacer una reservación. Nosotros salimos a las siete de la noche y (4) _____ al restaurante a las siete y media. La comida estuvo (*was*) muy buena. Yo comí un bistec y mis amigos (5) _____ arroz con pollo. Todos nosotros (6) _____ agua mineral y, después, café. A la hora de pagar, abrí mi bolsa y (7) _____ mi tarjeta de crédito, pero no la encontré. ¡Qué vergüenza! Menos mal que mis amigos generosos (8) _____ por mí. (9) _____ del restaurante a las dos de la mañana. El sábado siguiente, yo (10) _____ a todos a cenar a mi casa.

6-29 *Afrodita*: una novela de Isabel Allende. Esta es una novela de cuentos, recetas y otros afrodisíacos.

Paso 1 Lee la siguiente entrevista con esta famosa escritora chilena sobre su novela.

ENTREVISTADOR:	Isabel, ¿por qué escribiste *Afrodita*?
ISABEL:	Bueno, como indica el título completo, *Afrodita: Cuentos, recetas y otros afrodisíacos*, es un libro sobre la comida, pero no sus aspectos nutritivos sino los que se asocian con el amor. Lo escribí en 1996 después de pasar más de un año de luto[1] por la muerte de mi hija, Paula. Por fin encontré la inspiración para escribir y decidí escribir una novela de humor.
ENTREVISTADOR:	¿Y por qué decidiste escribir sobre la comida?
ISABEL:	Soy amante de la comida, especialmente la chilena, pero también escribí anécdotas personales relacionadas con la preparación de la comida. Y siempre incluí la receta.
ENTREVISTADOR:	¿Son ciertas todas las cosas que cuentas en esta novela? ¿Ocurrieron de verdad?
ISABEL:	Bueno, mi padrastro dice que soy una mentirosa, y es verdad que exagero, pero estos son mis recuerdos de cosas que realmente ocurrieron. Yo solamente añadí algunos detalles[2] para hacerlas más interesantes. También investigué el interés por la comida a través de los siglos, por ejemplo en la época de Napoleón y Josefina.
ENTREVISTADOR:	¿Cuál es tu obra favorita?
ISABEL:	La verdad, es *Paula*. Es una memoria que escribí basada en las entradas en mi diario durante la enfermedad y después de la muerte de mi hija, Paula. Fue una experiencia muy difícil para mí, pero también la más satisfactoria porque recordé los momentos más importantes de la vida de mi familia.

———

[1]*mourning*   [2]*details*

Paso 2   Ahora, contesta las preguntas según la información de la entrevista.

1. ¿Cuándo escribió *Afrodita*?

2. ¿Por qué la escribió?

3. ¿Piensa Isabel que escribe la verdad?

4. ¿Qué investigó para escribir *Afrodita*?

5. ¿Cuál es el tema de *Paula*? ¿Crees que es una historia fantástica como sus otros cuentos? Explica.

6-30 **Te creo; no te creo.**   Escribe tres oraciones ciertas y tres oraciones falsas. Luego reta (*challenge*) a un/a compañero/a para decidir si lo que dices es cierto o falso.

beber	comer	conocer (a)	llevar	salir con	visitar
besar (a)	comprar	llegar	pagar	trabajar (en)	vivir

MODELO: E1: *Una vez conocí a Isabel Allende.*
E2: *¿Cuándo?*
E1: *En 2010.*
E2: *Te creo. / No te creo.*

6-31 **Este fin de semana.**   Usa verbos de la lista para escribir cinco oraciones contando lo que hiciste (*you did*) durante el fin de semana. Después, cuéntaselo a tu compañero/a, quien te va a hacer más preguntas.

cocinar	comprar	estudiar	llamar	preparar	trabajar
comer	escribir	leer	mirar	salir	ver

MODELO: E1: *Estudié el sábado todo el día.*
E2: *¿Qué hiciste el sábado por la noche?*
E1: *Salí con...*

6-32A **Charadas.**   Túrnense para representar estas y otras acciones en el pasado para ver si su compañero/a puede adivinar la acción. **Estudiante B,** por favor ve al **Apéndice 1,** página A-10.

MODELO: ESTUDIANTE A: (Act out: *Corté el pan.*)
ESTUDIANTE B: *Cortaste el pan.*

Estudiante A:

Comí un chile picante.	Comí un sándwich.
Preparé un jugo de naranja.	Le eché sal y pimienta a la sopa.
Pelé una zanahoria.	¿...?

4. Verbs with irregular forms in the preterit (I)

¿Qué plato pidió?

Prefirió el arroz con pollo.

El pretérito de los verbos con cambio radical, e → i, o → u

Stem-changing **-ir** verbs in the present also have stem changes in the preterit. The changes are **e → i** and **o → u** and occur only in the third-person singular and plural.

	pedir (*to ask for*)	dormir (*to sleep*)
yo	pedí	dormí
tú	pediste	dormiste
Ud.	pidió	durmió
él/ella	pidió	durmió
nosotros/as	pedimos	dormimos
vosotros/as	pedisteis	dormisteis
Uds.	pidieron	durmieron
ellos/as	pidieron	durmieron

These verbs follow the same pattern:

pedir (i, i)	*to ask for*
preferir (ie, i)	*to prefer*
repetir (i, i)	*to repeat*
seguir (i, i)	*to follow, to continue*
sentir (ie, i)	*to feel, to be sorry for*
servir (i, i)	*to serve*

La mesera **repitió** las especialidades del día.	*The waitress repeated today's specials.*
Los chicos **durmieron** diez horas anoche.	*The kids slept ten hours last night.*

Verbos que cambian la *i* en *y* en la tercera persona del singular y del plural

Verbs that end in **-er** and **-ir** preceded by a vowel (for example, **creer, leer,** and **oír**) change the **i → y** in the third-person singular and plural. All forms of these verbs are accented in all persons except the third-person plural.

	creer (*to believe*)	oír (*to hear*)
yo	creí	oí
tú	creíste	oíste
Ud.	**creyó**	**oyó**
él/ella	**creyó**	**oyó**
nosotros/as	creímos	oímos
vosotros/as	creísteis	oísteis
Uds.	**creyeron**	**oyeron**
ellos/as	**creyeron**	**oyeron**

Mamá no te **creyó** esta mañana.	*Mother didn't believe you this morning.*
Leyeron la receta con cuidado.	*They read the recipe carefully.*
¿**Oíste** que hay un restaurante chileno en Chicago?	*Did you hear that there is a Chilean restaurant in Chicago?*

APLICACIÓN

6-33 **Jumbo.** *Jumbo* es un hipermercado enorme en Santiago de Chile.

Paso 1 Lee sobre las compras que hicieron (*did*) Rosario, la chef del restaurante Cocina Porteña, y su ayudante la semana pasada en *Jumbo*. Luego, completa las oraciones que siguen.

La semana pasada mi ayudante y yo decidimos hacer las compras en el nuevo *Jumbo* que abrieron recientemente en el Unicentro de Santiago. Cuando llegamos allí, encontramos una sección grande de frutas y verduras, otras de carnes y pescado y finalmente toda clase de bebidas. Compramos comida y también artículos para la cocina. ¡Qué tentación! Compré una cazuela grande y mi ayudante compró una sartén de hierro. Después comimos una merienda en el restaurante que tienen en el súper. Mi ayudante pidió pastel de limón y yo pedí pastel de manzana. La mesera nos sirvió café con el pastel. Mi ayudante compró un libro de recetas españolas y las leímos en el restaurante. Cuando regresamos a nuestro estudio, me senté a la mesa a leer, pero me dormí enseguida.

1. En Jumbo, Rosario y su ayudante _____ muchas cosas.

2. Rosario y su ayudante _____ una sección de frutas y verduras.

3. El ayudante _____ una sartén.

4. Los dos _____ pastel y _____ café.

5. Los dos _____ el libro de recetas.

6. Rosario _____ a la mesa y _____ a leer, pero _____ enseguida.

Paso 2 Ahora contesta las preguntas sobre tu última visita a un hipermercado.

1. ¿A qué hora saliste para el hipermercado?

2. ¿Qué viste?

3. ¿Qué encontraste?

4. ¿Qué compraste?

5. ¿A qué hora volviste a casa?

6-34 **Ayer, en el bar estudiantil.** Combina elementos de cada columna y forma oraciones para explicar lo que pasó en el bar estudiantil ayer.

MODELO: *Mis amigos pidieron leche para su café.*

1. nosotros	oír...
2. los profesores	preferir...
3. nuestros amigos	pedir...
4. yo	leer...
5. la mesera	repetir...
6. tú	sentir...

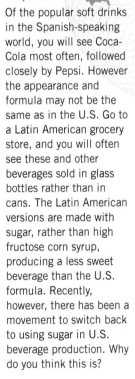

6-35 **Verdadero o falso.** Túrnense para contar anécdotas personales que pueden ser verdaderas o falsas. Usen expresiones útiles de **¡Así lo decimos!** en sus respuestas.

MODELO: E1: *Una vez pedí camarones con helado.*

E2: *¡Qué ridículo! No te creo. No los pediste.*

Una vez....

1. (servir)...

2. (oír)...

3. (pedir)...

4. (preferir)...

5. (leer)...

Una vez comí un bocadillo más grande que yo.

6-36A **¿Qué pasó?** Túrnense para preguntarse qué pasó en las siguientes situaciones. **Estudiante B,** por favor ve al **Apéndice 1,** página A-11.

MODELO: en la fiesta familiar

ESTUDIANTE A: *¿Qué pasó en la fiesta familiar?*

ESTUDIANTE B: *Mi mamá sirvió nuestra comida favorita.*

Estudiante A:

Situaciones	Algunas actividades
1. en la cafetería estudiantil	• pedir tomates y cebollas para la sopa
2. en una película que viste	• no ver el cuadro de Picasso
3. en clase ayer	• acostarse tarde

Media Share

06-49 to 06-54

¿Cuánto saben?

Primero, pregúntate si puedes llevar a cabo (*carry out*) las siguientes funciones comunicativas en español. Después, júntate con dos o tres compañeros/as de clase para presentar las situaciones. Hagan y respondan a por lo menos cuatro preguntas en cada situación.

✓ CAN YOU . . .

☐ discuss foods, cooking, and recipes?

☐ talk about events in the past?

WITH YOUR CLASSMATE(S) . . .

Situación: En la cocina
Están preparando una receta sencilla en casa. Conversen sobre los ingredientes y los utensilios que necesitan.
Para empezar: *¿Qué preparamos? ¿Tenemos...?*

Situación: En una fiesta
Conversen sobre lo que pasó y qué hicieron (*did*) ayer en una fiesta. Usen una variedad de verbos en el pretérito.
Para empezar: *Ayer en la fiesta de Daniel, bailé con...*

Observaciones

¡Pura vida! EPISODIO 6

En este episodio hay una sorpresa (*surprise*) en la comida.

Antes de ver el video

 6-37 Las empanadas. Cada país tiene sus especialidades culinarias; en Argentina, entre otras, son las empanadas. Lee la receta siguiente y haz una lista de los ingredientes.

En Argentina, la empanada es una de las entradas[1] más populares en un restaurante, en un pícnic o como merienda. Se prepara con masa de harina[2] rellena de una mezcla de carne, huevos, aceitunas[3], cebollas y pasas[4]. Se sirve con una salsa que se llama chimichurri. La chimichurri es una mezcla de aceite de oliva, jugo de limón, perejil[5], ajo, cebolleta[6], orégano y una pizca de sal y pimienta.

[1]*appetizers* [2]*flour* [3]*olives* [4]*raisins* [5]*parsley* [6]*shallots*

A ver el video

 **6-38 Hay una sorpresa en la comida.** Mira el sexto episodio de **¡Pura vida!** para identificar la sorpresa que hay en la comida. Luego, completa las oraciones siguientes con palabras lógicas según el video.

| El pícnic | La comida | ¡Felipe se quedó sin propina! |

| un postre | serpiente | unos tacos de pollo | una tortilla de patatas |

1. Silvia preparó _____, un plato español.

2. Marcela compró _____ en un restaurante mexicano.

3. Hermés preparó _____: arroz con leche de coco.

4. Las empanadas de Felipe llevan un ingrediente sorpresa: carne de _____.

Después de ver el video

 6-39 Los otros platos. Conéctate a la Internet para buscar recetas para los otros platos del pícnic. Escoge una que te guste e indica los ingredientes que ya tienes en casa y los que tienes que comprar para poder preparar el plato.

 Busca: tacos de pollo; tortilla de patatas; empanada criolla; arroz con leche de coco; salsa chimichurri; salsa de tomate mexicana

Nuestro mundo

 Panoramas

 Chile: un país de contrastes

06-58
to 06-59

Por su larga costa, la industria pesquera es sumamente importante en Chile. Chile produce una gran variedad de pescados y mariscos que no solo se consume en Chile, sino que también se exporta a todo el mundo.

El clima templado del valle central es ideal para el cultivo de frutas y verduras, muchas de las cuales se exportan a EE. UU. y a Canadá durante el invierno norteamericano. El vino chileno es uno de los más apreciados del mundo.

Los muchos parques nacionales, como Torres del Paine en el sur del país, protegen los maravillosos paisajes de Chile y atraen a miles de turistas cada año para hacer alpinismo y acampar.

Chile

Población: 17 millones
Festival importante: Fiesta de la Vendimia[1], marzo
Costas: 6.500 km
Productos de exportación: $50 billones/año: cobre[2]
frutas, pescado, papel y pulpa[3],
productos químicos, vino
PIB per cápita: $15.000

———————

[1] *grape harvest*   [2] *copper*   [3] *wood pulp*

6-40 Identifica. Identifica lo siguiente.

1. productos chilenos que se consumen
en Norteamérica

2. una zona natural y turística de Chile

3. la extensión de su costa

4. los países en su frontera

6-41 Desafío. Usa el mapa para identificar estos lugares y sus características.

1. ¿Cuál es su capital?

2. ¿Qué océano está al oeste del país?

3. ¿Qué país está al este?

4. ¿Cómo es el clima en Punta Arenas?

 6-42 Proyecto: Chile. Después de dieciséis años de dictadura militar, Chile retornó a un gobierno democrático en 1989. Hoy en día, tiene un gobierno estable y una economía variada y fuerte. Escoge un lugar, una persona o un tema como **la gastronomía chilena, la viticultura chilena, la minería chilena, Sebastián Piñera, un restaurante chileno, un músico famoso chileno,** u otro que te interese para investigar más sobre Chile. Usa el Modelo para escribir un resumen en el que incluyas lo siguiente:

- su nombre y dónde está
- por qué es importante o interesante
- cómo es

- si quieres conocerlo/la algún día y por qué
- si piensas estudiar más sobre este tema
- una foto representativa

> **Busca:** gastronomia chilena; viticultura chilena; mineria chilena; sebastian pinera restaurante chileno; musico famoso chileno

MODELO: *Chile tiene muchos restaurantes informales que se especializan en platos típicos de la región y que siempre tienen una buena selección de vinos chilenos. Es muy popular también comer al aire libre, como en este restaurante en Viña del Mar. En este restaurante, que se llama Vista del Mar, se sirven pescados, mariscos, carnes y vegetales frescos. Para el postre, hay fruta o flan. Y para beber, limonada, agua mineral o vino, café o té. El precio de una comida aquí es de ocho a diez dólares.*

¿Eres un gastrosexual? ¿Conoces a uno?

ANTES DE LEER

6-43 ¿Por qué lees? Cuando lees un artículo en una revista ¿qué es lo que te atrae la atención? ¿Es el nombre de la revista? ¿El título del artículo? ¿La foto? ¿El formato? A continuación tienes un artículo en una revista conocida. Explica lo que esperas del artículo antes de leerlo.

A LEER

6-44 Puntos importantes. Ahora anota cuatro características de un gastrosexual.

GASTRÓNOMO MODERNO

¿Eres un gastrosexual? ¿Conoces a uno?

Gastrosexual:

- *Sustantivo*. Una persona que se apasiona por la comida y el placer[1] que se deriva de ella. Típicamente es un hombre que usa su talento culinario para impresionar a sus amigos, especialmente a su pareja[2].
- *Adjetivo*. Apasionado por la comida, su preparación y su consumo. Fascinado por la apariencia física de la comida y por su combinación de sabores.

Una investigación reciente sobre este fenómeno revela lo siguiente:

1. El tiempo que los hombres dedican a cocinar y a limpiar la cocina ha subido de cinco minutos al día en 1961 a 27 minutos en el 2009.
2. La cocina ya no es exclusivamente territorio femenino.
3. Hay todo tipo de gastrosexuales: hombres y mujeres, pero tienden a ser...
   - hombres
   - de 25 a 44 años de edad
   - de movilidad social ascendente
   - conocedores de la cocina internacional
4. Las razones de este fenómeno son...
   - Hay un aumento del número de hombres solteros; esto los obliga a cocinar.

- El 70% de las mujeres trabajan fuera de la casa. Ellas insisten en que su pareja las ayude con los quehaceres.
- Los hombres prefieren la cocina y la oportunidad de mostrar su creatividad a otros quehaceres.
- Es una forma de auto-actualización.
- Es un pasatiempo, no un deber.
- Es una manera de seducir a la pareja.
- Hay muchos *chefs* célebres masculinos. Estos cocineros famosos les sirven como modelos a los hombres.

5. Al gastrosexual le encanta viajar, especialmente para probar[3] platos nuevos y para obtener ingredientes y utensilios auténticos.

¿Eres un gastrosexual? ¿Conoces a uno?

---

[1]*pleasure* [2]*partner* [3]*to taste*

6-45 Más información.   Contesta estas preguntas sobre el artículo.

1. ¿Cuántos minutos pasan los hombres en la cocina hoy en día?

2. ¿Hay mujeres gastrosexuales?

3. ¿Hay un aumento o descenso en el número de hombres solteros hoy en día?

4. ¿Qué porcentaje de mujeres trabajan fuera de la casa ahora?

5. ¿Por qué prefieren los hombres la cocina más que otros quehaceres de la casa?

6. ¿Quiénes les sirven como modelos a los hombres gastrosexuales?

7. ¿Por qué le gusta viajar al gastrosexual?

6-46 En tu experiencia.   ¿Eres un gastrosexual? ¿Conoces a uno/a? Describe una persona que sea como la descripción en el artículo.

MODELO: *Conozco a una persona que es gastrosexual. ¡Soy yo! Me gusta…*

6-47 Un sondeo (poll).   ¿Cuáles son sus opiniones sobre la cocina?

Paso 1   Responde al sondeo siguiente.

1. _____ Soy hombre   _____ Soy mujer

2. Generalmente, dedico… minutos al día a cocinar y limpiar la cocina.

   _____ 30 minutos o más   _____ menos de 15 minutos

   _____ 15 a 30 minutos   _____ no cocino ni limpio

3. Prefiero cocinar…

   _____ con mis amigos   _____ solo/a

   _____ con una persona especial _____ No cocino.

4. En la cocina…

   _____ me gusta experimentar   _____ tengo recetas favoritas
   con los ingredientes   _____ uso exclusivamente el microondas

   _____ sigo una receta

5. Para mí, cocinar es…

   _____ una oportunidad para   _____ necesario, pero no muy divertido
   ser creativo/a   _____ una pérdida (*waste*) de tiempo

   _____ un pasatiempo divertido

6. Me gusta mucho la comida…

   _____ internacional   _____ rápida

   _____ sencilla, pero orgánica _____ cualquiera (*any*) cuando tengo
                                  hambre

Paso 2   Ahora comparen sus opiniones. ¿Hay una diferencia entre los hombres y las mujeres de esta clase?

Taller

06-61
to 06-62

6-48 **Una reseña (*review*) virtual de un restaurante.** Puedes encontrar reseñas de restaurantes en el periódico, en una revista culinaria o en la Internet. La reseña te ayuda a decidir si te interesa visitar el restaurante. Escribe una reseña para ayudar a otros a encontrar un restaurante bueno por la Internet.

ANTES DE ESCRIBIR

- Piensa en el nombre de un restaurante, dónde se encuentra y por qué lo recomiendas.

- Contesta las siguientes preguntas para organizar tus ideas:

  ☐ ¿Cuántas estrellas tiene (de ✶: muy económico e informal a ✶✶✶: muy caro y elegante)?

  ☐ ¿Dónde está?

  ☐ ¿Tiene una cocina (*cuisine*) especial?

  ☐ ¿Cuáles son sus especialidades?

  ☐ ¿Cómo es su ambiente (formal, informal)?

  ☐ ¿Tiene música?

  ☐ ¿Cómo es el servicio?

  ☐ ¿Qué comiste cuando lo visitaste?

  ☐ ¿Qué te gustó o no te gustó?

  ☐ ¿Cuánto costó?

  ☐ ¿Aceptan reservaciones?

  ☐ ¿Cuál es tu recomendación?

A ESCRIBIR

- Organiza tus respuestas en un párrafo.

MODELO: *El café Joe's es un lugar informal; no tiene ninguna estrella...*

DESPUÉS DE ESCRIBIR

- **Revisar.** Revisa tu reseña para verificar los siguientes puntos:

  ☐ el uso del pretérito

  ☐ la concordancia de adjetivos y sustantivos

  ☐ alguna frase superlativa (es el restaurante más/menos... de...)

  ☐ la ortografía (*spelling*)

- **Intercambiar**
  Intercambia tu reseña con la de un/a compañero/a. Mientras leen las reseñas, hagan comentarios y sugerencias sobre el contenido, la estructura y la gramática.

- **Entregar**
  Pon tu reseña en limpio (*make a clean copy*), incorporando las sugerencias de tu compañero/a. Después, entrégasela a tu profesor/a.

🔊 Vocabulario

Las comidas Meals

el almuerzo *lunch*
la cena *dinner*
el desayuno *breakfast*
la merienda *afternoon snack*

Las comidas y las bebidas Foods and beverages

el aceite (de oliva) *(olive) oil*
el agua (mineral) *(mineral) water*
el ajo *garlic*
el arroz *rice*
el azúcar *sugar*
la banana *banana*
el bistec *steak*
el bocadillo / el sándwich *sandwich*
los camarones *shrimp*
la carne *meat*
la cebolla *onion*
la cerveza *beer*
el flan *custard dessert*
la fresa *strawberry*
los frijoles *beans, legumes*
las frutas *fruits*
las galletas *cookies*
el helado (de vainilla) *(vanilla) ice cream*
el huevo *egg*
el jamón *ham*
las judías verdes *green beans, string beans*
el jugo *juice*
la leche *milk*
la lechuga *lettuce*
el maíz *corn*
la mantequilla *butter*
la manzana *apple*
los mariscos *shellfish*
la naranja *orange*
el pan *bread*
la papa *potato*
el pastel (de manzana) *(apple) pie*
el pescado *fish*
el pollo *chicken*
el postre *dessert*
el queso *cheese*
la sal y la pimienta *salt and pepper*
la sopa *soup*
el té *tea*
el tomate *tomato*
la torta *cake*
las uvas *grapes*
las verduras *vegetables*
el vinagre *vinegar*
el vino (tinto, blanco) *(red, white) wine*
el yogur *yogurt*
la zanahoria *carrot*

En un restaurante In a restaurant

la cuenta *bill*
la especialidad de la casa *house specialty*
el menú *menu*
el/la mesero/a *waiter/waitress*
la propina *tip*

Verbos Verbs

cenar *to have dinner*
dar *to give*
decir (i, i) *to say*
dejar *to leave (behind)*
desayunar *to have breakfast*

Adjetivos Adjectives

caliente *hot*
picante *hot (spicy)*

En la cocina In the kitchen

la cafetera *coffee maker*
la cazuela *stewpot, casserole dish, saucepan*
la estufa *stove*
el microondas *microwave*
el refrigerador *refrigerator*
la sartén *skillet, frying pan*
el tazón (de cristal) *(glass) bowl*
la tostadora *toaster*

En la mesa On the table

la cuchara *spoon*
el cuchillo *knife*
el plato *plate*
la servilleta *napkin*
la taza *cup*
el tenedor *fork*
el vaso *glass*

Verbos Verbs

calentar (ie) *to heat*
cocinar *to cook*
cortar *to cut*
echar *to add, throw in*
freír (i, i) *to fry*
guardar *to save, to keep, to put away*
hornear *to bake, to roast*
mezclar *to mix*
pelar *to peel*
picar *to chop*
tostar (ue) *to toast*

En la receta In the recipe

asado/a *roasted*
la cucharada *tablespoon*
la cucharadita *teaspoon*
frito/a *fried*
al horno *baked*
a la parrilla *grilled*
la pizca *pinch (of salt, pepper, etc.)*

Expresiones Expressions

¡Qué rico! *How delicious!*
¡Qué sabroso! *How delicious!*
¡Qué asco! *How revolting!*
¡Qué ridículo! *How ridiculous!*

Expressions in a restaurant *See page 187.*
Adverbial expressions in the past *See page 202.*
Indirect object pronouns *See page 190.*
Verbs with a spelling change (-gué, -qué) in the preterit *See page 203.*
Gustar and similar verbs *See page 193.*

1

Hola, ¿qué tal?

Primera parte

¡Así lo decimos! Vocabulario (Textbook pp. 4–5)

Saludos y despedidas

01-01 ¡Así es la vida! Reread the brief dialogs in your textbook and select the answer that best completes each statement.

1. María Luisa está _____ .
   a. muy bien   b. más o menos   c. muy mal

2. Jorge está _____ .
   a. mal   b. bien   c. fenomenal

3. La profesora se llama _____ .
   a. Juana   b. la profesora López   c. Roberto Gómez

4. El estudiante se llama _____ .
   a. encantado   b. la profesora López   c. Roberto Gómez

5. Lupita y Juan usan (*use*) _____ .
   a. presentaciones   b. saludos   c. despedidas

01-02 Respuestas. Select the most logical response in each exchange between María Luisa and a professor.

1. Buenos días, profesora.
   a. Buenos días.
   b. Más o menos.
   c. Lo siento.

2. Me llamo María Luisa.
   a. De nada.
   b. Hasta luego.
   c. Mucho gusto.

3. Buenas noches, María Luisa.
   a. Buenos días, profesora.
   b. Hasta mañana, profesora.
   c. Lo siento.

4. ¿Cómo estás, María Luisa?
   a. Hola.
   b. Hasta pronto.
   c. Muy bien, gracias.

5. Gracias, profesora.
   a. Más o menos.
   b. De nada, María Luisa.
   c. Muy mal.

6. Mucho gusto, profesora.
   a. Más o menos.
   b. Igualmente.
   c. Todo bien.

01-03 ¿Formal o informal? Indicate whether each expression is more appropriate in a formal or an informal social setting.

1. ¿Cómo estás?   a. formal   b. informal

2. ¿Cómo te llamas?   a. formal   b. informal

3. ¿Cómo se llama usted?   a. formal   b. informal

4. ¿Qué pasa?   a. formal   b. informal

5. ¿Cómo está usted?   a. formal   b. informal

6. ¿Qué tal?   a. formal   b. informal

01-04 ¡Hola! ¿Qué tal? Listen to each statement or question and select the most logical response.

1. a. Mucho gusto. Soy Alfredo Rivera.   b. De nada.   c. Muy bien.

2. a. Buenas noches.   b. Encantado.   c. Bien, gracias.

3. a. Encantada.   b. Gracias.   c. Muy bien, gracias.

4. a. Gracias.   b. De nada.   c. Me llamo Felipe.

5. a. Adiós.   b. Todo bien.   c. Lo siento.

6. a. Más o menos.   b. Nos vemos.   c. Lo siento.

01-05 Conversaciones. You often overhear conversations on your university campus. Listen to each conversation and indicate whether it is formal or informal.

1. formal   informal

2. formal   informal

3. formal   informal

4. formal   informal

5. formal   informal

6. formal   informal

01-06 Presentaciones. Complete the conversation between Sr. Pérez and Eduardo appropriately with words from the word bank. Use the dialogs presented in the textbook as models.

bien	Encantado	llamo	menos
buenos	llama	luego	Mucho

SR. PÉREZ: Hola, (1) _____ días. ¿Cómo se (2) _____ usted?

EDUARDO: Me (3) _____ Eduardo Orozco.

SR. PÉREZ: (4) _____ gusto. Soy el señor Pérez.

EDUARDO: (5) _____ . ¿Cómo está usted?

SR. PÉREZ: Muy (6) _____ , gracias. ¿Y usted?

EDUARDO: Más o (7) _____ . Adiós, Sr. Pérez.

SR. PÉREZ: Hasta (8) _____ .

01-07 Diálogos. Using models presented in the textbook, write two different dialogs, one formal and one informal, between two people. Be creative and be sure to use a variety of expressions.

Diálogo A: Formal

_____

_____

_____

_____

_____

Diálogo B: Informal

_____

_____

_____

_____

_____

Letras y sonidos: Spanish Vowels (Textbook p. 6)

🔊 **01-08 ¿Similares o diferentes?** Listen to each pair of words and indicate whether the underlined letters sound similar or different in English versus Spanish.

English / Spanish

1. cl<u>a</u>ss / cl<u>a</u>se   similares   diferentes

2. <u>e</u>qual / <u>i</u>gual   similares   diferentes

3. m<u>e</u> / m<u>i</u>   similares   diferentes

4. <u>i</u>deal / <u>i</u>deal   similares   diferentes

5. min<u>u</u>s / men<u>o</u>s   similares   diferentes

6. g<u>oo</u>se / g<u>u</u>sto   similares   diferentes

🔊 **01-09 Las vocales del español.** Listen to each Spanish word and select all vowel sounds that occur in it.

1. a   e   i   o   u

2. a   e   i   o   u

3. a   e   i   o   u

4. a   e   i   o   u

5. a   e   i   o   u

¡Así lo hacemos! Estructuras

1. The Spanish alphabet (Textbook p. 8)

01-10 Letras y palabras. Match each Spanish letter with the word that contains it.

1. ge _____   a. señor

2. equis _____   b. muy

3. eñe _____   c. verdad

4. i griega _____   d. López

5. zeta _____   e. luego

6. uve _____   f. hasta

7. cu _____   g. México

8. hache _____   h. que

01-11 Ciudades del mundo hispano. Give the name of each city that is spelled out below. Be sure to capitalize the first letter of each city.

1. ce, a, ere, a, ce, a, ese

    _____

2. eme, a, de, ere, i, de

    _____

3. eme, o, ene, te, e, uve, i, de, e, o

    _____

4. ce, u, zeta, ce, o

    _____

5. ge, u, a, de, a, ele, a, jota, a, ere, a

    _____

6. ese, e, uve, i, ele, ele, a

    _____

7. uve, e, ere, a, ce, ere, u, zeta

    _____

8. ge, u, a, i griega, a, cu, u, i, ele

    _____

01-12 Nombres. Names in another language can be challenging. Listen to your new Spanish-speaking friends say and spell out their names for you. Write down each letter you hear.

1. _____ _____ _____ _____

2. _____ _____ _____ _____ _____ _____ _____ _____

3. _____ _____ _____ _____ _____ _____ _____ _____ _____

4. _____ _____ _____ _____ _____ _____ _____ _____ _____

01-13 **¿Cuáles son las letras?** Write the words you hear spelled out, to form expressions used in conversation. Be sure to capitalize the first letter of each expression.

1. _____   _____ .

2. _____ .

3. ¿ _____   _____ ?

2. The numbers *0–100* (Textbook p. 10)

01-14 **Matemáticas.** Complete each math problem by writing out the missing numbers as words in Spanish.

Modelo: once + *dos* = trece

1. once – _____ = dos

2. treinta + _____ = noventa

3. ochenta – _____ = diez

4. tres × _____ = cuarenta y ocho

5. quince ÷ _____ = cinco

6. dos × _____ = cuarenta

7. cien – _____ = cuarenta y nueve

8. doce ÷ _____ = dos

9. once + _____ = treinta y dos

10. ocho ÷ _____ = dos

01-15 **Más matemáticas.** Write the numbers you hear as digits and complete each math problem accordingly.

+ (más)	– (menos)	× (por)	÷ (entre)	= (son)

Modelo: Catorce más quince son...
    ___14___ + ___15___ = ___29___

1. _____ + _____ = _____

2. _____ – _____ = _____

3. _____ × _____ = _____

4. _____ × _____ = _____

5. _____ ÷ _____ = _____

6. _____ + _____ = _____

01-16 Números de teléfono. Spell out all phone numbers listed on the following business cards. Be sure to follow the Spanish custom of dividing phone numbers into groups of two digits, as in the model.

Modelo: Miguel Ángel Navarro Pérez, Tel. 91-17-44
           noventa y uno, diecisiete, cuarenta y cuatro

1. José Sigüenza Escudero y Tomasa Miranda de Sigüenza

   _____

2. Eduardo Soto España

   _____

3. Antonio Rodríguez

   _____

3. The days of the week, the months, and the seasons (Textbook p. 13)

01-17 ¿En qué mes del año...? Match the list of holidays with the months of the year when they take place.

1. el día de la Independencia de EE. UU. _____   a. febrero

2. Halloween _____   b. diciembre

3. el día de San Valentín _____   c. junio

4. la Navidad (*Christmas*) _____   d. noviembre

5. el día de Acción de Gracias (*Thanksgiving*) _____   e. julio

6. el día de Martin Luther King, Jr. _____   f. octubre

7. el día de la Madre (*Mother*) _____   g. enero

8. el día del Padre (*Father*) _____   h. mayo

01-18 Los días, los meses y las estaciones. Find these words for the days of the week, the months, and the seasons in the following puzzle. Search horizontally, vertically, and diagonally, both forward and backward.

abril	domingo	jueves	noviembre	primavera
agosto	invierno	martes	otoño	verano

```
O  O  G  N  I  A  O  L  R  C  I  B  D  A  Z
U  M  Q  W  A  G  T  L  L  I  R  B  A  R  U
O  E  N  C  D  Z  N  E  I  R  R  O  S  B  I
S  E  M  S  E  F  O  R  M  A  D  I  T  R  E
A  N  A  S  D  A  V  N  O  T  O  Ñ  O  O  S
U  E  R  E  I  J  I  S  N  A  N  V  N  P  O
C  H  R  T  S  X  E  T  R  N  C  A  M  Z  F
Y  I  L  R  B  C  M  O  E  C  R  A  N  E  D
S  B  G  A  R  H  B  A  I  E  M  A  S  Y  E
D  I  O  M  E  A  R  E  V  A  M  I  R  P  I
T  G  T  S  R  L  E  G  N  A  Y  T  E  K  O
R  E  S  A  V  A  T  E  I  X  I  F  A  L  P
B  R  O  T  F  A  S  A  H  C  L  C  O  H  C
I  A  G  A  B  U  J  U  E  V  E  S  S  P  T
L  M  A  N  U  I  O  G  N  I  M  O  D  D  C
```

01-19 Los días de la semana. Write in Spanish the day that completes each sequence.

Modelo: viernes, *sábado*, domingo

1. martes, _____ , jueves

2. domingo, _____ , martes

3. miércoles, _____ , viernes

4. lunes, _____ , miércoles

5. jueves, _____ , sábado

6. sábado, _____ , lunes

01-20 **El calendario de Paula.** Write the day of the week that corresponds to each event you hear, according to Paula's planner below.

lunes	día de los Presidentes
martes	clase de español
miércoles	examen de literatura
jueves	día de San Valentín
viernes	concierto (concert)
sábado	fiesta de Ricardo
domingo	restaurante con la familia

1. Hoy es _____ .

2. Hoy es _____ .

3. Hoy es _____ .

4. Hoy es _____ .

5. Hoy es _____ .

6. Hoy es _____ .

01-21 **¿En qué estación es?** Write the month you hear, followed by its corresponding season in the Northern Hemisphere.

Modelo: septiembre
          septiembre   otoño

MES	ESTACIÓN
1. _____	_____
2. _____	_____
3. _____	_____
4. _____	_____
5. _____	_____
6. _____	_____

🔊 **01-22 ¿Cuál es la fecha?** Use numbers to abbreviate each date you hear, according to the Spanish word order of day, then month.

Modelo: el treinta de octubre
          30/10

1. _____ / _____   4. _____ / _____

2. _____ / _____   5. _____ / _____

3. _____ / _____   6. _____ / _____

¿Cuánto saben? (Textbook p. 17)

🔊 **01-23 ¿Saben el alfabeto y los días, los meses y las estaciones del año?** You will hear the names of days of the week, months, or seasons spelled out. Fill in each blank with the correct corresponding word.

1. _____

2. _____

3. _____

4. _____

5. _____

6. _____

01-24 ¿Saben los números 0–100? Solve each math problem by writing out the answer as a word in Spanish.

Modelo: $50 - 25 =$ *veinticinco*

1. $53 + 14 =$ _____ .

2. $66 - 33 =$ _____ .

3. $33 \times 3 =$ _____ .

4. $10 + 14 =$ _____ .

5. $20 \times 5 =$ _____ .

🔊 **01-25 ¿Comprenden bien?** Select the answer that best completes each statement, based on the conversation you hear.

1. Alberto está _____ .
   a. mal   b. más o menos   c. bien

2. Victoria está _____ .
   a. muy bien   b. mal   c. bien

3. Hoy es _____ .
   a. jueves   b. martes   c. miércoles

4. Hoy es _____ .
   a. el 30 de julio   b. el 25 de marzo   c. el 30 de septiembre

5. Hoy es un día de _____ .
   a. otoño   b. primavera   c. verano

🔊 **01-26 ¿Saben contestar por escrito (*in writing*)?** Listen to five brief statements or questions and write an appropriate response in Spanish for each one.

1. _____

2. _____

3. _____

4. _____

5. _____

🔊 **01-27 ¿Saben contestar oralmente (*orally*)?** Listen to five statements or questions and give an appropriate oral response in Spanish for each one.

1. ...

2. ...

3. ...

4. ...

5. ...

Perfiles (Textbook p. 18)

Mi experiencia: Soy bilingüe

01-28 Según Óscar Ponce Torres. Reread this section of your textbook and give the answer that best complete each statement.

Aventura	experience	New York City	proud
bilingual	international business	opportunities	Puerto Rico

1. Óscar Ponce Torres lives in _____ .

2. His family is from _____ originally.

3. Óscar speaks both Spanish and English; he is _____ .

4. Óscar is _____ of his heritage.

5. He studies _____ at NYU.

6. Being bilingual brings about many professional and social _____ .

7. For Óscar, being bilingual and bicultural is his life _____ .

8. Óscar identifies with the theme of the song "Mi corazoncito" by _____ .

Mi música: "Mi corazoncito" (Aventura, EE. UU.)

01-29 Asociar datos. Read about this group in your textbook and follow the directions to listen to the song on the Internet. Then match each item with the best description.

1. Aventura _____   a. en español y en inglés

2. "Mi corazoncito" _____   b. tipo de música romántica

3. *K.O.B. Live* _____   c. grupo de Nueva York

4. "Romeo" Santos _____   d. álbum con "Mi corazoncito"

5. la bachata _____   e. canción popular de Aventura

6. la letra (*lyrics*) de Aventura _____   f. miembro del grupo Aventura

Segunda parte

¡Así lo decimos! Vocabulario (Textbook pp. 20–21)

En la clase

01-30 ¡Así es la vida! Reread the brief dialog in your textbook and match each character with an associated concept.

1. la profesora García _____   a. No escucha bien.

2. Miguel _____   b. Necesita su computadora.

3. Paulina _____   c. No tiene estudiantes preparados (*prepared*).

4. Ramón _____   d. No tiene la tarea.

01-31 En la clase. Select the word that does not fit in each group based on meaning.

1. a. la calculadora   b. el libro   c. el/la estudiante   d. la computadora

2. a. la silla   b. el hombre   c. la mesa   d. la pizarra

3. a. la universidad   b. el/la estudiante   c. la profesora   d. la mujer

4. a. el bolígrafo   b. la mochila   c. el lápiz   d. el papel

5. a. el libro   b. el cuaderno   c. el diccionario   d. el reloj

6. a. el mapa   b. la calculadora   c. el teléfono móvil   d. la computadora

01-32 Antónimos. Match each item with its opposite.

1. oscuro _____   a. caro

2. grande _____   b. hombre

3. blanco _____   c. pequeño

4. mujer _____   d. negro

5. barato _____   e. claro

01-33 El profesor López. Professor López gives directions to his class in Spanish. Give the Spanish equivalent of each of his instructions using the *ustedes* form of the verb.

Modelo: Write in Spanish.
           Escriban en español.

1. Answer in Spanish. _____

2. Listen. _____

3. Go to the board. _____

4. Study. _____

5. Read the dialog. _____

6. Close your book. _____

01-34 La profesora de español. A Spanish teacher is giving instructions in class. Match each statement with the picture that best illustrates it.

1.  _____

4.  _____

2.  _____

5.  _____

3.  _____

6.  _____

a. José, abre el libro en la página 23.
b. Juan, contesta en español: ¿Cómo estás?
c. Escriban en el cuaderno.

d. Repitan, por favor: ¡Mucho gusto!
e. Ve a la pizarra y escribe: Yo me llamo Paula.
f. Escuchen el vocabulario.

01-35 ¿Qué hay en la clase? Professor Sosa teaches in the classroom next to yours. Write six sentences to identify various items in her classroom.

Modelo: *Hay una pizarra.*

1. _____

2. _____

3. _____

4. _____

5. _____

6. _____

🔊 01-36 **Una clase de español.** Professor Ramirez is reviewing material with students in her Spanish class. Listen and select all answers that complete each statement accurately. You may need to listen more than once.

1. La profesora está _____ .
   a. bien
   b. muy bien
   c. mal

2. La mochila es _____ .
   a. verde
   b. roja
   c. azul

3. _____ es verde.
   a. El cuaderno
   b. La silla
   c. El bolígrafo

4. Tomás tiene tres _____ .
   a. cuadernos
   b. relojes
   c. lápices

5. Pedro deletrea (*spells*) _____ .
   a. reloj
   b. mesa
   c. papel

6. En la clase, hay diecisiete _____ .
   a. libros
   b. sillas
   c. mesas

01-37 **Descripción de una clase.** Write five sentences to describe one of your classrooms this semester.

Modelo: *Hay treinta estudiantes.*

1. _____

2. _____

3. _____

4. _____

5. _____

¡Así lo hacemos! Estructuras

4. Subject pronouns and the present tense of *ser* (Textbook p. 24)

01-38 Los sujetos. Choose the subject pronoun that best corresponds to each person or group of people.

1. María Luisa   a. yo   b. usted   c. ella

2. Susana y yo   a. ellos/as   b. nosotros/as   c. yo

3. Jorge y Ramón   a. ellos   b. nosotros   c. ustedes

4. las profesoras   a. ellas   b. ustedes   c. ellos

5. tú y yo   a. nosotros/as   b. ellos/as   c. ustedes

6. Eduardo   a. él   b. ella   c. tú

7. Lucía, Mercedes y Teresa   a. ustedes   b. ellos   c. ellas

8. Anita, Carmen, Alicia, María y José   a. ustedes   b. ellos   c. ellas

01-39 Manuel Rivera. Manuel is a university student from southern Spain. Complete his description with the correct forms of **ser.**

¡Hola! Yo (1) _____ Manuel Rivera y (2) _____ de Sevilla. Mi papá

(3) _____ colombiano y mi mamá (4) _____ española. Mis padres

(5) _____ profesores. Yo (6) _____ estudiante en la universidad. ¿De dónde

(7) _____ tú? ¿Cómo (8) _____ tu clase de español?

01-40 Personalidades. Some new friends are curious about other people in your life. Answer their questions with a correct subject pronoun and form of **ser.** Be sure to follow the model closely. Most of the adjectives included are cognates in English and will be discussed later in this chapter.

Modelo: ¿Cómo es María?
        Ella es inteligente.

1. _____ bueno (*good*).

2. _____ impaciente.

3. _____ extrovertida.

4. _____ interesantes.

5. _____ simpáticos (*nice*).

6. _____ tímidas.

7. _____ inteligentes.

8. _____ trabajador/a (*hard-working*).

5. Nouns and articles (Textbook p. 27)

01-41 **El artículo definido.** For each noun, write the appropriate definite article (**el, la, los, las**) in Spanish, based on the gender and number of the noun.

Modelo: *la*   clase

1. _____ cuaderno   6. _____ papeles

2. _____ profesora   7. _____ calculadora

3. _____ pizarras   8. _____ mapa

4. _____ diccionarios   9. _____ lápices

5. _____ día   10. _____ sillas

01-42 **El artículo indefinido.** For each noun, write the appropriate indefinite article (**un, una, unos, unas**) in Spanish, based on the gender and number of the noun.

Modelo: *una*   clase

1. _____ señora   6. _____ universidad

2. _____ profesor   7. _____ mesa

3. _____ pizarras   8. _____ mapas

4. _____ libros   9. _____ papel

5. _____ clases   10. _____ relojes

01-43 ¿Necesitas...? Your parents want to make sure that you have everything you need for your classes. Answer their questions, following the model and the words in parentheses.

Modelo: ¿Necesitas unos lápices? (Sí) or (No)
            Sí, necesito unos lápices. or *No, gracias. Tengo unos lápices.*

1. ¿Necesitas el libro de español? (No)

    _____

2. ¿Necesitas una calculadora? (Sí)

    _____

3. ¿Necesitas unos bolígrafos? (No)

    _____

4. ¿Necesitas unos cuadernos? (Sí)

    _____

5. ¿Necesitas una mochila? (Sí)

    _____

01-44 En la mochila de Laura. Complete Laura's description of the contents of her backpack. For each blank, provide the correct form of a definite (**el, la, los, las**) or indefinite (**un, una, unos, unas**) article, according to the context. Be sure to watch for agreement in gender and number.

¿Qué hay en mi mochila? Tengo (1) _____ papeles importantes. Tengo (2) _____ tarea preparada para

(*prepared for*) mañana. También (*also*) tengo (3) _____ cuaderno rojo y (4) _____ cuaderno blanco.

(5) _____ cuaderno rojo es grande y (6) _____ cuaderno blanco es pequeño. Tengo (7) _____ lápices,

pero (*but*) necesito (8) _____ bolígrafos. ¿Qué hay en tu mochila?

6. Adjective forms, position, and agreement (Textbook p. 30)

01-45 Los artículos y los adjetivos. Fill in the blanks with the correct forms of the articles and the adjectives given in parentheses. Watch for agreement in gender and number.

Modelos: *la*   pizarra   *negra*   (el/negro)
          unas pizarras *negras* (un/negro)

1. _____ computadora _____ (el/caro)

2. _____ estudiantes _____ (el/simpático)

3. _____ señoras _____ (el/trabajador)

4. _____ profesor _____ (el/aburrido)

5. _____ profesoras _____ (un/inteligente)

6. _____ clase _____ (un/pequeño)

7. _____ libro _____ (un/interesante)

8. _____ bolígrafos _____ (un/azul)

01-46 Del singular al plural. Change each sentence from singular to plural. Be sure to watch for agreement in gender and number, and follow the model closely.

Modelo: El cuaderno amarillo es pequeño.
          Los cuadernos amarillos son pequeños.

1. La mesa pequeña es negra.

   _____

2. La mochila gris es barata.

   _____

3. El reloj grande es caro.

   _____

4. El cuaderno azul es bueno.

   _____

5. El estudiante inteligente es trabajador.

   _____

01-47 **Del plural al singular.** Change each sentence from plural to singular. Be sure to watch for agreement in gender and number, and follow the model.

Modelo: Son unas señoras tímidas.
        Es una señora tímida.

1. Son unas señoritas idealistas.

   _____

2. Son unos señores extrovertidos.

   _____

3. Son unas clases interesantes.

   _____

4. Son unos mapas grandes.

   _____

5. Son unos libros fascinantes.

   _____

01-48 **Identidades.** Use the words provided and the correct forms of the verb **ser** to create complete sentences or questions. Change the forms of all articles, nouns, and adjectives to agree with the subjects or subject pronouns given.

Modelo: Ana / ser / un / mujer / optimista
        Ana es una mujer optimista.

1. nosotras / ser / un / profesor / interesante

   _____

2. Juan y Felipe / ser / un / hombre / introvertido

   _____

3. Julia / ser / un / mujer / misterioso

   _____

4. ¿ser / ustedes / un / estudiante / trabajador?

   _____

5. ¿ser / Elena / un / señor / simpático?

   _____

01-49 **Objetos y descripciones.** Describe the items in a classroom by following the cues provided. Watch for agreement in gender and number.

Modelo: You see: 2 / anaranjado
          You hear: mochilas
          You write: *Hay dos mochilas anaranjadas.*

1. 1 / gris _____

2. 10 / amarillo _____

3. 21 / negro _____

4. 25 / barato _____

5. 3 / caro _____

01-50 **Tus descripciones.** Use a variety of adjectives to create sentences that accurately describe people, places, and things you know. Be sure to watch for correct agreement in gender and number.

1. mi clase de español

_____

2. la universidad

_____

3. mi teléfono celular

_____

4. el/la estudiante ideal

_____

5. el hombre o la mujer ideal

_____

¿Cuánto saben? (Textbook p. 32)

01-51 **¿Saben el verbo *ser*?** Match each statement with the appropriate form of **ser** to complete it.

1. Los estudiantes _____ idealistas.   a. Eres

2. El profesor _____ impaciente.   b. somos

3. Yo _____ tímido.   c. es

4. Mis amigos y yo _____ estudiantes.   d. son

5. ¿ _____ tú estudiante?   e. soy

01-52 ¿Saben usar los artículos y los adjetivos? Complete Carla's introduction appropriately using words from the word bank.

aburridas	interesantes	las	un
inteligente	la	trabajadora	una

Hola. Me llamo Carla. Soy (1) _____ estudiante (2) _____ en

(3) _____ universidad. Mi amigo (*friend*) Luis es (4) _____ estudiante

(5) _____ . Nosotros somos (6) _____ , ¡pero (7) _____

clases son (8) _____!

🔊 **01-53 ¿Saben contestar por escrito (*in writing*)?** Listen to five questions about classroom objects and people. Write a truthful, complete response in Spanish for each question you hear. Be sure to use correct agreement with verbs and adjectives.

1. _____

2. _____

3. _____

4. _____

5. _____

🔊 **01-54 ¿Saben contestar oralmente (*orally*)?** Listen to five questions about you and aspects of your life. Give a truthful, complete oral response in Spanish for each question you hear. Be sure to use correct agreement with verbs and adjectives.

1. ...

2. ...

3. ...

4. ...

5. ...

Observaciones: ¡Pura Vida! Episodio 1 (Textbook p. 33)

Antes de ver el video

01-55 ¿Qué pasa? Select the statement that best answers each question.

1. As the people in doña María's home begin to introduce themselves, what would you expect Felipe to say when he meets the group?
   a. Buenos días. Me llamo Felipe. ¿Cómo están?
   b. Treinta y seis días hasta San José.
   c. Hasta pronto.

2. What does Patricio likely say to Felipe when they first meet?
   a. Buenas noches. ¿Cómo están ustedes?
   b. Igualmente. ¡Hasta luego, Felipe!
   c. Hola, Felipe. Mucho gusto. Soy Patricio Rodríguez.

3. What might be the next topic they talk about when describing themselves?
   a. las profesiones
   b. los colores
   c. las frutas exóticas

4. Considering that Silvia is a researcher, what might she say to describe her job?
   a. Hay mapas en la mochila.
   b. Estudio el clima.
   c. Una alemana, grande.

5. When Felipe describes Silvia, what will he most likely say?
   a. ...tú eres linda.
   b. ¡Qué simpática es doña María!
   c. Uruguayo no, argentino...

A ver el video

01-56 Los personajes. Match the name of each character with the most appropriate description, based on the content of the episode.

1. biológo y guía en el parque nacional _____   a. Silvia

2. fotógrafo, argentino _____   b. Patricio

3. investigadora del clima _____   c. Marcela

4. tiene el apellido (*last name*) Montero _____   d. Felipe

5. buena y simpática _____   e. Doña María

6. una amiga de Silvia _____   f. Hermés

Después de ver el video

01-57 La acción. Determine whether the following statements are **cierto** (*true*) or **falso** (*false*).

1. Las conversaciones son por la noche.   Cierto   Falso

2. Hermés tiene trabajo (*job*).   Cierto   Falso

3. Patricio estudia plantas y animales.   Cierto   Falso

4. Silvia trabaja en la universidad.   Cierto   Falso

5. Felipe estudia el clima.   Cierto   Falso

6. La guayaba es una fruta tropical.   Cierto   Falso

7. Patricio es de Buenos Aires.   Cierto   Falso

8. La camioneta de Felipe es negra.   Cierto   Falso

Nuestro mundo

Panoramas: La diversidad del mundo hispano (Textbook p. 34)

01-58 **¡A informarse!** Based on the information from **Panoramas**, decide whether the following statements are **cierto** or **falso.**

1. No hay civilizaciones avanzadas en el Nuevo Mundo   Cierto   Falso
    antes de la llegada (*before the arrival*) de los españoles.

2. En el siglo XVI, la Torre de Oro en Sevilla guardaba armas.   Cierto   Falso

3. Tikal es parte de México.   Cierto   Falso

4. El 15% de la población de EE.UU. habla español.   Cierto   Falso

5. No hay hispanohablantes en Canadá.   Cierto   Falso

6. El español es la lengua oficial de veintiún países.   Cierto   Falso

Páginas: *Versos sencillos*, "XXXIX" (José Martí, Cuba) (Textbook p. 36)

01-59 **Tu poema.** Reread the poem from **Capítulo 1** and substitute other nouns and adjectives for the five words in bold to create your own poem. Be as creative as possible using vocabulary from **Capítulo 1**.

Cultivo una rosa **blanca,**

En **julio** como en **enero,**

Para el **amigo** sincero

Que me da (*gives*) su mano (*hand*) franca.

Y para el cruel que me arranca (*yanks out*)

El corazón (*heart*) con que vivo,

Cardo (*thistle*) ni ortiga (*nettle, a prickly plant*) cultivo:

Cultivo una rosa **blanca.**

_____

_____

_____

_____

_____

_____

_____

_____

_____

_____

Taller (Textbook p. 38)

01-60 **Presentación para la clase de español.** How well do you and your classmates know each other? Write at least five sentences about yourself to share with others. Include your name (**Me llamo...**), place of origin (**Soy de...**), your birthday (**Mi cumpleaños es el ...**), your favorite color (**Mi color favorito es...**), and some of your inherent qualities (**Soy...**). Be sure to watch for agreement with verbs and adjectives.

_____

_____

_____

_____

_____

_____

_____

_____

_____

_____

_____

2

¿De dónde eres?

Primera parte

¡Así lo decimos! Vocabulario (Textbook pp. 42–43)

Las descripciones y las nacionalidades

02-01 ¡Así es la vida! Reread the brief dialogs in your textbook and select all items that are true for each statement.

1. Paco _____ .
   a. es moreno
   b. no tiene preguntas
   c. es amigo de Chema

2. Paco y Chema _____ .
   a. están en Madrid
   b. están en un café
   c. están en la capital de España

3. Isabel _____ .
   a. es una muchacha rubia
   b. es de Sevilla
   c. lleva (*is wearing*) un suéter negro

4. Clara _____ .
   a. está con Isabel
   b. está con Chema
   c. lleva un suéter negro

5. Carlos _____ .
   a. no es joven
   b. tiene una mochila
   c. está con la profesora de filosofía

6. Ramón _____ .
   a. está con Ángeles
   b. es moreno
   c. tiene muchos amigos

02-02 Opuestos (*opposites*). Various descriptions are used to identify people in the café. Match each adjective below with its opposite.

1. feo _____

2. nuevo, joven _____

3. bajo _____

4. pobre _____

5. rubio _____

6. gordo _____

a. rico

b. alto

c. moreno

d. delgado, flaco

e. viejo

f. guapo, bonito

From *Student Activities Manual for ¡Arriba! Comunicación y cultura,* Sixth Edition, Eduardo Zayas Bazán, Susan B. Bacon, Holly J. Nibert. Copyright © 2012 Pearson Education, Inc. Publishing as Prentice Hall. All rights reserved.

02-03 **Amigos opuestos.** Two of Chema's university friends, Federico and Eva, are exact opposites. Complete each sentence accordingly, and be sure to watch for correct agreement in gender and number.

Modelo: Federico es alto. Eva es *baja.*

1. Federico es moreno. Eva es _____ .

2. Federico es delgado. Eva es _____ .

3. Federico es feo. Eva es _____ .

4. Eva es rica. Federico es _____ .

5. Eva es joven. Federico es _____ .

6. Eva es perezosa (*lazy*). Federico es _____ .

02-04 **Nacionalidades.** Chema further describes some of his friends and acquaintances at **la Universidad Complutense.** Complete each description with the correct form of the corresponding adjective of nationality. Be sure to watch for agreement in gender and number.

Modelo: Carlos y Clara son de Puerto Rico. Son *puertorriqueños.*

1. Ramón es de España. Es _____ .

2. La profesora Vargas es de Venezuela. Es _____ .

3. Federico es de la República Dominicana. Es _____ .

4. Los padres de Federico son de Cuba. Son _____ .

5. Eva es de Canadá. Es _____ .

6. Alicia y Ana son de México. Son _____ .

7. Anita y Juan son de Panamá. Son _____ .

8. Dos profesores de inglés son de Estados Unidos. Son _____ .

Nombre: _____   Fecha: _____

02-05 **Un crucigrama.** Complete the crossword puzzle with accurate information about Spanish-speaking capital cities and nationalities. Be sure to watch for correct agreement in gender and number.

Across

1. Mujer de la República Dominicana

2. Persona de Estados Unidos

3. Capital de Perú

4. Hombre de Norteamérica

5. Capital de Ecuador

6. Mujer de Panamá

7. Hombre de México

8. Mujer de España

Down

9. Mujer de Puerto Rico

10. Capital de España

11. Hombre de Colombia

12. Mujer de Chile

13. Capital de Panamá

14. Hombre de Ecuador

02–06 **Horacio y Natalia.** Listen to the conversation between two new friends, Horacio and Natalia, and select the answer that best completes each sentence.

1. Natalia es _____ .
   a. colombiana
   b. venezolana
   c. española

2. Horacio es _____ .
   a. colombiano
   b. venezolano
   c. español

3. Maribel es _____ .
   a. colombiana
   b. venezolana
   c. española

4. Maribel no es _____ .
   a. estudiante
   b. alta
   c. fea

5. Horacio no es _____ .
   a. profesor
   b. estudiante
   c. entusiasta

¡Así lo hacemos! Estructuras

1. Telling time (Textbook p. 46)

02-07 Emparejar (*Matching*). Match each statement with the correct corresponding time.

1. Es la una en punto de la tarde. _____   a. 11:25 A.M.

2. Son las diez y cuarto de la mañana. _____   b. 9:05 A.M.

3. Son las nueve y media de la noche. _____   c. 1:00 P.M.

4. Son las once y veinticinco de la mañana. _____ d. 9:30 P.M.

5. Son las cinco menos cuarto de la tarde. _____   e. 4:45 P.M.

6. Son las nueve y cinco de la mañana. _____   f. 10:15 A.M.

02-08 ¿Qué hora es? For each clock, write out the time in words. Include one of the following expressions where possible: **de la mañana, de la tarde, de la noche.** (Remember that, by definition, "noon" and "midnight" do not take these expressions.)

Modelo: *Son las once de la mañana / de la noche.*

1. _____

2. _____

Nombre: _____ Fecha: _____

3. _____

4. _____

5. _____

6. _____

Nombre: _____ Fecha: _____

02-09 Los programas de televisión. Look at the TV guide of programs in Spain and answer the questions in complete sentences following the model. Convert times to a 12-hour clock, and be sure to include one of the following expressions in each answer: **de la mañana, de la tarde, de la noche.**

CANALES DE TELEVISIÓN
Viernes 16 de noviembre

	TV1	TV2	Canal+	Tele 5	Antena 3
8:00	—	Barrio Sésamo (niños)	Noticias CNN+	—	—
8:30		Doraemón, el gato cósmico (niños)	El juego de las lunas		
9:00	Los desayunos de TVE	Daniel el travieso (niños)	Lo+plus (magazine)	—	Noticias con Míriam Romero
9:20	—				El primer café (tertulia)
9:30	—	Empléate a fondo (servicio público)	—	—	
10:00	Luz María	TV. Educativa: La aventura del saber	Tarzán (película)	Vacaciones en el mar (serie)	
10:25					El cronómetro (concurso)
11:00		Viaje a Patagonia (documental)	—	Día a día (magazine)	Como la vida misma (magazine)
11:30	Saber vivir		(cine)	—	—
12:00		Sorteo 2ª fase UEFA Champions League			
12:30	—	Guillermo Tell	—		
12:45	Así son las cosas		—		Farmacia de guardia (serie)
13:00	—	Garfield y sus amigos		—	Paso a paso (serie)
13:30	Noticias	Trilocos	Los 40 principales		Nada es para siempre (teleserie)
14:00		Gargoyles	Más deporte (informativo)	El juego del Euromillón (concurso)	
14:30	Corazón de otoño	Cocodrilos al rescate		Informativos Telecinco 14'30	Sabrina: Cosas de brujas (serie)
15:00	Telediario-1	Saber y ganar (concurso)	Los líos de Caroline (serie)		Noticias 1
15:30			Pura sangre(documental)	Al salir de clase (serie)	
15:55	El tiempo	Planeta solitario III (documental)			El tiempo
16:00	Calle nueva		—	—	Sabor a ti (magazine)
16:45	La máscara del zorro (película)	Y tu mamá también (película)	El mismísimo	Pancho Villa (película)	—
17:20	—	A su salud			—
17:50	—	Fútbol	Phoenix vs. Philadelphia	¿Quiere ser millonario? (concurso)	—
18:15	—	Buffy			—
19:00	—	La buena vida	—	Hospital General (serie)	Sobreviviente (concurso)

Modelo: ¿A qué hora es el programa "Los desayunos de TVE"?
          Es a las nueve de la mañana.

1. ¿A qué hora es la película (*movie*) *Tarzán*?

   _____

2. ¿A qué hora es el concurso (*contest*) "Sobreviviente"?

   _____

3. ¿A qué hora es la serie "Farmacia de guardia"?

   _____

4. ¿A qué hora es la serie "Al salir de clase"?

   _____

5. ¿A qué hora es el programa "El tiempo"?

   _____

6. ¿A qué hora es el programa "Noticias con Míriam Romero"?

   _____

02-10 **¿A qué hora...?** You work in your university's Spanish department, helping to direct students to the Spanish advisor's office as they arrive. Listen to the advisor share her schedule for the day and fill in the missing times (in numbers only) and names in the master schedule.

Horas	Estudiantes
10:00	Julia
1. _____	Gabriela
12:00	2. _____
3. _____	Pablo
4. _____	Juan
4:15	5. _____
6. _____	Alicia

2. Formation of *yes/no* questions and negation (Textbook p. 50)

02-11 **Información incorrecta.** A classmate is unfamiliar with Latin recording artists and actors but wants to learn more. Respond to each of her questions in the negative using a complete sentence. Then make an affirmative statement, based on the correct information in parentheses. Be sure to follow the model closely in your answers.

Modelo: ¿Es Javier Bardem cubano? (Spanish)
            No, Javier Bardem no es cubano. Es español.

1. ¿Es Gloria Estefan puertorriqueña? (Cuban)

   _____

2. ¿Es Shakira argentina? (Colombian)

   _____

3. ¿Es Ricky Martin mexicano? (Puerto Rican)

   _____

4. ¿Es Penélope Cruz venezolana? (Spanish)

   _____

5. ¿Es Gael García Bernal colombiano? (Mexican)

   _____

02-12 ¿No es cierto? Your classmate e-mails you some additional queries about Latin recording artists. The word order is inaccurate and difficult to understand. Unscramble the elements to form a statement with a tag question in order to better understand the queries.

Modelo: ¿verdad? / es / Shakira / de Colombia
        Shakira es de Colombia, ¿verdad?

1. Juanes / ¿verdad? / se llama / el artista

_____

2. es / ¿no es cierto? / Juanes / colombiano

_____

3. es / de España / Alejandro Sanz / ¿cierto?

_____

4. ¿no? / es / Sanz / guapo y moreno

_____

5. ¿no? / son / muy buenos / Juanes y Sanz

_____

02-13 Un amigo en la Internet. A new e-friend from Spain wants to get to know you better and has a list of questions for you. Answer his questions truthfully in complete sentences.

enviar	enviar más tarde	guardar	añadir ficheros	firma	contactos	nombres de control	

¡Hola!

De: **tu amigo**

Asunto: **¡Hola!**

Fecha: **19 de abril, 2011**

tamaño [medio] B I U T

1. **Eres estudiante, ¿verdad?**
2. **Eres de los Estados Unidos, ¿no?**
3. **¿Eres alto/a?**
4. **¿Eres rubio/a?**
5. **¿Eres extrovertido/a?**

1. _____

2. _____

3. _____

4. _____

5. _____

02-14 Información sobre tu amigo. Your new e-friend from Spain wrote you the following sentences with information about his life. Write the complete questions that generated his answers. Be sure to make any necessary changes to word order and to the form of the verb **ser**.

Modelo: *¿Eres alto (tú)?*
          No, no soy alto.

1. _____

   Sí, soy de España.

2. _____

   No, no soy activo.

3. _____

   Sí, mi universidad es grande.

4. _____

   No, mis clases no son aburridas (*boring*).

5. _____

   Sí, mis amigos y yo somos trabajadores (*hard-working*).

02-15 Confirmar. A friend from childhood calls you from her cell phone with news about people and things from your old neighborhood. Due to a poor connection and some disbelief, you're not sure you hear all of her statements accurately. Confirm each one by restating it as a complete question in writing. Be sure to make any necessary changes to the form of the verb **ser**.

Modelo: Paula es rubia.
          ¿Paula es rubia? or *¿Es rubia Paula?*

1. _____

2. _____

3. _____

4. _____

5. _____

02-16 **No, no y no.** You have an insecure friend whose worries frequently surface in questions. Reassure him that his worries are unfounded by answering each of his questions negatively. Be sure to make any necessary changes to the form of the verb **ser**, and follow the model closely using complete sentences.

Modelo: ¿Es malo mi teléfono móvil?
No, tu teléfono móvil no es malo.

1. _____

2. _____

3. _____

4. _____

5. _____

3. Interrogative words (Textbook p. 52)

02-17 **¿Cuáles son las preguntas?** You heard the following answers from a student interview, but not the questions. Select the question that prompted each response.

1. Soy de Santiago de Compostela.
   a. ¿De qué país es usted?
   b. ¿De qué ciudad española es usted?
   c. ¿Cómo es usted?

2. Soy alto y rubio.
   a. ¿Quién es el profesor?
   b. ¿Cómo son los amigos?
   c. ¿Cómo es usted?

3. Son por la mañana.
   a. ¿Cuándo tiene usted clases?
   b. ¿Por qué tiene usted clases?
   c. ¿De dónde son los estudiantes?

4. Tengo cinco.
   a. ¿Cuántas clases tiene ahora?
   b. ¿De quién es el libro?
   c. ¿Qué tiene el profesor?

5. Es a las nueve.
   a. ¿A qué hora son las clases?
   b. ¿Qué hora es?
   c. ¿A qué hora es la clase de inglés (*English*)?

02-18 Muchas preguntas. You just met a woman named Susana at a party and are trying to get to know her. Based on her answers, complete each question with the most appropriate interrogative word(s) from the word bank.

Cómo	Cuándo	De dónde	De qué	Por qué	Quiénes

1. ¿ _____ te llamas?   Me llamo Susana.

2. ¿ _____ estás ahora en Madrid?   Porque soy estudiante de español.

3. ¿ _____ eres?   Soy de Estados Unidos.

4. ¿ _____ son tus amigos aquí?   Elena, Ana y Pablo. Son estudiantes también.

5. ¿ _____ ciudad eres?   Soy de Chicago, una ciudad fascinante.

6. ¿ _____ nos vemos tú y yo otra vez (*again*)?   Bueno, mañana tengo unos minutos por la tarde…

02-19 ¿Qué o cuál(es)? Write either **qué** or **cuál(es)** to complete each additional question for Susana about her classes.

Modelo: ¿A *qué* hora es la clase de español?

1. ¿ _____ de los estudiantes es Pablo?

2. ¿ _____ son tus clases interesantes?

3. ¿ _____ hay en la clase de español?

4. ¿ _____ es el libro de español?

5. ¿ _____ día es el examen final?

6. ¿ _____ hora es ahora mismo?

02-20 Respuestas lógicas. Listen to each question and select all items that are logical answers.

1. a. Es la capital.   b. Se llama Josefina.   c. Es bajo y gordo.

2. a. Están muy bien, gracias.   b. Son altos y morenos.   c. Son entusiastas.

3. a. No, no son españoles.   b. Sí, somos de España.   c. Sí, somos flacas.

4. a. Son puertorriqueños.   b. Sí, son mexicanos.   c. Son de San Juan.

5. a. Es una muchacha morena.   b. Es una universidad grande.   c. Es mi amiga cubana.

6. a. Es de Isabel.   b. Es de Panamá, de la capital. c. Son mis padres.

🔊 **02-21 Seleccionar la respuesta lógica.** Match each question you hear to the most logical answer.

1. _____

2. _____

3. _____

4. _____

5. _____

6. _____

a. Es a las nueve y media.

b. Es una señora elegante.

c. Es el amigo chileno de Carmen.

d. La capital es Bogotá.

e. Es de la capital, Bogotá.

f. Son jóvenes y muy guapos.

02-22 La amiga de un amigo. You just met Cristina, a friend of a friend, on Facebook. You enjoy interacting with her, and she asks you various questions. Answer them truthfully using complete sentences.

1. ¿Cómo te llamas? _____

2. ¿Cuál es tu nacionalidad? _____

3. ¿De qué ciudad eres? _____

4. ¿Cómo eres? _____

5. ¿Cómo es tu clase de español? _____

6. ¿De dónde es el/la profesor/a de español? _____

¿Cuánto saben? (Textbook p. 55)

🔊 **02-23 Completar ideas.** Select all items that logically and grammatically complete each statement.

1. a. ...un país.	b. ...la capital de España.	c. ...una ciudad grande.	d. ...una ciudad pequeña.
2. a. ...morena.	b. ...rubia.	c. ...bonita.	d. ...española.
3. a. ...gordo.	b. ...activo.	c. ...viejo.	d. ...español.
4. a. ...a las diez.	b. ...son las diez.	c. ...por la mañana.	d. ...a la mañana.
5. a. ...flacas.	b. ...pequeña.	c. ...jóvenes.	d. ...delgado.
6. a. ...chileno.	b. ...entusiastas.	c. ...guapos.	d. ...ahora mismo.

02-24 ¿Saben qué hora es? Match each statement with the correct corresponding time.

1. Es mediodía. _____   a. 7:40 P.M.

2. Son las tres y diez de la tarde. _____   b. 12:00 de la noche

3. Son las ocho menos cuarto de la mañana. _____   c. 7:45 A.M.

4. Son las ocho y media de la mañana. _____   d. 12:00 de la tarde

5. Son las ocho menos veinte de la noche. _____   e. 8:30 A.M.

6. Es medianoche. _____   f. 3:10 P.M.

02-25 ¿Saben preguntar? Complete each question with an appropriate interrogative word or expression, based on the answer given.

Modelo: ¿*Cómo* se llama tu amigo?
            Se llama José.

1. ¿ _____ es tu nombre?   Mi nombre es David.

2. ¿ _____ clases tienes hoy?   Tengo tres.

3. ¿ _____ es tu amigo Miguel?   Es inteligente y extrovertido.

4. ¿A _____ hora es la clase de español?   Es a las once.

5. ¿ _____ está la profesora?   Está en su oficina.

6. ¿ _____ son las otras personas en su oficina?   Son unos estudiantes de la clase.

02-26 ¿Saben contestar por escrito? Listen to five questions about you and aspects of your life. Write a truthful response in Spanish for each question. Remember to use correct agreement with verbs and adjectives.

1. _____

2. _____

3. _____

4. _____

5. _____

02-27 ¿Saben contestar oralmente? Listen to five questions about you and aspects of your life. Give a truthful oral response in Spanish for each question. Remember to use correct agreement with verbs and adjectives.

1. ...

2. ...

3. ...

4. ...

5. ...

Perfiles (Textbook p. 56)

Mi experiencia: Nombres, apellidos y apodos

02-28 Según Gladys García Sandoval. Reread this section of your textbook and complete each statement with the best word from the word bank.

Bardem	maternal	paternal	Sanz
Chema	nicknames	Salamanca	surnames

1. Gladys García Sandoval currently lives in _____ .

2. Gladys is fascinated by the practice of using two _____ in Spanish.

3. In the case of the famous actress Penélope Cruz Sánchez, "Sánchez" is her _____ last name.

4. When a woman marries in Spain, she maintains her _____ surname.

5. Less typically, a person is known by the maternal surname, which is the case with the famous actor Javier Ángel

    Encinas _____ .

6. *Apodos*, or _____ , are used commonly in Spanish.

7. Some *apodos*, such as _____ for "José María," show no transparent link to the original names
    on which they are based.

8. Alejandro Sánchez Pizarro, a well-known Spanish singer, goes by the shortened surname _____ .

Mi música: "Looking for Paradise" (Alejandro Sanz, España)

02-29 Asociar datos. Read about this musician and song in your textbook and follow the directions to listen on the Internet. Then match each item with its description.

1. Alejandro Sanz _____   a. Colabora con Sanz en la canción (*song*) "Looking for Paradise".

2. Shakira _____   b. Es el instrumento que toca (*plays*) Sanz en la canción.

3. Alicia Keys _____   c. Es en inglés y en español.

4. la letra (*lyrics*) _____   d. Colabora con Sanz en la canción "La Tortura".

5. el tema (*theme*) _____   e. Es bonito, romántico y universal.

6. la guitarra _____   f. Es un cantante (*singer*) español famoso.

Segunda parte

¡Así lo decimos! Vocabulario (Textbook pp. 58–59)

¿Qué haces? ¿Qué te gusta hacer?

02-30 ¡Así es la vida! Reread the brief dialogs in your textbook and select all items that answer each question accurately.

1. ¿Quién es Celia?
   a. Es estudiante de lenguas.
   b. Es buena amiga de la secretaria.
   c. Es canadiense.

2. ¿Qué necesita Celia?
   a. Necesita la ayuda de un tutor.
   b. Necesita la ayuda de la secretaria.
   c. Necesita estudiar para un examen.

3. ¿Qué hace Rogelio?
   a. Trabaja como secretario.
   b. Estudia para un examen.
   c. Busca trabajo.

4. ¿Cómo es la secretaria?
   a. Es muy simpática (*nice*) con todas las personas.
   b. Es simpática con Rogelio, pero menos (*less so*) con Celia.
   c. Es simpática con Celia, pero menos con Rogelio.

5. ¿Qué conclusión(es) hay?
   a. La secretaria no trabaja más.
   b. Rogelio habla con Celia.
   c. Celia recibe ayuda.

02-31 Verbos. Match each verb with the most logically associated expression.

1. escuchar _____   a. en un apartamento

2. hablar _____   b. a clases regularmente

3. abrir _____   c. historia en la universidad

4. vivir _____   d. español, italiano y francés

5. leer _____   e. música clásica

6. estudiar _____   f. libros

7. asistir _____   g. la puerta

8. comer _____   h. una pizza

02-32 Fuera de lugar. Select the word that does not belong in each group.

1. a. Rusia   b. chino   c. japonés   d. ruso

2. a. Corea   b. Canadá   c. Inglaterra   d. Estados Unidos

3. a. español   b. alemán   c. italiano   d. portugués

4. a. hablar   b. leer   c. desear   d. escribir

5. a. aprender   b. comprender   c. estudiar   d. bailar

6. a. comer   b. enseñar   c. beber   d. tomar

02-33 ¿Qué hacer? Listen to the conversation between Manuel and Ana and select the answer that best completes each sentence.

1. Ana está bien, pero Manuel está _____ .
   a. más o menos   b. mal   c. muy mal

2. Manuel tiene un examen _____ el miércoles.
   a. fácil   b. difícil   c. temprano

3. El examen de Ana el martes debe ser _____ , en su opinión.
   a. fácil   b. difícil   c. temprano

4. Ana desea asistir a _____ .
   a. un evento de trabajo   b. una clase de portugués   c. una fiesta

5. Ana también desea _____ .
   a. aprender japonés   b. bailar   c. comprar

6. Manuel decide _____ .
   a. estudiar   b. bailar en la fiesta   c. comer

02-34 ¿Te gusta? Look at each of the following drawings and state whether you like or dislike each activity. Answer with **(no) me gusta + infinitive**, following the model.

Modelo: *Me gusta practicar tenis. or No me gusta practicar tenis.*

1. _____

   _____

3. _____

   _____

2. _____

   _____

4. _____

   _____

Letras y sonidos: More on vowels in Spanish (Textbook p. 60)

02-35 ¿Hay desliz (*glide*)? For each word, first listen to its pronunciation. Then select the letter that corresponds to a glide in Spanish (a brief sound combined with a vowel to form one syllable). If there is no glide, select **No hay.**

1. b a i l a r   No hay.

2. d e c i d o   No hay.

3. g u a p o   No hay.

4. s o y   No hay.

5. n u e v o   No hay.

6. e s c u c h a r   No hay.

7. c o l o m b i a n o   No hay.

8. m e d i a n o c h e   No hay.

02-36 ¿Cuál tiene desliz? Listen to each of the following pairs of Spanish words. Decide which word contains a glide, the first one or the second one. Indicate each answer by selecting **uno** or **dos** accordingly.

1. uno   dos   4. uno   dos

2. uno   dos   5. uno   dos

3. uno   dos   6. uno   dos

¡Así lo hacemos! Estructuras

4. The present tense of regular -*ar* verbs (Textbook p. 62)

02-37 ¿Qué hacen? First decide which verb makes the most sense within the context of each sentence. Then complete the sentence with the correct form of that verb.

Modelo: Yo *ayudo* (ayudar / comprar) a mis padres.

1. Los estudiantes _____ (llegar / preparar) la lección.

2. Yo _____ (estudiar / llegar) español.

3. La muchacha _____ (bailar / estudiar) en discotecas.

4. Nosotros _____ (buscar / bailar) soluciones.

5. ¿Cuántas lenguas _____ (comprar / hablar) tú?

6. ¿A qué hora _____ (enseñar / llegar) el autobús (*bus*)?

02-38 **¡A combinar!** Combine elements from the three columns to form five logical sentences. Be sure to use each element only once, and conjugate each verb correctly, according to the subject you choose.

Yo	tomar	música
Tú	hablar	a España
Mi amigo	viajar	mucha Coca-cola
Mis padres y yo	escuchar	en la universidad
Ustedes	estudiar	inglés y español

1. _____

2. _____

3. _____

4. _____

5. _____

02-39 **Muchas preguntas.** Your aunt tends to ask a lot of questions. Answer each question by providing a correctly conjugated verb in the blank, based on the cue provided. Be sure to follow the model closely.

Modelo: ¿Qué preparas?
            Preparo pasta.

1. _____ música peruana.

2. _____ tenis.

3. _____ viajar a Hawaii.

4. _____ francés y alemán.

5. _____ dos lenguas.

6. _____ por la tarde.

5. The present tense of regular -er and -ir verbs (Textbook p. 64)

02-40 ¿Qué hacen ahora? First decide which verb makes the most sense within the context of each sentence. Then complete the sentence with the correct form of that verb.

Modelo: El señor *abre* (decidir / abrir) la puerta.

1. ¿_____ (Aprender / Comer) tú mucha pizza?

2. Patricia y yo _____ (deber / abrir) estudiar.

3. ¿_____ (Creer / Decidir) ustedes en fantasmas (*ghosts*)?

4. Adela _____ (asistir / vender) a la clase de chino.

5. Yo _____ (vivir / escribir) una composición.

6. El profesor _____ (beber / leer) un libro.

02-41 Mis amigas nuevas. Maribel is writing an e-mail to a high school friend about her new friends at the university. Complete the description with the correct form of each verb.

Mis amigas nuevas Bárbara, Isabel y Victoria (1) _____ (vivir) en un apartamento. Ellas

(2) _____ (aprender) inglés en la universidad y (3) _____ (asistir) a

clases por la mañana. Bárbara (4) _____ (escribir) inglés muy bien, e Isabel

(5) _____ (comprender) bien, pero Victoria menos. Al mediodía, ellas y yo

(6) _____ (comer) juntas (*together*) y hablamos de las clases. Ellas

(7) _____ (creer) que es difícil aprender otra lengua. Y tú,

(8) _____ (creer) que es difícil?

02-42 ¿Qué actividad? Complete each sentence with the correct form of the verb you hear.

Modelo: Los muchachos _____ mucha televisión.
            ver
            Los muchachos *ven* mucha televisión.

1. Yo _____ que son las tres.

2. Los tutores _____ muy bien la lección.

3. Rafael _____ en Nueva York.

4. ¿_____ (tú) tus libros al final del semestre?

5. Yo no _____ mucha televisión.

6. Victoria y yo _____ mucho café.

Nombre: _____ Fecha: _____

02-43 **Nosotros...** Your mother loves language learning and is curious about your Spanish class. Answer each question you hear using the **nosotros** form of the verb and the cues provided. (Do not include the word **nosotros** in your responses.)

1. Sí, _____ bien el español.

2. _____ mucho vocabulario en la clase.

3. _____ en la computadora y en papel.

4. _____ el *Capítulo 2* del libro.

5. _____ a clase los martes y jueves.

6. Sí, _____ los libros en diciembre.

02-44 **Preguntas y respuestas.** Answer each question regarding your university and your Spanish class in a complete sentence.

1. ¿A qué universidad asistes?

   _____

2. ¿Dónde vives?

   _____

3. ¿Aprenden a hablar en la clase de español los estudiantes?

   _____

4. ¿Escribes composiciones en tu clase de español?

   _____

5. ¿Crees que es importante aprender español?

   _____

6. The present tense of *tener* (Textbook p. 67)

02-45 **¿Qué tiene(n) que hacer?** Match each drawing with the most appropriate statement.

1.  _____

2.  _____

3.  _____

4.  _____

5. _____

6. _____

a. Tiene que preparar la sopa (*soup*).

b. Tiene que ayudar a su madre.

c. Tiene que llegar más temprano.

d. Tiene que estudiar más.

e. Tienen que comprar un carro nuevo.

f. Tiene que trabajar mucho.

Nombre: _____   Fecha: _____

02-46 Conjugar *tener.* Complete each statement with the correct form of **tener**.

1. Tú _____ clase los lunes, miércoles y viernes.

2. Mercedes y Lola _____ dos clases por la tarde.

3. Él _____ que estudiar más.

4. Nosotras _____ que hablar con la profesora.

5. Yo _____ muchos amigos en la universidad.

6. Tú también _____ muchos amigos, ¿verdad?

02-47 Responsabilidades. List three things that you have to do tomorrow and three things that other people have to do.

Modelo: *Yo tengo que estudiar por la tarde.*

1. Yo _____ .

2. Yo _____ .

3. Yo _____ .

4. Mis padres _____ .

5. Mi amigo _____ .

6. El/La profesor/a _____ .

¿Cuánto saben? (Textbook p. 68)

02-48 ¿Saben conjugar? Fill in each blank with the correct form of the most appropriate verb from the word bank. Use each verb once.

aprender	comer	estudiar	ver
asistir	enseñar	practicar	vivir

Yo (1) _____ en la universidad. (2) _____ a mis clases regularmente.

(3) _____ mucho en mis clases porque los profesores (4) _____ muy bien. Mis

amigos y yo (5) _____ pizza en la cafetería al mediodía. Después, nosotros (6) _____

un poco de televisión juntos (*together*), porque (7) _____ en un apartamento en el campus. A las seis

(8) _____ tenis. Es una buena vida, ¿verdad?

02-49 ¿Saben conjugar _tener_? Complete each sentence with the correct form of **tener**.

1. Anita _____ muchas clases en la universidad.

2. Anita y Lupe _____ que trabajar esta tarde.

3. Yo _____ que ayudar a Anita con su tarea.

4. Nosotros _____ un examen difícil mañana.

5. Tú también _____ mucha tarea, ¿no?

02-50 ¿Comprenden bien? Select the response that best answers each question you hear.

1. a. Tengo que escribir una composición.
   b. Debemos practicar tenis.
   c. Tienes que aprender lenguas.

2. a. Venden diccionarios.
   b. Vives en una ciudad fascinante.
   c. Viven en una ciudad pequeña.

3. a. Debes escribir y hablar mucho.
   b. Debes estudiar español y chino.
   c. Deben estudiar italiano y japonés.

4. a. Deseo pizza, por favor.
   b. Deseamos comer ahora mismo.
   c. Desean comer a las cinco de la tarde.

5. a. Sí, trabajo los martes y viernes.
   b. No, no trabajamos.
   c. Trabajas mucho en la clase.

6. a. Me gusta leer por la noche.
   b. Te gusta beber por la noche.
   c. Me gusta llegar por la mañana.

02-51 ¿Saben contestar por escrito? Listen to five questions about university life and write a truthful response in Spanish for each question. Remember to use correct agreement with verbs and adjectives.

1. _____

2. _____

3. _____

4. _____

5. _____

02-52 ¿Saben contestar oralmente? Listen to five questions about university life and give a truthful oral response in Spanish for each one. Remember to use correct agreement with verbs and adjectives.

1. …

2. …

3. …

4. …

5. …

Observaciones: ¡Pura Vida! Episodio 2 (Textbook p. 69)

Antes de ver el video

 02-53 ¿Qué pasa? Select the statement that best answers each question.

1. What do you think Marcela likes about Costa Rica?
   a. las ciudades rusas
   b. las personas y sus costumbres (*customs*)
   c. sus ruinas aztecas

2. Hermés is Cuban. What is a possible statement about his family?
   a. Soy salvadoreño.
   b. Mi familia es de los Estados Unidos.
   c. Tengo una hermana (*sister*) en La Habana.

3. Why is Hermés at the hostel?
   a. Desea vivir en Costa Rica y le gusta la gente (*people*) costarricense.
   b. Desea vender productos coreanos.
   c. Estudia el clima.

4. What does Felipe have to do before he can go to Mexico City?
   a. practicar el fútbol (*soccer*)
   b. tomar unas fotos
   c. arreglar (*fix*) su camioneta

Nombre: _____   Fecha: _____

A ver el video

🎬 02-54 **Los personajes.** Match each character with his/her country of origin.

1. Silvia _____   a. Costa Rica

2. Patricio _____   b. España

3. Marcela _____   c. México

4. Felipe _____   d. Colombia

5. Doña María _____   e. Cuba

6. Hermés _____   f. Argentina

🎬 02-55 **Más información.** Next to each country, write the name of the city or cities mentioned during the episode.

Países   **Ciudades**

1. Costa Rica   _____

2. Colombia   _____

3. México   _____

4. Cuba   _____ y _____

Después de ver el video

🎬 02-56 **Preferencias.** During this episode, you will hear the characters talk about what they and their friends like or like to do. Listen for expressions such as **me gusta, me encanta, me fascina,** and **me interesa,** and write the name of the person next to his/her preference.

1. _____ tener jóvenes alegres (*happy*) en casa (*at home*)

2. _____ estar en el hostal

3. _____ la gente (*people*) y las costumbres de Costa Rica; la historia

4. _____ el fútbol (*soccer*)

5. _____ la música y el béisbol (*baseball*)

6. _____ hablar con Patricio

Nuestro mundo

Panoramas: Descubre a España (Textbook p. 70)

02-57 **¡A informarse!** Based on the information from **Nuestro mundo**, decide if the following statements are **cierto** or **falso**.

1. Hay montañas en Andalucía, en el sur de España.	Cierto	Falso
2. La Costa Brava está en el sur de España.	Cierto	Falso
3. El acueducto de Segovia es una estructura nueva en España.	Cierto	Falso
4. Santiago Calatrava es un pintor (*painter*).	Cierto	Falso
5. La pesca (*fishing*) en España es muy mala.	Cierto	Falso
6. Hablan cuatro lenguas diferentes en España.	Cierto	Falso
7. El turismo es muy importante para la economía española.	Cierto	Falso
8. La edad (*age*) mínima para beber alcohol en España es 16.	Cierto	Falso

02-58 La geografía de España. Look at the map of Spain and match each place indicated with the most appropriate description.

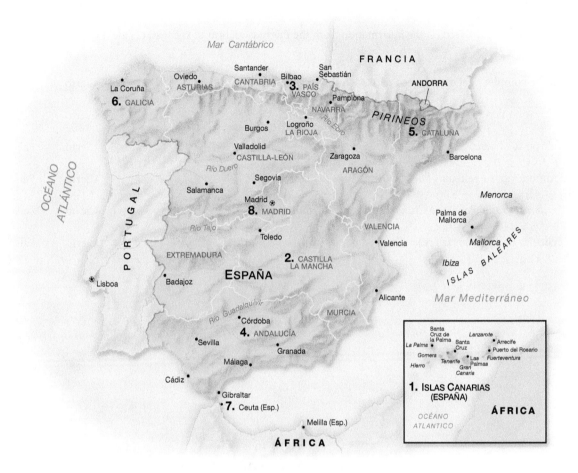

1. _____

2. _____

3. _____

4. _____

5. _____

6. _____

7. _____

8. _____

a. región famosa por la Alhambra

b. región famosa por Don Quijote

c. región donde hablan gallego

d. región donde hablan eusquera

e. región donde hablan catalán

f. islas en la costa de África

g. capital de España

h. ciudad española en el norte de África

Páginas: "*Cinemundo* entrevista a Pedro Almodóvar" (Textbook p. 72)

02-59 **¿Cierto o falso?** Based on the information from the **Páginas** section of the text, decide if each statement is **cierto** or **falso**.

1. El nombre completo del director es Pedro Almodóvar Galindo.   Cierto   Falso

2. Almodóvar no tiene apodo fuera de (*outside*) su pueblo.   Cierto   Falso

3. Almodóvar fue (*went*) a Madrid a los 20 años.   Cierto   Falso

4. Para Almodóvar, su película (*film*) favorita es *Los abrazos rotos*.   Cierto   Falso

5. En *Los abrazos rotos*, Penélope Cruz tiene dos personalidades.   Cierto   Falso

6. Las películas de Almodóvar presentan humor y temas (*themes*) sociales. Cierto   Falso

Taller (Textbook p. 74)

02-60 Una entrevista. Prepare to interview a classmate by writing five questions that you'd like to ask. Aim to complete a student information card for him/her with the information you obtain.

Nombre: _____ Apellido: _____

Nacionalidad: _____ Edad (*age*): _____

Ciudad: _____ País: _____

Descripción física: _____

Actividades: _____

Obligaciones: _____

1. _____

2. _____

3. _____

4. _____

5. _____

02-61 ¡A escribir! After interviewing a classmate (Activity 02-60), write a brief paragraph about him/her. Be sure to include facts collected on the student information card.

_____

_____

_____

_____

_____

_____

_____

3

¿Qué estudias?

Primera parte

¡Así lo decimos! Vocabulario (Textbook pp. 78–79)

Las materias académicas y la vida estudiantil

03-01 ¡Así es la vida! Reread the brief dialogs in your textbook and select the best answer to each question.

1. ¿Cómo es el horario de Pedro?　　　a. fácil　　　b. complicado　　　c. tímido

2. ¿Cuál de estas materias no tiene Pedro?　　a. física　　b. economía política　　c. matemáticas

3. ¿Cuántas materias tiene Marcela?　　a. siete　　b. cinco　　c. cuatro

4. ¿Qué escribe Beatriz?　　a. la tarea　　b. un libro　　c. un correo electrónico

5. ¿Qué necesita Ana?　　a. comprar　　b. comer　　c. creer

6. ¿Qué clase tienen Ana y Beatriz a las dos?　　a. geología　　b. biología　　c. historia

03-02 Emparejar (Matching). Match each academic subject with the most logically associated concept, person, or thing.

1. la arquitectura _____　　　　　a. los animales

2. la química _____　　　　　　　b. Einstein

3. la veterinaria _____　　　　　c. los mapas

4. la geografía _____　　　　　　d. Aristóteles

5. la historia _____　　　　　　　e. Frank Lloyd Wright

6. la física _____　　　　　　　　f. 1776

7. el arte _____　　　　　　　　　g. Picasso

8. la filosofía _____　　　　　　　h. H_2O

From *Student Activities Manual for ¡Arriba! Comunicación y cultura*, Sixth Edition, Eduardo Zayas Bazán, Susan B. Bacon, Holly J. Nibert. Copyright © 2012 Pearson Education, Inc. Publishing as Prentice Hall. All rights reserved.

03-03 Las carreras. What are these students' majors? Select the most logical field of study, based on each statement.

administración de empresas	educación física	informática
ciencias políticas	estadística	medicina

1. Ana escribe programas para la computadora. La carrera de Ana es _____ .

2. Roberto estudia matemáticas y la probabilidad. La carrera de Roberto es _____ .

3. Carmen estudia biología y química. La carrera de Carmen es _____ .

4. Pedro tiene clase de contabilidad y clase de finanzas. La carrera de Pedro es _____ .

5. Luisa estudia las elecciones y los presidentes de Estados Unidos. La carrera de Luisa es _____ .

6. David tiene clases de pedagogía y clases de deporte obligatorias. La carrera de David es _____ .

03-04 Curiosidad sobre la universidad. Susana is curious about her sister Julia's experiences at college. Listen to each of Susana's questions and select the most logical response given by Julia.

1. a. Estudio mucho los lunes, miércoles y viernes.
   b. Pues, tengo historia, filosofía, economía y biología.
   c. Las clases de economía y biología son difíciles.

2. a. Sí, es bastante complicado, pero me gusta.
   b. No, no estudio los domingos.
   c. Sí, hablo mucho con los profesores.

3. a. Mi profesor de biología es muy exigente.
   b. Sí, tengo que estudiar unas seis horas todos los días.
   c. Estudiamos en el centro estudiantil.

4. a. Necesito un libro de la biblioteca.
   b. Me gusta hablar con mi profesora de historia después de clase.
   c. Me gusta ir a la biblioteca porque hay silencio.

5. a. Son las tres en punto.
   b. Tengo clases por la mañana y por la tarde.
   c. Son simpáticos y muy inteligentes.

6. a. Sí, sí, y muchos son de otros países, como España, Puerto Rico, Francia…
   b. Mi amiga Claudia es cubana.
   c. Sí, tengo muchas materias obligatorias.

03-05 **Antes de clase.** Listen to a conversation between Ricardo and Teresa before class. Then select the word or phrase that best completes each sentence, based on the dialog.

1. Ricardo y Teresa van a la clase de _____ .
   a. derecho   b. finanzas   c. inglés

2. Ricardo y Teresa creen que su clase es muy _____ .
   a. interesante   b. aburrida   c. difícil

3. Este semestre Teresa no tiene clase de _____ .
   a. filosofía   b. contabilidad   c. física

4. Ricardo tiene clases _____ .
   a. solamente por la mañana   b. solamente por la tarde   c. por la mañana y por la tarde

5. La profesora Corrales es _____ .
   a. fascinante y simpática   b. aburrida pero simpática   c. difícil de comprender

03-06 **¿Cómo es el horario de clases ideal?** Express your opinion of what an ideal class schedule is like by answering each question with a complete sentence in Spanish.

1. En tu horario ideal, ¿qué materias tienes?

   _____

2. ¿Qué días de la semana son las clases?

   _____

3. ¿Cuándo son las clases: por la mañana, por la tarde o por la noche?

   _____

4. ¿Cuántos estudiantes hay en una clase?

   _____

5. ¿Cómo son los profesores?

   _____

¡Así lo hacemos! Estructuras

1. The numbers *101–3.000.000* (Textbook p. 82)

03-07 **¡A calcular!** Solve each of the following math problems and select the correct answer in Spanish.

1. $(525 - 300) \times 2 =$
   a. doscientos veinticinco
   b. ochocientos veinticinco
   c. cuatrocientos cincuenta
   d. setenta y cinco

2. $(21 \div 3) \times 100 =$
   a. setecientos
   b. doscientos diez
   c. trescientos treinta
   d. setenta

3. $111 + 222 + 333 =$
   a. quinientos sesenta y cinco
   b. seiscientos sesenta y seis
   c. setecientos cincuenta y seis
   d. cuatrocientos treinta y tres

4. $7.700 \div 7 =$
   a. ciento uno
   b. mil uno
   c. mil ciento uno
   d. mil cien

5. $110 \times 5 =$
   a. quinientos cinco
   b. quinientos cincuenta
   c. cincuenta y cinco
   d. cinco mil quinientos

6. $(3.500 \times 10) \div 2 =$
   a. ciento setenta mil
   b. mil setecientos cincuenta
   c. diecisiete mil quinientos
   d. ciento setenta y cinco

03-08 **Buscar patrones (*patterns*).** Follow the pattern to complete each number sequence. Spell out each result in Spanish.

Modelo: ciento dos, ciento cuatro, ciento seis, *ciento ocho,* ciento diez

1. ciento diez, ciento veinte, ciento treinta, _____ , ciento cincuenta

2. cien, doscientos, cuatrocientos, _____ , mil seiscientos

3. ciento once, doscientos veintidós, _____ , cuatrocientos cuarenta y cuatro, quinientos cincuenta y cinco

4. seiscientos, quinientos uno, _____ , trescientos tres, doscientos cuatro

5. mil quinientos, tres mil, cuatro mil quinientos, seis mil, _____

6. ciento venticinco mil, _____ , ciento setenta y cinco mil, doscientos mil, doscientos venticinco mil

7. setecientos mil, ochocientos mil, novecientos mil, _____ , un millón cien mil

8. un millón, _____ , tres millones

03-09 El recuento. The state has asked all institutions of higher learning to take joint inventory of the following items. Spell out each result in Spanish, and be sure to watch for agreement.

Modelo: 2.321 *dos mil trescientos veintiún* cuadernos

1. 1.623   _____   diccionarios

2. 5.566   _____   mesas

3. 12.314   _____   computadoras

4. 599   _____   lápices

5. 881   _____   puertas

6. 1.500.000   _____   libros

7. 6.740   _____   sillas

8. 2.351   _____   marcadores

03-10 Las puntuaciones máximas. Listen to the dialog between Ana María and Diego about the high scores (**la puntuaciones máximas**) they and others have on a popular videogame. Match each name with the correct corresponding high score.

1. Ana María _____   a. 53.480

2. Diego _____   b. 92.730

3. José Antonio _____   c. 1.976.520

4. María Luisa _____   d. 2.325.960

5. Juan Rafael _____   e. 2.881.400

2. Possessive adjectives (Textbook p. 84)

03-11 La vida estudiantil en la UNAM. Read about university life for the following students at the UNAM, and complete each paragraph with appropriate possessive adjectives.

A. Raúl. ¡Hola! Soy Raúl Ramos, estudiante de la UNAM. Estudio historia. (1) _____ clases son exigentes y muy

interesantes. (2) _____ apartamento está cerca de la universidad y vivo con (3) _____ amigos.

B. Dos hermanas *(sisters)*. ¡Buenos días! Somos Margarita y Sara Jiménez. Somos hermanas y estudiamos

administración de empresas. (4) _____ clases son muy difíciles, y siempre estudiamos con

(5) _____ amigos. (6) _____ universidad es muy grande, pero (7) _____ profesores son simpáticos y

la vida estudiantil aquí es buena.

C. Un buen amigo. Ramón Espinosa es buen amigo de Margarita y Sara. Él estudia informática. (8) _____ clases

son complicadas y (9) _____ profesores son exigentes. Él siempre trabaja con (10) _____ computadora.

03-12 Posesiones. Your Spanish class set up a booth on Mexican culture for an international fair at your university. You are now cleaning up and returning items borrowed for the display. A classmate reads off a tally list, and you confirm the accuracy of the information. Restate each assertion using an appropriate possessive adjective.

Modelo: La computadora es del profesor, ¿verdad?
            Sí, es su computadora.

1. El mapa de México es de Sofía, ¿no?

    _____

2. El libro de fotografías es de ti, ¿cierto?

    _____

3. Las postales (*postcards*) son del profesor, ¿no es así?

    _____

4. Las monedas (*coins*) son de mi colección, ¿verdad?

    _____

5. Las guías (*guide books*) son de Pablo y de Marco, ¿no?

    _____

6. Los sombreros (*hats*) son de ti y de tus amigos, ¿no es cierto?

    _____

03-13 Más curiosidad. Susana has more questions for her sister Julia about her college experiences. Listen to each of Susana's questions and select the most logical response given by Julia.

1. a. Mis profesores enseñan bien.
    b. Sus amigos son extrovertidos y muy simpáticos.
    c. Mis amigos son extrovertidos y muy simpáticos.

2. a. No, sus clases son diferentes porque tenemos carreras diferentes.
    b. Sí, mis clases son los martes y jueves.
    c. Sí, mis amigos compran mucho.

3. a. Nuestro club favorito se llama "Cosmos" y vamos los sábados a bailar.
    b. Nuestros exámenes no son fáciles.
    c. Nuestra biblioteca es muy grande y tiene muchos libros.

4. a. Sí, su música es fantástica y bailamos durante horas.
    b. Sí, nuestra universidad tiene muchas cafeterías. Su comida no es siempre buena, pero es barata.
    c. Sí, sus libros son de varias lenguas, como por ejemplo el francés y el alemán.

5. a. No, tu universidad va a ser muy buena también.
    b. Sí, mi experiencia aquí es positiva y estoy muy contenta.
    c. No, nuestros padres llegan el viernes.

03-14 Tus experiencias universitarias. Answer the following questions about your university experiences using complete sentences in Spanish.

1. ¿Cuántas materias tienes este semestre/trimestre? ¿Cuáles son?

    _____

2. ¿Cuál es tu materia favorita? ¿Y tu materia menos favorita?

    _____

3. ¿Qué días de la semana son tus clases?

    _____

4. ¿Asistes a tus clases regularmente (*regularly*)?

    _____

5. ¿Cómo son tus profesores?

    _____

6. ¿Cómo es tu universidad en general?

    _____

3. Other expressions with *tener* (Textbook p. 87)

03-15 Reacciones. Choose the most logical emotional, mental, or physical state for each situation.

1. En el invierno... _____   a. tengo hambre.

2. En el verano... _____   b. tengo cuidado.

3. Cuando no como... _____   c. tengo miedo.

4. Cuando no bebo... _____   d. tengo frío.

5. Cuando veo una película de terror... _____   e. tengo sed.

6. A las tres de la mañana... _____   f. tengo calor.

7. Cuando no voy a tiempo... _____   g. tengo sueño.

8. Cuando estoy en el carro... _____   h. tengo prisa.

03-16 **En situaciones diferentes.** Listen to statements about various situations. Write a logical response using an expression with **tener** and the subject given.

Modelo: Pablo cree que dos más dos son cuatro.
           Pablo *tiene razón.*

1. Yo _____

2. Nosotros _____

3. Usted _____

4. Tú _____

5. Julia y Tomás _____

6. Juan _____

03-17 **Ahora tú.** Answer the following questions about age or your reactions in various situations using complete sentences in Spanish.

1. ¿Cuántos años tienes?

   _____

2. ¿Cuántos años tiene tu mejor (*best*) amigo/a?

   _____

3. ¿A qué hora tienes sueño normalmente?

   _____

4. ¿Con qué películas (*movies*) tienes miedo?

   _____

5. ¿Qué tienes ganas de hacer los sábados?

   _____

6. ¿Qué *no* tienes ganas de hacer los sábados?

   _____

¿Cuánto saben? (Textbook p. 89)

03-18 ¿Saben usar los adjetivos posesivos y los números? You and some friends are renting a house on campus and want to insure your valuables. An insurance agent asks you several questions during an assessment. Answer each question using an appropriate possessive adjective, and spell out each number in parentheses.

Modelo: ¿Cuánto cuesta tu bicicleta (*bicycle*)?
          Mi bicicleta cuesta *novecientos cuarenta y cinco* (945) dólares.

1. ¿Cuánto cuesta tu computadora?

   _____ computadora cuesta _____ (3.250) dólares.

2. ¿Cuánto cuestan las computadoras de tus compañeros de casa (*housemates*)?

   _____ computadoras cuestan _____ (2.125) dólares cada una (*each*).

3. ¿Cuánto cuesta la impresora (*printer*) de tu compañero?

   _____ impresora cuesta _____ (315) dólares.

4. ¿Cuánto cuesta el televisor de alta definición de ustedes?

   _____ televisor cuesta _____ (1.475) dólares.

5. ¿Cuánto cuestan las calculadoras de ustedes?

   _____ calculadoras cuestan _____ (430) dólares en total.

Nombre: _____ Fecha: _____

03-19 ¿Saben usar expresiones con *tener*? Describe the following emotional and physical states using expressions with **tener** and the subjects given.

Modelo: Yo *tengo prisa.*

4. Juanito _____

1. Tú _____

5. Uds. _____

2. Yo _____

6. Ellos _____

3. Nosotros _____

7. Tú _____

🔊 **03-20** **¿Comprenden bien?** Listen to each question asked by a Spanish instructor, and then match it with the most logical response.

1. _____   a. Mi artista mexicana favorita es Frida Kahlo.

2. _____   b. Creo que tu teléfono móvil cuesta doscientos dólares.

3. _____   c. Estudia informática.

4. _____   d. Tiene cincuenta y un años.

5. _____   e. Tengo un examen importante.

6. _____   f. Tenemos ganas de bailar.

🔊 **03-21** **¿Saben contestar por escrito?** Listen to five questions about your physical states in different situations. Write a truthful, complete response in Spanish for each question you hear. Be sure to use correct agreement with verbs.

1. _____

2. _____

3. _____

4. _____

5. _____

🔊 **03-22** **¿Saben contestar oralmente?** Listen to five questions about your courses this semester. Give a truthful, complete oral response in Spanish for each question you hear. Be sure to use correct agreement with verbs.

1. ...

2. ...

3. ...

4. ...

5. ...

Perfiles (Textbook p. 90)

Mi experiencia: Mi universidad: La UNAM

03-23 Según Susana Buendía. Reread this section of your textbook and give the best answer to complete each statement. Not all expressions in the word bank will be used.

7.000	23.000	el examen de admisión
168.000	la Facultad de Derecho	pequeñas
un año de servicio social	la Facultad de Filosofía y Letras	privada (*private*)
Café Tacvba	grandes	pública

1. Susana Buendía está en Chiapas para hacer _____ .

2. Su presentación a estudiantes jóvenes es sobre _____ de la UNAM.

3. La facultad de Susana tiene unos _____ estudiantes.

4. Todo el sistema universitario tiene unos _____ estudiantes.

5. Las clases de tipo taller son _____ .

6. La UNAM es una universidad _____ .

7. La matrícula de la universidad es barata, pero _____ es caro.

8. _____ es un grupo musical popular entre los estudiantes de la UNAM.

Mi música: "Eres" (Café Tacvba, México)

03-24 Asociar datos. Read about this group in your textbook and follow the directions to listen to the song on the Internet. Then match each item with the best description.

1. Café Tacvba _____   a. álbum con la canción "Eres"

2. la música de Café Tacvba _____   b. combina ritmos modernos y folclóricos

3. *Cuatro caminos* _____   c. grupo mexicano con varios Grammy y Grammy Latinos

4. el tema de "Eres" _____   d. lento y melancólico

5. el ritmo de "Eres" _____   e. el amor romántico hacia otra persona

Segunda parte

¡Así lo decimos! Vocabulario (Textbook pp. 92–93)

Los edificios de la universidad

03-25 ¡Así es la vida! Reread the brief dialogs in your textbook and indicate whether each statement is **cierto** or **falso.**

1. El campus de la UNAM es pequeño.	Cierto	Falso
2. Los estudiantes nuevos necesitan mirar el mapa.	Cierto	Falso
3. Marcela tiene que ir a la librería.	Cierto	Falso
4. Marcela tiene que comprar un diccionario.	Cierto	Falso
5. La librería está enfrente de la Facultad de Medicina.	Cierto	Falso
6. La biblioteca está lejos de la librería.	Cierto	Falso
7. No hay cancha de tenis en el campus.	Cierto	Falso
8. Rosa y Tomás van a la biblioteca.	Cierto	Falso

03-26 ¡A emparejar! Match each place on a university campus with the most logically associated activity.

1. el gimnasio _____

2. el auditorio _____

3. el teatro _____

4. la cafetería _____

5. la rectoría _____

6. la Facultad de Ingeniería _____

7. el museo _____

8. el laboratorio de lenguas _____

a. estudiar diseño técnico y matemáticas

b. practicar el español

c. comer una hamburguesa

d. ver arte y leer historia

e. escuchar un concierto de música clásica

f. ver *Romeo y Julieta*

g. hablar con el/la presidente/a de la universidad

h. hacer ejercicio (*exercise*)

03-27 La universidad y sus facultades. Find these words for university schools and places in the following puzzle. Search horizontally, vertically, and diagonally, both forward and backward.

arte	cafetería	ciencias	estadio	ingeniería
auditorio	cancha de tenis	derecho	gimnasio	rectoría

```
D  V  I  P  J  H  A  Z  R  C  O  U  T  Q  I  R
I  B  H  O  P  G  V  Y  A  Q  U  F  E  T  E  O
N  A  T  L  L  A  O  U  M  T  N  J  T  C  S  G
G  I  M  N  A  S  I  O  C  A  F  T  T  I  C  S
E  S  R  E  J  U  R  F  I  N  Z  O  A  E  A  I
N  V  O  D  U  T  O  R  C  U  R  F  E  N  T  N
I  A  N  E  Z  I  T  Z  G  Í  B  A  T  C  N  E
E  C  E  R  L  L  I  A  A  Y  R  D  E  I  S  T
R  A  L  E  O  T  D  S  I  U  J  E  F  A  P  E
Í  G  E  C  M  Y  U  Q  T  R  P  B  Z  S  O  D
A  C  A  H  P  J  A  T  U  B  A  B  E  N  D  A
M  R  G  O  E  F  D  Z  Í  B  E  T  R  A  N  H
L  I  T  R  V  A  M  O  Y  E  Z  P  S  L  M  C
O  B  T  E  N  E  S  T  A  D  I  O  L  Z  I  N
S  Í  M  T  A  V  L  A  S  F  J  U  P  O  A  A
E  B  L  A  N  D  I  A  Í  R  E  T  E  F  A  C
```

Nombre: _____   Fecha: _____

03-28 El mapa del campus. You are standing in front of the **Museo Rivera**, looking at its grand entrance. Based on the map, indicate if each statement is **cierto** or **falso**.

1. La Facultad de Arte está a la derecha del Museo Rivera.	Cierto	Falso
2. La cafetería "El Campus" está a la izquierda del Museo Rivera.	Cierto	Falso
3. La cafetería "El Campus" está bastante lejos de la cancha de tenis.	Cierto	Falso
4. El teatro está entre el estadio y la biblioteca.	Cierto	Falso
5. La biblioteca está cerca de la librería.	Cierto	Falso
6. La Facultad de Medicina está delante de la Facultad de Ciencias.	Cierto	Falso
7. El observatorio está al lado de la librería.	Cierto	Falso
8. El estadio está detrás del gimnasio.	Cierto	Falso

03-29 En la clase del Profesor López. Pablo, Inés, and Elena converse before class. Listen to their conversation and select all items that are true for each statement.

1. Necesita(n) ir a la biblioteca.
   a. Pablo   b. Inés   c. Elena

2. Tiene(n) que hacer una presentación mañana.
   a. Pablo   b. Inés   c. Elena

3. Tiene(n) que ir al centro estudiantil.
   a. Pablo   b. Inés   c. Elena

4. No está(n) lejos de la biblioteca.
   a. la rectoría   b. el laboratorio de lenguas   c. el centro estudiantil

5. Van juntos (*together*) a lugares del campus después de clase.
   a. Pablo   b. Inés   c. Elena

6. Estudia(n) el arte de Frida Kahlo.
   a. Pablo   b. Inés   c. Elena

© 2012 Pearson Education, Inc.

03-30 Los edificios de tu universidad. Some new students on campus need help finding their classes. Answer their questions truthfully based on your campus. Be sure to follow the model.

Modelo: ¿Dónde está el centro estudiantil?
          Está enfrente de la rectoría.

1. ¿Dónde está el estadio?

   _____

2. ¿Dónde está la rectoría?

   _____

3. ¿Dónde está la librería?

   _____

4. ¿Dónde está la biblioteca?

   _____

5. ¿Dónde está el gimnasio?

   _____

6. ¿Dónde están las canchas de tenis?

   _____

Letras y sonidos: Syllabification (Textbook p. 94)

03-31 Palabras y sílabas. Divide each word into syllables following the blanks provided.

Modelo: sábado
          sá – ba – do

1. rojo

   _____ - _____

2. viernes

   _____ - _____

3. español

   _____ - _____ - _____

4. septiembre

   _____ - _____ - _____

5. rectoría

   _____ - _____ - _____ - _____

6. amarillo

   _____ - _____ - _____ - _____

7. observatorio

   _____ - _____ - _____ - _____ - _____

8. administración

   _____ - _____ - _____ - _____ - _____

🔊 **03-32 ¿Cuántas sílabas hay?** You will hear a series of Spanish words. Write the number that corresponds to the number of syllables in each word. It is not necessary to write out the numbers in Spanish.

1. _____ sílabas   4. _____ sílabas

2. _____ sílabas   5. _____ sílabas

3. _____ sílabas   6. _____ sílabas

🔊 **03-33 Más palabras.** You will hear a series of Spanish words. Write each syllable in a separate blank.

1. _____ - _____   5. _____ - _____ - _____

2. _____ - _____ - _____   6. _____ - _____ - _____

3. _____ - _____ - _____   7. _____ - _____ - _____ - _____ - _____

4. _____ - _____ - _____   8. _____ - _____ - _____ - _____ - _____

¡Así lo hacemos! Estructuras

4. The present tense of *ir* and *hacer* (Textbook p. 96)

03-34 ¿Qué van a hacer? You and your friends have a lot to do at the university. Match each situation with a logical course of action.

1. Ramón tiene mucha sed. _____   a. Va a comer en la cafetería.

2. Juan Pablo tiene hambre. _____   b. Van a comprar en la librería.

3. Necesitamos practicar español. _____   c. Voy a estudiar en la biblioteca.

4. Tienes que hacer ejercicio. _____   d. Voy a ir al teatro.

5. Necesitan libros para las clases. _____   e. Vas a ir al gimnasio.

6. Tengo un examen mañana. _____   f. Vamos a ir al laboratorio de lenguas.

7. Tienes ganas de ver arte. _____   g. Va a tomar agua mineral.

8. Tengo ganas de ver una ópera. _____   h. Vas a ir al museo.

03-35 En nuestro apartamento. Complete Berta's description of apartment life with her friends using the appropriate forms of **hacer.**

¡Hola, soy Berta! Mis amigas y yo vivimos en un apartamento cerca de la universidad. Somos buenas amigas, pero

(1) _____ actividades muy diferentes. Por la mañana, yo (2) _____ ejercicio

en el gimnasio y mi amiga Elisa (3) _____ su tarea. Por la tarde, mis amigas Marta y Luisa

(4) _____ el trabajo para sus clases. Por la noche, nosotras (5) _____ la

cena (*dinner*). Elisa siempre prepara pasta. Yo normalmente (6) _____ una hamburguesa. ¿Qué

(7) _____ tú donde vives? ¿Qué vas a (8) _____ este fin de semana

(*weekend*)?

03-36 Mañana. Rewrite the following sentences about Berta and her friends to indicate that the actions will take place tomorrow instead of today. Use an appropriate form of **ir** + **a** + infinitive, and be sure to follow the sentence structure of the model exactly.

Modelo: Elisa practica su inglés hoy.
            Elisa va a practicar su inglés mañana.

1. Yo hago ejercicio hoy.

   _____

2. Elisa prepara pasta hoy.

   _____

3. Marta y Luisa trabajan en la cafetería hoy.

   _____

4. Nosotras asistimos a clase hoy.

   _____

5. Yo hablo con mi profesor hoy.

   _____

6. ¿Estudias tú con nosotras hoy?

   _____

03-37 En la biblioteca. Complete the dialog between Maribel and Margarita in the library using appropriate forms of **ir** and **hacer.**

MARIBEL: ¡Hola, Margarita! ¿Qué (1) _____ tú aquí en la biblioteca?

MARGARITA: ¿Yo? Pues, (2) _____ mi tarea para la clase de ingeniería.

MARIBEL: ¡Qué interesante! ¿Estudias ingeniería? ¿Qué (3) _____ ustedes en las clases de ingeniería por lo general?

MARGARITA: Nosotros (4) _____ muchos diseños (*designs*). Ahora diseñamos partes para

bicicletas. El próximo (*next*) semestre nosotros (5) _____ a trabajar con carros. Me gusta mucho.

MARIBEL: ¿Ustedes (6) _____ a preparar los diseños en la computadora?

MARGARITA: Pues, sí. ¿Qué (7) _____ tú en la biblioteca, Maribel?

¿(8) _____ a estudiar también?

MARIBEL: Sí, (9) _____ a leer un artículo para mi clase de psicología.

MARGARITA: ¡Qué interesante! ¿Qué tal si después de una hora, (10) _____ tú y yo a tomar un café?

MARIBEL: ¡Estupenda idea!

03-38 ¿Adónde van? Listen to each statement made by a university student and match it with the best response.

1. _____   a. Vamos al laboratorio de lenguas.

2. _____   b. Vas al museo.

3. _____   c. Va a la cafetería.

4. _____   d. Van a las canchas de tenis.

5. _____   e. Va a la Facultad de Medicina.

6. _____   f. Voy al auditorio.

03-39 ¿Qué vas a hacer este fin de semana (*weekend*)? Write a paragraph stating your plans for this weekend. Include activities you are going to do (**ir** + **a** + infinitive; **hacer**) and places you are going to go (**ir** + **a** + place).

_____

_____

_____

_____

5. The present tense of *estar* (Textbook p. 98)

03-40 **Nuestro amigo Rafael.** Rafael feels the opposite of how his friends generally feel. For each sentence, select the statement that describes Rafael's opposite mood or lifestyle.

1. Elisa está contenta, pero... _____   a. Rafael está aburrido.

2. Miguel está casado, pero... _____   b. Rafael está triste.

3. Isabel está sana (*healthy*), pero... _____   c. Rafael está cansado.

4. Luz está ocupada, pero... _____   d. Rafael está nervioso.

5. Sebastián está tranquilo (*calm*), pero... _____   e. Rafael está enfermo.

6. Elena tiene mucha energía, pero... _____   f. Rafael está divorciado.

03-41 **En el teléfono.** Using appropriate forms of **estar,** complete the phone conversation between Alfredo, who is away at college, and his mother, who is in their hometown with the rest of the family.

ALFREDO: ¡Hola, Mamá! ¿Cómo (1) _____ (tú)?

MADRE: (Yo) (2) _____ bien, hijo (*son*). ¿Y tú?

ALFREDO: Bien, también. ¿(3) _____ Papá (*Dad*) en casa?

MADRE: No, hijo, él (4) _____ en su oficina porque tiene mucho trabajo.

ALFREDO: Y, ¿cómo (5) _____ mis hermanitas (*little sisters*)?

MADRE: Ellas (6) _____ muy contentas, porque mañana vamos al museo de arte y después vamos al parque (*park*).

ALFREDO: ¡Ay, magnífico! Pues pronto (*soon*) yo voy a (7) _____ con ustedes.

MADRE: Sí, y todos nosotros (8) _____ muy emocionados (*excited*) por tu llegada (*arrival*) en unas semanas. Hasta pronto, Alfredo. Muchos besos (*kisses*)...

ALFREDO: Adiós, Mamá. ¡Saludos a todos!

03-42 ¿Cómo están? Describe the probable feelings or conditions of various university students, using **estar** and one of the adjectives given in each response. Remember to watch for agreement.

aburrido/a	contento/a	enfermo/a	ocupado/a
cansado/a	enamorado/a	enojado/a	preocupado/a

Modelo: Laura tiene un examen de cálculo por la mañana.
          Ella *está nerviosa.*

1. Tú crees que Rosa, una compañera de clase, es muy bonita, inteligente, fascinante, maravillosa...

   Tú _____ .

2. Julia y Ramona tienen que leer una novela, escribir una composición y estudiar para un examen.

   Ellas _____ .

3. No estudiamos más. Es medianoche.

   Nosotras _____ .

4. El profesor de historia habla y habla. No es interesante.

   Ustedes _____ .

5. Roberto no habla con sus amigos.

   Él _____ .

6. Es medianoche. Roberto no está en casa.

   Sus padres _____ .

7. Mi novia no está bien. Va al hospital.

   Ella _____ .

8. ¡Tengo varios días de vacaciones ahora!

   Yo _____ .

03-43 En la taquilla. Refer to the drawing of the box office line while you listen to statements about the characters. Select all the characters for whom each statement is true.

1. a. Marcela   b. Pepe   c. Paula   d. Mercedes   e. Adrián

2. a. Marcela   b. Pepe   c. Paula   d. Mercedes   e. Adrián

3. a. Marcela   b. Pepe   c. Paula   d. Mercedes   e. Adrián

4. a. Marcela   b. Pepe   c. Paula   d. Mercedes   e. Adrián

5. a. Marcela   b. Pepe   c. Paula   d. Mercedes   e. Adrián

6. a. Marcela   b. Pepe   c. Paula   d. Mercedes   e. Adrián

03-44 Situaciones en la residencia estudiantil (*dorm/residence hall*). Listen to Cristina as she talks about situations in the residence hall where she lives. Write a response for each using **estar** and an adjective, speculating about the probable feelings or conditions of the students involved. Remember to watch for agreement.

Modelo: Son las tres de la mañana y la amiga de Susana no llega a la residencia.
           Susana *está preocupada.*

1. Elisa _____ .

2. Juliana y Rosa _____ .

3. Alicia y Juan _____ .

4. Yo _____ .

5. Pepe y yo _____ .

6. Summary of uses of *ser* and *estar* (Textbook p. 101)

03-45 La fiesta de Luisa de esta noche. Read Antonio's statements about a party tonight and select the verb that best completes each one: **ser** (for traits), **estar** (for states), or **hay** (*there is/are*).

¡Esta noche (1) (es / está / hay) una fiesta! (2) (Es / Está / Hay) en el apartamento de Luisa Chacón. Su apartamento (3) (es / está / hay) cerca de mi apartamento. La fiesta (4) (es / está / hay) a las nueve de la noche. Luisa (5) (es / está / hay) un poco triste porque su buen amigo Raúl (6) (es / está / hay) enfermo y no va a estar. Las fiestas de Luisa siempre (7) (son / están / hay) muy divertidas (*fun*). (8) (Es / Está / Hay) buena música y mucha comida para todos. ¡Vamos!

03-46 Mi pequeño mundo. Read about various aspects of Marco's personal life, and complete each statement using the correct form of **ser** (for traits) or **estar** (for states).

A. Mi familia. Mi familia (1) _____ mexicana. Nosotros (2) _____ de Guadalajara.

Guadalajara (3) _____ en el estado (*state*) de Jalisco. Los miembros (*members*) de mi familia

(4) _____ trabajadores y simpáticos.

B. Mis padres. Mis padres (5) _____ profesores. Enseñan en la universidad. La universidad

(6) _____ cerca de nuestra casa. Sus oficinas (7) _____ en edificios diferentes del

campus. Mi mamá (8) _____ profesora de literatura mexicana y su oficina está en la Facultad de

Filosofía y Letras. Mi papá es profesor de biología y su oficina (9) _____ en la Facultad de Ciencias.

¡Los dos (10) _____ muy inteligentes!

03-47 Vicente Ramírez. Read the following statements about Vicente Ramírez and decide whether each conclusion requires **ser** (for traits) or **estar** (for states).

1. Vicente habla muchos idiomas.
   a. Es listo.   b. Está listo.

2. Son las seis. Vicente va a buscar a su novia porque van a un restaurante elegante.
   a. Es listo.   b. Está listo.

3. La novia de Vicente tiene un vestido (*dress*) negro nuevo.
   a. Es bonita.   b. Está bonita.

4. En general, la novia de Vicente es como Salma Hayek.
   a. Es bonita.   b. Está bonita.

5. Como siempre, Vicente habla de temas (*topics*) interesantes.
   a. No es aburrido.   b. Está aburrido.

6. Ahora es domingo y Vicente no tiene nada (*nothing*) que hacer.
   a. Es aburrido.   b. Está aburrido.

03-48 El hermano de Vicente Ramírez. Listen to the following statements about Vicente's brother, Héctor, who is his complete opposite. Decide if each conclusion requires **ser** (for traits) or **estar** (for states).

1. a. No es guapo.   b. No está guapo.

2. a. Es guapo.   b. Está guapo.

3. a. Es malo.   b. Está malo.

4. a. No es rico.   b. No está rico.

5. a. No es malo.   b. No está malo.

03-49 ¿Ser o estar? Listen to the following words describing Marco and choose the verb that correctly combines with each: **ser** (for traits) or **estar** (for states).

1. es   está   4. es   está

2. es   está   5. es   está

3. es   está   6. es   está

03-50 Tu mejor amigo/a. Write a brief description of your best friend using appropriate forms of **ser** (for traits) and **estar** (for states).

_____

_____

_____

_____

_____

_____

¿Cuánto saben? (Textbook p. 104)

03-51 ¿Saben usar _ir_ y _hacer_? Read more about aspects of Marco's student life and complete each statement using the correct form of **ir** or **hacer.**

Yo (1) _____ a la biblioteca todos los días y (2) _____ mi tarea. Mis amigos

también (3) _____ a la biblioteca a estudiar. Después de estudiar, nosotros

(4) _____ al gimnasio. (5) _____ muchos deportes (_sports_), por ejemplo,

practicamos tenis. Los sábados y los domingos, yo (6) _____ a la casa de mis padres. Ellos

(7) _____ la comida, y nosotros hablamos mucho. ¿Qué (8) _____ tú en la

universidad? ¿Adónde (9) _____ (tú) a estudiar? ¿Qué vas a (10) _____ el

sábado y el domingo?

03-52 **¿Saben usar *ser* y *estar*?** Read about Toño's upcoming graduation and complete each statement using the correct form of **ser** (for traits) or **estar** (for states).

Toño (1) _____ estudiante en Los Ángeles. Pronto (*soon*) va a (2) _____

ingeniero. (3) _____ abril y Toño va a graduarse (*graduate*) en mayo. Él y su familia

(4) _____ muy contentos. Su familia va a (5) _____ en Los Ángeles para la

ceremonia de graduación. La ceremonia (6) _____ en el estadio de fútbol de la universidad a las

nueve de la mañana. (7) _____ importante ir temprano (*early*), porque el estadio

(8) _____ un poco lejos del campus central. Y tú, ¿(9) _____ listo/a para tu

ceremonia de graduación? ¿Crees que va a (10) _____ un día especial para ti y para tu familia?

03-53 **¿Comprenden bien?** Listen to the following statements about various university students. Select all items that are logical conclusions for each statement.

1. a. Estoy nervioso.   b. Voy a la biblioteca.   c. Tengo que estudiar.

2. a. Está casada.   b. Va al laboratorio de lenguas. c. Va a la Facultad de Medicina.

3. a. Tenemos cuidado.   b. Vamos a la cafetería.   c. Vamos a comer.

4. a. Son trabajadores.   b. No hacen la tarea.   c. Están enamorados.

5. a. No soy perezosa.   b. Estoy muy enferma.   c. Hago ejercicios.

6. a. Vamos al teatro.   b. Vamos a ir al centro estudiantil. c. No vamos a la cancha de tenis.

7. a. Practica en la cancha.   b. Va a museos.   c. Estudia Kahlo y Rivera.

8. a. Es verano.   b. Van a la rectoría.   c. Tienen sed.

03-54 **¿Saben contestar por escrito?** Listen to five questions about your university's campus and your life there. Write a truthful, complete response in Spanish for each question you hear. Be sure to use correct agreement with verbs.

1. _____

2. _____

3. _____

4. _____

5. _____

03-55 ¿Saben contestar oralmente? Listen to five questions about your typical feelings in different situations. Give a truthful, complete oral response in Spanish for each question you hear. Be sure to use correct agreement with verbs and adjectives.

1. ...

2. ...

3. ...

4. ...

5. ...

Observaciones: ¡Pura Vida! Episodio 3 (Textbook p. 105)

Antes de ver el video

03-56 ¿Qué va a pasar? Select the response that best answers each question.

1. What will Patricio likely say to Silvia as they make plans to meet?
   a. ¿Vamos a almorzar?
   b. Silvia, en América decimos cuadra, no manzana.
   c. ¿Estás loca?

2. What is a likely response from Silvia?
   a. No, estoy al lado.
   b. Al norte. A dos manzanas de la Avenida Central.
   c. ¿Por qué no vamos al Restaurante Manolo?

3. What will Silvia likely ask Patricio about universities in the United States?
   a. Son muy caras las universidades en Estados Unidos, ¿no?
   b. ¿Por qué vas a estudiar?
   c. ¿Cuántos años tienes?

4. As the two friends discuss Patricio's scholarship application, how will Silvia show her encouragement?
   a. El examen no es exigente... Tienes tiempo para prepararte.
   b. Es un examen de inglés para extranjeros (*foreigners*).
   c. Es un programa de intercambio (*exchange*) cultural.

5. How might Silvia indicate that she has to leave?
   a. Patricio, tienes razón. El restaurante está lleno (*full*) de turistas.
   b. Patricio, es muy tarde. ¿Puedes llamar al camarero (*waiter*)?
   c. Patricio, ¿cuáles son los requisitos (*requirements*) para la beca (*scholarship*)?

A ver el video

03-57 **En un restaurante.** As you watch the episode, complete each sentence with the most appropriate word or expression from the word bank. Not all words and expressions will be used.

aburrida	cerca	cinco mil	colombiano	hambre	lejos
mexicano	Mi	Nuestra	preocupada	sed	seis mil

1. Silvia está _____ del trabajo.

2. Silvia tiene mucha _____ .

3. Patricio solamente tiene _____ colones en la billetera (*wallet*).

4. El restaurante en la Avenida 2 y la Calle 15 se llama " _____ Tierra".

5. Silvia cree que el restaurante está un poco _____ y toma un taxi.

6. Uno de los requisitos de la beca Fulbright que solicita Patricio es ser _____ .

Después de ver el video

03-58 **¿Cierto o falso?** Based on the content of the episode, indicate whether each statement is **cierto** or **falso**.

1. Patricio y Silvia van al Restaurante Manolo porque sus sándwiches son estupendos.   Cierto   Falso

2. Patricio y Silvia no van al Restaurante Bakea porque es muy caro.   Cierto   Falso

3. Silvia camina (*walks*) al restaurante porque está muy cerca.   Cierto   Falso

4. Silvia va a solicitar una beca Fulbright.   Cierto   Falso

5. Uno de los requisitos (*requirements*) de la beca Fulbright es tener cuatro años de estudios universitarios.   Cierto   Falso

6. Patricio tiene que aprobar (*pass*) un examen de inglés.   Cierto   Falso

Nuestro mundo

Panoramas: ¡México fascinante! (Textbook p. 106)

03-59 ¡A informarse! Based on information from **Panoramas**, indicate whether each statement is **cierto** or **falso.**

1. No hay influencias indígenas en la cultura mexicana de hoy.   Cierto   Falso

2. No hay flamencos en la península Yucatán.   Cierto   Falso

3. La capital de México tiene un metro extenso.   Cierto   Falso

4. Hay una pirámide azteca completa en una de las estaciones del metro.   Cierto   Falso

5. Los alebrijes representan figuras fantásticas.   Cierto   Falso

6. El 91% de las personas en México lee y escribe.   Cierto   Falso

03-60 La geografía de México. Look at the following map of Mexico and write the name of the city that corresponds to each number on the map.

1. _____   5. _____

2. _____   6. _____

3. _____   7. _____

4. _____   8. _____

Páginas: El Museo de Antropología de México (Textbook p. 108)

03-61 ¿Cierto o falso? Based on information from the **Páginas** section of the text, decide if each statement is **cierto** or **falso.**

1. En el museo hay exhibiciones sobre los grupos indígenas de México.   Cierto   Falso

2. El museo tiene información sobre la religión de los mayas pero no sobre su comercio (*commerce*).   Cierto   Falso

3. Los mayas construyeron (*built*) pirámides.   Cierto   Falso

4. El museo no abre los lunes.   Cierto   Falso

5. El museo está abierto de 9:00 a 20:00 horas.   Cierto   Falso

6. Siempre tienen que pagar por admisión los profesores.   Cierto   Falso

Taller (Textbook p. 110)

03-62 **Un correo electrónico de un amigo mexicano.** Read the following e-mail and answer the comprehension questions.

A: ramirez99carl@gmail.com

DE: roberto2020@yahoo.mx

ASUNTO: Mi universidad

¡Hola, Carlos!

Hoy es martes y estoy en la universidad porque tengo muchas clases. A las nueve tengo clase de matemáticas. ¡Es muy difícil! Afortunadamente (*Fortunately*), la profesora es muy buena. A las diez y media tengo clase de psicología. La clase es un poco complicada y el profesor es exigente, pero estudio mucho y tengo buenas notas. Mi clase de informática es bastante fácil, porque para mí las computadoras son fascinantes. A las dos como con mis amigos en la cafetería de la universidad. Después de comer, estudio en la biblioteca y a las tres y media tengo clase de inglés. Es mi clase favorita porque me gustan las lenguas, aunque (*even though*) todavía no hablo inglés muy bien. A las cinco tengo clase de historia con mi profesora favorita. Ella habla de muchos temas (*topics*) interesantes. Este semestre tengo clases todos los días, pero como (*since*) las clases son muy buenas, estoy contento aquí en la universidad. ¿Cuándo vienes a visitarme?

Hasta pronto,

Roberto

---

1. ¿Dónde está Roberto hoy?

   _____

2. ¿Qué clases tiene Roberto los martes?

   _____

3. ¿A qué hora tiene clase de psicología?

   _____

4. ¿Qué hace Roberto a las dos?

   _____

5. ¿Qué clase es muy difícil para Roberto?

   _____

6. ¿Qué clase es bastante fácil para Roberto?

   _____

7. ¿Cuál es la clase favorita de Roberto?

   _____

8. ¿Quién es su profesora favorita?

   _____

03-63 Tu propio correo electrónico. Write an e-mail to one of your friends that is similar to Roberto's, in which you explain aspects of your university schedule. Write about the classes you take and when you have them, and give a brief description of each class. Don't forget to include a header, a greeting, and a closing in your e-mail.

_____

_____

_____

_____

_____

_____

_____

_____

_____

_____

_____

_____

_____

Nombre: _____   Fecha: _____

4 ¿Cómo es tu familia?

Primera parte

¡Así lo decimos! Vocabulario (Textbook pp. 114–115)
Miembros de la familia

04-01 ¡Así es la vida! Reread the brief dialogs in your textbook and select all items that are true for each statement.

1. La familia Suárez celebra _____ .
   a. la graduación de Anita
   b. el aniversario de los abuelos
   c. el cumpleaños de don Ramón

2. Las mujeres de la familia _____ .
   a. preparan la comida
   b. pasan tiempo juntas (*together*)
   c. hacen buenos tamales

3. Anita _____ .
   a. es la sobrina de Chela
   b. es la nieta de Clara
   c. quiere refrescos

4. Los hombres de la familia _____ .
   a. ayudan con la comida
   b. hablan de la comida
   c. beben

5. Tomasito _____ .
   a. tiene hambre
   b. quiere almorzar
   c. es el mayor de la familia

6. La familia Suárez _____ .
   a. es unida
   b. tiene personas menores
   c. tiene personas mayores

04-02 La familia. Clara is helping her children Anita and Tomasito better understand family relationships. Complete each of her statements with the correct word.

Modelo: Los padres de mi madre son mis *abuelos*.

1. La hermana de mi madre es mi _____ .

2. El esposo de mi hermana es mi _____ .

3. Los hijos de mi hermana son mis _____ .

4. La madre de mi esposo es mi _____ .

5. La madre de mi padre es mi _____ .

Capítulo 4   ¿Cómo es tu familia?   93

From *Student Activities Manual for ¡Arriba! Comunicación y cultura*, Sixth Edition, Eduardo Zayas Bazán, Susan B. Bacon, Holly J. Nibert. Copyright © 2012 Pearson Education, Inc. Publishing as Prentice Hall. All rights reserved.

6. Las hijas de mi tío son mis _____ .

7. La esposa de mi hijo es mi _____ .

8. El hijo de mis padres es mi _____ .

9. La esposa de mi hermano es mi _____ .

10. El esposo de mi hija es mi _____ .

04-03 **Los parentescos.** The Suárez family loves puzzles. Find these ten words for family relationships in the puzzle below. Search horizontally, vertically, and diagonally, both forward and backward.

abuela	esposa	hermanastra	madre	sobrino
cuñada	hermano	hija	padre	tío

H	H	U	C	L	S	O	F	H	I	P	A	A	R
E	Í	R	U	A	O	O	U	L	F	R	L	I	T
R	J	X	Ñ	P	B	E	B	E	N	A	H	D	D
M	T	F	A	H	N	P	B	R	O	S	R	E	C
A	A	O	D	U	A	L	D	D	I	J	T	Y	S
N	L	D	A	D	R	E	A	A	V	N	Í	U	O
O	G	I	R	C	T	S	L	M	F	A	O	P	R
R	O	E	J	I	S	M	E	P	Ñ	S	L	E	T
F	M	P	O	S	A	A	U	O	E	R	P	A	S
I	P	O	M	Í	N	P	B	L	L	O	J	Q	A
V	A	Y	T	O	A	R	A	U	C	I	E	U	C
E	S	P	O	S	M	C	L	S	H	A	M	I	A
H	D	E	N	E	R	Í	R	O	B	J	N	E	G
Y	A	C	E	P	E	S	P	O	S	A	T	T	S
U	M	O	S	O	H	Z	O	Z	M	H	E	U	S

04-04 **El árbol genealógico.** Ana María is a friend of the Suárez family. Below is her family tree. Give a brief answer to each question you hear about it. Be sure to write only the person's name, as in the model, or a number.

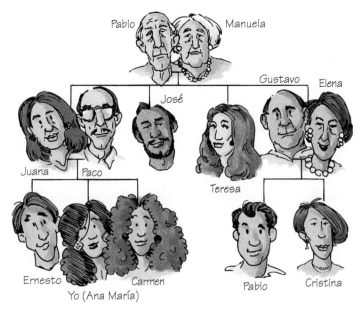

Modelo: ¿Quién es el padre de Ana María?
            Paco

1. _____   4. _____

2. _____   5. _____

3. _____   6. _____

04-05 **Emparejar.** Match each verb with a logically associated concept or thing.

1. almorzar _____   a. el cumpleaños de tu madre

2. dormir _____   b. tiempo con amigos

3. entender _____   c. por la noche

4. ganar _____   d. el problema

5. jugar _____   e. al tenis

6. pasar _____   f. al mediodía

7. recordar _____   g. un buen salario

8. servir _____   h. la comida en el restaurante

04-06 Preguntas personales. A friend in Spanish class wants to know more about your family. Answer his/her questions truthfully with complete sentences in Spanish.

1. ¿De dónde son tus padres?

   _____ .

2. ¿Te gusta pasar tiempo con ellos? ¿Por qué?

   _____ .

3. ¿Tienes hermanos o hermanas? ¿Son mayores o menores?

   _____ .

4. ¿Tienes muchos primos? ¿Son ustedes unidos?

   _____ .

5. ¿Tienes hijos? ¿Cuántos y cómo se llaman?

   _____ .

6. ¿Deseas tener una familia grande o pequeña? ¿Por qué?

   _____ .

¡Así lo hacemos! Estructuras

1. The present tense of stem-changing verbs: *e → ie, e → i, o → ue* (Textbook p. 118)

04-07 La clase de matemáticas. Match each statement to the drawing that best depicts its meaning.

1. _____

2. _____

3. _____

4. _____

5. _____

6. _____

a. La clase de matemáticas *empieza* al mediodía.

b. La clase es difícil y los estudiantes no *entienden* al profesor.

c. En la clase algunos estudiantes *sueñan* con estar de vacaciones.

d. Los estudiantes trabajadores *prefieren estudiar* en la biblioteca.

e. Después de la clase, los estudiantes *almuerzan* en la cafetería.

f. En la cafetería ellos *sirven* pizza.

04-08 La pasión de Gabriel. Complete each sentence about Gabriel's favorite sport with the correct form of the verb in parentheses.

1. Gabriel _____ (jugar) al tenis todos los días.

2. Cuando él _____ (perder), no está contento.

3. Él _____ (dormir) nueve horas todas las noches para estar bien.

4. Gabriel también _____ (pensar) mucho en el tenis.

5. Él _____ (querer) ser tenista (*tennis player*) profesional en el futuro.

6. Seguramente (*surely*) él _____ (poder), porque es muy dedicado.

04-09 En casa de los abuelos. Adriana's family is very close-knit. Complete the following paragraph about Sunday gatherings at her grandparents' house by correctly conjugating each verb in parentheses, based on the corresponding subject.

Mi familia es grande. Los domingos todos nosotros (1) _____ (almorzar) en casa de los abuelos. La

comida (*meal*) (2) _____ (empezar) a la una. Mis abuelos siempre (3) _____ (servir)

varios platos (*dishes*) deliciosos. Mis padres y mis tíos siempre (4) _____ (querer) ayudar. Hay mucha

comida, y por eso todos nosotros (5) _____ (repetir) nuestros platos favoritos. Después de comer,

mis primos pequeños (6) _____ (jugar) afuera (*outside*). Yo (7) _____ (preferir)

hablar con mi abuela, porque ella (8) _____ (entender) bien mis ideas y siempre

(9) _____ (poder) ayudar. Yo (10) _____ (querer) mucho a mi abuela y a toda

mi familia.

04-10 Las preguntas del/de la esposo/a. Spouses tend to ask a lot of questions to manage daily life together. Answer each question by providing a correctly conjugated verb in the blank, based on the cue provided.

Modelo: ¿Con qué sueñas?
         Sueño con Guatemala.

1. _____ mañana.   4. No _____ mucho.

2. _____ pizza.   5. _____ leer esta noche.

3. _____ el sábado.   6. _____ ver a la familia.

04-11 ¡El preguntón! A well-intentioned uncle of yours asks a lot of questions, and you try to be polite. Answer each question in a complete sentence. Be sure to follow the model closely.

Modelo: ¿Tienes amigos?
         Sí, tío, *tengo amigos.*

1. Sí, tío, _____ .

2. No, tío, _____ .

3. Sí, tío, _____ .

4. Sí, tío, _____ .

5. No, tío, _____ .

04-12 En la cafetería. Based on the drawing, write six complete sentences using various verbs from the word bank. Follow the model as a guide.

almorzar	pedir	querer	soñar
encontrar	pensar	servir	tener

Modelo: *Juanito repite la palabra "¡Mamá!"*

1. _____ .

2. _____ .

3. _____ .

4. _____ .

5. _____ .

6. _____ .

2. Direct objects, the personal *a*, and direct object pronouns (Textbook p. 124)

04-13 Habla Raúl. Complete each description of Raúl's family life by providing the personal **a** when needed. When not needed, write an **X**.

Modelo: Cuando visito *a* mi primo Jorge, siempre pedimos *X* pizza.

1. Llevo _____ mis hermanitos a jugar en el parque.

2. Mis hermanitos y yo compramos _____ chocolate.

3. Invito _____ mi cuñado a almorzar en un restaurante.

4. Mis padres no quieren mucho _____ su yerno.

5. Mis tíos no entienden _____ mis padres.

6. Mis hermanos y yo tenemos _____ muchos primos y los visitamos.

7. Visitamos _____ nuestro primo Gustavo y _____ nuestra prima Isabel.

8. El primo Gustavo quiere _____ una novia guapa y alta.

9. La prima Isabel tiene _____ un esposo rico y simpático.

10. Cuando estamos con los primos, pasamos _____ tiempo en el centro de la ciudad.

04-14 Habla Ana. Complete each of Ana's sentences about her family with an appropriate direct object pronoun in order to avoid repeating the previous word(s) in italics.

Modelo: Mi primo se llama *Jorge* y *lo* voy a visitar en otoño.

1. Yo soy Ana. Tengo *dos hermanas* y _____ llamo todos los días.

2. *Nosotras* vivimos en San Salvador y mi tío _____ invita a almorzar en su casa los domingos.

3. *Tú* visitas a tu familia los domingos también, ¿verdad? Por eso todos _____ adoran tanto (*so much*).

4. *Mi prima Luisa* estudia en Nueva York y yo _____ quiero visitar.

5. *Yo* voy a ir en verano y Luisa _____ va a llevar a muchos lugares.

6. *Los amigos de Luisa* son muy interesantes y simpáticos y _____ vamos a invitar a comer una tarde.

04-15 Habla Pablo. Complete each sentence about Pablo's family life with the direct object pronoun that corresponds to the subject in italics.

Modelo: *Nosotros* debemos esperar aquí porque tu madre *nos* busca.

1. *Mi hermana Marta* quiere mucho a su novio, pero él no _____ quiere.

2. *Yo* hablo mucho con mi abuelo, porque él _____ entiende bien.

3. *Mi hermana y yo* ayudamos mucho a nuestros padres, porque ellos también _____ ayudan mucho.

4. *Mis tías* buscan a mi madre para ir a comprar, pero ella no _____ contesta.

5. *Tú* esperas mucho a tu novia, pero ella no _____ espera. ¡No es simpática!

6. *Tus padres* te llaman mucho, pero tú no _____ llamas. ¿Por qué?

04-16 Ideas. You and a friend are relaxing in a café, casually sharing memories and ideas. Complete each of your sentences with the cue you hear, preceding it with the personal **a** when necessary.

Modelo: Veo _____ en la fiesta.
mi primo
Veo *a mi primo* en la fiesta.

1. Recuerdo mucho _____ .

2. Recuerdo bien _____ .

3. Comprendo bien _____ y _____ .

4. Comprendo bien _____ y _____ .

5. ¿_____ visitas frecuentemente en la ciudad?

6. ¿_____ visitas frecuentemente en la ciudad?

04-17 ¿Quién hace qué en tu familia? Your friend is curious about relationships and experiences in your family. Answer each of her questions according to the subject provided. Replace the direct object with the corresponding direct object pronoun, and remember to change the verb form when necessary.

Modelo: ¿Quién llama a tu madre todos los días?
Yo *la llamo* todos los días.

1. Mis tíos _____ .

2. Todos nosotros _____ .

3. Mis padres _____ .

4. Mi hermana mayor _____ bien.

5. Mi primo Raúl _____ .

6. Yo _____ .

04-18 **¿Sí o no?** Your friend's questions in the café continue and you are involved in conversation. Answer each question affirmatively or negatively, according to the cue provided.

Modelo: ¿Comprendes español?
           Sí, lo comprendo.

1. Sí, _____ .

2. No, _____ .

3. No, _____ .

4. No, _____ .

5. Sí, _____ .

04-19 **Preguntas sobre la familia.** Your grandfather lives in another state and writes to inquire about family matters. Answer his questions truthfully in complete sentences, using a direct object pronoun to avoid repetition. Be sure to follow the model closely.

Modelo: ¿Llamas a tus padres todos los días?
           No, no los llamo todos los días.

1. ¿Ayudas a tu padre?

   _____ .

2. ¿Encuentra tu madre tiempo para la familia?

   _____ .

3. ¿Ven tus hermanos y tú mucho a los primos?

   _____ .

4. ¿Recuerdas bien a tus abuelas?

   _____ .

5. ¿Quieres mucho a tu familia?

   _____ .

¿Cuánto saben? (Textbook p. 127)

04-20 ¿Saben usar los verbos con cambio de raíz (*stem change*)? Complete each of the following sentences with the appropriate form of the verb in parentheses.

1. Nuestros padres nos _____ (querer) mucho.

2. Mi hermano _____ (pensar) mucho en su novia.

3. Yo no _____ (entender) bien a mis suegros.

4. Mi esposo y yo _____ (soñar) con tener una pequeña familia.

5. Mi hermano menor _____ (preferir) un perro para su cumpleaños.

6. ¿Qué _____ (pedir) tú para tu cumpleaños?

04-21 ¿Saben usar la *a* personal? Complete each sentence by providing the personal **a** when needed. When not needed, write an **X**.

Modelo: Necesito llamar *X* un taxi.

1. Necesito llamar _____ mi esposa.

2. Buscamos _____ un buen apartamento en una ciudad nueva.

3. También buscamos _____ buenos amigos.

4. Mi hermanastro Miguel vende _____ varios productos para apartamentos.

5. Mañana vemos _____ mi hermanastro para almorzar y para hablar.

04-22 ¿Saben usar los pronombres de objeto directo? Complete each sentence with the direct object pronoun that corresponds to the word(s) in italics.

Modelo: *Nosotros* debemos esperar aquí porque tu madre *nos* busca.

1. Mi tía lee *italiano y portugués* y _____ escribe también.

2. Mi padrastro hace *bebidas tropicales* (*tropical drinks*) y después _____ sirve a la familia.

3. Mis primos practican mucho *la salsa* y ahora _____ bailan muy bien.

4. Mi suegro siempre pierde *su teléfono celular*; mi suegra siempre _____ encuentra.

5. *Yo* quiero mucho a mi esposo; él también _____ quiere mucho.

🔊 **04-23 ¿Comprenden bien?** Listen to Luisa describe her family and select all items that are true for each statement.

1. Los _____ de Luisa celebran el aniversario.
   a. tíos
   b. padres
   c. abuelos

2. Federico _____ .
   a. es el esposo de Catalina
   b. es el padre de Luisa
   c. vive en la capital

3. Luisa _____ .
   a. tiene padres divorciados
   b. tiene una hermana mayor
   c. tiene un hermano menor

4. La familia de Luisa _____ .
   a. es muy unida
   b. vive en Quetzaltenango
   c. es bastante grande

5. Griselda _____ .
   a. es la hermana de Catalina
   b. vive en la capital
   c. es soltera

6. Samuel _____ .
   a. es el hermano de Federico
   b. tiene muchas hermanas
   c. vive ahora en Quetzaltenango

🔊 **04-24 ¿Saben contestar por escrito?** Listen to five questions about your life at home. Write a truthful response in Spanish for each question, using a direct object pronoun when possible. Remember to use correct agreement with verbs and pronouns.

1. _____

2. _____

3. _____

4. _____

5. _____

🔊 **04-25 ¿Saben contestar oralmente?** Listen to five questions about aspects of your family and home life. Give a truthful oral response in Spanish for each question. Remember to use correct agreement with verbs and adjectives.

1. ...

2. ...

3. ...

4. ...

5. ...

Nombre: _____ Fecha: _____

Perfiles (Textbook p. 128)

Mi experiencia: La familia hispana ¿típica?

04-26 **Según Maríahondureña.** Reread this section of your textbook and complete each sentence with the correct answer from the word bank.

buscar	entender	globalización	migración
dinero	generalizar	hijos	unidad familiar

1. En la opinión de esta mujer hondureña, no es posible _____ el concepto de "familia hispana".

2. Por razones económicas y políticas, hay mucha _____ en los países centroamericanos.

3. Muchos hombres tienen que _____ trabajo fuera de sus países.

4. Las mujeres y los hombres mayores mantienen (*maintain*) la _____ .

5. Además, con más estudios, las mujeres de ahora tienen menos _____ .

6. La _____ es un tema presente en la música de Guillermo Anderson, un cantautor popular hondureño.

Mi música: "El encarguito" (Guillermo Anderson, Honduras)

04-27 **Asociar datos.** Read about this artist in your textbook and follow the directions to listen to the song on the Internet. Then match each item with the best description.

1. Guillermo Anderson _____
2. "El encarguito" _____
3. un encarguito _____
4. La Ceiba _____
5. la lengua y la cultura garífunas _____
6. mestizo _____

a. lugar donde viven muchos grupos étnicos
b. de origen español y amerindio
c. de origen africano
d. canción con humor y realismo
e. tipo de paquete (*package*)
f. músico de La Ceiba

Segunda parte

¡Así lo decimos! Vocabulario (Textbook pp. 130–131)

Lugares de ocio

04-28 ¡Así es la vida! Reread the brief dialogs in your textbook and select the answer that best completes each statement.

1. Raúl llama a Laura para ver si _____ .
   a. está bien
   b. quiere ir al cine
   c. quiere ir a cenar

2. Laura pregunta sobre _____ .
   a. los actores de la película
   b. la hora de la película
   c. el nombre de la película

3. El cine se llama _____ .
   a. el Rialto
   b. El Salvador
   c. Guazapa

4. En el cine ponen una película _____ .
   a. ecuatoriana
   b. panameña
   c. salvadoreña

5. La película empieza _____ .
   a. a las seis y media
   b. a las siete
   c. a las siete y media

6. Laura prefiere _____ .
   a. ir al cine mañana
   b. ir al cine esta noche
   c. ver una película diferente

04-29 Respuestas a una invitación. Decide whether each statement is used to accept (**aceptar**) or decline (**rechazar**) an invitation and select the correct answer.

1. Sí, claro.   aceptar   rechazar

2. Me encantaría.   aceptar   rechazar

3. Me encantaría, pero tengo que trabajar.   aceptar   rechazar

4. De acuerdo.   aceptar   rechazar

5. No, lo siento.   aceptar   rechazar

6. Paso por ti.   aceptar   rechazar

7. Gracias, pero no puedo.   aceptar   rechazar

8. Estoy muy ocupado/a.   aceptar   rechazar

04-30 Más invitaciones. Raúl and Laura from **¡Así es la vida!** had a wonderful time at the movies and have decided to see each other again. This time Laura initiates the date. Using the numbers 1 to 7, put the lines of dialog in order to create a logical conversation.

1. ¡Me encantaría! ¿Quién canta? _____

2. De acuerdo. ¡Hasta pronto! _____

3. Sí, soy Raúl _____.

4. ¿Aló? _____

5. Alejandro Sanz. El concierto es a las ocho. Paso por ti a las siete, ¿de acuerdo? _____

6. ¿Está Raúl, por favor? _____

7. Raúl, soy Laura. ¿Te gustaría ir a un concierto esta noche? _____

04-31 Emparejar (*Matching*). Match each activity with an associated detail or place.

1. ir al centro _____   a. por el parque

2. escuchar un concierto _____   b. de hockey

3. comprar entradas _____   c. de la ciudad

4. ir a un partido _____   d. para la función

5. ver una película _____   e. en el cine

6. pasear _____   f. de música clásica

04-32 ¿Quieres…? Listen to Ana and Jorge's conversation and indicate whether each statement is **cierto** or **falso.**

1. Ana contesta el teléfono.	Cierto	Falso
2. Ana sabe que Jorge va a llamar.	Cierto	Falso
3. Jorge invita a Ana al cine.	Cierto	Falso
4. Jorge quiere ver una película mexicana.	Cierto	Falso
5. La película empieza a las ocho y cuarto.	Cierto	Falso
6. Ana pasa por Jorge a las siete y cuarto.	Cierto	Falso

04-33 Completamos las ideas. You will hear different lines from a telephone conversation. Select the most logical response to each.

1. a. Sí, con Juan, por favor.
   b. Bueno.
   c. Aló.

2. a. Te llamo para invitarte a bailar esta noche.
   b. ¡Hasta pronto!
   c. Quiero ir al cine.

3. a. Lo siento, pero no puedo.
   b. A las nueve y media.
   c. Claro, ¿quieres pasear por el centro?

4. a. No, gracias. No puedo.
   b. Me gusta la orquesta.
   c. Es un café al aire libre.

5. a. De acuerdo. Vamos al teatro el sábado.
   b. Sí, claro. ¡Me encantaría ver el partido!
   c. El parque es muy popular.

6. a. Sí, claro. Me gusta mucho el parque.
   b. El concierto es fabuloso.
   c. ¿Puedes ir al cine?

Letras y sonidos: Word stress and written accent marks in Spanish (Textbook p. 132)

04-34 ¿Dónde hay énfasis? Listen to each word and indicate which of its final three syllables is emphasized. (No written accent marks are included.)

		third to last syllable	second to last syllable	last syllable
Modelo:	te	*le*	fo	no
1.	pe	li	cu	la
2.		vein	ti	tres
3.			fun	cion
4.		com	pren	der
5.		en	tra	da
6.		cla	si	ca
7.	her	ma	nas	tra
8.			ti	os
9.	di	vor	cia	do
10.		re	cuer	das

Nombre: _____ Fecha: _____

04-35 **¿Hay acento escrito?** Based on the correct answers about emphasis in the previous activity, decide whether each word requires a written accent mark. Fully rewrite each word correctly, as shown in the model.

		third to last syllable	second to last syllable	last syllable	correctly written word
Modelo:	te	le	fo	no	*teléfono*
1.	pe	li	cu	la	
2.		vein	ti	tres	
3.			fun	cion	
4.		com	pren	der	
5.		en	tra	da	
6.		cla	si	ca	
7.	her	ma	nas	tra	
8.			ti	os	
9.	di	vor	cia	do	
10.		re	cuer	das	

¡Así lo hacemos! Estructuras

3. Demonstrative adjectives and pronouns (Textbook p. 134)

04-36 **De compras.** You are shopping for and discussing school supplies with a friend at the university bookstore. Indicate your preferences by completing each statement with the correct demonstrative adjective.

Modelo: Deseo comprar *ese* (*that [close to you]*) diccionario allí.

1. No quiero _____ (*these*) mochilas.

2. Prefiero _____ (*that [close to you]*) mochila allí.

3. _____ (*Those over there [away from both of us]*) libros son muy caros.

4. Voy a comprar _____ (*this*) libro de aquí.

5. Deseo tener _____ (*these*) cuadernos también.

04-37 ¿Qué prefieres? At the bookstore, a clerk asks you which of the following items you would like to buy. Reply to each question with a complete sentence, using the appropriate demonstrative adjective based on the three columns below and following the model.

AQUÍ, CERCA	ALLÍ, MÁS LEJOS DE AQUÍ	ALLÁ, MUY LEJOS
escritorio	mochilas	computadora
calculadoras	libros	lápices
cuadernos	diccionario	bolígrafo

Modelo: ¿Qué escritorio quiere usted?
           Quiero este escritorio.

1. ¿Qué cuadernos prefiere usted?

   _____

2. ¿Qué computadora quiere?

   _____

3. ¿Qué lápices prefiere?

   _____

4. ¿Qué libros desea?

   _____

5. ¿Qué diccionario quiere?

   _____

6. ¿Qué calculadoras prefiere?

   _____

04-38 En una fiesta. Your family is attending your close friend Roberto's college graduation party. Roberto wants to know who, among the crowd, each member of your family is. Complete your conversation with him using appropriate demonstrative adjectives or pronouns.

ROBERTO: ¡Hola! ¿Está toda tu familia aquí?

TÚ: Sí, gracias por invitarnos.

ROBERTO: ¿Quiénes son tus padres?

TÚ: Mi padre es (1) _____ señor alto y moreno que está allá lejos hablando con tu padre.

ROBERTO: ¿Es tu madre (2) _____ señora de aquí?

TÚ: No, ella es mi tía. Mi madre es (3) _____ señora al lado de mi padre.

ROBERTO: ¿Están tus hermanos en la fiesta?

TÚ: ¡Por supuesto! Mi hermano es (4) _____ muchacho de allí, cerca de la puerta.

ROBERTO: ¿Y tus hermanas?

TÚ: Son (5) _____ muchachas aquí con las que hablo. Te las presento.

   (6) _____ es Ángela y (7) _____ es Carmen.

ROBERTO: Encantado. Mucho gusto en conocerlas.

TÚ: ¡(8) _____ evento es maravilloso!

ROBERTO: Sí, ¡hay mucha gente y me encanta!

Nombre: _____   Fecha: _____

04-39 **¿Este, ese o aquel?** Your mother is visiting you on campus and you walk through the student center and bookstore together. She has many questions. Answer each one negatively using the demonstrative pronoun in the cue provided.

Modelo: ¿Vas a comer en esta cafetería?
            aquel
            No, voy a comer en aquella.

1. este _____

2. aquel _____

3. ese _____

4. este _____

5. ese _____

6. aquel _____

4. The present tense of *poner, salir,* and *traer* (Textbook p. 136)

04-40 **Varias situaciones.** What do people do on different occasions? Complete each paragraph with the correct forms of the verb indicated.

A. poner

Ana y Pepe siempre (1) _____ sus libros en una mochila. Mi amigo Raúl no

(2) _____ sus libros en una mochila. ¡Los tiene en el carro! Yo (3) _____ mis

libros en una bolsa grande. Y tú, ¿dónde (4) _____ tus libros?

B. salir

Sandra (5) _____ con Teodoro. Ellos siempre (6) _____ a comer en

restaurantes. Mi vida es más difícil. Yo (7) _____ del trabajo a las seis y media. Mis amigos y yo

sólo (8) _____ los viernes porque los restaurantes son muy caros.

C. traer

¿Qué (9) _____ tú a clase? Yo (10) _____ el libro y Teresa

(11) _____ el cuaderno de actividades. Quique y Eduardo (12) _____ un

diccionario.

                    © 2012 Pearson Education, Inc.

04-41 **Los planes.** Two friends have plans for a weekend at the beach. Complete each sentence with the most appropriate verb from the word bank.

salir	traigo	pone	salen	poner	salimos	trae	salgo

Alejandro y Eduardo (1) _____ hoy para la playa (*beach*). Alejandro (2) _____

todas las cosas en su carro. Quieren (3) _____ a las nueve de la mañana. A las ocho y media

Eduardo llama a Alejandro.

EDUARDO: ¡Hola, Alex! ¿A qué hora (4) _____ (nosotros)?

ALEJANDRO: En treinta minutos. Yo voy a (5) _____ mis cosas en el carro ahora.

EDUARDO: Alex, ¿no es posible salir a las diez? Necesito ver a mi hermano.

ALEJANDRO: ¿A qué hora tienes que verlo?

EDUARDO: A las nueve y cuarto. (6) _____ (yo) de mi casa ahora.

ALEJANDRO: Hombre, no hay problema. ¿Quién (7) _____ la música?

EDUARDO: No te preocupes (*Don't worry*)... Yo (8) _____ la música. ¡Gracias, y hasta pronto!

ALEJANDRO: Adiós.

04-42 **Salgo...** Complete each sentence with the most appropriate preposition from the word bank and the expression you hear. Use each preposition only once, and remember to make contractions as necessary.

a	con	de	para

Modelo: Pablo
          Salgo *con Pablo.*

1. Salgo _____ .

2. Salgo _____ .

3. Salgo _____ .

4. Salgo _____ .

Capítulo 4   ¿Cómo es tu familia?   113

5. *Saber* and *conocer* (Textbook p. 139)

04-43 Más información sobre tus primas. Your friend Tony wants to know more about two female cousins who are coming to spend a month with your family. Complete each question with the correct form of **saber** or **conocer,** according to the context.

1. ¿_____ tus primas a tus otros amigos?

2. ¿_____ (ellas) que yo estudio español?

3. ¿_____ (tú) al novio de tu prima Anita? ¿Es guapo?

4. ¿_____ (tú) si ellas visitan a tu familia en agosto?

5. ¿_____ ellas jugar al tenis?

6. ¿_____ tu prima Carmen hablar inglés bien?

04-44 Una conversación. Complete the following conversation between two friends about a new student with the correct form of **saber** or **conocer,** according to the context.

MARÍA: ¿(1) _____ tú al estudiante nuevo? ¿(2) _____ (tú) cómo se llama?

CARMEN: (Yo) (3) _____ que su apodo es Beto.

MARÍA: ¿(4) _____ si Beto habla español?

CARMEN: Sí, (5) _____ que habla español.

MARÍA: ¿(6) _____ dónde vive?

CARMEN: Yo no (7) _____ dónde vive, pero mi hermano (8) _____ que Beto vive cerca de la universidad.

MARÍA: ¿(9) _____ tú a Maribel, la hermana de Beto?

CARMEN: No, yo no (10) _____ a Maribel.

MARÍA: ¡Vamos a conocerlos!

CARMEN: ¡Vamos!

04-45 Unas preguntas. For each drawing, formulate an appropriate question using the **tú** form of **saber** or **conocer.** Be sure to follow the model closely.

Modelo: *Begoña, ¿conoces a este muchacho?*

1. _____

_____

3. _____

_____

2. _____

_____

4. _____

_____

04-46 **¿Conozco o sé?** For each phrase that you hear, indicate whether to use **conozco** or **sé.**

1. a. conozco   b. sé

2. a. conozco   b. sé

3. a. conozco   b. sé

4. a. conozco   b. sé

5. a. conozco   b. sé

¿Cuánto saben? (Textbook p. 142)

04-47 **¿Saben usar los demostrativos?** Complete each sentence with the most appropriate demonstrative adjective or pronoun.

Modelo: ¿Qué es eso (*that*)?

1. Esta casa es de mis abuelos, pero _____ (*that one over there [away from both of us]*) es de mis tíos.

2. Mi primo es _____ (*this*) muchacho que está aquí.

3. Mi hermana no quiere comprar estas sillas, pero quiere _____ (*those ones [close to you]*) que están allí.

4. Mis padres trabajan en _____ (*that [away from both of us]*) edificio (*building*) allá lejos.

5. _____ (*That [close to you]*) muchacho es mi amigo Ramón.

6. ¿Qué es _____ (*this*)?

04-48 **¿Saben *poner, salir* y *traer*?** Complete each sentence with the correct form of the verb in parentheses.

Modelo: Los amigos *salen* (salir) para nuestra fiesta a las nueve de la noche.

1. Yo _____ (poner) los refrescos en el refrigerador.

2. Tú _____ (traer) música.

3. Yo _____ (traer) mi guitarra.

4. Elena _____ (salir) a comprar unas pizzas.

5. Yo _____ (salir) a buscar a más amigos nuestros.

6. Todos nosotros _____ (poner) dinero (*money*) para la fiesta.

04-49 **¿Saben la diferencia entre *saber* y *conocer*?** Complete each sentence with the appropriate form of **saber** or **conocer,** according to the context.

1. Yo no _____ Nueva York.

2. Yo _____ que Nueva York está en la costa del Atlántico.

3. Mi madre _____ jugar al tenis muy bien.

4. Nosotros _____ quién es Rigoberta Menchú.

5. Mis padres _____ a mis amigos.

6. Los estudiantes de español _____ la diferencia entre **saber** y **conocer.**

04-50 **Federico y Elena.** Listen to the dialog and select the best answer to complete each sentence.

1. Esta noche Federico y Elena van _____ .
   a. a un partido de béisbol   b. al cine   c. a una función de teatro

2. Ahora mismo son las _____ .
   a. diez   b. dos   c. doce

3. _____ piensa que van a llegar tarde.
   a. Federico   b. Amalia   c. Elena

4. _____ piensa que tienen tiempo.
   a. El papá de Elena   b. El hermano de   c. Federico
                                  Amalia

5. _____ de Federico están en el café "La Paz".
   a. Los hermanos   b. Los primos   c. Las tías

6. Juan y Pedro son _____ .
   a. los hijos de una tía de Federico   b. los hijos del   c. parientes de la mamá
                                                 tío Pepe   de Federico

7. Federico y Elena _____ .
   a. no invitan a los primos   b. van al café   c. llaman a los primos

8. No van a llegar tarde porque _____ .
   a. Elena está nerviosa   b. Federico compra   c. la película comienza en dos horas
                                     las entradas por la
                                     Internet

Nombre: _____ Fecha: _____

🔊 04-51 **¿Saben contestar por escrito?** Listen to five questions about what and whom you know. Write a truthful response in Spanish for each question. Remember to use correct agreement with verbs.

1. _____

2. _____

3. _____

4. _____

5. _____

🔊 04-52 **¿Saben contestar oralmente?** Listen to five questions about aspects of leisure time. Give a truthful oral response in Spanish for each question. Remember to use correct agreement with verbs.

1. ...

2. ...

3. ...

4. ...

5. ...

Observaciones: ¡Pura Vida! Episodio 4 (Textbook p. 143)

Antes de ver el video

🎬 **04-53 ¿Qué pasa?** Select the best answer to each question.

1. What might Felipe say to Marcela upon walking in with flowers?
   a. Entonces, es tu hermanastra, ¿no?
   b. ¿Entonces cómo sabes que es de Claudia?
   c. Estas flores son para doña María ¿Te gustan?

2. What might Felipe say to Marcela to explain why Claudia sent him a tuxedo?
   a. Claudia es mi hermana. Se casa aquí, en San José, el jueves.
   b. Ahora con el correo electrónico es más fácil contactarnos, pero vernos es muy difícil.
   c. Todavía soy muy joven para casarme.

3. What might Marcela say to Felipe as she describes weddings in Mexico?
   a. Vengo de una familia grande.
   b. En México son espectaculares.
   c. Ah, entonces, ¿tú no te vas a casar?

4. After Felipe says that he may want to live in Mexico, how might Marcela hint to Felipe that she's interested in him?
   a. ¿Y por qué en México? ¿Conoces a alguien de México?
   b. Claro. ¿Y tú? ¿Vuelves a Argentina?
   c. ¿Por qué se casa tu hermana en Costa Rica?

5. What might Felipe say to Marcela that would make her drop the flowers?
   a. Voy a México, D.F. para ver a una chica que conocí por la Internet.
   b. En España tenemos muchos tíos y primos.
   c. Bueno, yo no tengo prisa.

A ver el video

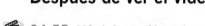 **04-54 La acción y los personajes.** Indicate whether each of the following statements is **cierto** or **falso.**

1. Hay un traje para Felipe.   Cierto   Falso

2. Las flores son para Marcela.   Cierto   Falso

3. La boda es el sábado.   Cierto   Falso

4. Claudia, la hermana de Felipe, se casa.   Cierto   Falso

5. Marisol y Laura son las hermanas de Marcela.   Cierto   Falso

6. Felipe no se casa pronto porque dice que es muy joven.   Cierto   Falso

7. Marcela quiere formar una familia y tener hijos.   Cierto   Falso

8. Felipe va a México para ver a Elvira, una mujer que él conoció (*met*) por la Internet.   Cierto   Falso

Después de ver el video

04-55 Más información. Select the answer that best completes each sentence.

1. El traje es para _____ .
    a. el novio de Claudia   b. Hermés, de su padre   c. Felipe, de su hermana Claudia

2. Marcela piensa que _____ .
    a. Felipe se casa   b. Claudia es bonita   c. las flores son para Silvia

3. Felipe necesita el traje para _____ .
    a. su boda   b. la boda de su hermana   c. la boda de Marcela

4. Marcela dice que _____ .
    a. le hace ilusión la idea de   b. no quiere casarse   c. su boda es en un mes
        formar una familia

5. Según Marcela, las bodas en México son _____ .
    a. aburridas   b. secretas   c. espectaculares

6. Felipe tiene familia en _____ .
    a. Costa Rica, México y Canadá b. Argentina, Italia y España   c. México, Canadá y España

Nuestro mundo

Panoramas: América Central I: Guatemala, El Salvador, Honduras (Textbook p. 144)

04-56 ¡A informarse! Based on information from **Nuestro mundo,** decide whether each of the following statements is **cierto** or **falso.**

1. Hay muchas montañas en Centroamérica.   Cierto   Falso

2. La cultura indígena en Guatemala se ve en los huipiles que llevan muchas mujeres.   Cierto   Falso

3. El maíz es un producto muy importante para los centroamericanos.   Cierto   Falso

4. La economía de los países centroamericanos es independiente de las economías   Cierto   Falso
   de EE. UU. y Canadá.

5. En Centroamérica las personas con dinero viven mayormente en el campo   Cierto   Falso
   mientras que las personas sin dinero viven principalmente en las ciudades.

6. En Guatemala, el número promedio (*average*) de hijos es cinco por mujer.   Cierto   Falso

7. La agricultura es muy importante para la economía de Honduras.   Cierto   Falso

8. El turismo es muy importante para la economía de El Salvador.   Cierto   Falso

Nombre: _____   Fecha: _____

04-57 La geografía de Centroamérica. Based on the map of Central America, match each place with the country where it is located.

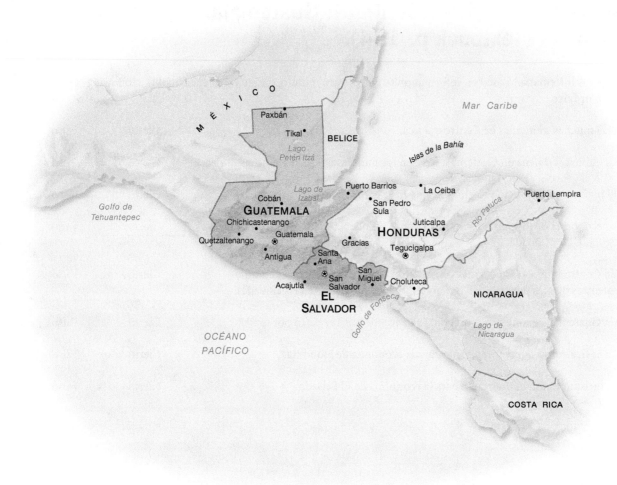

1. San Salvador
   a. El Salvador   b. Guatemala   c. Honduras

2. Quetzaltenango
   a. El Salvador   b. Guatemala   c. Honduras

3. La Ceiba
   a. El Salvador   b. Guatemala   c. Honduras

4. Tegucigalpa
   a. El Salvador   b. Guatemala   c. Honduras

5. Antigua
   a. El Salvador   b. Guatemala   c. Honduras

6. Tikal
   a. El Salvador   b. Guatemala   c. Honduras

Páginas: *Sobreviviendo Guazapa*, Cinenuevo (Textbook p. 146)

04-58 **¿Cierto o falso?** Based on the information from the **Páginas** section of the textbook, decide whether each statement is **cierto** or **falso**.

1. La película *Sobreviviendo Guazapa* es ficción pero se basa en la guerra civil en El Salvador durante los años 1980–1992. Cierto   Falso

2. La película es sobre el asesinato del Arzobispo Óscar Romero en 1980. Cierto   Falso

3. En la película dos combatientes enemigos se unen (*unite*) para sobrevivir y en el proceso ayudan a una muchacha joven. Cierto   Falso

4. El director Roberto Dávila no encuentra problemas en el proceso de hacer esta película. Cierto   Falso

5. Todos los actores en la película tienen experiencia previa a esta. Cierto   Falso

6. La realización de la película toma tres años. Cierto   Falso

7. Esta película recibe atención en varios festivales de cine internacionales y gana premios (*awards*). Cierto   Falso

8. Según el crítico Héctor Ismael Sermeño, Dávila tiene una agenda puramente política. Cierto   Falso

Taller (Textbook p. 148)

04-59 Otra invitación. Write an e-mail to a family member inviting him/her to a special event (such as a jazz concert, a play, a big game, etc.). Include information about the date, the time, the place, and any other needed arrangements. Don't forget to include a header, a greeting, and a closing typical of an e-mail. Consult the examples in the **Taller** section of the textbook as a guide.

_____

_____

_____

_____

_____

_____

_____

_____

_____

_____

5

¿Cómo pasas el día?

Primera parte

¡Así lo decimos! Vocabulario (Textbook pp. 152–153)

Las actividades diarias

05-01 ¡Así es la vida! Reread the brief dialog in your textbook and indicate whether each statement is **cierto** or **falso**.

1. Fabián y Rosario tienen planes para ir a un café.	Cierto	Falso
2. Fabián llega al café temprano.	Cierto	Falso
3. Fabián llama a Rosario.	Cierto	Falso
4. Rosario está en el Café Solo.	Cierto	Falso
5. Fabián necesita prepararse antes de salir para el café.	Cierto	Falso
6. Rosario está muy contenta.	Cierto	Falso

05-02 ¡Fuera de lugar! For each set of expressions about daily routines and personal hygiene, choose the one that is out of place based on its meaning.

1. a. acostarse
   b. bañarse
   c. dormirse
   d. despertarse

2. a. el secador
   b. el peine
   c. los ojos
   d. la máquina de afeitar

3. a. el maquillaje
   b. el brillo de labios
   c. el champú
   d. la mano

4. a. afeitarse
   b. vestirse
   c. ponerse furioso
   d. peinarse

5. a. el maquillaje
   b. la máquina de afeitar
   c. la navaja de afeitar
   d. la crema de afeitar

6. a. la nariz
   b. el jabón
   c. la cara
   d. los dientes

05-03 Un poco de lógica. For each group of phrases about a daily morning or evening routine, number them one to three in logical order.

1. Me seco. _____

    Me levanto. _____

    Me baño. _____

2. Te vistes. _____

    Te bañas. _____

    Sales de la casa. _____

3. Se acuestan. _____

    Se cepillan los dientes. _____

    Se duermen. _____

4. Nos despertamos. _____

    Nos ponemos la crema de afeitar. _____

    Nos afeitamos. _____

05-04 Un crucigrama. Fill in the crossword puzzle with words that complete the following statements about daily routines and personal hygiene.

Across

1. Nosotros nos _____ el pelo con champú.

2. Es medianoche y Juan tiene sueño. Quiere _____ .

3. Todas las mañanas nos cepillamos los _____ .

4. Para lavarnos las manos, usamos el _____ .

5. Olga tiene pelo rubio y _____ azules.

6. Las mujeres se ponen _____ en la cara.

Down

7. Nosotros nos _____ de la cama por la mañana.

8. Muchos hombres se afeitan la _____ .

9. A los niños no les gusta ducharse; prefieren _____ .

10. El señor necesita peinarse, pero no tiene _____ .

11. El señor se _____ la cara con navaja todas las mañanas.

12. Nos secamos el pelo con el _____ .

05-05 **Los artículos de uso personal.** Select the response that best answers the question you hear about personal hygiene.

1. a. una máquina de afeitar   b. el maquillaje   c. un peine

2. a. los dientes   b. el pelo   c. las manos

3. a. una navaja de afeitar   b. un cepillo de dientes   c. el jabón

4. a. la nariz   b. el champú   c. la crema de afeitar

5. a. el brillo de labios   b. un secador   c. la crema de afeitar

6. a. el champú   b. un secador   c. el maquillaje

05-06 **¡Una casa ocupada!** Look at the drawing of the house below. For each description you hear, select the part of the drawing that best represents it.

1. a. b. c. d. e. f.   4. a. b. c. d. e. f.

2. a. b. c. d. e. f.   5. a. b. c. d. e. f.

3. a. b. c. d. e. f.   6. a. b. c. d. e. f.

05-07 ¿Cómo te pones? Write a sentence stating how you feel in each situation. Follow the model, and choose from the expressions in the word bank.

ponerse contento/a   ponerse furioso/a   ponerse molesto/a   ponerse nervioso/a   ponerse triste

Modelo: *Cuando estoy en la clase de español, me pongo contento/a.*

1. _____

_____

3. _____

_____

2. _____

_____

4. _____

_____

¡Así lo hacemos! Estructuras

1. Reflexive constructions: Pronouns and verbs (Textbook p. 156)

05-08 **Las rutinas diarias en la familia de Ana.** Ana lives at home with her family. Based on the drawings, complete her descriptions of family routines with the correct forms of reflexive verbs.

1. Yo _____ la cara por la mañana y _____ la cara por la noche.

2. Mi padre _____ con agua caliente por la mañana y después _____ .

3. Mis abuelos _____ a tomar un café y después los dos _____ los dientes.

4. Mi hermanito _____ a las ocho de la noche y _____ a las ocho y media.

5. Todos nosotros _____ contentos por la noche y _____ temprano el día siguiente.

05-09 Rogelio y su compañero por la mañana. Rogelio and his friend share an apartment but have very different morning routines. Complete Rogelio's narrative with correct forms of appropriate reflexive verbs from the word bank. Use each verb only once.

afeitarse	despertarse	lavarse	peinarse
cepillarse	ducharse	levantarse	vestirse

Yo (1) _____ de la cama (*bed*) a las siete de la mañana. Primero,

(2) _____ los dientes. Después, (3) _____ la cara con crema y navaja. Yo

no (4) _____ por la mañana porque lo hago por la noche. Salgo para la universidad a las ocho.

Mi compañero de apartamento (5) _____ a las diez, pero está en la cama hasta las diez y

media. Tiene clase a las once, entonces no tiene mucho tiempo para prepararse. Él (6) _____ el

pelo pero no (7) _____ la cara con jabón. (8) _____ rápidamente con

ropa (*clothes*) del día anterior y sale con prisa para la universidad.

05-10 ¿Reflexivo o no? Sonia has many children, and she loves to talk about them! Complete each of Sonia's statements with the correct form of a reflexive or nonreflexive verb from the word bank, according to each situation. Use each verb shown only once.

lavar	llamar	peinar	vestir
lavarse	llamarse	peinarse	vestirse

1. Yo _____ Sonia y tengo muchos hijos.

2. Yo _____ a mi hijo Samuel en la universidad todos los sábados.

3. Paula, mi hija mayor, _____ temprano todos los días para ir a trabajar.

4. Muchas veces Paula _____ a su hermanito también.

5. Mi hija Lucía _____ a su hermanita Susi.

6. Lucía _____ sin prisa después.

7. Mi hija Laura _____ su carro todos los viernes.

8. Después Laura _____ bien las manos y la cara. ¡Así es mi familia!

🔊 **05-11 Padre e hijo.** Listen to the conversation between a father and his young son. Then select the phrase that best completes each sentence.

1. El hijo quiere aprender a _____ .
   a. usar una navaja de afeitar   b. hacer jabón   c. usar una máquina de afeitar

2. El padre dice que primero, su hijo debe _____ .
   a. aprender a lavarse   b. aprender a peinarse   c. ponerse un poco de agua en la cara

3. Después, uno se pone _____ .
   a. el champú   b. la crema de afeitar   c. el maquillaje

4. Entonces, uno se afeita la cara, se limpia con agua y _____ .
   a. se seca   b. se baña   c. se maquilla

5. Después de escuchar la explicación de su padre, el hijo _____ .
   a. se lava con jabón   b. se afeita   c. se va

6. El hijo busca _____ .
   a. más crema de afeitar   b. una máquina de afeitar   c. al perro

05-12 Tu rutina diaria. Create a list of at least five activities that typically make up your weekday morning or evening routine. Order the activities numerically, and for each one, include the time that you do it. Be sure to follow the model carefully.

Modelo: *1. Me despierto a las seis.*
             2. Me levanto a las seis y cuarto.

1. _____

2. _____

3. _____

4. _____

5. _____

05-13 Más detalles sobre tu rutina diaria. Now write a description of your typical morning or evening. Add additional details whenever possible.

Modelo: *En general, me despierto a las seis de la mañana porque mi primera clase es a las siete y media, pero muchos días no me levanto hasta las seis y cuarto. Después...*

_____

_____

_____

_____

_____

_____

05-14 Maribel y Nacho. Maribel and Nacho are very much in love and do a lot for and with each other. Complete each description with the correct form of the reciprocal verb in parentheses.

Modelo: Maribel y Nacho *se llaman* (llamarse) por teléfono todos los días.

1. Maribel y Nacho _____ (escribirse) mensajes de texto todos los días.

2. Ellos _____ (encontrarse) en la biblioteca después de clase.

3. Ellos _____ (verse) por la mañana, por la tarde y por la noche.

4. Ellos _____ (hablarse) con mucho cariño (*affection*) y respeto.

5. Ellos _____ (quererse) mucho.

05-15 En el verano. It's summer and you are no longer on campus. Using reciprocal constructions in complete sentences, answer the following questions about your relationships with university friends.

1. ¿Se hablan ustedes por teléfono?

_____ .

2. ¿Se escriben ustedes correos electrónicos?

_____ .

3. ¿Se visitan ustedes durante el verano?

_____ .

4. ¿Dónde se encuentran ustedes?

_____ .

5. ¿Qué más hacen ustedes para mantenerse en contacto (*keep in touch*)?

_____ .

2. Comparisons of equality and inequality (Textbook p. 161)

05-16 El ego de Roberto. Roberto frequently compares himself to his brother Jorge, because he thinks he is better than Jorge at everything. For each set of comparisons, select the one that Roberto most likely says.

1. a. Yo soy tan responsable como Jorge.
   b. Yo soy menos responsable que Jorge.
   c. Yo soy más responsable que Jorge.

2. a. Por la mañana, yo me baño y me visto menos rápidamente que Jorge.
   b. Por la mañana, yo me baño y me visto más rápidamente que Jorge.
   c. Por la mañana, yo me baño y me visto tan rápidamente como Jorge.

3. a. Jorge estudia más que yo.
   b. Jorge estudia tanto como yo.
   c. Jorge estudia menos que yo.

4. a. Jorge tiene menos dinero que yo.
   b. Jorge tiene más dinero que yo.
   c. Jorge tiene tanto dinero como yo.

5. a. Yo tengo tantos amigos como Jorge.
   b. Yo tengo más amigos que Jorge.
   c. Yo tengo menos amigos que Jorge.

05-17 Más comparaciones. Each of the following drawings shows two individuals. Answer the questions in complete sentences to compare some outward aspect of them. Be sure to follow the model carefully.

Modelo: ¿Quién es más elegante, Eduardo o María?
María es más elegante que Eduardo.

Eduardo   María

1. ¿Quién tiene más dinero, Carlos o Ricardo?

_____ .

2. ¿Quién está menos contento, Carlos o Ricardo?

_____ .

Carlos   Ricardo

3. ¿Quién es más joven, Juana o Juanito?

_____ .

4. ¿Quién es más alto/a, Juana o Juanito?

_____ .

Juana   Juanito

05-18 ¿Elena o Pati? Elena and Pati are close friends whom others often compare. Listen to the number of similar items or traits associated with each of them. Then answer the questions based on that information.

Modelo: Elena tiene cinco hermanos. Pati tiene tres hermanos. ¿Quién tiene más hermanos?
Elena tiene más hermanos que Pati.

1. _____ .

2. _____ .

3. _____ .

4. _____ .

5. _____ .

05-19 Laura y Rosa. Laura and Rosa are identical twins. Describe their similarities through comparisons of equality using **tan... como, tanto como,** or **tanto / a / os / as... como**.

Modelo: Laura y Rosa son altas.
          Laura es tan alta como Rosa.

1. Laura y Rosa son muy simpáticas.

    _____ .

2. Laura y Rosa visten bien.

    _____ .

3. Laura y Rosa se despiertan temprano.

    _____ .

4. Laura y Rosa estudian mucho.

    _____ .

5. Laura y Rosa hablan tres lenguas.

    _____ .

6. Laura y Rosa tienen muchos amigos.

    _____ .

05-20 Tus propias comparaciones. Think of a person close to you (a family member, friend, roommate, etc.) to whom you can compare yourself. Write a total of six comparisons, including three comparisons of inequality (**más/menos... que**) and three comparisons of equality (**tan... como, tanto como, tanto / a / os / as... como**).

Comparaciones de desigualdad:

1. _____ .

2. _____ .

3. _____ .

Comparaciones de igualdad:

4. _____ .

5. _____ .

6. _____ .

¿Cuánto saben? (Textbook p. 165)

🔊 **05-21 ¿Comprenden bien?** Select the response that best completes each sentence you hear about the daily routines in one family.

1. a. ... un cepillo de dientes.
   b. ... el jabón.
   c. ... un peine.

2. a. ... me lavo con jabón.
   b. ... no me duermo.
   c. ... no me seco.

3. a. ... con el secador.
   b. ... a las siete.
   c. ... después de ducharse.

4. a. ... el maquillaje.
   b. ... la máquina de afeitar.
   c. ... la nariz.

5. a. ... crema de afeitar que mi mamá.
   b. ... jabón como yo.
   c. ... brillo de labios como mi mamá.

6. a. ... champú que Inés.
   b. ... crema de afeitar que mi papá.
   c. ... maquillaje como Rosario.

05-22 ¿Saben las construcciones reflexivas? Complete each sentence about the daily routines of classmates with the correct form of a reflexive verb from the word bank. Use each verb only once.

afeitarse	ducharse	maquillarse
cepillarse	lavarse	secarse

1. Marcos _____ con navaja todas las mañanas.

2. Nosotras _____ con un brillo de labios especial.

3. ¿_____ tú el pelo con secador?

4. Yo prefiero _____ por la mañana.

5. Debemos _____ los dientes por la mañana y por la noche.

6. Dos compañeras _____ el pelo con un champú muy caro.

05-23 ¿Saben las construcciones recíprocas? You meet new friends in Spanish class and decide to form a study group. Describe what you do together by completing each sentence with the correct form of the reciprocal verb in parentheses.

Modelo: Nosotros *nos escuchamos* (escucharse) para practicar la pronunciación.

1. Nosotros _____ (ayudarse) con la tarea.

2. Nosotros _____ (escribirse) correos electrónicos en español.

3. Nosotros _____ (hablarse) en español de vez en cuando también.

4. Nosotros _____ (verse) antes de los exámenes para estudiar en grupo.

5. Nosotros _____ (hacerse) preguntas para verificar la comprensión.

05-24 ¿Saben comparar? You frequently compare yourself to your roommate. Form comparisons of inequality and equality according to the elements provided and the prompts in parentheses.

Modelo: Mi jabón / fuerte / tu jabón (inequality, +)
           Mi jabón es más fuerte que tu jabón.

1. Mi navaja de afeitar / caro / tu máquina de afeitar (inequality, –)

   _____.

2. Mi crema de afeitar / bueno / tu crema de afeitar (inequality, +)

   _____.

3. Yo / levantarse / temprano / tú (inequality, +)

   _____.

4. Mi champú / barato / tu champú (equality, =)

   _____.

5. Yo / afeitarse / tú (equality, =)

   _____.

6. Yo / tener / pelo / tú (equality, =)

   _____.

05-25 ¿Saben contestar por escrito? Listen to five questions about your daily routine. Write a truthful response in Spanish after each question. Remember to use a correct reflexive pronoun when appropriate.

1. _____

2. _____

3. _____

4. _____

5. _____

05-26 **¿Saben contestar oralmente?** Listen to five questions about your daily routine. Give a truthful oral response in Spanish after each question. Remember to use a correct reflexive pronoun when appropriate.

1. …

2. …

3. …

4. …

5. …

Perfiles (Textbook p. 166)

Mi experiencia: Eco voluntariado en Costa Rica

05-27 **Según Ramón Vázquez, un joven panameño.** Reread this section of your textbook and give the best answer to complete each statement. Not all words will be used.

cubetas	muchos kilómetros	naturalistas	recogen
huevos	lugar seguro	parque nacional	repiten

1. Tortuguero, un _____ en Costa Rica, es un lugar muy importante para la protección de las tortugas marinas, una especie en peligro de extinción.

2. Las tortugas marinas depositan sus _____ en la playa (*beach*) de Tortuguero.

3. Voluntarios como este joven panameño llevan los huevos a un _____ para que sobreviva un gran número de crías.

4. Después _____ las pequeñas crías en cubetas y las llevan a la orilla del mar (*seashore*).

5. Ramón y sus amigos _____ su trabajo voluntario en Tortuguero todos los años.

6. Para hacer este servicio, recorren _____ en carro, escuchando música como la de Los Rabanes, acampando por el camino y a veces durmiendo en la playa.

Mi música: "Everybody" (Los Rabanes, Panamá)

05-28 **Asociar datos.** Read about this group in your textbook and follow the directions to listen to the song on the Internet. Then match each item with the best description.

1. Los Rabanes _____   a. Regueira Pérez y Torres

2. los cantantes (*singers*) del grupo _____   b. guitarra, bajo y percusión

3. la letra (*lyrics*) de sus canciones _____   c. el grupo más popular de Panamá

4. las palabras tomadas del inglés _____   d. combina reggaetón y rock

5. su estilo de música _____   e. irónicas o sarcásticas

6. los instrumentos que tocan _____   f. en español y en inglés

Segunda parte

¡Así lo decimos! Vocabulario (Textbook pp. 168–169)

Los quehaceres domésticos

05-29 **¡Así es la vida!** Reread the brief passages in your textbook and select all items that are true for each statement.

1. Vera vive _____ .
   a. en un apartamento   b. con su familia   c. con tres amigos

2. Vera quiere _____ .
   a. dar una fiesta   b. la ayuda de sus compañeros c. un apartamento ordenado (*tidy*)

3. Enrique debe _____ .
   a. llenar el lavaplatos   b. vaciar el lavaplatos   c. sacar la basura

4. Rogelio tiene que _____ .
   a. recoger la ropa   b. pasar la aspiradora en su cuarto   c. pasar la aspiradora en la sala

5. Estela necesita _____ .
   a. lavar los platos   b. poner la mesa   c. quitar la mesa

6. Vera va a _____ .
   a. lavar el piso   b. comprar refrescos   c. volver a las seis

05-30 **Los quehaceres y los utensilios.** Match each drawing with its associated chore.

1. _____

2. _____

3. _____

4.  _____

5. _____

6.  _____

a. planchar

b. poner la mesa

c. lavar la ropa

d. hacer la cama

e. sacar la basura

f. pasar la aspiradora

05-31 En casa de Claudia. Complete each sentence about Claudia's household with the most appropriate word from the list.

aspiradora	cama	dormitorio	lavaplatos	secadora
basura	cuadro	estantes	mesa	sillón

1. Tengo un _____ de Picasso en la pared.

2. Todas mis novelas están en esos _____ .

3. Ahora tengo ropa limpia en la _____ . Tengo que doblarla (*fold it*).

4. Tengo un _____ enorme, porque me duermo mejor en espacios grandes.

5. En mi casa hago la _____ todas las mañanas cuando me levanto.

6. Yo saco la _____ los jueves.

7. Paso la _____ por la sala los sábados.

8. Hoy vienen Pepe y Clara a comer; tengo que poner la _____ .

9. También tengo que poner varios platos en el _____ ; están sucios.

10. Todos van a preferir sentarse en mi _____ porque es muy cómodo.

05-32 Las partes de la casa nueva de Claudia. Select the appropriate word for each numbered room in Claudia's new house.

1. _____   a. el baño

2. _____   b. la cocina

3. _____   c. el comedor

4. _____   d. el dormitorio

5. _____   e. la sala

05-33 ¿Cómo es tu casa nueva? Claudia's mother calls to ask her about her new house. Look at the drawing in activity 05-32 again to answer the mother's questions. Be sure to follow the model closely in your answers.

Modelo: ¿Qué hay en la cocina?
            En la cocina hay una mesa y una silla.

1. _____ .

2. _____ .

3. _____ .

4. _____ .

5. _____ .

05-34 **Los quehaceres en nuestra casa.** Magdalena, Rosario, and Diego are students sharing a house. Listen as Magdalena describes their division of household chores and select the best answer for each question.

1. ¿Quién no tiene mucho tiempo para limpiar la casa?
   a. Magdalena   b. Rosario   c. Diego

2. ¿Quién pasa la aspiradora?
   a. Magdalena   b. Rosario   c. Diego

3. ¿Quién prefiere lavar los platos?
   a. Magdalena   b. Rosario   c. Diego

4. ¿Quién plancha mejor que Magdalena?
   a. su abuela   b. Rosario   c. su madre

5. ¿En qué parte de la casa trabaja Diego?
   a. en la cocina o en el comedor   b. en el patio o en el garaje   c. en la terraza o en el baño

6. ¿Dónde se sientan después de un día ocupado?
   a. en el patio   b. en el comedor   c. en la terraza

05-35 **¿Y tú?** Answer the following questions about your habits and preferences related to household chores. Be sure to answer in complete sentences.

Modelo: ¿Con qué frecuencia planchas la ropa?
            Plancho la ropa de vez en cuando.

1. ¿Cuándo limpias tu dormitorio?

   _____.

2. ¿Haces la cama?

   _____.

3. ¿Con qué frecuencia lavas la ropa?

   _____.

4. ¿Prefieres poner la mesa o quitar la mesa?

   _____.

5. ¿Prefieres ordenar el garaje o sacar la basura?

   _____.

Letras y sonidos: The consonant *h* and the sequence *ch* in Spanish (Textbook p. 170)

🔊 **05-36** **La *h*.** Listen to the following phrases and write the word that begins with the letter **h**.

1. _____

2. _____

3. _____

4. _____

5. _____

🔊 **05-37** ***Ch*.** Complete each sentence you hear with an appropriate word containing the sequence **ch**.

1. _____

2. _____

3. _____

4. _____

5. _____

Nombre: _____ Fecha: _____

¡Así lo hacemos! Estructuras

3. The superlative (Textbook p. 172)

05-38 Casas en venta. Read the advertisements about four different houses and answer the following questions about superlative qualities.

Los Arcos
Cariari
4 dormitorios, 3 baños, garaje, terraza.
Superficie: 1.025 m².
Precio venta: 45.000.980 colones.

Parritta
2 dormitorios, 1 baño, 1 aseo, 2 plantas, piscina, acceso directo a la playa, casa de huéspedes.
Superficie: 820 m².
Precio venta: 39.700.000 colones.

Palo Seco
(cerca de Parritta)
5 dormitorios, 5 baños, alojamiento de criadas, suite principal, 3 plantas, jacuzzi, piscina, garaje, jardines, acceso directo a la playa.
Superficie: 1.575 m².
Precio venta: 144.999.900 colones.

Santo Domingo de Heredia
(15 minutos de San José)
3 dormitorios, 2 baños, chimenea, sobre parcela de 15.000 m² con jardines, frutas, vista del valle.
Superficie: 900 m².
Precio venta: 39.265.000 colones.

OFERTA INMOBILIARIA · COSTAMAX   OFERTA INMOBILIARIA · COSTAMAX

1. ¿Cuál de las cuatro casas es la más cara?
   a. Los Arcos
   b. Santo Domingo de Heredia
   c. Palo Seco

2. ¿Cuánto cuesta la casa más cara?
   a. 144.999.900 colones
   b. 39.265.000 colones
   c. 1.575 m²'

3. ¿Cuál es la casa más pequeña?
   a. Los Arcos
   b. Parritta
   c. Palo Seco

4. ¿Cuál es la casa con más baños?
   a. Los Arcos
   b. Parritta
   c. Palo Seco

5. ¿Cuál es la casa con menos dormitorios?
   a. Los Arcos
   b. Santo Domingo de Heredia
   c. Parritta

05-39 ¡Los mejores! Gabriela is a professional home decorator who speaks in superlatives. Complete her statements about homes and furnishings following the cues provided. Be sure that your definite articles and adjectives agree in number and gender with the subjects given.

Modelo: Estos sillones son *los más modernos de* la casa. (+ moderno)

1. Esta lavadora es _____ todas. (+ eficiente)

2. Estas sillas son _____ la casa. (– bonito)

3. Este cuadro es _____ la sala. (– caro)

4. Estos estantes son _____ toda la casa. (+ fuerte)

5. Esta casa es _____ toda la ciudad. (+ grande)

05-40 Mi casa. Write five superlative statements to describe your house to a classmate. Combine one element from each word bank in each sentence.

Partes de la casa:			
la sala	el comedor	el dormitorio	*el garaje*
la terraza	la cocina	el baño	el jardín

Adjetivos:			
bonito/a	grande	limpio/a	cómodo/a
ordenado/a	pequeño/a	sucio/a	agradable

Modelo: *El garaje es la parte menos ordenada de mi casa.*

1. _____ .

2. _____ .

3. _____ .

4. _____ .

5. _____ .

4. The present progressive (Textbook p. 174)

05-41 **Cada uno a lo suyo.** Tell what each person or couple is doing by completing the sentences with the present progressive, according to the drawings.

Modelo: Katia y Giselle *están estudiando.*

1. La abuela y Arturo _____ .   3. Diego _____ .

2. Ramona _____ .   4. Víctor y Catalina _____ .

05-42 ¡Estamos haciendo los quehaceres de la casa! The Pérez family is busy with weekend chores. Complete each sentence with the present progressive form of the verb in parentheses to express what each member is doing to help out.

Modelo: La Sra. Pérez *está quitando* (quitar) la mesa.

1. La Sra. Pérez _____ (planchar) la ropa.

2. El Sr. Pérez _____ (lavar) los platos.

3. Rosa y Antonio _____ (hacer) las camas.

4. Cristina _____ (pasar) la aspiradora.

5. Yo no _____ (ordenar) mi casa ahora mismo.

6. Y tú, ¿_____ (limpiar) tu casa?

05-43 Luces, cámara, acción. Narrate the actions being performed by residents of an apartment building by creating sentences based on the prompts.

Modelo: Cristina / hacer su tarea
            Cristina está haciendo su tarea.

1. yo / beber un refresco _____ .

2. nosotros / hablar por teléfono _____ .

3. tú / comer _____ .

4. Teresa y María / leer un libro _____ .

5. Pepe y su amigo / pedir una pizza _____ .

6. Pedro / dormir la siesta _____ .

¿Cuánto saben? (Textbook p. 176)

05-44 ¿Saben nombrar las partes y los objetos de una casa? Listen to the description of the speaker's house and select all rooms and items mentioned.

_____ aspiradora	_____ cómoda	_____ jardín	_____ secadora
_____ baño	_____ cuadro	_____ lámpara	_____ sillas
_____ cama	_____ dormitorio	_____ mesa	_____ sillón
_____ cocina	_____ estantes	_____ patio	_____ sofá
_____ comedor	_____ garaje	_____ sala	_____ terraza

05-45 ¿Saben usar el superlativo? Ernesto likes to use the superlative when talking about himself. Form superlative statements with the elements given. Be sure that your definite articles and adjectives agree in number and gender with the subjects. Remember that for **yo**, the speaker **Ernesto** is masculine and singular.

Modelo: Yo / simpático / la familia
            Yo soy el más simpático de la familia.

1. Mi casa / bonita / la ciudad

   _____ .

2. Mi carro / rápido / todos

   _____ .

3. Yo / inteligente / la clase

   _____ .

4. Mis amigos / populares / la escuela

   _____ .

5. Yo / mayor / mis hermanos

   _____ .

05-46 ¿Saben usar el presente progresivo? Based on the information given, explain what chore each person is doing at the moment.

Modelo: Pedro usa la secadora.
            Pedro está secando la ropa.

1. Elena tiene la aspiradora.

   _____ .

2. Ricardo tiene la plancha.

   _____ .

3. Sonia usa la lavadora.

   _____ .

4. Víctor toma los platos sucios de la mesa.

   _____ .

5. Adriana quita la ropa del piso de su dormitorio.

   _____ .

05-47 **¿Saben contestar por escrito?** Listen to five questions about your home and household chores. Write a truthful response in Spanish after each question. Remember to use correct agreement with verbs and adjectives.

1. _____

2. _____

3. _____

4. _____

5. _____

05-48 **¿Saben contestar oralmente?** Listen to five questions about your home and household chores. Give a truthful oral response in Spanish after each question. Remember to use correct agreement with verbs and adjectives.

1. ...

2. ...

3. ...

4. ...

5. ...

Observaciones: ¡Pura Vida! Episodio 5 (Textbook p. 177)

Antes de ver el video

 05-49 ¿Qué va a pasar? Select the response that best answers each question.

1. As Hermés quits his job, what will he say to his boss?
   a. Sí, claro. Nos vemos en media hora.
   b. ¡Vuelve ahora mismo!
   c. ¡No quiero su dinero y no quiero esto!

2. How will Marcela indicate that she does too much housework?
   a. ¿Y quién limpia el baño? ¿Y quién pasa la aspiradora? ¡La a-mi-gui-ta Mar-ce-li-ta!
   b. ¿Y esta chaqueta encima de la mesa? ¿Es tuya?
   c. ¡No Hermés! ¡No me molesta todo! Me molesta la suciedad, eso sí.

3. What will Silvia say to solve the problem?
   a. Todos los problemas tienen solución.
   b. Aquí están las seis tareas principales de la casa: lavar los platos, sacudir el polvo (*to dust*), pasar la aspiradora, sacar la basura, lavar la ropa y limpiar el baño.
   c. Y también me molesta el desorden; sobre todo tu desorden.

4. What will Silvia recommend as a fair way of taking care of the ironing and the making of beds?
   a. Cada uno plancha su ropa y hace su cama.
   b. Doña María hace todos los quehaceres.
   c. Patricio plancha toda la ropa y hace todas las camas.

A ver el video

 05-50 Los personajes. Match each statement with the character for whom it is true.

1. Organiza una lista de los quehaceres de su casa. _____   a. Hermés

2. Presenta la lista de quehaceres a Marcela y a Hermés. _____   b. Felipe

3. Se pone muy molesta con Hermés. _____   c. Silvia

4. No quiere lavar los platos. _____   d. Patricio

5. Según la lista de hoy, tiene que sacar la basura. _____   e. Marcela

6. Según la lista de hoy, debe lavar la ropa. _____   f. Doña María

Fecha: _____

Nombre: _____

Después de ver el video

05-51 **¿En qué orden?** Use the numbers 1 through 8 to put the following events in chronological order.

1. A Marcela le gusta la lista, pero a Hermés no le gusta. _____

2. Hermés dice que él siempre saca la basura. _____

3. Silvia entra y les da una lista a sus compañeros. _____

4. Hermés habla por teléfono en su trabajo. _____

5. Marcela dice que ella pasa la aspiradora. _____

6. Hermés sale furioso del trabajo y no va a volver. _____

7. Marcela dice que siempre hace los quehaceres de Hermés. _____

8. Silvia dice que cada uno (*each person*) plancha su ropa y hace su cama. _____

Nuestro mundo

Panoramas: América Central II: Costa Rica, Nicaragua, Panamá (Textbook p. 178)

05-52 ¡A informarse! Based on information from **Nuestro mundo**, decide if each statement is **cierto** or **falso**.

1.	Los volcanes de la zona centroamericana tienen poco impacto en la vida de los habitantes.	Cierto	Falso
2.	La artesanía local representa la gran diversidad de la flora y la fauna de la región.	Cierto	Falso
3.	Panamá celebra el centenario de la construcción del Canal en 2014.	Cierto	Falso
4.	Panamá tiene la población más pequeña de estos tres países.	Cierto	Falso
5.	Nicaragua tiene el porcentaje de la población urbana más pequeña de estos tres países.	Cierto	Falso
6.	Costa Rica y Panamá no tienen fuerzas militares.	Cierto	Falso
7.	El servicio militar en Nicaragua es obligatorio.	Cierto	Falso
8.	Panamá tiene frontera con Nicaragua.	Cierto	Falso

05-53 La geografía de Centroamérica. For each statement, select the correct country based on the map.

1. La capital de _____ es San José.
   a. Nicaragua   b. Costa Rica   c. Panamá

2. La capital de _____ es Managua.
   a. Nicaragua   b. Costa Rica   c. Panamá

3. La capital de _____ es Panamá.
   a. Nicaragua   b. Costa Rica   c. Panamá

4. _____ tiene un lago grande en su interior.
   a. Nicaragua   b. Costa Rica   c. Panamá

5. _____ tiene un canal importante que conecta el Mar Caribe con el Océano Pacífico.
   a. Nicaragua   b. Costa Rica   c. Panamá

6. _____ es el país más sureño (*southernmost*) de la América Central.
   a. Nicaragua   b. Costa Rica   c. Panamá

Páginas: Playa Cacao (Textbook p. 180)

05-54 **¿Cierto o falso?** Based on information from the **Páginas** section of the text, decide if each statement is **cierto** or **falso**.

1.	La casa en Playa Cacao tiene un patio con vista al mar.	Cierto	Falso
2.	Hay otras casas similares que están cerca.	Cierto	Falso
3.	La casa se vende con los muebles incluidos.	Cierto	Falso
4.	La casa tiene aire acondicionado.	Cierto	Falso
5.	La casa es tan grande como el terreno que se vende.	Cierto	Falso
6.	Es posible financiar la casa y pagar entre diez y veinte años.	Cierto	Falso

Taller (Textbook p. 182)

05-55 **Pedir más información.** You are interested in the house advertised for sale in the **Páginas** section of the textbook. However, you have questions and need additional information before making a decision. Write an e-mail to the seller of the house on Playa Cacao expressing your interest in the property and requesting specific information. Don't forget to include a header, greeting, and closing in your e-mail.

_____

_____

_____

_____

_____

_____

_____

_____

_____

_____

6

¡Buen provecho!

Primera parte

¡Así lo decimos! Vocabulario (Textbook pp. 186–187)

Las comidas y las bebidas

06-01 ¡Así es la vida! Reread the brief dialogs in your textbook and indicate whether each statement is **cierto, falso,** or **No se sabe** (*unknown*).

1. Manolo le pide la cuenta al mesero.   Cierto   Falso   No se sabe.

2. Jorge no sabe cuánto deben dejar de propina.   Cierto   Falso   No se sabe.

3. Esme pide pastel de manzana.   Cierto   Falso   No se sabe.

4. Elías quiere pedir pollo y papas.   Cierto   Falso   No se sabe.

5. Matilde no desea comer mariscos.   Cierto   Falso   No se sabe.

6. La mamá está contenta con Matilde.   Cierto   Falso   No se sabe.

From *Student Activities Manual for ¡Arriba! Comunicación y cultura*, Sixth Edition, Eduardo Zayas Bazán, Susan B. Bacon, Holly J. Nibert. Copyright © 2012 Pearson Education, Inc. Publishing as Prentice Hall. All rights reserved.

06-02 Emparejar. Matilde sees a lot of foods around her in the restaurant and wants to confirm with her mother what they are. Match each food or beverage with the Spanish word for it.

1. _____

2. _____

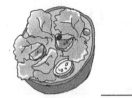

3. _____

4. _____

5. _____

6. _____

7. _____

8. _____

a. la torta de chocolate

b. el queso

c. el maíz

d. la lechuga, el tomate y la cebolla

e. el vino blanco y el vino tinto

f. el helado de vainilla y de chocolate

g. el pescado

h. el pan

06-03 Fuera de lugar. Select the word that does not belong in each group of foods or beverages.

1. a. el agua mineral
   b. el té
   c. la mantequilla
   d. la limonada

2. a. el bocadillo
   b. el flan
   c. el pastel de manzana
   d. las galletas

3. a. las fresas
   b. el ajo
   c. la manzana
   d. la naranja

4. a. el bistec
   b. el azúcar
   c. el jamón
   d. el pollo

5. a. la zanahoria
   b. el maíz
   c. las judías verdes
   d. la cerveza

6. a. el arroz
   b. los camarones
   c. los mariscos
   d. el pescado

Nombre: _____   Fecha: _____

06-04 Los alimentos. Matilde loves puzzles. Find these 12 words related to food vocabulary in the word search. Be sure to look for words horizontally, vertically, and diagonally, both forward and backward.

arroz	huevos	mantequilla	queso
azúcar	jamón	manzana	refresco
banana	leche	pescado	zanahoria

A	Z	Ú	C	A	R	E	F	C	Ó	M	F	P	L	P
P	R	L	O	Z	E	M	A	P	L	A	E	O	E	O
H	X	R	B	C	F	J	L	Ó	M	S	H	D	C	T
L	U	H	O	A	R	I	D	J	C	O	A	V	H	Ó
O	E	B	Y	Z	E	F	U	A	I	B	Z	Ú	E	A
S	M	Ó	S	U	S	O	D	Z	Q	L	A	M	I	S
G	V	J	I	B	C	O	S	X	H	A	N	I	T	R
Y	H	U	E	V	O	S	E	B	A	N	A	N	A	A
Q	O	D	P	N	F	H	O	I	G	I	H	A	B	N
A	T	A	Ó	I	S	R	S	A	R	L	O	M	R	A
O	Z	M	V	A	R	Q	E	T	V	Z	R	N	O	Z
P	A	F	U	L	O	P	U	Y	Ú	E	I	Z	L	N
J	I	A	L	L	I	U	Q	E	T	N	A	M	S	A
D	L	Ú	A	E	V	Z	Ó	R	R	W	Ú	F	C	M

06-05 En un restaurante elegante. You are with your significant other at a fine restaurant, where dialog between clients and the server is formal. Match each question or statement with the most appropriate response.

1. ¿Desean algo de tomar? _____

2. ¿Me trae la cuenta, por favor? _____

3. ¿Cuál es la especialidad de la casa? _____

4. ¡Buen provecho! _____

5. ¿Cuánto es la propina, mi amor? _____

a. Enseguida.

b. Gracias.

c. La especialidad de la casa son los camarones.

d. El veinte por ciento.

e. Sí, el vino tinto de la casa, por favor.

◄))) **06-06 ¿Qué comen y beben?** You have two roommates with very different eating habits. Look at the drawings of Jaime's typical breakfast and Manuel's typical lunch, and answer each question you hear in a complete sentence.

El desayuno de Jaime

1. _____ .

2. _____ .

3. _____ .

El almuerzo de Manuel

4. _____ .

5. _____ .

6. _____ .

Nombre: _____ Fecha: _____

06-07 **Graciela y Adriana van a desayunar.** Graciela and Adriana are sisters meeting out for breakfast. Listen to their conversation with their server in its entirety. Then select all items that are true for each statement.

1. Graciela _____ .
   a. tiene mucha hambre.
   b. le pide el menú al mesero.
   c. desea tomar un café con leche.

2. Adriana _____ .
   a. le pide el menú al mesero.
   b. prefiere un té caliente.
   c. quiere un jugo de naranja.

3. Adriana quiere _____ .
   a. huevos fritos (*fried*) del menú.
   b. más té caliente.
   c. el bufé.

4. Graciela prefiere _____ .
   a. huevos con jamón del bufé.
   b. un jugo de varias frutas.
   c. un jugo de naranja.

5. Graciela dice que _____ .
   a. no hay suficiente comida.
   b. el desayuno sabe (*tastes*) mal.
   c. el café está frío.

6. El mesero responde que _____ .
   a. les sirve otro desayuno.
   b. lo siente mucho.
   c. le sirve otro café a Graciela.

06-08 **Las comidas del día.** Your university health center is offering a complimentary consultation with a dietician. She wants to know what you typically eat for breakfast, lunch, dinner, and snacks. List at least three detailed items per category, following the model as a guide.

Modelo: el desayuno:
          café con leche y azúcar, pan tostado (toasted) *con mantequilla, yogur con varias frutas*

el desayuno:

_____

_____

el almuerzo:

_____

_____

las meriendas:

_____

_____

la cena:

_____

_____

06-09 **Cuestionario.** In further preparation for your consultation with a dietician, your university health center gives you a form with questions to answer. Answer using complete sentences in Spanish.

1. ¿Desayunas bien todos los días?

   _____ .

2. ¿Comes muchas verduras y frutas? ¿Cuáles son tus favoritas?

   _____ .

3. ¿Eres vegetariano/a? ¿Qué proteínas consumes?

   _____ .

4. ¿Consumes mucho azúcar en general?

   _____ .

5. ¿Qué prefieres beber? ¿Tomas mucha agua todos los días?

   _____ .

¡Así lo hacemos! Estructuras

1. Indirect objects, indirect object pronouns, and the verbs *decir* and *dar* (Textbook p. 190)

06-10 **Una familia cooperativa.** The González family cooperates to ensure that all runs smoothly. Susana González explains with the following statements. Complete each one with the indirect object pronoun that corresponds to the indirect object in italics.

Modelo: Mi padre *le* prepara el desayuno *a mi madre* los sábados y domingos.

1. Mi madre _____ prepara la cena *a todos nosotros* durante la semana.

2. Mis padres _____ traen *a mí* comida china de vez en cuando. ¡Es mi favorita!

3. Mi hermano Esteban _____ hace la cama *a mi hermanito Juanito*.

4. Yo _____ lavo los platos *a todos*.

5. Yo también _____ lavo la ropa *a mi abuelo*.

6. Mi abuelo _____ compra helado *a mis dos hermanos y a mí*.

7. ¿Qué _____ haces tú *a los miembros de tu familia*?

8. ¿_____ compran cosas (*things*) especiales *a ti* tus abuelos?

06-11 **¿Qué dicen?** Maribel is from Mexico and her friend Cristina is from Spain. As you read in **Variaciones**, they use different words for some food-related concepts. Complete each of Maribel's explanations with the correct form of the verb **decir**.

Modelo: Yo *digo* "jugo de naranja", pero Cristina *dice* "zumo de naranja".

1. Como soy mexicana, yo _____ "mesero", pero Cristina como española

   _____ "camarero".

2. Cuando hablamos con el mesero en México, nosotros _____ "usted", pero las personas en

   España _____ más "tú".

3. Yo _____ "banana", pero Cristina y sus amigos _____ "plátano".

4. En México nosotros _____ "papas", pero las personas en España prefieren

   _____ "patatas".

5. ¿Qué _____ tú, "patatas" o "papas"?

06-12 ¿Qué le dan? Little Juanito isn't feeling well today, and several family members give him different things to soothe him. Complete each statement by his older sister with the correct form of the verb **dar**.

Modelo: Mi abuelo le *da* su libro favorito.

1. Mis padres le _____ medicinas.

2. Mi abuela le _____ una sopa de pollo casera (*homemade*) muy buena.

3. Yo le _____ jugo de naranja.

4. Yo también le quiero _____ un té caliente, pero él no lo quiere.

5. Todos nosotros le _____ mucho amor.

6. ¿Le _____ tú algo (*something*) bueno también?

06-13 Un buen restaurante italiano. Paulina loves a particular Italian restaurant where the service is simple and the food is tasty. Complete each of her descriptions with the indirect object pronoun that corresponds to the indirect object in italics, followed by the correct form of the verb in parentheses (either **decir** or **dar**). Follow the model closely.

Modelo: La mesera *le da* (dar) un café *a mi esposo.*

1. La mesera _____ (dar) el menú *a nosotros.*

2. Yo _____ (decir) *a la mesera* que soy vegetariana.

3. La mesera _____ (decir) *a mí* cuáles son los mejores platos (*best dishes*) vegetarianos.

4. Mi esposo y yo _____ (decir) *a la mesera* que preferimos vino tinto, unas ensaladas (*salads*) verdes y la pasta con salsa de tomate.

5. La mesera y los cocineros (*cooks*) _____ (dar) *a nosotros* muy buen servicio y comida muy rica.

6. Nosotros _____ (dar) las gracias *a todos* por una buena experiencia.

06-14 Reflexiones. You are talking to a friend about your significant other, and you reflect on all the positive things that he/she does for others. Listen to each statement and select the indirect object that clarifies or emphasizes the indirect object pronoun that you hear.

1. a. a su mejor amigo   b. a sus amigos   c. a nosotros

2. a. a ti   b. a nosotros   c. a mí

3. a. a su madre   b. a nosotros   c. a sus abuelos

4. a. a sus amigos   b. a mí   c. a ti

5. a. a mí   b. a nosotros   c. a su familia

6. a. a mí   b. a sus abuelos   c. a ti

06-15 Una casa ocupada. You are a busy stay-at-home parent. Your mother comes for a visit and wants to help you in every way possible. Listen to each offer of assistance and choose the most logical response.

1. _____

2. _____

3. _____

4. _____

5. _____

6. _____

a. Sí, puedes sacarle la basura, porque esta noche llega tarde.

b. Sí, nos puedes preparar unos sándwiches.

c. Sí, esta noche, y las puedes bañar también.

d. No, pero me puedes vaciar el lavaplatos, si quieres.

e. Sí, te digo en un momento.

f. Sí, les das un poco de fruta en media hora, por favor.

06-16 La comida de la abuela. Your grandmother enjoys preparing food for loved ones. You explain to a friend what she typically makes. Combine the elements given to form complete sentences in Spanish. Be sure to include an indirect object pronoun before each verb, conjugated to agree with **mi abuela**. Follow the model closely.

Modelo: preparar / flan de vainilla / a mi abuelo
           Le prepara flan de vainilla a mi abuelo.

1. preparar / sopa de pescado / a mi padre

   _____.

2. hacer / camarones al ajo / a mis tíos

   _____.

3. dar / una torta de zanahoria / a mí

   _____.

4. hacer / galletas de chocolate / a todos nosotros

   _____.

5. preparar / pan de banana / a ti / ¿verdad?

   _____.

Nombre: _____ Fecha: _____

2. *Gustar* and similar verbs (Textbook p. 193)

06-17 ¿Qué comida les gusta? You are helping your friend Clara plan a small backyard party for her graduation. Complete her statements about food preferences in her family with the correct form of the verb **gustar**.

Modelo: A mi madre le *gustan* las frutas de verano.

1. A todos nosotros nos _____ las galletas de chocolate.

2. A mí me _____ el pastel de manzana también.

3. A mi hermana le _____ mucho las papas fritas (*French fries*).

4. A mis padres les _____ el jamón con queso, pero a mí no.

5. A mí me _____ las hamburguesas, pero a mis padres no.

6. A mi hermana y a mí nos _____ mucho cocinar (*to cook*).

7. A todos nosotros nos _____ comer en el patio.

8. A ti te _____ planear (*to plan*) fiestas, ¿verdad? ¡Gracias!

06-18 Compañeros nuevos. Raúl and Julián are new housemates who live near their university campus. Complete their conversation about cooking and eating preferences with the appropriate form of each verb in parentheses.

RAÚL: ¿Te (1) _____ (interesar) las clases de cocina (*cooking*)?

JULIÁN: No, no me (2) _____ (interesar). Me (3) _____ (parecer)

           aburridas, pero sí me (4) _____ (fascinar) ir a restaurantes.

RAÚL: ¿Qué restaurantes te (5) _____ (gustar)?

JULIÁN: Me (6) _____ (encantar) el restaurante japonés nuevo Sushiya. A mi familia y a mí

           nos (7) _____ (fascinar) ir a restaurantes exóticos en general.

RAÚL: A mí también me (8) _____ (encantar) los restaurantes exóticos, pero no me

           (9) _____ (gustar) la comida picante.

JULIÁN: Tranquilo, conozco un restaurante que te va a (10) _____ (fascinar).

06-19 Los temas de conversación. You overhear parts of a conversation in a café. Listen to each statement and indicate which of the two subjects (singular or plural) is being discussed. Base each answer on the verb ending you hear.

1. a. la comida picante   b. los postres

2. a. la cerveza oscura   b. los camarones

3. a. comer pescado   b. los platos del menú

4. a. la comida italiana   b. los vinos chilenos

5. a. la leche   b. los meseros impacientes

6. a. cenar en un restaurante vegetariano   b. las hamburguesas

06-20 Un buen restaurante chino. Miguel and his wife eat out at Chinese restaurants often. Complete each of Miguel's descriptions with the correct indirect object pronoun, followed by the correct form of the verb in parentheses. Follow the model closely.

Modelo: A mi esposa *le gusta* (gustar) la comida vegetariana.

1. A mi esposa y a mí _____ (encantar) los restaurantes chinos.

2. A mí _____ (parecer) muy buenos y baratos.

3. A mi esposa _____ (molestar) los precios altos.

4. A nosotros dos _____ (aburrir) los platos sin mucho sabor (*flavor*).

5. A muchos clientes _____ (apetecer) la especialidad de la casa.

6. A nosotros _____ (interesar) saber los ingredientes.

7. A mí _____ (quedar) diez dólares para la propina.

8. ¿_____ (fascinar) a ti cenar en restaurantes chinos?

06-21 Los gustos de los amigos. Antonio lives in a large rental house with his friends, who have very different tastes in foods and beverages. Based on each drawing and following the model, indicate what each friend likes using the verb **gustar**.

Modelo: *A Antonio le gustan las hamburguesas.*

1. _____   3. _____   5. _____

   _____   _____   _____

2. _____   4. _____   6. _____

   _____   _____   _____

06-22 Tus gustos. You have a new friend who is studying to be a chef. He/She wants to cook a meal for you and asks about your food and beverage preferences. Write complete sentences to express three foods and beverages that you like and three that you dislike. Be sure to follow the models and watch for agreement with the verb **gustar.**

Modelos: **Me gusta(n)**
             Me gusta el café.
             No me gusta(n)
             No me gustan los tomates.

Me gusta(n)

1. _____

2. _____

3. _____

No me gusta(n)

4. _____

5. _____

6. _____

06-23 Más sobre tus gustos. Your new friend and future chef e-mails you with questions about your eating habits and preferences. Answer the questions in complete sentences in Spanish, and be sure to watch for verb agreement.

1. ¿Te gusta comer en restaurantes?

   _____ .

2. ¿Te interesan las comidas exóticas?

   _____ .

3. ¿Te gusta la comida picante?

   _____ .

4. ¿Qué ingredientes te molestan?

   _____ .

5. ¿Te fascina probar (*to try*) diferentes tipos de cerveza o de vino?

   _____ .

¿Cuánto saben? (Textbook p. 195)

06-24 ¿Comprenden bien? Alicia and Marcos are doing their weekly grocery shopping in the market (**el mercado**). Based on the drawing, indicate whether each statement you hear is **cierto** or **falso**.

1. Cierto   Falso   4. Cierto   Falso

2. Cierto   Falso   5. Cierto   Falso

3. Cierto   Falso   6. Cierto   Falso

06-25 ¿Saben *decir y dar*? What do students and instructors in a Spanish classroom say and give? One student, Alex, explains. Complete each of his statements with the correct form of the verb in parentheses (either **decir** or **dar**).

Modelo: La profesora nos *da* (dar) mucha tarea.

1. Yo le _____ (decir) "buenos días" a la profesora todos los días.

2. Mis compañeros de clase también le _____ (decir) "buenos días".

3. Todos nosotros _____ (decir) muchas palabras y frases en español durante la clase.

4. Dos estudiantes, Ana y Pablo, siempre le _____ (dar) buenas respuestas a la profesora.

5. Nosotros le _____ (dar) las gracias a la profesora por su buena instrucción.

6. ¿Les _____ (dar) tú las gracias a tus profesores?

06-26 ¿Saben usar los pronombres de objeto indirecto? The Sánchez family loves to celebrate birthdays with good food and gifts, as Enrique Sánchez explains. Select the indirect object pronoun that correctly corresponds to each indirect object.

1. Mis padres _____ dan a mí un reloj nuevo.
   a. me   b. nos   c. te

2. Mi madre _____ prepara nuestros postres favoritos a mis hermanos y a mí.
   a. me   b. les   c. nos

3. Yo _____ doy un libro de historia a mi padre.
   a. le   b. les   c. te

4. A mis hermanos _____ compro entradas para un concierto.
   a. le   b. les   c. nos

5. ¿Qué _____ doy a ti para tu cumpleaños?
   a. me   b. le   c. te

06-27 ¿Saben usar los verbos como *gustar*? Esteban and his friends love to eat. Complete each of Esteban's descriptions with the indirect object pronoun that corresponds to the indirect object given, followed by the correct form of the verb in parentheses. Follow the model closely.

Modelo: A mi amigo Rodrigo *le gustan* (gustar) mucho las hamburguesas.

1. A mis amigos y a mí _____ (encantar) comer.

2. A nosotros _____ (fascinar) las frutas tropicales.

3. A mí _____ (interesar) las clases de cocina (*cooking classes*).

4. A mi amiga Laura _____ (aburrir) preparar la comida.

5. A Laura y a Rodrigo _____ (apetecer) comer comida rápida todos los días.

6. Y a ti, ¿qué _____ (parecer) la comida rápida?

06-28 ¿Saben contestar por escrito? Listen to five questions about eating in restaurants. Write a truthful, complete response in Spanish for each question you hear. Be sure to use appropriate indirect object pronouns and correct verb agreement.

1. _____ .

2. _____ .

3. _____ .

4. _____ .

5. _____ .

06-29 ¿Saben contestar oralmente? Listen to five questions about your eating habits and preferences. Give a truthful, complete oral response in Spanish for each question you hear. Be sure to use correct verb agreement and an indirect object pronoun when appropriate.

1. ...

2. ...

3. ...

4. ...

5. ...

Perfiles (Textbook p. 196)

Mi experiencia: Tren de la ruta del vino

06-30 **Según Felipe, su guía en el tren.** Reread this section of your textbook and give the best answer to complete each statement. Not all words in the word bank will be used.

almuerzo	degustación	moderno	valle
coche comedor	histórico	pescado	viñas

1. La excursión de la ruta del vino ocurre a bordo de un tren _____ , construido en Chile en 1913.

2. El recorrido del tren pasa por las _____ del Valle de Colchagua.

3. Durante el recorrido, hay una _____ de vinos con comida y con música de fondo de artistas chilenos famosos, como Alberto Plaza y Myriam Hernández.

4. La comida incluye _____ fresco, quesos y panes artesanales y frutos secos.

5. Después del recorrido en tren, hay un _____ en la viña Paraíso del Valle, en Santa Cruz.

6. Después del almuerzo, hay una visita al viñedo del _____ de Cachapoal y otra degustación de vinos.

Mi música: "Ahora" (Alberto Plaza, Chile)

06-31 **Asociar datos.** Read about this artist in your textbook and follow the directions to listen to the song on the Internet. Then match each item with the best description.

1. Alberto Plaza _____   a. más de un millón

2. tres carreras universitarias que Plaza nunca terminó (*never finished*) _____   b. la relación con una exnovia

3. el número de conciertos dados (*given*) por Plaza _____   c. ingeniería, economía y publicidad

4. el número de discos vendidos (*sold*) _____   d. un cantautor contemporáneo chileno

5. el tema de la canción "Ahora" _____   e. lenta y melancólica

6. la música de la canción "Ahora" _____   f. más de mil

Nombre: _____   Fecha: _____

Segunda parte

¡Así lo decimos! Vocabulario (Textbook pp. 198–199)

En la cocina

06-32 ¡Así es la vida! Reread the brief passage in your textbook and select all items that are true for each statement.

1. La mamá de Enrique _____ .
   a. le mandó un mensaje de texto
   b. lo llamó por teléfono
   c. les preparó guacamole con nachos a Enrique y a sus amigos

2. Enrique _____ .
   a. llamó a su mamá por teléfono
   b. invitó a su mamá a casa
   c. invitó a algunos amigos a casa

3. Enrique _____ .
   a. les preparó guacamole con nachos a sus amigos
   b. usó una receta de su mamá
   c. encontró una receta en la Internet

4. La receta requiere (*requires*) _____ .
   a. cuarenta minutos
   b. veinte minutos o menos
   c. siete ingredientes

5. Para la receta, Enrique necesitó _____ .
   a. un tazón
   b. aguacate, limón, ajo, cilantro y sal
   c. la ayuda de su mamá

06-33 Emparejar. Enrique wants to learn more about cooking. Match each kitchen activity with the most logically associated food, utensil, and/or appliance.

1. tostar _____
2. mezclar _____
3. cortar _____
4. pelar _____
5. freír _____
6. calentar _____
7. hornear _____
8. guardar _____
9. picar _____
10. echarle _____

a. el pastel con un cuchillo
b. el pollo en el horno (*oven*)
c. las sobras (*leftovers*) en el refrigerador
d. sal al agua en la cazuela
e. el pan en la tostadora
f. la cebolla para hacer salsa picante
g. los ingredientes en un tazón
h. el agua en la estufa
i. la banana antes de comerla
j. los huevos en una sartén

06-34 Completar. How well do you know your way around the kitchen? Enrique's mother explains some basics. Complete each statement with a word from the word bank.

asado	cocinar	microondas	receta	tenedor
cafetera	cuchara	pizca	taza	vaso

1. A mí me encanta _____ para mi familia.

2. Una _____ es la lista de ingredientes y las instrucciones para preparar un plato (*dish*).

3. ¡El pollo _____ es muy sabroso!

4. Siempre le echo una _____ de sal al arroz.

5. Usamos una _____ para preparar el café.

6. Usamos un _____ para calentar comida en poco tiempo.

7. Usamos una _____ para comer sopa.

8. Para cortar la carne, necesito un _____ y un cuchillo.

9. Necesito tomar al menos una _____ de café todas las mañanas.

10. Cuando tengo sed, bebo un _____ de agua fría.

06-35 En la cocina. Enrique's mother continues to explain kitchen activities. Listen to each of her statements and select the response that best completes it.

1. a. a la parrilla   b. en la tostadora   c. en la cafetera

2. a. una cazuela   b. un tazón   c. una cucharadita

3. a. un vaso pequeño   b. una cucharada   c. un plato elegante

4. a. un tenedor   b. una servilleta   c. un cuchillo

5. a. ¡Qué asco!   b. ¡Qué rico!   c. ¡Qué ridículo!

6. a. ¡Qué asco!   b. ¡Qué sabroso!   c. ¡Qué ridículo!

📢 **06-36 Una cena en casa.** A mother, a father, and their daughter converse in the kitchen before dinnertime. Listen and indicate whether each statement is **cierto** or **falso.**

1. La mamá preparó la cena sin ayuda.   Cierto   Falso

2. El papá ayudó a preparar las verduras.   Cierto   Falso

3. La mamá cocinó el pollo en el microondas.   Cierto   Falso

4. Lola, la hija, le echó un poco de salsa picante al arroz.   Cierto   Falso

5. La mamá compró pan para la cena.   Cierto   Falso

6. La mamá horneó una torta de chocolate para mañana.   Cierto   Falso

06-37 Tus actividades en la cocina. Write five complete sentences describing your activities in the kitchen to prepare food and beverages. Be sure to include the utensils and appliances shown in the drawing, and follow the model closely.

Modelo: *Caliento la sopa en el microondas.*

1. _____ .

2. _____ .

3. _____ .

4. _____ .

5. _____ .

Letras y sonidos: The sequences *s, z, ce, ci* in Spanish (Textbook p. 200)

🔊 **06-38 ¿España, Latinoamérica o cualquiera de las dos?** Listen to the pronunciation of each of the following words, taking spelling into consideration. Indicate whether the speaker is clearly from Spain, clearly from Latin America, or could be from either of the two regions (**cualquiera de las dos**).

1. sal	a. España	b. Latinoamérica	c. cualquiera de las dos
2. receta	a. España	b. Latinoamérica	c. cualquiera de las dos
3. pescado	a. España	b. Latinoamérica	c. cualquiera de las dos
4. zanahoria	a. España	b. Latinoamérica	c. cualquiera de las dos
5. azúcar	a. España	b. Latinoamérica	c. cualquiera de las dos
6. desayuno	a. España	b. Latinoamérica	c. cualquiera de las dos
7. pizca	a. España	b. Latinoamérica	c. cualquiera de las dos
8. cena	a. España	b. Latinoamérica	c. cualquiera de las dos
9. sartén	a. España	b. Latinoamérica	c. cualquiera de las dos
10. cerveza	a. España	b. Latinoamérica	c. cualquiera de las dos

¡Así lo hacemos! Estructuras

3. The preterit of regular verbs (Textbook p. 202)

06-39 ¿Presente, pretérito o cualquiera de los dos? Your friend frequently e-mails you about random events in her life. Indicate whether each sentence clearly takes place in the present, in the past (preterit), or could be either of the two (**cualquiera de los dos**), based on the verb conjugation.

1. Almorcé en casa de una amiga.	a. presente	b. pretérito	c. cualquiera de los dos
2. Vivimos cerca.	a. presente	b. pretérito	c. cualquiera de los dos
3. Almorzamos juntas (*together*).	a. presente	b. pretérito	c. cualquiera de los dos
4. Llegué a la una de la tarde.	a. presente	b. pretérito	c. cualquiera de los dos
5. Le cocino arroz con pollo a ella.	a. presente	b. pretérito	c. cualquiera de los dos
6. Me cocinó bistec a la parrilla.	a. presente	b. pretérito	c. cualquiera de los dos
7. Bebimos vino tinto.	a. presente	b. pretérito	c. cualquiera de los dos
8. Bebemos mucho café.	a. presente	b. pretérito	c. cualquiera de los dos
9. Tomamos flan de postre.	a. presente	b. pretérito	c. cualquiera de los dos
10. Me gustó la comida.	a. presente	b. pretérito	c. cualquiera de los dos

06-40 ¿Qué pasó en la clase de cocina? Find out what Rosa and her friends did before and during a cooking class. Complete each sentence with the correct preterit form of the verb in parentheses.

Modelo: Nosotros *pagamos* (pagar) por la clase.

1. Yo _____ (comprar) los ingredientes antes.

2. Todos nosotros los _____ (preparar) durante la clase.

3. Carlos y Alfredo _____ (preparar) los camarones para la parrilla.

4. José _____ (calentar) el agua para el arroz.

5. Silvia _____ (añadir, *to add*) una pizca de sal y pimienta negra a todo.

6. José y Silvia _____ (aprender) a picar cebollas y tomates.

7. Todos nosotros _____ (beber) vino durante el proceso.

8. ¿Cómo _____ (ayudar) tú?

06-41 Juntas en un almuerzo. A few days after their cooking class, Rosa and Silvia met for lunch. Complete Rosa's description of the experience with the correct preterit form of each verb in parentheses.

Ayer yo (1) _____ (almorzar) en un buen restaurante. (2) _____ (Llamar) a mi

amiga Silvia y la (3) _____ (invitar) a almorzar conmigo. Silvia y yo (4) _____ (llegar)

al restaurante a la una. Nosotras (5) _____ (pedir) la especialidad de la casa, bistec con

papas fritas. El cocinero (*cook*) (6) _____ (preparar) muy bien mi bistec y yo le

(7) _____ (añadir, *to add*) una pizca de sal. Yo (8) _____ (beber) un refresco

con la comida y Silvia (9) _____ (tomar) una taza de café con leche. Nosotras le

(10) _____ (dejar) una buena propina a la mesera.

06-42 ¿Qué pasó ayer? What did you and others do yesterday? Combine elements from the three lists to write five complete sentences with verbs in the preterit.

yo	desayunar	huevos fritos y jamón
tú	almorzar	un sándwich de queso
usted	comer	arroz con camarones al ajo
mi amigo	beber	cerveza oscura
mis amigos y yo	salir	a/en un club
ustedes	recibir	a/en un restaurante
mis padres		la cuenta en el restaurante

Modelo: *Yo salí a un restaurante.*

1. _____.

2. _____.

3. _____.

4. _____.

5. _____.

🔊 **06-43 Escuchar a un amigo.** A friend calls you to share random events in his life. Indicate whether each sentence is clearly in the present, in the past (preterit), or could be either of the two (**cualquiera de los dos**), based on the verb conjugation you hear.

1. a. presente   b. pretérito   c. cualquiera de los dos

2. a. presente   b. pretérito   c. cualquiera de los dos

3. a. presente   b. pretérito   c. cualquiera de los dos

4. a. presente   b. pretérito   c. cualquiera de los dos

5. a. presente   b. pretérito   c. cualquiera de los dos

6. a. presente   b. pretérito   c. cualquiera de los dos

7. a. presente   b. pretérito   c. cualquiera de los dos

8. a. presente   b. pretérito   c. cualquiera de los dos

🔊 **06-44 Las preguntas de mi mamá.** Your mother calls with questions about your recent lunch date with Clara, a new friend. Answer the questions affirmatively in complete sentences using the appropriate preterit form of the verb and, when possible, an appropriate direct or indirect object pronoun. Follow the model closely.

Modelo: ¿Bebiste la limonada?
            Sí, *la bebí.*

1. Sí, _____ .

2. Sí, _____ .

3. Sí, _____ .

4. Sí, _____ .

5. Sí, _____ .

4. Verbs with irregular forms in the preterit (I) (Textbook p. 206)

06-45 Las acciones de Juan. Juan invited Julia over to his apartment for dinner. Complete each description of his actions with the correct preterit form of the verb in parentheses.

Modelo: Juan *prefirió* (preferir) prepararle a Julia una cena en casa.

1. Juan no _____ (dormir) bien la noche anterior.

2. Él _____ (sentirse) nervioso todo el día.

3. Primero, él _____ (leer) las instrucciones en la receta.

4. Después Juan _____ (seguir) las instrucciones.

5. Al final él le _____ (pedir) ayuda a su madre por teléfono.

6. Él no _____ (servir) la cena hasta las once de la noche.

06-46 Una mala experiencia. Last Friday David and three friends had dinner at a new restaurant. Complete David's description of what happened with the correct preterit form of each verb in parentheses.

El viernes pasado mis amigos y yo cenamos en un restaurante chileno nuevo. A mí me gustan los restaurantes

mexicanos, pero el viernes pasado mis amigos (1) _____ (preferir) ir al chileno. En el restaurante,

Anita y Lupe nos (2) _____ (leer) el menú. Ellas (3) _____ (pedir) pescado

y Carlos (4) _____ (pedir) un bistec. Yo (5) _____ (preferir) los camarones.

El mesero no nos (6) _____ (servir) bien y Carlos y yo (7) _____ (pedir)

hablar con el encargado (*person in charge*). El encargado no nos (8) _____ (creer). ¡Fue (*it was*)

un desastre! Por la noche Carlos no (9) _____ (dormir) bien y Anita y Lupe no

(10) _____ (sentirse) bien tampoco (*either*).

06-47 Las preguntas del/de la esposo/a. Spouses tend to ask a lot of questions about children, food, and tasks in the home. Listen to questions involving a family with two children, Pablo and Laura, and answer each one by providing the correct preterit form of the verb.

Modelo: ¿Durmió bien anoche Laura?
         Sí, *durmió* bien anoche, mi amor.

1. Sí, le _____ al perro su comida, mi amor.

2. _____ desayunar cereales, mi amor.

3. _____ desayunar huevos con jamón, mi amor.

4. No, no _____ pizza, mi amor.

5. Sí, los _____ , mi amor.

6. Sí, la _____ bien, mi amor.

06-48 Tu última visita a un restaurante. In complete sentences, answer the following questions related to your most recent experience dining out with a friend.

1. ¿Qué prefirieron ustedes, un restaurante formal o informal?

   _____ .

2. ¿Qué pediste para beber? ¿Qué pidió tu amigo/a?

   _____ .

3. ¿Qué pediste para comer? ¿Qué pidió tu amigo/a?

   _____ .

4. ¿Les sirvió bien a ustedes el/la mesero/a?

   _____ .

5. ¿Te sentiste contento/a con la experiencia? ¿Se sintió contento/a tu amigo/a?

   _____ .

¿Cuánto saben? (Textbook p. 208)

06-49 ¿Saben usar el vocabulario en contexto? Match each sentence with the corresponding drawing to explain what each person did yesterday.

1. Mario _____

4. Dolores _____

2. Lola _____

5. Estela _____

3. Alfredo _____

6. Pilar _____

a. preparó el café en la estufa.

b. frió el bistec en la sartén.

c. cocinó el pollo en el horno.

d. guardó la leche en el refrigerador.

e. cortó la zanahoria con un cuchillo.

f. peló las papas con un cuchillo.

Nombre: _____   Fecha: _____

06-50 ¿Comprenden bien? Listen to Felicia explain how she prepared a dinner for two and select the answer that best completes each sentence.

1. Primero Felicia calentó _____ .
   a. el agua en la estufa
   b. el agua en el microondas
   c. el aceite de oliva en una sartén

2. Felicia peló las papas y las cocinó _____ .
   a. en el horno por diez minutos
   b. en el agua por diez minutos
   c. en el agua por quince minutos

3. Felicia frió el pollo con _____ .
   a. arroz y frijoles
   b. pimientos, zanahorias y tomates
   c. cebollas

4. Felicia tostó el pan _____ .
   a. en la tostadora
   b. en el horno
   c. en la parrilla

5. Felicia les echó sal _____ .
   a. a los pimientos
   b. a las papas
   c. a las zanahorias

6. Felicia preparó toda la cena en _____ .
   a. quince minutos
   b. veinte minutos
   c. treinta minutos

06-51 ¿Saben usar el pretérito de los verbos regulares? Raúl and his family had a barbecue at their house last weekend. Complete Raúl's description with the correct preterit form of each verb in parentheses.

Modelo: Nosotros *decidimos* (decidir) hacer una barbacoa (*barbecue*) en casa.

1. Yo _____ (buscar) buenas recetas por la Internet.

2. Mi esposa _____ (comprar) los ingredientes.

3. Yo _____ (empezar) a preparar la parrilla en el patio.

4. Mi hija Susi le _____ (echar) ajo, sal y pimienta a la carne.

5. Susi y mi esposa _____ (cortar) las verduras.

6. Nosotros _____ (cocinar) juntos la comida.

7. Nosotros _____ (aprender) a mezclar unas buenas margaritas.

8. ¿ _____ (recibir) tú nuestra invitación a comer en casa?

06-52 ¿Saben usar el pretérito de los verbos irregulares? Complete each statement by selecting the correct irregular preterit form.

1. Rogelio y Amanda _____ un anuncio (*ad*) en la radio sobre un restaurante nuevo.
   a. oyen   b. oyeron   c. oyó

2. Amanda _____ ir al restaurante esa noche.
   a. pidió   b. pide   c. pidieron

3. En el restaurante, los dos _____ con interés el menú.
   a. leen   b. leyó   c. leyeron

4. Amanda bebió vino, pero Rogelio _____ tomar cerveza con la cena.
   a. prefiere   b. prefirió   c. prefirieron

5. Rogelio _____ muy mal después.
   a. se sintieron   b. se sintió   c. se siente

🔊 06-53 **¿Saben contestar por escrito?** Listen to five questions about the last time you went out to eat with others at a restaurant. Write a truthful response in Spanish after each question. Remember to use preterit verb forms with stem changes when appropriate.

1. _____

2. _____

3. _____

4. _____

5. _____

🔊 06-54 **¿Saben contestar oralmente?** Listen to five questions about the last time you cooked a meal. Give a truthful oral response in Spanish after each question. Remember to use preterit verb forms with stem changes when appropriate.

1. ...

2. ...

3. ...

4. ...

5. ...

Observaciones: ¡Pura Vida! Episodio 6 (Textbook p. 209)

Antes de ver el video

06-55 **¿Qué pasa?** Select the response that best answers each question.

1. Silvia is naming the ingredients she used when making the food she brought to the picnic. What might she say?
   a. Es uno de los platos más comunes de México.
   b. En España eso no es una empanadilla.
   c. Lleva patatas, cebolla, sal y huevos.

2. What might Patricio ask Hermés to do with the tortilla?
   a. Hermés, ¿me pasas un poco?
   b. Hermés, ¿y eso qué es?
   c. ¿Quieren ustedes uno?

3. What would be Hermés's logical response?
   a. No lo sé.
   b. Claro. Toma.
   c. Mmm, ¡Qué bueno!

4. How would Felipe describe what he brought?
   a. Empanada criolla. Es muy fácil de hacer.
   b. Tenía casi todos los ingredientes en casa.
   c. Ya veo que te gustó. ¿Quieres más?

5. With what might Felipe say his dish is typically served?
   a. Usé medio kilo de carne que había en el refrigerador.
   b. Se lo comieron todo.
   c. Esto es una salsa que se llama "chimichurri".

A ver el video

📽 **06-56 ¿Qué comida llevaron?** Write the name of the food item that each person brought to the picnic.

Silvia: _____

Marcela: _____

Hermés: _____

Felipe: _____

Después de ver el video

📽 **06-57 La acción y los personajes.** Select whether each statement is **cierto** or **falso**.

1. En el lugar donde tienen el pícnic, Patricio encontró una serpiente la semana pasada.	Cierto	Falso
2. Patricio se llevó un pedazo (*piece*) de la serpiente a casa.	Cierto	Falso
3. Silvia preparó la tortilla con maíz.	Cierto	Falso
4. Cuando Marcela estaba (*was*) en Madrid, iba (*used to go*) al bar Los Caracoles.	Cierto	Falso
5. La tortilla mexicana es de papa.	Cierto	Falso
6. Marcela llevó unos tacos deliciosos.	Cierto	Falso
7. Silvia dice "empanadilla" y Felipe dice "empanada criolla".	Cierto	Falso
8. El postre que preparó Hermés tiene leche de coco (*coconut*).	Cierto	Falso

Nuestro mundo

Panoramas: Chile: un país de contrastes (Textbook p. 210)

06-58 ¡A informarse! Based on information from **Nuestro mundo**, decide if each statement is **cierto** or **falso**.

1. A los chilenos no les gustan los mariscos.   Cierto   Falso

2. Chile exporta productos agrícolas a EE. UU. y a Canadá.   Cierto   Falso

3. El vino chileno es uno de los mejores del mundo.   Cierto   Falso

4. En Chile hay mucho turismo en los parques nacionales.   Cierto   Falso

5. Torres del Paine es un parque nacional en el norte del país.   Cierto   Falso

6. Hay más de 20 millones de habitantes en Chile.   Cierto   Falso

06-59 **La geografía de Chile.** For each statement, select the best response based on the map.

1. Chile está en _____ .
   a. Norteamérica   b. Sudamérica   c. Centroamérica

2. La capital de Chile es _____ .
   a. Valparaíso   b. Santiago   c. Concepción

3. Las costas de Chile están en _____ .
   a. el Océano Pacífico   b. el Mar Caribe   c. el Océano Atlántico

4. Punta Arenas está en _____ del país.
   a. el norte   b. el centro   c. el sur

5. Chile tiene mucha frontera (*border*) con _____ .
   a. Paraguay   b. Perú   c. Argentina

Páginas: ¿Eres un gastrosexual? ¿Conoces a uno? (Textbook p. 212)

06-60 **¿Cierto o falso?** Based on information from the **Páginas** section of your textbook, decide if each statement is **cierto** or **falso**.

1. Típicamente el término "gastrosexual" se refiere a una mujer.   Cierto   Falso

2. A una persona gastrosexual le encanta todo aspecto de la comida: Cierto   Falso
   su preparación, su consumo, su apariencia física y su mezcla de sabores.

3. Hoy en día los hombres pasan una hora al día en la cocina.   Cierto   Falso

4. Típicamente los gastrosexuales son de una edad entre   Cierto   Falso
   los veinticinco y los cuarenta y cuatro años.

5. Al gastrosexual le fascina la cocina internacional.   Cierto   Falso

6. Hoy en día el 50% de las mujeres trabajan fuera de casa.   Cierto   Falso

7. Típicamente los hombres prefieren cocinar más que limpiar el baño.   Cierto   Falso

8. Para el gastrosexual, cocinar es una forma de atraer (*attract*) a otra persona.   Cierto   Falso

Taller (Textbook p. 214)

06-61 Los anuncios. Read the three restaurant ads below and answer the questions. It is not necessary to write complete sentences.

1. ¿En qué ciudad y país están estos tres restaurantes?

   _____

2. ¿Qué restaurantes tienen el pescado como especialidad?

   _____

3. ¿Qué restaurantes tienen la carne como especialidad?

   _____

4. ¿Cuáles son las especialidades de "La Casa de los Tres Hermanos"?

   _____

5. ¿Cuál es el número de teléfono de "Vaquita Grande"?

   _____

06-62 Tu anuncio para un restaurante. Now create your own ad for a restaurant you know or for an imaginary restaurant that you would consider ideal. Try to include as much vocabulary from the chapter as possible.

_____

_____

_____

_____

_____

B Activities

CAPÍTULO 1

1-5B **¿Cómo está usted?** Your partner will assume the role of instructor; you are his/her student. Act out the following conversation using the information provided to complete your end of the conversation.

MODELO: ESTUDIANTE A: *Buenos días...*
ESTUDIANTE B: *Hola...*

Estudiante B:

- Answer your instructor. Then ask him/her how he/she feels.
- Say that you are not feeling very well.
- Respond and then say good-bye to your instructor, that you'll see him/her later.

1-9B **Otra vez, por favor (*please*).** Take turns spelling out your words in parentheses to your partner while he/she writes them down. Be sure to say in what category they belong. If you need to hear the spelling again, ask your partner to repeat by saying **Repite, por favor.**

MODELO: cosa (*thing*) (quesadilla)
ESTUDIANTE A: *Es una cosa, cu – u – e – ese – a – de – i – ele – ele – a*
ESTUDIANTE B: (After writing down the word) *¿Es una quesadilla?*
ESTUDIANTE A: *¡Correcto!*

Estudiante B:

I say and spell ...	I write ...
1. persona famosa (Salma Hayek)	1. persona famosa: _____
2. ciudad (Tampa)	2. ciudad (*city*): _____
3. cosa (café)	3. cosa: _____
4. ciudad (San Francisco)	4. ciudad: _____

1-17B **Los días, los meses y las estaciones.**   Take turns asking each other questions to fill in the missing days, dates and months on each of your grids.

MODELO: ESTUDIANTE A: (You need) *¿Un mes de otoño?*
ESTUDIANTE B: (You have) *octubre*

Estudiante B:

You need . . .	My partner gives me . . .	Your partner needs . . .
1. un mes de primavera		miércoles
2. el primer día de la semana		el 4 de julio
3. un mes con veintiocho o veintinueve días		domingo
4. el Día de San Valentín		septiembre
5. un mes con cinco letras		agosto

1-29B **¡Escucha bien!**   Take turns telling each other in Spanish what to do using the cues in English and acting out the commands.

MODELO: (Open your book)
ESTUDIANTE A: *Abre el libro.*
ESTUDIANTE B: (opens his/her book)
ESTUDIANTE A: *Correcto.*

Estudiante B:

You say in Spanish:
1. (Close your book)
2. (Take out your homework)
3. (Go to the chalkboard)

1-30B **Un pedido (*order*) por teléfono.**   You are a student worker in the bookstore. A departmental worker calls you to give a supply order over the phone. Below is a list of items you have. Respond whether you have enough and mark the items the caller would be able to purchase. When you finish, compare your lists.

MODELO: ESTUDIANTE A: *Necesitamos cinco calculadoras. ¿Hay cinco calculadoras?*
ESTUDIANTE B: *Sí, tengo diez. / No, solo (only) hay cuatro.*

Estudiante B:

Hay...	Necesita...	Hay...	Necesita...	Hay...	Necesita...
79 bolígrafos	_____	30 lápices	_____	95 cajas de tiza	_____
22 libros	_____	96 mapas	_____	90 cajas de papel	_____
11 sillas	_____	1 mesa	_____	15 diccionarios	_____
14 cuadernos	_____			2 relojes	_____

CAPÍTULO 2

2-9B ¿A qué hora?   Complete your calendar by asking your partner when events with missing times take place. To ask your partner to repeat something, remember to say: **Repite, por favor.**

MODELO: la fiesta (20:30)

ESTUDIANTE A: *¿A qué hora es la fiesta?*

ESTUDIANTE B: *Es a las ocho y media de la noche.*

Hora	Actividad
_____	la clase de historia
10:30	la clase de arte
_____	la clase de español
13:30	la conferencia[1]
_____	la reunión
16:30	el examen
_____	el partido de fútbol
20:00	el programa "Ídolo americano" en la televisión
_____	la fiesta
24:00	el programa de noticias en la televisión

[1]*lecture*

2-16B ¿Quién eres? ¿Cómo eres?   Ask questions to learn about your partner's new identity.

Paso 1   Assume the identity of one of the people outlined below and read through the information.

Estudiante B:

♂	♀
Juan López García	María Jiménez Cruz
Universidad Complutense de Madrid	Universidad Autónoma Nacional
España	México
arte	sociología
el profesor Sánchez	la profesora Alvarado
muy interesante	fantástica
25 estudiantes en la clase	15 estudiantes en la clase
alto y guapo	alta y simpática

1. ¿ _____ te llamas?
2. ¿ _____ estudias?
3. ¿ De _____ eres?
4. ¿ _____ eres?
5. ¿ _____ es tu clase de...?
6. ¿ _____ es el profesor de...?
7. ¿ _____ es tu clase favorita?
8. ¿ _____ estudiantes hay en la clase?

Paso 2   Ask each other about yourselves to find out what you have in common. Use interrogatives such as **qué, dónde, cómo, cuántos/as,** and **cuál** in the prompts above to help you form your questions.

MODELO: ESTUDIANTE A: *¿Dónde estudias?*

ESTUDIANTE B: *Estudio en la Universidad Nacional. ¿Y tú?*

ESTUDIANTE A: *Estudio...*

2-26B ¿De dónde eres? Take turns identifying the country your partner is from based on the language he/she tells you he/she speaks. Remember that in Spanish, the masculine form of the nationality corresponds to the language spoken there.

MODELO: ESTUDIANTE A: *Hablo italiano.*
ESTUDIANTE B: *¿Eres de Italia?*
ESTUDIANTE A: *Sí, es verdad.*

Estudiante B:

Hablo...	Mi compañero/a es de...
1. español	Corea
2. japonés	Inglaterra
3. chino	Portugal
4. alemán	Rusia

2-35B Entrevistas. Ask each other questions to share the information below. Be sure to respond using complete sentences and logical information.

MODELO: ESTUDIANTE A: *¿A qué hora llegas a clase?*
ESTUDIANTE B: (1:30 p.m.) *Llego a la una y media de la tarde.*

Estudiante B:

Mis preguntas	Mis respuestas
1. ¿Dónde estudias?	• todos los días
2. ¿Aprendes mucho en clase?	• tenis
3. ¿Qué música escuchas?	• solo los lunes, miércoles y viernes
4. ¿Qué comes en un restaurante?	• inglés, y un poquito de español
5. ¿Qué programa ves en la televisión?	• el *New York Times*

2-39B ¿Tienes? Take turns asking each other if you have the items on your list. If your partner has the item you want, you make a pair. The first person who has five pairs of items wins.

MODELO: ☐ un libro de historia
ESTUDIANTE A: *¿Tienes un libro de historia?*
ESTUDIANTE B: *Sí, tengo. (No, no tengo libro de historia, pero tengo un libro de física).*

Estudiante B:

☐ un cuaderno verde	☐ una novela de Hemingway	☐ un examen difícil
☐ una mochila negra	☐ un reloj grande	☐ un/a profesor/a inteligente
☐ un libro de francés	☐ un lápiz rojo	☐ un libro viejo
☐ una pintura de Dalí	☐ un cuaderno viejo	☐ un buen amigo

CAPÍTULO 3

3-7B **Inventario en el almacén (*warehouse*).** You and your classmate are stock workers compiling end-of-year inventory figures. Each of you is missing data. Take turns asking each other questions to fill in the missing parts on each of your grids. **¡Ojo!** (*Watch out!*) Watch for agreement. Then check all your figures by calling out each item and quantity.

MODELO: ESTUDIANTE A: (You need) *¿Cuántas mesas tienes?*
ESTUDIANTE B: (You have) *Tengo setecientas cuarenta y siete mesas.*

Estudiante B:

600.450 CD	11.399 lápices
_____ diccionarios	2.700.000 bolígrafos
110 sillas	_____ cuadernos
5.002 escritorios	672 computadoras
2.400 libros de texto	_____ calculadoras
_____ pizarras	52 mapas

3-27B **Las materias, la hora, el lugar.** Take turns asking and answering questions in order to complete the missing information on your class schedules.

MODELO: ESTUDIANTE A: *¿A qué hora es la clase de...?*
ESTUDIANTE B: *¿Qué clase es a la/s...?*
ESTUDIANTE A: *¿Dónde es la clase de...?*
ESTUDIANTE B: *¿Quién es el/la profesor/a de...?*

Estudiante B:

Hora	Clase	Lugar	Profesor/a
8:30	cálculo	Facultad de Informática	
9:00			Ramón Sánchez Guillón
10:00	biología	Facultad de Medicina	
	lingüística	Facultad de Letras	
1:55		Facultad de Ingeniería	Carlos Santos Pérez

3-36B **¿Dónde estoy?** Take turns acting out your situations while your partner tries to guess where you are. Then challenge other members of the class to guess where you are by acting out what you are doing.

MODELO: ESTUDIANTE A: (act out reading a book) *¿Dónde estoy?*
ESTUDIANTE B: *Estás en la biblioteca.*

Estudiante B:

1. (working out in gym)
2. (playing tennis on the tennis courts)
3. (painting a picture in art class)
4. (looking at the stars through a telescope in the observatory)
5. ¿...?

3-39B ¿Quién es? Take turns describing the following people using **ser, estar,** and **tener** and guessing who the person is.

> **MODELO:** ESTUDIANTE A: *Es una mujer. Tiene unos treinta años. Es muy inteligente. Está aquí en la clase con nosotros...*
>
> ESTUDIANTE B: *¡Es la profesora!*

Estudiante B:

1. Lil Wayne (rapper)	3. Lady Gaga (pop singer)
2. Miley Cyrus (actress, pop singer)	4. ¿...?

CAPÍTULO 4

4-14B Una entrevista para *Prensa Libre*. *Prensa Libre* is an independent newspaper in Guatemala. You are reporters who are preparing to interview the **Presidente de la República.** Ask and respond logically to each other's questions, being careful to use the correct object pronouns and verb forms.

> **MODELO:** ESTUDIANTE A: *¿Tienes tu cámara?*
>
> ESTUDIANTE B: *Sí, la tengo.*

Estudiante B:

Mis preguntas	Mis respuestas a las preguntas de mi compañero/a
1. ¿Vas a llamar al secretario antes de ir?	_____ La escucha cuando está cansado.
2. ¿El presidente quiere ver el artículo antes de publicarlo?	_____ No, lo van a visitar en junio.
3. ¿La esposa del presidente quiere leer la entrevista también?	_____ No, no las necesitamos.
4. El presidente juega fútbol, ¿verdad?	_____ Sí, la tiene.
5. ¿También toca el piano?	_____ Sí, la tengo.
6. ¿El presidente recibe al embajador norteamericano mañana?	_____ Sí, lo habla perfectamente bien.

4-25B ¡Estoy aburrido/a! Your partner is bored. Invite him/her to do something that he/she might enjoy. Continue offering suggestions until he/she accepts one.

> **MODELO:** ESTUDIANTE A: *Estoy aburrido/a.*
>
> ESTUDIANTE B: *¿Quieres ir a bailar? (¿Te gustaría...? ¿Prefieres...?)*
>
> ESTUDIANTE A: *Me encantaría. ¡Vamos! / Gracias, pero no puedo. No tengo dinero.*

Estudiante B:

Algunas actividades:	
almorzar conmigo	pasear por el centro
correr por el parque	tener una fiesta
ir al cine / al partido de...	tomar un café
ir al parque	venir a mi casa
jugar al...	ver una película de acción
llamar por teléfono a...	visitar a amigos / a la familia

4-37B **Entrevista.** First, interview your partner using the questions below to find out about him/her. Write down his/her answers. Then, read the profile about the person you will be role-playing. Answer your partner's questions based on the information you have.

MODELO: ESTUDIANTE A: *¿Conoces a alguna* (any) *persona famosa?*
ESTUDIANTE B: *Sí, conozco a Ricky Martin. Soy amigo/a de él.*

1. ¿Conoces a algún político importante?
2. ¿A qué artistas famosos conoces?
3. ¿Qué idiomas sabes hablar?
4. ¿Qué países conoces muy bien?
5. ¿Estudias biología?
6. ¿Juegas bien al fútbol?

Estudiante B:

> Soy amigo/a del presidente de Costa Rica.
>
> Toco muy bien el piano.
>
> No practico mucho los deportes.
>
> Vivo y trabajo en Ciudad de Guatemala.
>
> Hablo español y una lengua maya.
>
> Soy arqueólogo/a y estudio las pirámides mayas.

CAPÍTULO 5

5-6B **Compras para su clóset del baño.** Tienen que equipar el clóset de su baño. Tú tienes el volante (*flier*) del periódico con los productos en venta esta semana; tu compañero/a tiene una lista de posibles productos para comprar. Decidan qué productos van a comprar según los precios. ¿Cuánto gastan en total?

MODELO: ESTUDIANTE A: *Necesitamos … ¿Cuánto cuesta(n)?*
ESTUDIANTE B: *Está(n) en venta esta semana por … / Lo siento, no está(n) en venta esta semana.*
ESTUDIANTE A: *Bien, vamos a comprar … por … en total. / Entonces, necesitamos …*

Estudiante B:

Volante del periódico			
máquina de afeitar	$29	navajas desechables (*disposable*)	$3
desodorante superseco masculino	$3	loción perfume de rosa	$6
cepillos para el pelo	$5	loción sin perfume	$4
champú Todopelo	$3,50	crema Barbasol	$1,50
jabón desodorante	$0,50	cepillo de dientes	$1,50
secador ultrarápido	$15	maquillaje "La Linda"	$10

5-27B **En la agencia de bienes raíces (*real estate*).** Eres un/a agente de bienes raíces en Panamá y tienes un cliente que busca una casa o apartamento. A continuación tienes varias posibilidades, pero tienes que hacerle preguntas a tu cliente para decidir cuál es la mejor opción para su situación.

Casa Linda

cuatro dormitorios, cocina grande, dos baños; centro ciudad; $1.200/mes, luz y gas incluidos

Apartamento en la playa

tres dormitorios; un baño grande, uno pequeño con ducha; cocina pequeña, patio; se permiten perros. $1.300/mes, luz y gas incluidos

Apartamento con vista al mar

cuatro dormitorios, dos baños con ducha, cocina, patio pequeño; se permiten perros; parking en la calle. $1.200/mes, luz y gas incluidos

Casa cerca de la playa

tres dormitorios, cocina grande, patio, tres baños; cerca de la línea de autobuses, garaje para dos carros; se permite un perro pequeño; $1.000/mes, luz y gas extra

Apartamento en zona exclusiva

con gimnasio y acceso a la playa. Seguridad las 24 horas; tres habitaciones grandes; tres baños; garaje para un carro y espacio para bicicletas; terraza; cerca de la línea de autobuses; se permiten gatos; 1.200/mes, luz y gas incluidos

MODELO: ESTUDIANTE A: *Busco una casa o un apartamento.*
ESTUDIANTE B: *¿Para cuántas personas?*
ESTUDIANTE A: *Para cinco. Queremos…*

Estudiante B:

- ¿Cuántos dormitorios necesitan?
- ¿Cuántos baños prefieren?
- ¿Cuánto quieren pagar al mes?
- ¿Necesitan estar cerca del transporte público?
- ¿Tienen mascotas (*pets*)?
- ¿Tienen carro?
- ¿Qué más necesitan?
- Entonces, creo que tengo una buena opción para ustedes. Es un apartamento/una casa….

5-35B **¿Qué estoy haciendo?** Mientras (*While*) actúas una de las siguientes situaciones, tu compañero/a trata de adivinar (*guess*) lo que estás haciendo. Túrnense para actuar y adivinar.

MODELO: afeitarse

ESTUDIANTE A: (act out shaving) *¿Qué estoy haciendo?*

ESTUDIANTE B: *Estás afeitándote.*

Estudiante B:

1. secarse el pelo	4. lavarse las manos
2. ponerse el desodorante	5. dormirse
3. levantarse de la cama	6. ponerse impaciente

CAPÍTULO 6

6-12B **Las especialidades de la casa.** Túrnense para hacer el papel (*play the role*) de mesero/a y cliente en los restaurantes de su lista. El/La mesero/a le tiene que recomendar a su cliente algunos platos que sirven en su restaurante. El/La cliente tiene que pedir una de las recomendaciones.

MODELO: ESTUDIANTE A: *Por favor, ¿qué me recomienda Ud. aquí en Casa Roma?*

ESTUDIANTE B: *Nuestra especialidad es la comida italiana. Le recomiendo la pasta con marisco o la pizza Margarita.*

ESTUDIANTE A: *¿Me trae por favor la pizza Margarita?*

ESTUDIANTE B: *¡Enseguida!*

Estudiante B:

Restaurantes que visito:	Restaurantes donde trabajo y sus especialidades:
Casa Miguel	**Cocina Cándida:** Comida chilena. Pescado frito o a la parrilla. Sopa de mariscos.
Cafetería Universo	**El Unicornio:** Comida vegetariana. Tortilla de papa, arroz con frijoles, pastel de maíz, yogur de frutas.
El Rincón Argentino	**Café del Diablo:** Postres. Cafés de todo el mundo. Helado, pasteles, galletas, flanes. Jugos de frutas exóticas. Chocolate caliente.

6-26B El arroz con pollo.   El arroz con pollo es un plato muy conocido en todo el mundo hispano. **Estudiante A** tiene la receta y tú tienes la lista de los ingredientes y utensilios que hay en tu cocina. Escriban una lista de los ingredientes que necesitan comprar y los utensilios que necesitan pedir prestados (*borrow*) para preparar este plato.

> **MODELO:**   ESTUDIANTE A: *Necesitamos una taza de arroz.*
>   ESTUDIANTE B: *No tenemos suficiente arroz. Tenemos que comprarlo.*

Estudiante B:

Ingredientes en tu cocina	Utensilios en tu cocina
aceite de maíz	un tazón de plástico
media taza de arroz	una cuchara
sal	un cuchillo pequeño
un pimiento rojo	una cazuela
un pollo pequeño	
una taza de jugo de tomate	
una cabeza de ajo	
una cebolla pequeña	
Para comprar: *arroz*	Para pedir prestado (*borrow*):

6-32B Charadas.   Túrnense para representar estas y otras acciones en el pasado para ver si su compañero/a puede adivinar la acción.

> **MODELO:**   ESTUDIANTE A: (Act out: *Corté el pan.*)
>   ESTUDIANTE B: *Cortaste el pan.*

Estudiante B:

Pelé una banana.	Freí un huevo en una sartén.
Mezclé dos huevos en un tazón.	Calenté la comida en el microondas.
Le eché azucar y leche al café.	¿...?

6-36B ¿Qué pasó? Túrnense para preguntarse qué pasó en algunas situaciones. Contesta usando actividades lógicas de la lista.

MODELO: en la fiesta familiar

      Estudiante A: *¿Qué pasó en la fiesta familiar?*

      Estudiante B: *Mi mamá sirvió nuestra comida favorita.*

Estudiante B:

Algunas actividades:	Situaciones:
• no oír el diálogo	1. anoche
• dormirse	2. en el restaurante el sábado
• servir arroz con pollo	3. en el museo

CAPÍTULO 7

 7-6B Una invitación a un concierto de Jennifer López (J.Lo) y Marc Anthony. Responde a la invitación de tu compañero/a. Usa las preguntas de la lista e incluye otras dos tuyas (*of your own*). Puedes preguntar cómo van a ir al concierto, si puedes invitar a otros amigos, si tu amigo/a quiere ir a cenar antes del concierto, etc.

MODELO: Estudiante A: *¿Quieres ir a un concierto de J.Lo y Marc Anthony?*

      Estudiante B: *¡Estupendo! ¿A qué hora empieza?*

Estudiante B:

¿Qué día es?	¿Quiénes van?	¿A qué hora volvemos?
¿Dónde es?	¿Cuánto cuesta?	¿Vamos a cenar antes? etc.

7-9B Una fiesta sorpresa. En el foro de un amigo, hay entradas (*entries*) sobre una fiesta sorpresa que hubo. Cada uno/a de ustedes tiene parte de la información sobre la fiesta. Háganse preguntas para saber qué pasó en la fiesta.

Estudiante B:

La información que necesito:

1. ¿Quién dio la fiesta?
2. ¿Quiénes estuvieron en la fiesta?
3. ¿Qué sirvieron?
4. ¿Quiénes no fueron? ¿Por qué?

La información que tengo:

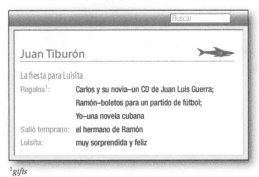

Juan Tiburón

La fiesta para Luisita

Regalos[1]:   Carlos y su novia–un CD de Juan Luis Guerra;
             Ramón–boletos para un partido de fútbol;
             Yo–una novela cubana

Salió temprano: el hermano de Ramón

Luisita: muy sorprendida y feliz

[1]*gifts*

7-21B Consejos. Explíquense cómo se sienten y pidan consejos sobre lo que deben hacer. Pueden aceptar o rechazar los consejos, pero es necesario dar excusas si no los aceptan.

MODELO: ESTUDIANTE A: *Estoy aburrido/a. ¿Qué hago?*
ESTUDIANTE B: *¿Qué tal si das un paseo?*
ESTUDIANTE A: *No quiero. No me gusta salir de noche.*
ESTUDIANTE B: *Bueno, yo voy contigo. ¿Está bien?*
ESTUDIANTE B: *¡Perfecto!*

Estudiante B:

Situaciones	y mis reacciones	Sugerencias para mi compañero/a
Te sientes muy solo/a.	• ¡Fabuloso!	hacer un pícnic
Estás en la oficina todo el día sin salir.	• No me gusta(n)...	jugar al voleibol
Quieres conocer al golfista Phil Mickelson.	• ¡Ideal!	escuchar música
Tienes mucho calor.	• ¡Qué buena idea!	trabajar en la biblioteca
Compraste una raqueta nueva.	• Me da igual.	ver la televisión
	• ¡Qué mala idea!	volar un papalote
	• No quiero porque...	tomar un té verde

7-24B Una película excepcional. Ayer tu amigo salió con una amiga al cine y lo pasaron muy bien. Quieres saber los detalles de lo que hicieron esa noche.

Paso 1 Primero conjuga los verbos en cada pregunta en el pretérito.

MODELO: ¿A quién **invitar** (tú) al cine?   *¿A quién invitaste al cine?*

Estudiante B:

- ¿Qué **ver** ayer en el cine?
- ¿Cómo **saber** (tú) de la película?
- ¿A qué hora **ir** ustedes al cine?
- ¿**Poder** ustedes llegar temprano a la película?
- ¿Qué **decir** tu amiga después de la película?
- ¿Adónde **ir** ustedes?
- ¿Cómo **ser**?
- ¿Qué **hacer** ustedes después?

Paso 2 Ahora hazle tus preguntas a tu compañero/a. Toma apuntes para poder informarle a la clase.

7-27B **¿Tienes?**   Eres asistente deportivo. El/La entrenador/a te pide cosas para el partido. Si las tienes, dile que se las vas a traer. Si no las tienes, dile que se las vas a buscar.

MODELO: ESTUDIANTE A: *¿Tienes las botellas de agua para los jugadores?*
ESTUDIANTE B: *Sí, tengo botellas de agua. / No, no tengo botellas de agua.*
ESTUDIANTE A: *¿Me las traes? / ¿Me las buscas?*
ESTUDIANTE B: *Sí, te las traigo. / Sí, te las busco.*

Estudiante B:

Tengo...			
los boletos para el partido	el bate de aluminio	los uniformes del equipo	las botellas de agua
las pelotas	los guantes	el bolígrafo del/de la entrenador/a	la lista de los jugadores
las galletas	las naranjas	los lentes de sol del/de la entrenador/a	el cuaderno del/de la entrenador/a

CAPÍTULO 8

8-3B **¿Tienes?**   ¿Qué compró Sara para su viaje a Machu Picchu? Túrnense para completar la informacion que falta en su recibo. Usen las siguientes preguntas para llenar su recibo: **¿Qué compró por...? ¿Qué compró de la talla...? ¿De qué talla es/son...?** Después confirmen las compras que hizo Sara y cuánto gastó.

MODELO: ESTUDIANTE A: *¿Qué compró por veinte nuevos soles?*
ESTUDIANTE B: *Compró una camiseta de algodón. ¿De qué talla es?*
ESTUDIANTE A: *Es de la talla cuarenta.*
ESTUDIANTE B: *Así que compró una camiseta de algodón de la talla cuarenta por veinte nuevos soles.*

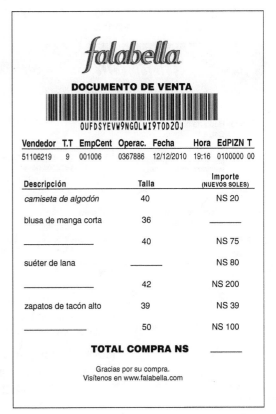

falabella

DOCUMENTO DE VENTA

OUFDSYEVW9NGOLWI9TOD2OJ

Vendedor	T.T	EmpCent	Operac.	Fecha	Hora	EdPIZN T
51106219	9	001006	0367886	12/12/2010	19:16	0100000 00

Descripción	Talla	Importe (NUEVOS SOLES)
camiseta de algodón	40	NS 20
blusa de manga corta	36	_____
_____	40	NS 75
suéter de lana	_____	NS 80
_____	42	NS 200
zapatos de tacón alto	39	NS 39
_____	50	NS 100

TOTAL COMPRA NS _____

Gracias por su compra.
Visítenos en www.falabella.com

Estudiante B:

8-8B **¿Qué pasaba en el almacén ayer?**   Cada uno/a de ustedes tiene una versión diferente de lo que pasaba ayer en el almacén. Describan lo que ven en su dibujo para encontrar seis diferencias.

MODELO: ESTUDIANTE A: *Una mujer se probaba zapatos.*
ESTUDIANTE B: *Es cierto. Una mujer se probaba zapatos.*

Estudiante B:

8-11B **Atención al cliente (*Customer service*).**   Cada uno/a de ustedes tiene información del directorio del almacén Saga Falabella. Túrnense para pedir información sobre dónde comprar los siguientes productos o cumplir (*carry out*) algún deber. Añadan más información cuando sea posible.

MODELO: una blusa para tu mamá
ESTUDIANTE A: *Quiero comprar una blusa para mi mamá porque es su cumpleaños.*
ESTUDIANTE B: *La puede buscar en el segundo piso, en Ropa de mujer.*
ESTUDIANTE A: *Muchas gracias.*

Estudiante B:

1. platos y vasos	4. una botella de aceite de oliva
2. una camisa barata	5. dónde pagar tu cuenta
3. un televisor grande de plasma	6. un suéter para tu sobrino que tiene dos años

saga falabella.

1.er piso	Ropa de hombre Calzado (zapatos, botas, sandalias)	6.° piso	
2.° piso	*Ropa de mujer (trajes, vestidos, ropa informal)*	7.° piso	Ropa formal (trajes de noche, vestidos de noche) Trajes de novia
3.er piso		8.° piso	Restaurante
4.° piso	Equipo deportivo (ropa, pelotas, bates)	9.° piso	
5.° piso		10.° piso	Oficinas de administración Cambio de moneda

8-28B **Artículos encontrados.**   Ustedes trabajan en la oficina de Artículos encontrados en un almacén. Comparen lo que encontraron con lo que la gente perdió. Cada uno/a tiene parte de la información.

MODELO: un guante
ESTUDIANTE A: *Encontré un guante.*
ESTUDIANTE B: *¿Era pequeño?*
ESTUDIANTE A: *Sí, era pequeño y de lana.*
ESTUDIANTE B: *Ah, una señora perdió un guante pequeño de cuero. No es de ella.*

Estudiante B:

Encontré:	Alguien perdió:	¿Se encontró?
MODELO: *un guante (pequeño; de lana)*	• *Una señora perdió un guante (pequeño; de cuero)*	*NO*
1. una blusa (blanca; de seda; talla 10)	• Un chico perdió unos vaqueros (para hombre; talla mediana)	___
2. un zapato (de cuero; número 9; de hombre)	• Una chica perdió unos calcetines (de algodón; de mujer)	___
3. un bolso (rojo; con una billetera negra)	• Una mujer perdió unas sandalias (amarillas; de tacón alto)	___
4. una camiseta (de algodón; que decía "Ecuador"; amarilla)	• Un hombre perdió una camisa (azul; talla 38)	___
5. un collar (de plata; largo)	• Una chica perdió una sudadera (negra; sin capucha)	___

8-31B Ofertas esta semana. Cada uno/a de ustedes tiene parte de un anuncio sobre las ofertas esta semana en el almacén. Usen una construcción impersonal con **se** en sus preguntas sobre los artículos, los descuentos y los precios para conseguir la información que falta.

MODELO: cadenas de plata

> ESTUDIANTE A: *¿Se venden cadenas de plata?*
> ESTUDIANTE B: *Sí, se venden cadenas de plata en el departamento de joyería.*
> ESTUDIANTE A: *¿Qué descuentos se dan?*
> ESTUDIANTE B: *Se dan descuentos del 25 al 50 por ciento.*

Estudiante B:

Saga Falabella Ofertas Fin de Temporada		
Ofertas por departamento	Artículos que necesito	Descuentos que recibo
Joyería: *Plata y oro: cadenas, aretes... Descuentos del 25% al 50%*	*cadenas de plata*	*del 25% al 50%*
Joyería:	relojes de pulsera	
Departamento juvenil: Ropa de niños para el verano, descuentos del 40%		
Departamento para mujeres chic:	faldas de diseñador	
Departamento para hombres: Camisas, trajes, corbatas, descuentos del 20% al 40%, tallas 36 a 42		
Departamento de calzado:	sandalias botas de invierno	
Departamento deportivo: Todo equipo deportivo (pelotas, raquetas, bates, trajes de baño), descuentos del 10% al 40%		

9-5B En el mostrador de AVIANCA. Eres un/a viajero/a en el mostrador (*counter*) de la aerolínea AVIANCA (aerolínea colombiana). Primero, responde a las preguntas del / de la agente y después, pregúntale la siguiente información.

MODELO: ESTUDIANTE A: *Buenas tardes. ¿Tiene su tarjeta de embarque?*
ESTUDIANTE B: *No, pero tengo el número de mi reservación.*

Estudiante B:

Información para el/la agente:	Preguntas para el/la agente:
destino = Caracas	1. la hora de salida (¿A qué hora...?)
equipaje = dos maletas	2. el número del vuelo (¿Cuál es ...?)
solo dos botellas de champú	3. el número de la puerta de embarque (¿Cuál es ...?)
el asiento = de ventanilla	4. la hora de abordar el avión (¿A qué hora debo ...?)
comprar un billete	5. si se sirve comida en el vuelo (¿Sirven...?)

 9-10B ¡Planes para las vacaciones de primavera! Hablen sobre los viajes que van a hacer en la primavera, usando las categorías del modelo. Luego, háganse las preguntas siguientes e intenten convencer (*convince*) al otro / a la otra para ir juntos/as.

Estudiante B:

	Mi viaje	El viaje de mi compañero/a
Transporte:	avión, taxi	
Destino:	Cancún	
Fecha de llegada:	el 2 de marzo	
Ruta:	Houston	
Propósito:	tomar el sol, divertirme, visitar Chichén Itzá	
Duración del viaje:	cinco días	

1. ¿Adónde vas?

2. ¿Por qué ruta vas a viajar?

3. ¿Cómo vas a viajar, por tren, por carro, por...?

4. ¿Cuándo es el viaje?

5. ¿Por cuánto tiempo vas?

6. ¿Para qué vas?

Al final, para convencer a tu compañero/a:

7. ¿Por qué no vienes conmigo? Creo que mi viaje va a ser...

9-12B **El robo en el museo.** Hubo un robo en un museo en Colombia y ustedes creen que encontraron algunos de los objetos robados. Túrnense para hacerse preguntas y descubrir (*discover*) qué objeto encontró cada uno. Contesten cada pregunta con un adverbio que termina en **-mente**.

MODELO: Encontré una pintura de Picasso (**enorme**) valiosa.
　　　ESTUDIANTE A: *¿Qué encontraste?*
　　　ESTUDIANTE B: *Encontré una pintura de Picasso enormemente valiosa.*

Estudiante B:

Preguntas para mi compañero/a	Respuestas para mi compañero/a
1. ¿Qué encontraste?	• Se escapó (**difícil**), por una ventana.
2. ¿Cómo lo encontraste?	• (**Seguro**) lo robó un empleado del museo.
3. ¿Qué valor crees que tiene?	• Es (**particular**) hermosa.
4. ¿Qué hiciste cuando encontraste el objeto?	• Encontré una figura (**exquisito**) hecha de oro.
5. ¿Qué hicieron los directores del museo?	• La puse (**tranquilo**) en mi mochila.

Figura de oro de los indios muiscas del Museo del Oro

9-25B **Desafío (*Challenge*).** Cada uno/a de ustedes tiene una lista de verbos diferentes en el indicativo y el subjuntivo. Dile a tu compañero/a el indicativo del verbo, y él/ella debe darte el presente de subjuntivo de ese verbo. Después, muéstrense su lista de respuestas y ayúdense a corregir las incorrectas.

MODELO: ESTUDIANTE A: *Indicativo: tomamos*
　　　ESTUDIANTE B: *Subjuntivo: tomemos*
　　　ESTUDIANTE A: *Correcto.*

Estudiante B:

Digo:		Mi compañero/a debe decir:	Yo marco:	
Indicativo	Subjuntivo		Correcto	Incorrecto
tomamos	*tomemos*		✓	
vemos	veamos			
voy	vaya			
lees	leas			
dormimos	durmamos			
ponen	pongan			
quiere	quiera			
siguen	sigan			

9-31B **¿Qué hacer?** Cuando tienen un problema, es normal pedirle consejos a un/a amigo/a. Túrnense para explicarle algún problema a su compañero/a. Él/Ella debe responder de una manera lógica con el subjuntivo. Luego, reaccionen a la recomendación.

MODELO: Te recomiendo que (**estudiar**) mucho.
　　　ESTUDIANTE A: *Tengo un examen de química mañana.*
　　　ESTUDIANTE B: *Te recomiendo que _estudies_ mucho.*
　　　ESTUDIANTE A: *Buena idea. / No tengo tiempo. / No puedo porque...*

Estudiante B:

Mis problemas:	Consejos para mi compañero:
1. Mi casa está en desorden y tengo invitados este fin de semana.	• Es difícil que (tú) (**encontrar**) un buen trabajo si no estudias más.
2. A mi mejor amigo no le gustan las películas que a mí me gustan.	• Te sugiero que (**buscar**) trabajo, o que les (**pedir**) dinero a tus padres.
3. Quiero estudiar en el extranjero, pero las clases son en español.	• Te aconsejo que (**buscar**) los libros en línea.
4. Mi trabajo no me da tiempo para estudiar.	• Me encanta México. Quiero que me (**invitar**) a mí al crucero.

CAPÍTULO 10

 10-5B **Consejos médicos.**   Habla con tu compañero/a para que te dé consejos sobre los siguientes síntomas.

MODELO: ESTUDIANTE A: *Me duelen los pulmones.*
               ESTUDIANTE B: *Debes dejar de fumar.*

Estudiante B:

Mis síntomas:	Consejos para mi compañero/a:
1. Tengo gripe.	• tomar antiácidos
2. Tengo náuseas.	• tomarse la temperatura
3. Tengo un dolor de cabeza terrible.	• tomar más café
4. Toso mucho.	• ir de vacaciones
5. No tengo energía.	• no caminar tanto y usar más el carro
6. Tengo alergia a los mariscos.	• comprar *Kleenex*

10-9B **En la sala de urgencias.**   Ustedes tienen que decidir qué deben hacer en situaciones urgentes. Un/a estudiante presenta unas situaciones. El/La otro/a responde con instrucciones lógicas de su lista, usando mandatos formales. Túrnense, cambiando de papel.

MODELO: ESTUDIANTE A: *El niño tiene gripe.*
               ESTUDIANTE B: *Déle muchos liquídos como jugo o agua.*

Estudiante B:

Situaciones urgentes	Acciones
1. La paciente se rompió una pierna.	• buscar un tanque de oxígeno
2. El señor viejo está muy ansioso.	• darle un antiácido
3. La niña tiene resfriado.	• ponerle una inyección de penicilina
4. La señora tiene dolor de cabeza.	• tomarle la temperatura
5. Al joven le duele una muela.	• darle un jarabe para controlar la tos
6. ¿...?	• ¿...?

10-24B **Te recomiendo que...** Un/a estudiante presenta los siguientes problemas y el/la otro/a ofrece recomendaciones. Túrnense, cambiando de papel. Pueden usar **te/le/les recomiendo que** más el subjuntivo.

MODELO: ESTUDIANTE A: *Estoy muy flaco/a.*
ESTUDIANTE B: *Te recomiendo que comas tres comidas completas todos los días.*

Estudiante B:

Mis problemas:	Recomendaciones para mi compañero/a:
1. Mi jefe/a padece de úlceras. 2. A mi abuelo/a le preocupa su alto nivel de colesterol. 3. A mi amigo/a le falta energía. 4. No quiero engordar cuando voy de vacaciones. 5. Creo que tengo una infección en la garganta.	• tomar una aspirina • practicar juegos para la memoria • hacer jogging • dejar de fumar • no comer postres

10-31B **¿Qué piensan?** Tienes una revista sobre la salud con información que puede ser cierta o no. Tu compañero/a te va a hacer preguntas que puedes contestar según las afirmaciones a continuación. Luego ustedes van a dar su opinión sobre las afirmaciones.

MODELO: ESTUDIANTE A: *¿Hay algún consejo para una persona que tiene problemas cardíacos?*
ESTUDIANTE B: *Según la revista, la aspirina es buena para el corazón.*
ESTUDIANTE A: *No creo que sea buena idea tomar mucha aspirina.*
ESTUDIANTE B: *Pues, es cierto que es bueno tomar una por día.*

Estudiante B:

La información que tengo:	Para reaccionar:
• Puedes hacer más ejercicio si tomas mucha agua. • Los bolivianos tienen una cura para el resfriado común. • Hay una pastilla para mejorar la memoria. • Puedes bajar cinco kilos en ocho días comiendo solo pan y mantequilla. • Un vaso de vino diario protege el corazón. • Hay una hierba paraguaya para mantenerte siempre joven.	• (no) creo • (no) dudo • (no) es verdad • ojalá • (no) estoy seguro/a • (no) niego • es lógico • es interesante • me alegro de • tal vez • es bueno (malo)

CAPÍTULO 11

 11-9B **¡Socorro! (*Help!*)** En el trabajo surgen (*arise*) situaciones urgentes. Responde de una manera apropiada a las urgencias que te presenta tu compañero/a.

MODELO: ESTUDIANTE A: *La reunión es ahora, pero no hay café.*

ESTUDIANTE B: ¡(Llamar) al restaurante ahora mismo! *¡Llama al restaurante ahora mismo!*

Estudiante B:

Mis situaciones urgentes:	Posibles soluciones para mi compañero/a:
1. El gerente quiere el informe rápidamente.	• ¡(Apagarlo) ahora mismo!
2. El secretario pide seis semanas de vacaciones inmediatamente.	• ¡(Ponerte) traje mañana!
3. Hay agua por todas partes en el baño.	• ¡(No dársela) nunca!
4. La contadora dice que hay una gran discrepancia en nuestra cuenta.	• ¡(Decirle) que no puede trabajar en mi oficina ahora!
5. Necesitamos un intérprete para los invitados de China.	• ¡(Decirle) al electricista que venga enseguida!

 11-30B **Lo que quiero.** Háganse y contesten preguntas sobre qué tipo de cosa, persona o lugar buscan.

MODELO: carro

ESTUDIANTE A: *¿Qué tipo de carro buscas?*

ESTUDIANTE B: *Busco un carro que tenga cuatro puertas y que sea rojo.*

Estudiante B:

Mis preguntas:	Mis respuestas:
1. puesto	• no *empezar* hasta las diez de la mañana
2. película	• *tener* un lago para pescar y una playa bonita
3. sueldo	• *tener* buenos actores y poca violencia
4. apartamento	• no *cerrarse* hasta la medianoche
5. periódico	• *tener* una bella vista de las montañas

CAPÍTULO 12

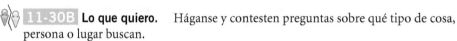 **12-6B** **Un producto innovador.** Cada uno de ustedes tiene anuncios para dos aparatos nuevos, pero les falta alguna información. Háganse preguntas para completar la información y luego, decidan cuál desean comprar según sus características y su costo.

Posibles preguntas:

¿Cuántos/as...? ¿Hay ....?
¿Qué tipo de ...? ¿Cómo es/son ...?

MODELO: ESTUDIANTE A: *El aparato "Mora" puede contener 7.000 canciones. ¿Cuántos gigabytes de memoria tiene?*

ESTUDIANTE B: ...

Estudiante B:

	Aparato "Mora"	Aparato "Fresa"
Memoria	32 gigabytes	
Características		40.000 canciones
	40 horas de video	
		Auriculares con mando remoto y micrófono
Velocidad	Más rápido que el modelo original	
Fecha de envío (*shipping*)		en 24 horas
Costo de envío	$10	
Regalo extra		Antes del 31 de diciembre bajar gratis 100 canciones
Costo	$269	

 12-28B **¿Qué harás?**   Túrnense para preguntarse qué harán en estas circunstancias.

MODELO: ESTUDIANTE A: *Acabas de comprar un DVD nuevo.*
ESTUDIANTE B: (**ponerlo** en tu lector de DVD para verlo) *Lo pondré en mi lector de DVD para verlo.*

Estudiante B:

Las circunstancias de mi compañero/a	Lo que haré yo
1. Hay un aparato nuevo e innovador que no tienes. 2. Has organizado un grupo para reciclar envases y papel. 3. Has encontrado un anuncio para un buen empleo. 4. Tienes que terminar una tarea importante para mañana.	• **hacer** planes para el futuro con esa persona • **bajar** un programa antivirus de la Internet • **buscar** uno por un precio razonable • **volver** a casa hasta que encuentre trabajo

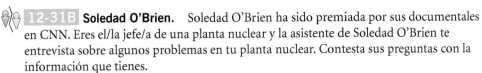 **12-31B** **Soledad O'Brien.**   Soledad O'Brien ha sido premiada por sus documentales en CNN. Eres el/la jefe/a de una planta nuclear y la asistente de Soledad O'Brien te entrevista sobre algunos problemas en tu planta nuclear. Contesta sus preguntas con la información que tienes.

MODELO: **reciclar** los desechos de su planta
ESTUDIANTE A: *Usted dijo que reciclaría los desechos de su planta...*
ESTUDIANTE B: *Es verdad. Pero también dije que este proyecto tomaría su tiempo.*
ESTUDIANTE A: *Es verdad, pero...*

Estudiante B:

Respuestas del/de la jefe/a

Yo dije que...
1. **implementar** todos los cambios para el año 2015
2. **hacerlo** en colaboración con el estado
3. **ser** difícil hacerlo en menos de un año
4. **tener** que conseguir nueva maquinaria
5. **necesitar** la ayuda de la comunidad
6. **poder** filmar en cualquier momento

CAPÍTULO 13

 13-10B **Cuando eran más jóvenes.**   Túrnense para hacer y contestar las preguntas sobre lo que sus padres les permitían o les prohibían que hicieran cuando eran más jóvenes. Usen el imperfecto de subjuntivo en sus respuestas.

MODELO: ESTUDIANTE A: *¿Qué querían tus padres que hicieras los fines de semana?*
ESTUDIANTE B: *Querían que yo limpiara mi cuarto.*

Estudiante B:

Mis preguntas	Posibles respuestas a las preguntas de mi compañero/a
1. ¿Qué esperaban que leyeras en la Internet?	• mis tareas
2. ¿Qué sitios te prohibían que visitaras en la Internet?	• solo libros serios
3. ¿Qué carrera sugirieron que hicieras en la universidad?	• salir solo/a
4. ¿Qué deseaban que escucharas en la radio?	• solo los programas educativos

 13-34B **¿Qué harías si...?**   Túrnense para reflexionar sobre lo que harían en estas situaciones hipotéticas.

MODELO: subir los precios de las entradas del cine
ESTUDIANTE A: *¿Qué harías si subieran los precios de las entradas del cine?*
ESTUDIANTE B: *Pues, iría menos...*

Estudiante B:

Mis preguntas	Posibles respuestas a las preguntas de mi compañero/a
¿Qué harías si...?	• **consultar** a un amigo que sabe mucho sobre aparatos electrónicos
1. (yo) no **tener** dinero para ir a un concierto	• **ir,** sin duda
2. (tú) **tener** dos entradas para el teatro	• **pedirle** su autógrafo
3. (tú) **tener** la oportunidad de participar como extra en una película	• **invitar** a todos mis amigos a cenar
4. **llamarte** una estrella de cine	• **visitar** el Teatro Chino *Grauman*
5. alguien **ofrecerte** un millón de dólares por una novela que escribiste	

CAPÍTULO 14

 14-8B **¿Cuánto tiempo hace que...?**   A continuación tienen información sobre dos famosos artistas hispanos en el mundo del jazz.

Paso 1   Háganse y contesten preguntas sobre cuánto tiempo hace que participan en su arte o que hicieron algunas actividades en el pasado. Tomen apuntes de la información sobre los dos artistas.

MODELOS: Miguel Zenón estudia jazz desde 1995
ESTUDIANTE A: *¿Cuánto tiempo hace que Miguel Zenón estudia jazz?*
ESTUDIANTE B: *Hace ... años que lo estudia. Empezó en 1995.*

Dafnis Prieto hizo su última gira por Europa en 1999

ESTUDIANTE B: *¿Cuánto tiempo hace que Dafnis Prieto hizo una gira por Europa?*

ESTUDIANTE A: *Hace... años que hizo una gira. Fue en 1999.*

Estudiante B:

Miguel Zenón

Dafnis Prieto

Perfil de Miguel Zenón:	Preguntas sobre Dafnis Prieto:
• Profesión: saxofonista y percusionista de jazz	¿Cuál es la profesión de Dafnis Prieto?
• Lugar/fecha de nacimiento: Puerto Rico/ 1976	¿Cuántos años hace que nació? ¿Dónde nació?
• recibió el premio Guggenheim en 2008; el MacArthur Genius Award en 2008	¿Cuántos años hace que decidió salir de Cuba?
• participa en el conjunto SF Jazz Collective desde 2004	¿Cuántos años hace que llegó a Nueva York?
	¿Cuántos años hace que tocó en el MOMA?
• hizo una gira por África: 2003	¿Cuántos años hace que le gusta vivir en Nueva York?
• fue nombrado el mejor artista de jazz por la revista *Jazz Times* en 2006	¿Cuántos años hace que fue nominado al Grammy Latino?
• fue nominado al Grammy en 2009; 2010	
• es profesor de música en el Conservatorio de New England desde 2009	¿Cuántos años hace que da clases? ¿Dónde?

CAPÍTULO 15

15-20B **Una entrevista a un/a candidato/a.** Eres reportero/a y tu compañero/a es candidato/a en las próximas elecciones municipales. Trata de conseguir toda la información posible sobre su plataforma a la vez que contestas sus preguntas.

Estudiante B:

1. ¿Cómo piensa usted resolver el problema de la economía en su distrito?

2. ¿Nos puede explicar su posición sobre el seguro social?

3. ¿Quién será responsable de administrar las donaciones a su campaña?

4. ¿Cómo va a resolver el tráfico de drogas en esta ciudad?

5. ¿Por qué quiere usted ser candidato/a?

EXPANSIÓN GRAMATICAL

The **Expansión gramatical** appendix includes grammar points that were included as part of the chapter content in the fifth edition of *¡Arriba!* By moving them to the newly created appendix, we lighten the grammar load in **Capítulos 10** through **15,** and are able to include more language input to reinforce and expand students' lexicon and cultural understanding. Furthermore, these grammar points are less frequent in everyday speech; therefore, we do not compromise students' communicative abilities by placing them in the appendix.

The explanation and activities in this section use the same format used throughout the text in **¡Así lo hacemos!** in order to facilitate their incorporation into the core lessons of the program. Additional practice activities are available in the Student Activities Manual in the Appendix.

These grammar points along with their corresponding communicative objectives include:

1. Indirect commands (Making suggestions indirectly)

2. The present perfect subjunctive (Expressing opinions about what **has** happened)

3. The future perfect and the conditional perfect (Talking about what **will** have happened in the future and what **would** have happened in the past)

4. The pluperfect subjunctive and the conditional perfect (Conjecturing about what **would have** been if something different **had happened**)

5. The passive voice (Relating what is or was caused by someone or something)

1. Indirect commands

EG-01 to EG-04

Commands may be expressed indirectly, either to the person with whom you are speaking or to express what a third party should do.

- The basic format of an indirect command is as follows.

Que + *subjunctive verb* (+ *subject*)

¿Quién va a llamar al Dr. Estrada?	*Who is going to call Dr. Estrada?*
Que lo **llames** tú.	*You call him.*
Que lo **haga** Alicia.	*Let (Have) Alicia do it.*
Que no me **moleste** más el enfermero.	*Have the nurse not bother me anymore.*

- This construction is also used to express your wishes for someone else.

¡Que no **te duela** la garganta mañana!	*I hope that your throat doesn't hurt you tomorrow!*

- Object and reflexive pronouns always precede the verb. In a negative statement, **no** also precedes the verb.

¡Que **se** vayan!	*Let them leave!*
¡Que papá **no se** tome la presión después de comer!	*Don't let Dad take his blood pressure after eating!*

- When a subject is expressed, it generally follows the verb.

¡Que lo hagas **tú**!	*You do it!*
¿La inyección? Que se la ponga **la enfermera.**	*The shot? Let the nurse give it to him.*

APLICACIÓN

EG-1 Viracocha, el dios creador.   Según la mitología inca, Viracocha, el dios supremo, creó el mundo y a los seres humanos.

Paso 1   Lee el monólogo de Viracocha y subraya todos sus deseos expresados con mandatos indirectos. Luego escribe el infinitivo del verbo.

MODELO: ¡Que *haya* luz!
      haber

Hoy voy a crear el mundo y a sus habitantes. Que se abran las aguas y que surjan[1] montañas además de los llanos[2]. Que aparezcan los pájaros en el aire, los animales en la tierra y toda clase de insectos. Que se creen el sol y la luna, el hombre y la mujer, y que ellos procreen hijos. Que salga el sol, que llueva mucho y que crezcan los alimentos en abundancia. Que no haya guerra y que reine la paz por todo el mundo.

---

[1]*rise*   [2]*plains*

Paso 2   Ahora, escribe cuatro de los deseos de Viracocha.

MODELO: *Quiere que se abran las aguas.*

EG-2 ¿Y tú?   Escribe cinco mandatos indirectos que representen tus deseos para el futuro.

MODELO: *Que tenga éxito en los exámenes.*

📖 2. The present perfect subjunctive

EG-05 to EG-09

Espero que hayas buscado trabajo hoy.

- The present perfect subjunctive is formed with the present subjunctive of the auxiliary verb **haber** + the past participle.

	Present subjunctive of *haber*	Past participle
yo	**haya**	
tú	**hayas**	
Ud.	**haya**	
él/ella	**haya**	tomado
		comido
nosotros/as	**hayamos**	vivido
vosotros/as	**hayáis**	
Uds.	**hayan**	
ellos/as	**hayan**	

- The present perfect subjunctive, like the present subjunctive, is used when the main clause expresses a wish, emotion, doubt, denial, etc. pertaining to the subject of another clause. Generally, the verb in the main clause is in the present tense.

Dudamos que Antonio Villaraigosa **haya sido** nominado para gobernador.

We doubt that Antonio Villaraigosa has been nominated for governor.

Espero que el teléfono celular **haya funcionado** bien.

I hope that the cellular phone has worked well.

APLICACIÓN

EG-3 **Un comité de búsqueda (*search*).**   La empresa Ecomundo fabrica productos para conservar el medio ambiente. Cuatro ejecutivos de la empresa conversan sobre los candidatos al puesto de ingeniero del medio ambiente que necesitan. Primero subraya los verbos en el presente perfecto y luego explica por qué se usa el indicativo o el subjuntivo.

MODELO: Espero que <u>hayamos recibido</u> suficientes solicitudes para el puesto.
Se usa el subjuntivo después de un verbo de emoción cuando hay un cambio de sujeto en los verbos.

RAMÓN: Aquí tienen todas las solicitudes que han llegado hasta hoy. Ojalá que hayan solicitado los mejores candidatos.

CARIDAD: Hemos recibido más de 20 solicitudes. ¿Quiénes han tenido tiempo para leerlas todas?

RAMÓN: Yo he leído 10, pero hay pocas que me han impresionado tanto como la que leí ayer por la tarde de Gabriela González.

CLEMENCIA: Yo creo que Gabriela González es un buen ejemplo. Es una ingeniera que ha sobresalido[1] en sus estudios y ha tenido mucho éxito en su carrera. Pero ya tiene un buen trabajo y realmente dudo que ella haya solicitado este puesto en serio.

URBANO: Bueno, vamos a entrevistar a los cinco mejores candidatos, a menos que ustedes hayan identificado a otros.

CARIDAD: De acuerdo. Creo que los mejores ya han presentado sus solicitudes. Vamos a cerrar la búsqueda para identificar a los finalistas. ¿Les parece bien?

---

[1] *excelled*

EG-4 **Gabriela decide solicitar el puesto.** Aunque Gabriela ya tiene un buen puesto con otra empresa, ha decidido solicitar el puesto de ingeniero del medio ambiente. Esa noche, Gabriela le cuenta a su amigo sobre la entrevista con Ecomundo. Empareja las frases para completarlas de una manera lógica.

MODELO: Gabriela: *Espero que les haya gustado mi currículum vítae.*

SAÚL: No hay duda que...   • he aprendido mucho en esta entrevista.

GABRIELA: Ojalá que...   • les has impresionado favorablemente.

SAÚL: Es bueno que...   • hayan pasado varios días.

GABRIELA: No los llamo hasta que...   • no te hayan avisado de inmediato.

SAÚL: Es una lástima que...   • no hayan contratado a otro candidato.

GABRIELA: Es cierto que...   • hayas tenido mucha experiencia.

EG-5 **En su experiencia.** Usen expresiones como: **es necesario, es bueno, es malo, es lógico** o **es excepcional,** para decir algo que hayan hecho antes de su primera entrevista para un trabajo.

MODELO: Es bueno que... (yo) *haya investigado sobre esa empresa.*

1. Es verdad que...
2. Es malo que...
3. Es cierto que...
4. Es necesario que...
5. Es verdad que...

3. The future perfect and the conditional perfect

El futuro perfecto

The future perfect is formed with the future of the auxiliary verb **haber** + *past participle*.

Para el próximo año, habrán producido más películas con actores hispanos.

	Future	Past participle
yo	habré	
tú	habrás	
Ud.	habrá	
él/ella	habrá	tomado
		comido
nosotros/as	habremos	vivido
vosotros/as	habréis	
Uds.	habrán	
ellos/as	habrán	

- The future perfect is used to express an action which will have occurred by a certain point.

¿**Habrá hecho** Salma Hayek otra película para el año que viene?	*Will Salma Hayek have made another film by next year?*
Sí, **habrá hecho** dos.	*Yes, she will have made two.*
¿Cuándo **habrás terminado** el editorial?	*When will you have finished the editorial?*
Lo **habré terminado** en diez minutos.	*I will have finished it in ten minutes.*

El condicional perfecto

Habría podido bailar toda la noche.

- The conditional perfect is formed with the conditional of the auxiliary verb **haber** + *past participle*.

	Conditional	Past participle
yo	habría	
tú	habrías	
Ud.	habría	
él/ella	habría	tomado
		comido
nosotros/as	habríamos	vivido
vosotros/as	habríais	
Uds.	habrían	
ellos/as	habrían	

- The conditional perfect is used to express an action that would or should have occurred but did not.

| **Habría visto** el drama, pero preferí la comedia. | *I would have seen the drama, but I preferred the comedy.* |
| **Habríamos grabado** el programa, pero no teníamos cinta. | *We would have recorded the program, but we didn't have a tape.* |

APLICACIÓN

EG-6 ¿Qué habrá pasado?   Expresa tus conjeturas sobre las situaciones siguientes.

MODELO: En el teatro todos están aplaudiendo.
Habrá terminado la obra.

1. _____ El dramaturgo está muy frustrado.
2. _____ El director está enojado.
3. _____ El galán está muy triste.
4. _____ El actor no está en su camerino (*dressing room*).
5. _____ El protagonista está en el suelo.
6. _____ La televidente está muy contenta.

a. Habrá descubierto que tiene canas (*gray hair*).
b. Le habrá gustado el programa que veía.
c. Habrá terminado de vestirse.
d. Los actores no habrán memorizado el guión.
e. Habrá perdido el guión de la obra.
f. Alguien lo habrá asesinado.

EG-7 Para el año 2025...   ¿Qué habrán hecho ustedes para el año 2025? ¿Qué no habrán hecho? Túrnense para contarse sus planes para el futuro. ¿Tienen algunas metas en común?

aprender	conseguir	escribir	terminar	visitar
conocer	empezar	ganar	trabajar	vivir

MODELO: terminar
E1: *Para el año 2025 habré terminado mis estudios.*
E2: *¿Sí? ¿En qué?*

EG-8 Habría hecho algo diferente.   Conversen entre ustedes para decidir cómo habría sido diferente sus vidas en las siguientes situaciones.

MODELO: tener mucho dinero
E1: *Habría viajado por todo el mundo antes de empezar mis estudios.*
E2: *Habría dejado mi puesto.*

1. vivir en España
2. ser actor/actriz
3. ser periodista
4. trabajar en un teatro
5. escribir drama
6. ser presentador/a
7. ser rico/a
8. ver a Jorge Ramos o a Soledad O'Brian en la calle

4. The pluperfect subjunctive and the conditional perfect

EG-15
to EG-21

El pluscuamperfecto del subjuntivo

- The pluperfect subjunctive is formed with the imperfect subjunctive of the auxiliary verb **haber** + *the past participle*.

	Imperfect subjunctive	Past participle
yo	**hubiera**	
tú	**hubieras**	
Ud.	**hubiera**	tomado
él/ella	**hubiera**	comido
nosotros/as	**hubiéramos**	vivido
vosotros/as	**hubierais**	
Uds.	**hubieran**	
ellos/as	**hubieran**	

- The pluperfect subjunctive is used in dependent clauses under the same conditions as the present perfect subjunctive. However, the pluperfect subjunctive is used to refer to an event prior to another past event. Compare the following sentences with the time line.

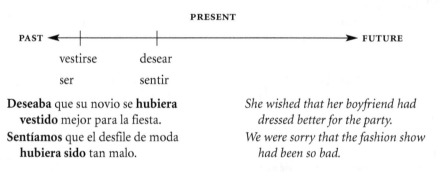

| PAST | | PRESENT | | FUTURE |

vestirse · desear

ser · sentir

Deseaba que su novio se **hubiera vestido** mejor para la fiesta.

Sentíamos que el desfile de moda **hubiera sido** tan malo.

She wished that her boyfriend had dressed better for the party.

We were sorry that the fashion show had been so bad.

Si me hubieras presentado antes a tu hermana, habría podido bailar con ella.

El condicional perfecto y el pluscuamperfecto de subjuntivo

The conditional perfect and pluperfect subjunctive are used in **si** clauses that express contrary-to-fact information that occurred before another point in the past. In the following example, the point in the past is probably the day of the concert or ticketed event. Before then, the problem was not explained, and the speaker did not look for other tickets.

Si me **hubieras explicado** el problema con las entradas, **habría buscado** otras.

If you had explained to me the problem with the tickets, I would have looked for others.

- The pluperfect subjunctive can also be used with **Ojalá** to express a contrary-to-fact situation that has already happened.

Ojalá hubieras conocido al cantante después del concierto.

I wish you had met the singer after the concert.

Ojalá no **hubieran cancelado** el baile.

I wish they hadn't cancelled the dance.

APLICACIÓN

EG-9 Si hubiera sabido... Lee la conversación entre la directora y los miembros de la orquesta y subraya el pluscuamperfecto del subjuntivo y el condicional perfecto.

DIRECTORA: Vamos a empezar la pieza de Manuel de Falla, uno... dos... y...

VIOLINISTA: Disculpe, maestra. Si hubiera sabido que íbamos a ensayar esa pieza, habría traído la partitura[1].

CHELISTA: Sí, maestra. Yo también habría practicado más, si usted nos hubiera informado que íbamos a ensayar esa pieza hoy.

PERCUSIONISTA: Disculpe, maestra. Se me rompió un palillo[2]. Si no se me hubiera roto, habría estado mejor preparado para el ensayo.

CLARINETISTA: Maestra, si no hubiera perdido mi clarinete, habría llegado a tiempo para el ensayo.

DIRECTORA: Entonces, no vamos a ensayar. Si los organizadores me hubieran dicho que ustedes estaban tan mal preparados, nunca habría aceptado este puesto.

TROMPETISTA: Maestra, no importa. ¡Toquemos la pieza, por favor!

---

[1] *sheet music* [2] *stick*

EG-10 ¿Por qué le fue mal a la directora? Vuelve a leer la conversación de la actividad EG-9 y explica por qué todo le salió mal a la directora.

MODELO: *La violinista... no sabía que debía traer la partitura.*

El chelista...

La clarinetista...

A la percusionista...

La directora...

EG-11 El desfile de modas en Caracas, Venezuela. Explica qué habría sido diferente durante un desfile de modas que tuvo lugar en Caracas, según la información siguiente.

MODELO: Las modelos no llegaron a tiempo porque hubo un atasco (*traffic jam*) en la carretera.
Las modelos habrían llegado a tiempo si no hubiera habido un atasco.

1. No tuvimos asientos porque no planearon las cosas bien.
2. Muchas personas se enojaron porque no pudieron entrar a la casa de diseños.
3. El conjunto musical estaba tenso porque no había ensayado en ese lugar.
4. El público se quejó porque no había champán durante el desfile de modas.
5. No había suficientes programas para todos porque muchos se mojaron por la lluvia.
6. La casa de diseños perdió mucho dinero porque no pudieron vender todos los diseños.

EG-12 ¡Ojalá! Túrnense para explicar momentos incómodos o vergonzosos (*embarrassing*) que tuvieron en el pasado. Su compañero/a debe hacer un comentario, usando **Ojalá** para expresar compasión por algo que les ocurrió en el pasado.

MODELO: E1: *Me puse el mismo vestido que otra estudiante para el baile formal de la universidad.*
E2: *¡Ojalá no te hubieras puesto ese vestido!*

📖 5. The passive voice

EG-22 to EG-26

La pirámide fue construida por los mayas en . . .

Spanish and English both have active and passive voices. In an active voice construction, the subject of the sentence is the doer of the action.

Óscar Arias fundó el Centro para la Paz.	*Óscar Arias founded the Center for Peace.*
Los dos bandos hicieron la guerra.	*The two sides waged war.*

- In the passive voice, the agent of the action can be expressed in a prepositional phrase most often introduced by **por.**

El Centro para la Paz fue fundado **por** Óscar Arias.	*The Center for Peace was founded by Óscar Arias.*
La guerra fue hecha **por** los dos bandos.	*The war was waged by the two sides.*

- The passive voice construction in Spanish is very similar to that in English. The direct object of the active sentence becomes the subject of the verb **ser. Ser** is followed by the *past participle* of the active verb. The past participle agrees in gender and number with the subject because it is used as an adjective.

ACTIVE VOICE

El congreso **aprobó la abolición** del ejército panameño en 1994.	*The congress approved the abolition of the Panamanian army in 1994.*

PASSIVE VOICE

La abolición del ejército panameño **fue aprobada** por el Congreso en 1994.	*The abolition of the Panamanian army was approved by Congress in 1994.*

ACTIVE VOICE

La sociedad civil **ha tratado** muy mal a **las mujeres** centroamericanas.	*Civil society has treated Central American women very poorly.*

PASSIVE VOICE

Las mujeres centroamericanas **han sido tratadas** muy mal por la sociedad civil.	*Central American women have been treated very poorly by civil society.*

- Generally the passive voice is used less frequently in spoken language in Spanish than in written narratives and documents.

EXPANSIÓN

More on structure and usage

Passive *se*

Remember that in *Capítulo 8* you learned that if the subject of the passive voice statement is an object and the agent is not expressed, the pronoun **se** is more commonly used than the passive voice.

Se cerró la fundación. *The foundation was closed.*

Se abrieron los centros. *The centers were opened.*

APLICACIÓN

EG-13 Botero lleva "la violencia" a Panamá. Hubo una exposición importante del pintor colombiano Fernando Botero.

Paso 1 Lee el artículo y subraya las oraciones en voz pasiva y explica en cada caso quién hizo (**H**) la acción y quién(es) la recibieron (**R**).

MODELO: *La exposición fue organizada por la directora del museo.*

   H: la directora; R: La exposición

Una exposición del pintor colombiano se inauguró la semana pasada

PANAMÁ – Una exposicón de 50 pinturas y dibujos del pintor colombiano Fernando Botero fue inaugurada por el Mueso de Arte Contemporáneo de Panamá, en la que el drama de la violencia en Colombia es expresado por hombres y mujeres gordos.

La colección *La violencia en Colombia* está compuesta por 23 óleos y 27 dibujos que Botero donó al Museo Nacional de Colombia. La colección fue traída al país por la galerista Carmen Alemán. Ella comentó que era la primera vez que se exhibían obras de Botero en Panamá.

El Museo de Arte Contemporáneo tuvo que hacer cambios relativos a la humedad, aire acondicionado, iluminación y reforzar el sistema de seguridad para albergar la obra de Botero, que se exhibirá hasta el 30 de abril.

La colección ya fue llevada por los organizadores a ciudades colombianas como Barranquilla, Manizales y Medellín, así como a Quito, Ecuador.

Paso 2 Ahora contesta las siguientes preguntas.

1. ¿Qué se organizó?

2. ¿Dónde tuvo lugar?

3. ¿Quién es Fernando Botero?

4. ¿Cuál es el tema de la exposición?

5. ¿Cómo son las personas representadas?

6. ¿Has visto otras piezas de Botero? ¿Cuál era el tema?

EG-14 La guía del Palacio de la Moneda. Completa las siguientes oraciones de la guía del Palacio de la Moneda (el palacio presidencial) de Chile con la construcción pasiva. Usa el pretérito del verbo **ser.**

MODELO: El Palacio de la Moneda (visitar) <u>*fue visitado por*</u> miles de turistas el año pasado.

1. Estos retratos (pintar) _____ grandes pintores.

2. Estos muebles (hacer) _____ un famoso diseñador del siglo XIX.

3. Estos libros (escribir) _____ escritores españoles.

4. Esta carta (firmar) _____ Sebastián Piñera.

5. Este discurso (escribir) _____ Salvador Allende.

6. Estos platos (regalar) _____ el rey de España.

EG-15 En tu ciudad. Escribe una guía de tu ciudad o de otra ciudad interesante en la que incluyas cinco lugares de interés. Usa la voz pasiva para contestar estas preguntas. Preséntale tu guía a la clase.

1. ¿Por quién fue diseñado/a (construido/a)?

2. ¿Para quién(es) fue construido/a?

3. ¿Por cuántas personas es visitado/a cada año?

4. ¿Es conocido/a en otras partes?

VERB CHARTS

Regular Verbs: Simple Tenses

Infinitive Present Participle Past Participle	Indicative					Subjunctive		Imperative
	Present	Imperfect	Preterit	Future	Conditional	Present	Imperfect	Commands
hablar hablando hablado	hablo hablas habla hablamos habláis hablan	hablaba hablabas hablaba hablábamos hablabais hablaban	hablé hablaste habló hablamos hablasteis hablaron	hablaré hablarás hablará hablaremos hablaréis hablarán	hablaría hablarías hablaría hablaríamos hablaríais hablarían	hable hables hable hablemos habléis hablen	hablara hablaras hablara habláramos hablarais hablaran	habla (tú), no hables hable (usted) hablemos hablad (vosotros), no habléis hablen (Uds.)
comer comiendo comido	como comes come comemos coméis comen	comía comías comía comíamos comíais comían	comí comiste comió comimos comisteis comieron	comeré comerás comerá comeremos comeréis comerán	comería comerías comería comeríamos comeríais comerían	coma comas coma comamos comáis coman	comiera comieras comiera comiéramos comierais comieran	come (tú), no comas coma (usted) comamos comed (vosotros), no comáis coman (Uds.)
vivir viviendo vivido	vivo vives vive vivimos vivís viven	vivía vivías vivía vivíamos vivíais vivían	viví viviste vivió vivimos vivisteis vivieron	viviré vivirás vivirá viviremos viviréis vivirán	viviría vivirías viviría viviríamos viviríais vivirían	viva vivas viva vivamos viváis vivan	viviera vivieras viviera viviéramos vivierais vivieran	vive (tú), no vivas viva (usted) vivamos vivid (vosotros), no viváis vivan (Uds.)

Regular Verbs: Perfect Tenses

	Indicative					Subjunctive	
	Present Perfect	Past Perfect	Preterit Perfect	Future Perfect	Conditional Perfect	Present Perfect	Past Perfect
	he hablado	había hablado	hube hablado	habré hablado	habría hablado	haya hablado	hubiera hablado
	has comido	habías comido	hubiste comido	habrás comido	habrías comido	hayas comido	hubieras comido
	ha vivido	había vivido	hubo vivido	habrá vivido	habría vivido	haya vivido	hubiera vivido
	hemos	habíamos	hubimos	habremos	habríamos	hayamos	hubiéramos
	habéis	habíais	hubisteis	habréis	habríais	hayáis	hubierais
	han	habían	hubieron	habrán	habrían	hayan	hubieran

Irregular Verbs

Infinitive / Present Participle / Past Participle	Indicative					Subjunctive		Imperative
	Present	Imperfect	Preterit	Future	Conditional	Present	Imperfect	Commands
andar / andando / andado	ando andas anda andamos andáis andan	andaba andabas andaba andábamos andabais andaban	anduve anduviste anduvo anduvimos anduvisteis anduvieron	andaré andarás andará andaremos andaréis andarán	andaría andarías andaría andaríamos andaríais andarían	ande andes ande andemos andéis anden	anduviera anduvieras anduviera anduviéramos anduvierais anduvieran	anda (tú), no andes ande (usted) andemos andad (vosotros), no andéis anden (Uds.)
caer / cayendo / caído	caigo caes cae caemos caéis caen	caía caías caía caíamos caíais caían	caí caíste cayó caímos caísteis cayeron	caeré caerás caerá caeremos caeréis caerán	caería caerías caería caeríamos caeríais caerían	caiga caigas caiga caigamos caigáis caigan	cayera cayeras cayera cayéramos cayerais cayeran	cae (tú), no caigas caiga (usted) caigamos caed (vosotros), no caigáis caigan (Uds.)
dar / dando / dado	doy das da damos dais dan	daba dabas daba dábamos dabais daban	di diste dio dimos disteis dieron	daré darás dará daremos daréis darán	daría darías daría daríamos daríais darían	dé des dé demos deis den	diera dieras diera diéramos dierais dieran	da (tú), no des dé (usted) demos dad (vosotros), no deis den (Uds.)
decir / diciendo / dicho	digo dices dice decimos decís dicen	decía decías decía decíamos decíais decían	dije dijiste dijo dijimos dijisteis dijeron	diré dirás dirá diremos diréis dirán	diría dirías diría diríamos diríais dirían	diga digas diga digamos digáis digan	dijera dijeras dijera dijéramos dijerais dijeran	di (tú), no digas diga (usted) digamos decid (vosotros), no digáis digan (Uds.)

Infinitive / Present Participle / Past Participle	Indicative					Subjunctive		Imperative
	Present	Imperfect	Preterit	Future	Conditional	Present	Imperfect	Commands
estar estando estado	estoy estás está estamos estáis están	estaba estabas estaba estábamos estabais estaban	estuve estuviste estuvo estuvimos estuvisteis estuvieron	estaré estarás estará estaremos estaréis estarán	estaría estarías estaría estaríamos estaríais estarían	esté estés esté estemos estéis estén	estuviera estuvieras estuviera estuviéramos estuvierais estuvieran	está (tú), no estés esté (usted) estemos estad (vosotros), no estéis estén (Uds.)
haber habiendo habido	he has ha hemos habéis han	había habías había habíamos habíais habían	hube hubiste hubo hubimos hubisteis hubieron	habré habrás habrá habremos habréis habrán	habría habrías habría habríamos habríais habrían	haya hayas haya hayamos hayáis hayan	hubiera hubieras hubiera hubiéramos hubierais hubieran	
hacer haciendo hecho	hago haces hace hacemos hacéis hacen	hacía hacías hacía hacíamos hacíais hacían	hice hiciste hizo hicimos hicisteis hicieron	haré harás hará haremos haréis harán	haría harías haría haríamos haríais harían	haga hagas haga hagamos hagáis hagan	hiciera hicieras hiciera hiciéramos hicierais hicieran	haz (tú), no hagas haga (usted) hagamos haced (vosotros), no hagáis hagan (Uds.)
ir yendo ido	voy vas va vamos vais van	iba ibas iba íbamos ibais iban	fui fuiste fue fuimos fuisteis fueron	iré irás irá iremos iréis irán	iría irías iría iríamos iríais irían	vaya vayas vaya vayamos vayáis vayan	fuera fueras fuera fuéramos fuerais fueran	ve (tú), no vayas vaya (usted) vamos, no vayamos id (vosotros), no vayáis vayan (Uds.)
oír oyendo oído	oigo oyes oye oímos oís oyen	oía oías oía oíamos oíais oían	oí oíste oyó oímos oísteis oyeron	oiré oirás oirá oiremos oiréis oirán	oiría oirías oiría oiríamos oiríais oirían	oiga oigas oiga oigamos oigáis oigan	oyera oyeras oyera oyéramos oyerais oyeran	oye (tú), no oigas oiga (usted) oigamos oíd (vosotros), no oigáis oigan (Uds.)

Infinitive Present Participle Past Participle	Indicative					Subjunctive		Imperative
	Present	Imperfect	Preterit	Future	Conditional	Present	Imperfect	Commands
poder pudiendo podido	puedo puedes puede podemos podéis pueden	podía podías podía podíamos podíais podían	pude pudiste pudo pudimos pudisteis pudieron	podré podrás podrá podremos podréis podrán	podría podrías podría podríamos podríais podrían	pueda puedas pueda podamos podáis puedan	pudiera pudieras pudiera pudiéramos pudierais pudieran	
poner poniendo puesto	pongo pones pone ponemos ponéis ponen	ponía ponías ponía poníamos poníais ponían	puse pusiste puso pusimos pusisteis pusieron	pondré pondrás pondrá pondremos pondréis pondrán	pondría pondrías pondría pondríamos pondríais pondrían	ponga pongas ponga pongamos pongáis pongan	pusiera pusieras pusiera pusiéramos pusierais pusieran	pon (tú), no pongas ponga (usted) pongamos poned (vosotros), no pongáis pongan (Uds.)
querer queriendo querido	quiero quieres quiere queremos queréis quieren	quería querías quería queríamos queríais querían	quise quisiste quiso quisimos quisisteis quisieron	querré querrás querrá querremos querréis querrán	querría querrías querría querríamos querríais querrían	quiera quieras quiera queramos queráis quieran	quisiera quisieras quisiera quisiéramos quisierais quisieran	quiere (tú), no quieras quiera (usted) queramos quered (vosotros), no queráis quieran (Uds.)
saber sabiendo sabido	sé sabes sabe sabemos sabéis saben	sabía sabías sabía sabíamos sabíais sabían	supe supiste supo supimos supisteis supieron	sabré sabrás sabrá sabremos sabréis sabrán	sabría sabrías sabría sabríamos sabríais sabrían	sepa sepas sepa sepamos sepáis sepan	supiera supieras supiera supiéramos supierais supieran	sabe (tú), no sepas sepa (usted) sepamos sabed (vosotros), no sepáis sepan (Uds.)
salir saliendo salido	salgo sales sale salimos salís salen	salía salías salía salíamos salíais salían	salí saliste salió salimos salisteis salieron	saldré saldrás saldrá saldremos saldréis saldrán	saldría saldrías saldría saldríamos saldríais saldrían	salga salgas salga salgamos salgáis salgan	saliera salieras saliera saliéramos salierais salieran	sal (tú), no salgas salga (usted) salgamos salid (vosotros), no salgáis salgan (Uds.)

Infinitive Present Participle Past Participle	Indicative Present	Imperfect	Preterit	Future	Conditional	Subjunctive Present	Imperfect	Imperative Commands
ser siendo sido	soy eres es somos sois son	era eras era éramos erais eran	fui fuiste fue fuimos fuisteis fueron	seré serás será seremos seréis serán	sería serías sería seríamos seríais serían	sea seas sea seamos seáis sean	fuera fueras fuera fuéramos fuerais fueran	sé (tú), no seas sea (usted) seamos sed (vosotros), no seáis sean (Uds.)
tener teniendo tenido	tengo tienes tiene tenemos tenéis tienen	tenía tenías tenía teníamos teníais tenían	tuve tuviste tuvo tuvimos tuvisteis tuvieron	tendré tendrás tendrá tendremos tendréis tendrán	tendría tendrías tendría tendríamos tendríais tendrían	tenga tengas tenga tengamos tengáis tengan	tuviera tuvieras tuviera tuviéramos tuvierais tuvieran	ten (tú), no tengas tenga (usted) tengamos tened (vosotros), no tengáis tengan (Uds.)
traer trayendo traído	traigo traes trae traemos traéis traen	traía traías traía traíamos traíais traían	traje trajiste trajo trajimos trajisteis trajeron	traeré traerás traerá traeremos traeréis traerán	traería traerías traería traeríamos traeríais traerían	traiga traigas traiga traigamos traigáis traigan	trajera trajeras trajera trajéramos trajerais trajeran	trae (tú), no traigas traiga (usted) traigamos traed (vosotros), no traigáis traigan (Uds.)
venir viniendo venido	vengo vienes viene venimos venís vienen	venía venías venía veníamos veníais venían	vine viniste vino vinimos vinisteis vinieron	vendré vendrás vendrá vendremos vendréis vendrán	vendría vendrías vendría vendríamos vendríais vendrían	venga vengas venga vengamos vengáis vengan	viniera vinieras viniera viniéramos vinierais vinieran	ven (tú), no vengas venga (usted) vengamos venid (vosotros), no vengáis vengan (Uds.)
ver viendo visto	veo ves ve vemos veis ven	veía veías veía veíamos veíais veían	vi viste vio vimos visteis vieron	veré verás verá veremos veréis verán	vería verías vería veríamos veríais verían	vea veas vea veamos veáis vean	viera vieras viera viéramos vierais vieran	ve (tú), no veas vea (usted) veamos ved (vosotros), no veáis vean (Uds.)

Stem-Changing and Orthographic-Changing Verbs

Infinitive / Present Participle / Past Participle	Indicative Present	Indicative Imperfect	Indicative Preterit	Indicative Future	Indicative Conditional	Subjunctive Present	Subjunctive Imperfect	Imperative Commands
almorzar (ue) (c) almorzando almorzado	almuerzo almuerzas almuerza almorzamos almorzáis almuerzan	almorzaba almorzabas almorzaba almorzábamos almorzabais almorzaban	almorcé almorzaste almorzó almorzamos almorzasteis almorzaron	almorzaré almorzarás almorzará almorzaremos almorzaréis almorzarán	almorzaría almorzarías almorzaría almorzaríamos almorzaríais almorzarían	almuerce almuerces almuerce almorcemos almorcéis almuercen	almorzara almorzaras almorzara almorzáramos almorzarais almorzaran	almuerza (tú) no almuerces almuerce (usted) almorcemos almorzad (vosotros) no almorcéis almuercen (Uds.)
buscar (qu) buscando buscado	busco buscas busca buscamos buscáis buscan	buscaba buscabas buscaba buscábamos buscabais buscaban	busqué buscaste buscó buscamos buscasteis buscaron	buscaré buscarás buscará buscaremos buscaréis buscarán	buscaría buscarías buscaría buscaríamos buscaríais buscarían	busque busques busque busquemos busquéis busquen	buscara buscaras buscara buscáramos buscarais buscaran	busca (tú) no busques busque (usted) busquemos buscad (vosotros) no busquéis busquen (Uds.)
corregir (i, i) (j) corrigiendo corregido	corrijo corriges corrige corregimos corregís corrigen	corregía corregías corregía corregíamos corregíais corregían	corregí corregiste corrigió corregimos corregisteis corrigieron	corregiré corregirás corregirá corregiremos corregiréis corregirán	corregiría corregirías corregiría corregiríamos corregiríais corregirían	corrija corrijas corrija corrijamos corrijáis corrijan	corrigiera corrigieras corrigiera corrigiéramos corrigierais corrigieran	corrige (tú) no corrijas corrija (usted) corrijamos corregid (vosotros) no corrijáis corrijan (Uds.)
dormir (ue, u) durmiendo dormido	duermo duermes duerme dormimos dormís duermen	dormía dormías dormía dormíamos dormíais dormían	dormí dormiste durmió dormimos dormisteis durmieron	dormiré dormirás dormirá dormiremos dormiréis dormirán	dormiría dormirías dormiría dormiríamos dormiríais dormirían	duerma duermas duerma durmamos durmáis duerman	durmiera durmieras durmiera durmiéramos durmierais durmieran	duerme (tú) no duermas duerma (usted) durmamos dormid (vosotros) no durmáis duerman (Uds.)
incluir (y) incluyendo incluido	incluyo incluyes incluye incluimos incluís incluyen	incluía incluías incluía incluíamos incluíais incluían	incluí incluiste incluyó incluimos incluisteis incluyeron	incluiré incluirás incluirá incluiremos incluiréis incluirán	incluiría incluirías incluiría incluiríamos incluiríais incluirían	incluya incluyas incluya incluyamos incluyáis incluyan	incluyera incluyeras incluyera incluyéramos incluyerais incluyeran	incluye (tú) no incluyas incluya (usted) incluyamos incluid (vosotros) no incluyáis incluyan (Uds.)

Stem-Changing and Orthographic-Changing Verbs (continued)

Infinitive Present Participle Past Participle	Indicative					Subjunctive		Imperative
	Present	Imperfect	Preterit	Future	Conditional	Present	Imperfect	Commands
llegar (gu) llegando llegado	llego llegas llega llegamos llegáis llegan	llegaba llegabas llegaba llegábamos llegabais llegaban	llegué llegaste llegó llegamos llegasteis llegaron	llegaré llegarás llegará llegaremos llegaréis llegarán	llegaría llegarías llegaría llegaríamos llegaríais llegarían	llegue llegues llegue lleguemos lleguéis lleguen	llegara llegaras llegara llegáramos llegarais llegaran	llega (tú) no llegues llegue (usted) lleguemos llegad (vosotros), no lleguéis lleguen (Uds.)
pedir (i, i) pidiendo pedido	pido pides pide pedimos pedís piden	pedía pedías pedía pedíamos pedíais pedían	pedí pediste pidió pedimos pedisteis pidieron	pediré pedirás pedirá pediremos pediréis pedirán	pediría pedirías pediría pediríamos pediríais pedirían	pida pidas pida pidamos pidáis pidan	pidiera pidieras pidiera pidiéramos pidierais pidieran	pide (tú), no pidas pida (usted) pidamos pedid (vosotros), no pidáis pidan (Uds.)
pensar (ie) pensando pensado	pienso piensas piensa pensamos pensáis piensan	pensaba pensabas pensaba pensábamos pensabais pensaban	pensé pensaste pensó pensamos pensasteis pensaron	pensaré pensarás pensará pensaremos pensaréis pensarán	pensaría pensarías pensaría pensaríamos pensaríais pensarían	piense pienses piense pensemos penséis piensen	pensara pensaras pensara pensáramos pensarais pensaran	piensa (tú), no pienses piense (usted) pensemos pensad (vosotros), no penséis piensen (Uds.)
producir (zc) (j) produciendo producido	produzco produces produce producimos producís producen	producía producías producía producíamos producíais producían	produje produjiste produjo produjimos produjisteis produjeron	produciré producirás producirá produciremos produciréis producirán	produciría producirías produciría produciríamos produciríais producirían	produzca produzcas produzca produzcamos produzcáis produzcan	produjera produjeras produjera produjéramos produjerais produjeran	produce (tú), no produzcas produzca (usted) produzcamos producid (vosotros), no produzcáis produzcan (Uds.)
reír (i, i) riendo reído	río ríes ríe reímos reís ríen	reía reías reía reíamos reíais reían	reí reíste rio reímos reísteis rieron	reiré reirás reirá reiremos reiréis reirán	reiría reirías reiría reiríamos reiríais reirían	ría rías ría riamos riáis rían	riera rieras riera riéramos rierais rieran	ríe (tú), no rías ría (usted) riamos reíd (vosotros), no riáis rían (Uds.)

Stem-Changing and Orthographic-Changing Verbs (continued)

Infinitive Present Participle Past Participle	Indicative					Subjunctive		Imperative
	Present	Imperfect	Preterit	Future	Conditional	Present	Imperfect	Commands
seguir (i, i) (ga) siguiendo seguido	sigo sigues sigue seguimos seguís siguen	seguía seguías seguía seguíamos seguíais seguían	seguí seguiste siguió seguimos seguisteis siguieron	seguiré seguirás seguirá seguiremos seguiréis seguirán	seguiría seguirías seguiría seguiríamos seguiríais seguirían	siga sigas siga sigamos sigáis sigan	siguiera siguieras siguiera siguiéramos siguierais siguieran	sigue (tú), no sigas siga (usted) sigamos seguid (vosotros), no sigáis sigan (Uds.)
sentir (ie, i) sintiendo sentido	siento sientes siente sentimos sentís sienten	sentía sentías sentía sentíamos sentíais sentían	sentí sentiste sintió sentimos sentisteis sintieron	sentiré sentirás sentirá sentiremos sentiréis sentirán	sentiría sentirías sentiría sentiríamos sentiríais sentirían	sienta sientas sienta sintamos sintáis sientan	sintiera sintieras sintiera sintiéramos sintierais sintieran	siente (tú), no sientas sienta (usted) sintamos sentid (vosotros), no sintáis sientan (Uds.)
volver (ue) volviendo vuelto	vuelvo vuelves vuelve volvemos volvéis vuelven	volvía volvías volvía volvíamos volvíais volvían	volví volviste volvió volvimos volvisteis volvieron	volveré volverás volverá volveremos volveréis volverán	volvería volverías volvería volveríamos volveríais volverían	vuelva vuelvas vuelva volvamos volváis vuelvan	volviera volvieras volviera volviéramos volvierais volvieran	vuelve (tú), no vuelvas vuelva (usted) volvamos volved (vosotros), no volváis vuelvan (Uds.)

SPANISH-ENGLISH VOCABULARY

A

abandonar to abandon 7
abarcar to extend to 14
abogar to advocate 7
abolir to abolish **15**
abordar to board 9
abrazar to embrace 10
abrazo, el hug; embrace 2
abrigo, el coat **8**
abril April 1
abrir to open 1, 2, 12
abstener to abstain 9
abuelita, la grandma (*diminutive*) **4**
abuelo/a, el/la grandfather/grandmother 4
abundar to abound 6
aburrido/a boring 1
aburrir to bore; to tire 6
abuso, el abuse 15
acabar (de) (+ *inf.*) to finish; to have just (done something) 5, **11**, **12**
académico/a academic 3
acampar to camp 5
acceder to accede 15
accessorio, el accessory **8**
accidente, el accident 10
acción, la action 15
aceite (de oliva), el (olive) oil **6**
aceituna, la olive 6
acelerar to accelerate 15
aceptar to accept **4**
acerca de with respect to 8
acertado/a correct 12
acomodar to accommodate 5
acompañante, el/la escort; companion 7
acompañar to accompany 6
aconsejar to advise **9**
acontecimiento, el event 7
acordeón, el accordion 14
acostar (ue) to put in bed 5
acostarse (ue) to go to bed **5**
acostumbrar to be accustomed to 13
acostumbrarse to become accustomed 8
actividad, la activity 8
activista, el/la activist **15**
activo/a active **2**
actor, el actor 5
actriz, la actress 1

actual current 10, **15**
actualidad, la current events 13
actuar to act **5**, **13**
acuático/a aquatic 9
acudir to present oneself 11
acueducto, el aqueducto 2
acuerdo, el accord **15**
acupuntura, la acupuncture 10
adaptador eléctrico, el electrical adaptor 9
adecuado/a adequate 7
adelgazar to lose weight **10**
ademán, el gesture 11
además in addition 4, 9
Adiós. Good-bye. 1
adivinar to guess **5**
administración, la administration 2
administración de empresas, la business administration 3
admiración, la admiration 9
admirador/a, el/la admirer 9
admitir to admit 7
¿Adónde...? To where...? 2
adoptivo/a adoptive 14
adorar to adore 14
adornado/a adorned 8
adornar to adorn 9
adquirir (ie, i) to acquire 13
aduana, la customs 9
advertir (ie, i) to warn 14
aeróbico/a aerobic 10
aerolínea, la airline 9
aeropuerto, el airport **9**
afectar to affect 9
afectuoso/a affectionate **4**
afeitarse to shave **5**
afianzar (c) to strengthen; to fortify 15
aficionado/a, el/la fan 7
a fin de que in order that **11**
afirmación, la statement 12
afirmar to affirm 6
afrodisíaco aphrodisiac 6
afrontar to face **15**
afueras, las outskirts 9
agarrar to grab 11
agencia de viajes, la travel agency **9**
agente de viajes, el/la travel agent 9
agosto August 1

agradable agreeable 5
agradecer to thank 13
agregar to add 10
agrícola agricultural 4
agua (mineral), el (*fem.*) (mineral) water **6**
aguacate, el avocado 6
águila, el (*fem.*) eagle 12
ahora (mismo) (right) now **2**
ahorrar to save 12
aire acondicionado, el air conditioning 5
aire libre, al outside 4
ajo, el garlic 6
ajustar to adjust 11
alabanza, la praise 12
albergar to house 3
álbum, el album 5
alcalde/sa, el/la mayor **15**
alcanzable reachable 12
alcanzar to reach **2**
alegrarse (de) to become happy; to be glad **5**
alegrarse de to become happy; to be glad **10**
alegremente happily 9
alejarse to go away 11
alemán, el German **2**
alergia, la allergy 10
alérgico/a allergic 10
álgebra, el (*fem.*) algebra 3
algo something; anything 3, 6, 7
algodón, el cotton **8**
alguien someone 7
algún día someday **4**
alguno/a/os/as some 5, **7**
alimentación, la nutrition 6
alimentar to nourish 11
alimentos, los foods **10**
aliviado/a alleviated 14
aliviar to alleviate 10
allá there 9
alma, el (*fem.*) soul 8
almacén, el department store **8**
almorzar (ue) to eat lunch 8
almuerzo, el lunch 2, **6**
alpinismo, el mountain climbing 6, **7**
alquilar to rent 5
alquiler, el rent 15
alrededor about; around 12

alta costura, la high fashion **14**
altavoz, la speaker 7
alternarse to alternate 8
altiplano, el high plateau 10
alto/a tall **2**
altura, la altitude 8
aluminio, el aluminum 7
amado/a beloved 13
amanecer, el dawn 11
amante, el/la lover 6
amar to love 6
amarillo/a yellow 1
amasar to mix 10
ambiental environmental 10
ambiente, el atmosphere 6
ambigüedad, la ambiguity 11
ambulancia, la ambulance 10
a menos (de) que unless **11**
americana, la blazer (Spain) **8**
amigo/a, el/la friend 1
amor, el love 6
amoroso/a amorous 6
ampliar to expand 6
amplio/a wide; ample 10
amueblado/a furnished 5
añadir to add 6
análisis, el analysis 3
analista (de sistemas), el/la (systems) analyst **11**
anaranjado/a orange 1
ancho/a wide **5**
anciano/a, el/la old person 12
andino/a Andean 8
anécdota, la anecdote 6
anfitrión/anfitriona, el/la host/hostess 7
angosto/a narrow 12
anillo de oro, el gold ring **8**
animadamente enthusiastically 9
animado/a animated 9
animal, el animal 3
animar to encourage; to cheer **3**
animarse to be game 5
aniversario, el anniversary 6
año, el year 1
anoche last night 6, **8**
años, tener... to be... years old **3**
anotar to note; to write down 5

ansioso/a anxious 9
ante before 7
anteayer day before yesterday 6, 8
antena parabólica, la satellite dish 12
antepasado/a, el/la ancestor 4
antes (de) before 2
antes (de) que before 11
antiácido, el antacid 10
antibiótico, el antibiotic 10
anticipación, la anticipation 9
anticipar to anticipate 8
antiguo/a ancient 3, 5
antioxidantes, los antioxidants 10
antropología, la anthropology 3
anualmente yearly 7
anudado/a knotted 15
anunciar to announce 8
anuncios clasificados, los classified ads 13
apagar (fuegos/incendios) to turn off; to put out; to extinguish (fires) 11, 12
aparato, el appliance 6
aparatos electrónicos, los electronics 12
aparecer to appear 9
aparencia, la appearance 1
aparente apparent 15
aparentemente apparently 15
apartamento, el apartment 3
apasionar to impassion 6
apellido, el surname 2
apender to learn 7
aperitivo, el appetizer 2
apetecer to feel like; to appeal to 6
aplaudir to applaud 14
apoderarse to take hold 15
apodo, el nickname 2
aporte, el contribution 15
apoyar to support 8, 15
apoyo, el support 4
apreciado/a appreciated 11
apreciar to appreciate 4
aprender to learn 2
apropriado/a appropriate 10
aprovechar to take advantage of 12
aproximadamente approximately 3
apunte, el note 5

aquel/la that (over there) 4 that one (over there) 4
aquello that (*neuter*) (over there) 4
aquellos/as those (over there) 4
aquí here 1
aquietar to calm down 15
árabe, el Arab; Arabic 2
araña, la spider 8
árbitro, el referee 5
árbol, el tree 4
archipiélago, el archipelago 8
archivar to file; to save 12
arco, el bow 8
arder to burn 15
ardilla, la squirrel 8
área, el (*fem.*) 7
arenisca, la sandstone 9
aretes (de diamantes), los (diamond) earrings 8
argentino/a Argentine 2
argumento, el argument 4
aria, el (*fem.*) aria 14
arma, el (*fem.*) weapon 15
armado/a armed 15
armar to assemble; to furnish 8
arpa, el (*fem.*) harp 5, 14
arqueólogo, el archeologist 8
arquitecto/a, el/la architect 2, 11
arquitectura, la architecture 7
arrancar to yank 1
arreglo, el arrangement 5
arrepentido/a repentant 10
arribada, la arrival 5
arriba de above 5
arrojar to throw 10
arroz, el rice 6
arte, el art 3
artefacto, el artifact 5
artesanía, la handicraft 3
artesano/a, el/la artisan 3
artículo, el article 7, 13
artritis, la arthritis 10
arzobispo, el archbishop 4
ascendencia, la ancestry 10
ascendente ascending 6
ascender (ie) to promote; to move up 11
asco disgust 6
asegurar to assure 5
asesinato, el murderer 15
asesor/a, el/la consultant; advisor 15
asiento (de ventanilla /de pasillo), el (window/aisle) seat 9
asistente, el/la assistant 7

asistente de vuelo, el/la flight attendant 9
asistir (a) to attend 2
asma, el (*fem.*) asthma 10
asociación, la association 7
asociar to associate 2
aspecto, el aspect 8
aspiración, la aspiration 15
aspiradora, la vacuum cleaner 5
aspirante, el/la job candidate 11
aspirina, la aspirin 10
asunto, el matter 15
atacar to attack 10
ataque, el attack 4
atención al cliente, la customer service 8
atentamente sincerely yours 11
aterrizar to land 9
a tiempo on time 3
atletismo, el track and field 7
atmósfera, la atmosphere 3
atracción, la attraction 9
atractivo/a attractive 3
atraer to attract 6
atrapar to trap 4
atrás behind 7
a través along 8
atribuir to attribute 14
atrevido/a sassy; daring 12
audición, la audition 14
audio parlantes, los speakers 8
auditorio, el auditorium 3
aumentar to increase 6, 15
aumento, el raise; increase 4, 6, 11
aunque although 4; even though 7
auriculares, los earbuds 12
ausente absent 15
auténtico/a authentic 14
auto, el car 9
autobiográfico autobiographical 2
autobús, el bus 5, 9
autógrafo, el autograph 14
autónomo/a autonomous 2
autor/a, el/la author 2
autoridad, la authority 14
autorretrato, el self-portrait 3
avance, el advance 3
avanzado/a advanced; advancing 3 advancted 8
ave, la bird 3
avenida, la avenue 12
aventura, la adventure 4

avergonzado/a ashamed 10
avión, el plane 9
aviso, el notice; announcement 13
avisos clasificados, los classified ads 11
ayer yesterday 6
ayuda, la help 5
ayudante, el/la assistant 6
ayudar to help 2
azúcar, el sugar 3, 6
azucena, la lily 10
azul blue 1

B

bailable danceable 9
bailar to dance 2
bailarín/a, el/la dancer 14
baile, el dance 3, 14
baile de salón, el ballroom dancing 14
bajar to decrease; to download; to lower 4, 12
bajar de peso to lose weight 10
bajarse (de) to get off (of); to get down (from) 9
bajo, el bass 3
bajo/a short (in stature) 2
balada, la ballad 13
balboa, el monetary unit of Panama 5
ballet, el ballet 1, 14
balón, el (soccer, basket) ball 7
banana, la banana 6
bañarse to bathe 5
banco, el bank; bench 8
banda, la band 4, 14
baño, el bathroom 5
banquete, el banquet 7
bar, el bar 2
barato/a cheap; inexpensive 1
barbaridad, la outrage 5
barco, el boat 5, 9
barítono/a baritone 14
barrio, el neighborhood 3
basado/a based 6
básquetbol, el basketball 5, 7
bastante quite; fairly 3
bastar to be enough 8
basurero, el garbage can 5
batalla, la battle 1
bate, el bat 7
batería, la drums 8, 14
batir to beat 6
bebida, la beverage 6
bebidas alcohólicas, las alcoholic beverages 10
béisbol, el baseball 4

beisbolista, el baseball player **2**
belleza, la beauty **9**
bellísimo/a really beautiful **6**
bello/a beautiful **2**
beneficio/s, el/los benefit/s **11**
benéfico/a charitable **14**
beso, el kiss **4**
biblioteca, la library **2**
bibliotecario/a, el/la librarian **15**
bicicleta, la bicycle **2**
bien well **1**
bien, el good **6**
bienes, los goods **5**
bienes raíces, los real estate **5**
bienestar, el well-being **6**
bien hecho/a well made **14**
bienvenida, la welcome **2**
bilingüe bilingual **12**
billetera, la wallet **8**
biografía, la biography **2**
biología, la biology **3**
biológico/a biological **10**
biosfera, la biosphere **3**
bistec, el steak **6**
blanco/a white **1**
bloque, el block **8**
blusa, la blouse **8**
boca, la mouth **10**
bocadillo, el sandwich **6**
boda, la wedding **3**
boicot, el boycott **15**
boleto (electrónico), el (e-)ticket **3, 4, 9**
bolígrafo, el pen **1**
bolívar, el Colombian currency **9**
bolsa, la (big) bag **7**
bolso, el bag; purse **7, 8**
bomba (nuclear), la (nuclear) bomb **15**
bomba, la firetruck fire station (Chile); gas station (Andes) **15**
bomba, ser una to be gorgeous **15**
bombero/a, el/la firefighter **10, 11**
bondad, la goodness **7**
bonificación anual, la yearly bonus **11**
bonito/a pretty; cute **2**
booby con patas azules, el blue-footed booby **8**
bordar to embroider **4**
bordo, a aboard **6**
bosque, el forest **9, 10, 12**
bosque pluvial, el rain forest **12**

botas, las boots **8**
botella, la bottle **7**
brasileño/a Brazilian **2**
brazo, el arm **10**
breve brief **6**
brillante brilliant **3**
brillar to shine **8**
brillo de labios, el lip gloss **5**
broma, la joke **11**
bucear to scuba dive; snorkel **9**
buche, el belly **8**
budista Buddhist **14**
Buenas noches. Good evening. **1**
Buenas tardes. Good afternoon. **1**
¿Bueno? Hello? (*on the phone*) **4**
bueno… well . . . **5**
bueno/a good **1, 9, 10**
Buenos días. Good morning. **1**
¡Buen provecho! Enjoy your meal! **6**
buscador, el search engine **12, 13**
buscar to look for **1, 2**
búsqueda, la search **11**
búsqueda de empleo, la job search **11**

C
cabecear to make a head shot **7**
cabeza, la head **10**
cacique, el chief **9**
cada each **5**
cadáver, el cadaver **14**
cadena (de plata), la (silver) chain **8**
caerse *to fall down* **15**
café (al aire libre), el (outdoor) café **4**
café, el coffee **6**
cafeína, la caffeine **6**
cafetera, la coffee maker **6**
cafetería, la cafeteria **2**
caída, la fall **11**
caja, la box; cash register **8**
cajero automático, el ATM (automatic teller machine) **4, 8, 12**
calabaza, la gourd; squash **11**
calamar, el squid **2, 6**
calavera, la skull **3**
calcetines, los socks **8**
calcio, el calcium **10**
calculadora, la calculator **1**
calcular to calculate **7**

cálculo, el calculus **3**
calentamiento, el warm-up **10**
calentamiento global, el global warming **12**
calentar (ie) to heat **6**
calidad, la quality **13**
caliente hot **6**
calle, la street **2**
calmante, el tranquilizer **10**
calor, hace it is hot **7**
calor, tener to be hot **3**
caloría, la calorie **6**
calzado, el footwear **8**
calzar to wear a shoe size **8**
cama, la bed **5, 10**
cámara, la camera **4**
cámara de video, la video camera **9**
cámara digital, la digital camera **9**
camarero/a, el/la waiter/waitress **6**
camarones, los shrimp **6, 10**
cambiar to change **4**
cambio, el change; exchange **4**
caminar to walk **2**
camino, el path; road **2**
camión, el pickup truck; van **9** truck; bus (*Mexico*) **8**
camioneta, la pickup truck van **1**
camisa, la shirt **8**
camiseta (sin mangas) t-shirt (tank top) **8**
campamento, el camp **9**
campaña, la campaign **12, 15**
campeón/campeona, el/la champion **7**
campesino, el peasant; farmer **5**
campo, el country **5**
caña, la small beer **2**; reed
Canadá Canada **6**
canadiense Canadian **2**
canal, el canal; channel **13**
canas, tener to be grey-haired **4**
cancelar to cancel **9**
cáncer, el cancer **10**
cancha (de tenis), la (tennis) court **2, 3**
canción, la song **2**
candidato/a, el/la candidate **6, 15**
cansado/a tired **4**
cansancio, el fatigue **10**
cansar to tire **7**
cantante, el/la singer **1**
cantar to sing **5**

cantautor/a, el/la songwriter **2**
cantero de jardín, el flower bed **14**
cantidad, la quantity **6**
capacidad, la capacity **11**
capaz capable **11**
capilla, la chapel **8**
capital, la capital city **1, 2**
capucha, la hood **8**
cara, la face **5**
carácter, el character **13**
característica, la characteristic **11**
carbohidratos, los carbohydrates **10**
cárcel, la jail **15**
cardiólogo, el cardiologist **10**
cardo, el thistle/nettle **1**
cargador, el charger **9**
cargo, el position **11**
cargo político, el political post **15**
caricatura política, la political cartoon **13**
cariño, con with affection **4**
caritativo/a charitable **9**
carnaval, el Mardi Gras **9**
carne, la meat **5**
carnero, el mutton **6**
caro/a expensive **1**
carpintero/a, el/la carpenter **11**
carrera, la career **3**
carro, el car **3, 9**
carta comercial, la business letter **11**
carta de presentación, la cover letter **11**
carta de recomendación, la letter of recommendation **11**
cartel, el poster **7**
cartelera, la entertainment section **13**
cartero/a, el/la mail carrier **11**
casa, la house **4, 5**
casado/a married **4**
casarse to marry **4**
cascadas, las cascades **9, 11**
casco, el helmet; earbud **12**
casi almost **10**
caso, hacer to pay attention **13**
castaño/a brown; brunette **2**
castigar to punish **10**
castillo, el castle **13**
cataratas, las falls **11** waterfall **9**

catedral, la cathedral **9**

católico/a Catholic **9**

causa, la cause **7**

causar to cause **5**

cavar to dig **14**

caza, la hunting **10**

cazuela, la stewpot; casserole **6**

cebolla, la onion **3, 6**

cebolleta, la shallot **6**

celebración, la celebration **7**

celebrar to celebrate **5**

celebridad, la celebrity **7**

celofán, el cellophane **14**

celos, los jealousy **11**

celos, tener to be jealous **11**

celoso/a jealous **11**

celta Celtic **2**

cementerio, el cemetery **14**

cena, la dinner **2, 6**

cenar to have dinner **6**

cenizas, las ashes **9**

censo, el census **13**

censura, la censorship **13**

censurar to censure **13**

centenares, los hundreds **4**

centenario, el centennial **5**

centro, el downtown **3, 4**

centro comercial, el shopping center; mall **8**

centro estudiantil, el student union **3**

centro histórico, el historical center **9**

cepillarse to brush **5**

cepillo de dientes, el toothbrush **8**

cerámica, la ceramic **4**

cerca (de) nearby; close (to) **2**

cercano/a nearby **8**

cerdo, el pork **10**

ceremonia, la ceremony **4**

cerrado/a closed **3**

cerrar (ie) to close **1**

cerveza, la beer **3, 6**

cesta, la basket **3**

chaito chao **14**

champán, el champagne **8**

champú, el shampoo **5**

chancla, la flip-flop **8**

chaqueta, la jacket **8**

charada, la charade **6**

charango, el guitar-like instrument **4**

chelista, el/la chellist **14**

chelo, el cello **14**

chévere super **7**

chicano/a Mexican-American **12**

chico/a, el/la boy/girl **3**

chileno/a Chilean **2**

chimichurri, la sauce popular in Argentina **6**

chinchilla, la chinchilla **14**

chino, el Chinese **2**

chismoso/a gossipy **5**

chispa, la spark **10**

chofer, el chauffeur **11**

chorizo, el sausage **2**

chubasco, el heavy rain; shower **7**

ciclismo, el cycling **7**

cielo, el heaven; sky **8**

ciencia, la science **2**

ciencia ficción, la science fiction **7**

ciencias políticas, las political science **3**

ciencias sociales, las social science **3**

científico/a, el/la scientist **1, 8**

cien(to) hundred **5**

cierto/a certain **10** true; certain **2**

cigarra, la cricket **8**

cine, el film; movie theater **2, 13**

cinematografía, la cinematography **13**

cinematógrafo, el/la cinematographer **13**

ciprés, el cypress **14**

circulación, la circulation **13**

cita, (hacer una) (to make an) appointment **10, 11**

ciudad, la city **1, 2**

ciudadanía, la citizenship **12**

ciudadano/a, el/la citizen **15**

civilización, la civilization **3**

clarinete, el clarinet **14**

claro of course **4**

claro/a clear; light (color) **1, 6**

clase, la class **1**

clase turista, la coach class **9**

clásico/a classic **14** classical **4**

cláusula, la clause **10**

clavar to drive; to thrust **15**

clave, la key **11**

claxon, el horn **15**

cliente, el/la client; customer **2**

clima, el climate **4, 5**

clínica, la clinic **11**

cobardía, la cowardice **1**

cobrar to charge **4**

cobre, el copper **6**

coche, el car **9**

cochinillo, el suckling pig **8**

cocina, la cuisine; kitchen **3** kitchen **5**

cocinar to cook **6**

cocinero/a, el/la chef; cook **6, 11**

coco, el coconut **6**

cocodrilo, el crocodile **9**

codazo, el elbow jabs **15**

codicia, la greed **10**

código, el code **15**

coincidir to coincide **13**

cola, hacer to stand in line **9**

cola, la line **9**

colaborar to collaborate **9**

colección, la collection **3**

colega, el/la colleague **11**

cólera, el cholera **5**

colesterol, el cholesterol **10**

colgar (ue) to hang **3**

collar, el necklace **8**

colombiano/a Colombian **2**

colonia, la colony; cologne **8**

colonizador/a, el/la colonizer **9**

color café, el brown **1**

colorido/a brightly colored; coloring **9**

combatiente, el/la combatant **4**

combatir to combat **9, 15**

combinación, la combination **10**

comedia (musical), la (musical) comedy **4, 13, 14**

comedor, el dining room **5**

comentar to comment **5**

comentario, el commentary **3**

comentarista, el/la newscaster; commentator **7, 13**

comentarista deportivo, el/la sportscaster **13**

comenzar (ie) to begin **7**

comer to eat **2, 6, 8, 9, 10, 11, 12**

comerciar to trade **9**

comercio, el commerce **3**

comestibles, los provisions; groceries **9**

cometer to commit **14**

cómico/a comic **4**

comida, la food; meal **2, 3, 4, 6**

comida basura, la junk food **10**

comida chatarra, la junk food **10**

comienzo, el beginning **5**

comisión, la fee; commission **8**

comité, el committee **4**

cómo how; what **1, 2**

como since; as **5**

¿Cómo...? How...? **2**

cómoda, la dress **5** dresser **5**

comodidad, la comfort **14**

comodidades, las comforts **9**

cómodo/a comfortable **9**

¿Cómo estás? How are you? (*inf.*) **1**

¿Cómo está usted? How are you? (*for.*) **1**

¿Cómo se llama usted? What's your name? (*for.*) **1**

¿Cómo se escribe...? How do you spell . . . ? **1**

compañero/a de clase, el/la classmate **8**

compañero/a de reparto, el/la co-star **13**

compañia, la company; firm **13**

comparación, la comparison **5**

comparar to compare **5**

compartir to share **2**

compatriota, el/la compatriot **5**

competir (i, i) to compete **10**

complacer to please **11**

complejo/a complex **10**

complementar to complement **3**

completo/a complete **6**

complicado/a complicated **3**

complicar to complicate **11**

componer to compose **14**

composición, la composition **2**

compositor/a, el/la composer **7, 14**

comprar to buy **2, 8, 9, 11**

compras, ir de to go shopping **8**

comprender to understand **2, 7**

comprensión, la comprehension **13**

comprobar (ue) to prove **15**

compromiso, el commitment; obligation **7, 11**

computación, la computer science **3**

computadora, la computer **1, 3, 12**

computadora portátil, la laptop computer **1**

común common **1**

comunicaciones, las communications **3**

comunidad, la community **3**

con with **1**

con cariño with affection **4**
conceder to grant **2**
concepto, el concept **4**
concienciar al público to raise public consciousness **15**
concierto, el concert **2, 3, 4**
concordancia, la agreement **10**
concreto/a concrete **7**
concurso, el contest; game show; pageant **13**
condenado/a condemned **13**
condenar to condemn **11**
condición, la condition **5**
cóndor, el condor **8**
conducir to drive **2**
conductora, el/la conductor **15**
conectar to connect **5**
conexión, la connection **12**
confeccionar to make up **15**
conferencia, la lecture **2**
conferencia de prensa, la press conference **15**
confianza, la trust; confidence **10**
conflicto, el conflict **8, 15**
confundir to confuse **10**
congelador, el freezer **6**
congestionado/a congested **10**
congregar to gather **15**
congresista, el/la congressman/woman **15**
congreso, el congress **15**
conjetura, la conjecture **12**
conjunto, el outfit; group **4, 8, 14**
conmemorar to commemorate **3**
conmigo with me **4**
conocedor, el connoisseur **6**
conocer (zc) to know (someone); to be familiar with **4**
conocido/a known **6**
conocimiento, el knowledge **2**
conquista, la conquest **3**
consecuencias, las consequences **15**
conseguir (i, i) to get; to obtain **9, 11**
consejo, el advice **7, 10**
consenso, el consensus **14**
conservador/a conservative **13**
conservar to conserve; to preserve **7, 8, 12**
considerado/a considered; considerate **15**
considerar to consider **3**
construcción, la construction **2, 5**

construir to construct **2**
consultar to consult **9**
consultorio, el doctor's office **10**
consultorio sentimental, el advice column **13**
consumidor/a, el/la consumer **1**
consumir to consume **12**
consumo, el consumption **6**
contabilidad, la accounting **3**
contactar to contact **10**
contador/a, el/la accountant **11**
con tal (de) que provided (that) **11**
contaminación, hay there is pollution; there is smog **7**
contaminar to contaminate; to pollute **12**
contar (ue) to tell (a story) **4**
contemporáneo/a contemporaneous **6**
contenedor, el container **13**
contener (ie) to contain **3**
contenido, el content **10**
contento/a happy **5**
contestar to answer **1**
contigo with you **4**
continuación, a following **6**
continuar to continue **6**
contra, (en) against **5**
contrabajo, el bass **14**
contrario, por el on the contrary **8**
contraste, el contrast **6**
contratar to contract **13** to hire **11**
contrato, el contract **9, 11**
contribuir to contribute **9**
contrincante, el/la opponent **15**
controlar to control **13**
control de seguridad, el security checkpoint **9**
convencer to convince **2**
convencional conventional **13**
convenio, el agreement **13**
conversación, la conversation **7**
conversar to converse **3**
convertir (ie, i) to convert **9**
convicción, la conviction **15**
cooperar to cooperate **8**
coordinador/a, el/la coordinator **11**
copado/a cool **12**
copia, la copy **7**
corazón, el heart **1**
corbata, la tie **8**

cordialmente cordially yours **11**
coreano, el Korean **2**
coreografiar to choreograph **14**
coreógrafo/a, el/la choreographer **14**
corneta, la cornet **14**
corredor, el corridor **12**
correo, el mail **2**
correr to run; to fire someone (Mexico) **2**
corresponsal, el/la correspondent **12**
corriente, la electric current **9**
corrupción, la corruption **15**
cortar to cut **6**
cosa, la thing **1**
cosecha, la harvest **15**
cosmopolita cosmopolitan **11**
cosquillas, hacer a to tickle **7**
costa, la coast **2, 6**
costar (ue) to cost **2**
costarricense Costa Rican **3**
costo, el cost **13**
costoso/a costly; expensive **7**
costumbre, la custom **6**
costura, la fashion **14**
creador/a, el/la creator **8**
crear to create **6**
creatividad, la creativity **2**
creciente growing **15**
creencia, la belief **2**
creer to believe **2, 6, 10, 12**
crema (de afeitar), la (shaving) cream **5**
cría, la raising; chick **5**
criadero, el hatchery **5**
criar to raise **7**
criarse to grow up **4**
crimen, el crime **14**
criollo/a creole **6**
cristalino/a clear; crystalline **5**
cristianizar to christianize **10**
cristiano/a Christian **9**
crítico/a, el/la critic **13**
crónico/a chronic **10**
cronología, la chronology **11**
crucero, el cruise **9**
cruzar to cross **14**
cuaderno, el notebook **1**
cuadra, la block **3**
cuadrado/a square **5**
cuadro, el picture; painting **5**
cuadros, de plaid **8**
cual/es which (one/s) **2**
¿Cuál(es)...? Which (one/ones) . . . ? **2**
cualidad, la quality **14**

cualificaciones, las qualifications **11**
cualquier/a any/one **9**
cuando when **2, 11**
¿Cuándo...? When . . . ? **2**
cuanto/a how much/many **1**
Cuaresma, la Lent **9**
cuarteto, el quartet **14**
cuarto, el room **5**
cuarto/a fourth; quarter **2, 8**
cuarto doble, el double room **9**
cubano/a Cuban **2**
cubeta, la bucket **5**
cubierto/a covered; enclosed **8**
cubrir to cover **8, 12**
cuchara, la spoon **6**
cucharada, la tablespoon **6**
cucharadita, la teaspoon **6**
cuchillo, el knife **6**
cuello, el neck; collar **15**
cuenta, la bill; account; bead **6**
cuenta, por su on one's own **7**
cuentista, el/la storyteller **11**
cuento, el story **12**
cuerda, la cord **14**
cuero, el leather **2, 8**
cuerpo, el body **5, 10**
cuestas, a on the back **14**
cuestionario, el questionnaire **10**
cueva, la cave **9**
cuidado, tener to be careful **3**
cuidadoso/a careful **9**
cuidar(se) to take care (of oneself) **10**
culebra, la snake **8**
culinario/a culinary **6**
culto/a cultured **14**
cultura, la culture **4**
cumpleaños, el birthday **1**
cumplir to complete **1**
cumplir (con) to make good (on a promise); to fulfill (a promise) **15**
cuñado/a, el/la brother-in-law/sister-in-law **4**
curar to cure **10**
curioso/a curious **7**
curriculum vítae, el curriculum vitae (vita) **11**
curso, el course **3**
curvado/a curved **9**

D

dañarse to break down **15**
daño, el damage; harm **15**
danza (moderna), la (modern) dance **14**

dar to give 1, **6**
dar igual to be the same **7**
dar la vuelta to turn **6**
dar una mirada rápida to skim through **13**
dar un paseo to go out; to take a walk **7**
dato, el data; information **1**
de acuerdo fine with me; okay; in agreement; agreed **4**
debajo (de) under; below **5**
debate, el debate **15**
debatir to debate 14, **15**
deber (+ inf.) to owe (to ought to do something) **2**
deber, el duty **15**
débil weak **10**
debut, el debut **14**
debutar to debut **10**
década, la decade **14**
decidir to decide **2**
décimo tenth **8**
decir (i) to say 6, **7** to tell 9, **12**
declaración, la declaration **6**
decoración, la decoration **3**
dedicado/a dedicated **9**
dedicar to dedicate **7**
dedo (del pie), el finger (toe) **10**
¿De dónde...? From where . . . ? **2**
defecto, el defect **13**
defender (ie) to defend **7**
defensa propia, la self-defense **14**
definir to define **4**
deforestación, la deforestation **12**
defraudar to disillusion **15**
dejar (de) to leave (behind); to quit (doing something) 3, 6, 10, **11**
delante de in front of 2, **3**
delgado/a thin **2**
delicia, la delight **6**
delicioso/a delicious **2**
demás, los the rest **10**
demasiado too much **9**
democracia, la democracy **15**
democratización, la democratization **15**
demográfico/a demographic **13**
demora, la delay 9, **9**
De nada. You're welcome. **1**
dentista, el/la dentist **10**
dentro de within; inside of **5**
denunciar to denounce **4**
departamento, el department **8**

dependiente/a, el/la sales clerk **8**
deporte, el sport 1, **7**
deportiva, la sección sports section **13**
deportivo/a sporting **7**
depósito, el deposit **9**
¿De quién(es)...? Whose . . . ? **2**
derecha, a la to/on the right **3**
derecho, el law; right 3, **15**
derechos humanos, los human rights 4, 8, **15**
de repente suddenly **8**
derivar to derive **6**
derredor, en around **15**
desafío, el challenge **3**
desanimado/a discouraged; lifeless **12**
desaparecer to disappear **9**
desarmar to disarm **15**
desarme, el disarmament **15**
desarrollar to develop **3**
desarrollo, el development 6, **12**
desastre (natural), el natural disaster 13, **15**
desayunar to have breakfast 4, **6**
desayuno, el breakfast 2, **6**
descafeinado/a decaffeinated **2**
descansar to rest **10**
descanso, el rest **10**
descender (ie) to descend **11**
descendiente, el/la descendants **3**
describir to describe **1**
descripción, la description **5**
descubierto/a discovered **13**
descubrir to discover 6, **12**
descuento, el discount **8**
desde from; since **2**
desear to desire 3 to wish; to desire **9**
desechos, los waste **12**
desempleo, el unemployment 6, 11, **15**
desengaño, el disillusionment **10**
desenlace, el conclusion **11**
desenterrar to dig up **5**
deseo, el desire **13**
desfile, el parade **2**
desfile de moda, el fashion show **14**
desgarrador/a heartrending **11**
desgraciadamente unfortunately **5**
deshonesto/a dishonest **15**
deshonrar to dishonor **11**

desierto, el desert **4**
desierto/a deserted **5**
desilusionar to disillusion **15**
desodorante, el deodorant **8**
desorden, el disorder **8**
desordenado/a disorganized **5**
desorientado/a disoriented **10**
despacho, el office **11**
despacio slowly **5**
despedida, la closing; farewell 1, 4, **11**
despedir (i, i) to fire **11**
despedirse (i, i) to say good-bye **4**
despegar to take off **9**
despejado/a clear **8**
despertarse (ie) to wake up **5**
despoblación, la depopulation **12**
despojar to strip **11**
desprender to loosen; detach **10**
después (de) (que) after 3, 7, **11**
destacado/a outstanding **12**
destacar to stand out **4**
destinatario/a, el/la addressee **11**
destino, el destination **2**
destruir to destroy **12**
desventaja, la disadvantage 6, **11**
detalle, el detail **6**
detener (ie) to arrest; to detain **11**
deteriorar to deteriorate **12**
detestar to detest **11**
detrás (de) behind **3**
deuda pública, la public debt **15**
¿De verdad? Really? **1**
devolver (ue) to return (something) 8, **9**
día, el day **1**
diabetes, la diabetes **10**
diagnóstico, el diagnosis **10**
diamantes, de diamond **8**
diario/a daily **2**
dibujar to draw **5**
dibujo, el drawing **5**
diccionario, el dictionary **1**
diciembre December **1**
dictador/a, el/la dictator **15**
dictadura, la dictatorship **15**
dientes, los teeth; cloves of garlic 5, 6, **10**
diestro/a skilled **15**
dieta, estar a to be on a diet **10**

dieta, la diet 6, **10**
dieta, seguir una to follow a diet **10**
diferente different **8**
difícil difficult 2, 6, **10**
dificultar to make difficult **4**
¿Diga? Hello? (*on the phone*) **4**
¿Dígame? Hello? (*on the phone*) **4**
dignidad, la dignity **4**
dignificar to dignify **11**
dilema, el dilemma **10**
dinámico/a dynamic **4**
dinero, el money **4**
dios, el god 8, **9**
directamente directly **7**
director/a, el/la director; conductor 9, 11, **14** editor-in-chief **13**
director/a de escena, el/la stage manager **14**
dirigido/a directed **13**
dirigir to conduct; to direct 9, **14**
discapacitado/a, el/la disabled person **3**
disco compacto, el compact disc (CD) **8**
disco duro (externo), el (external) hard drive **12**
discoteca, ir a una to go to a nightclub **7**
discreto/a discrete **13**
disculparse to apologize **15**
discurso, el speech 6, 7, **15**
discusión, la argument; discussion **8**
diseñador/a, el/la designer **14**
diseñar to design **2**
diseño, el design **3**
disfraz, el disguise; costume **14**
disfrutar de to enjoy **6**
disminuir to diminish; to lessen **13**
disparar to shoot **11**
disponible available **5**
dispuesto/a willing; ready; disposed 13, **14**
disputar to dispute **7**
distancia, la distance **8**
distinto/a different **6**
diva, la diva **14**
diversidad, la diversity **2**
divertido/a fun **3**
divertirse (ie, i) to enjoy oneself; to have fun 5, **7**
divorciado/a divorced **4**
doble double **9**

docencia, la teaching 13
doctor/a, el/la doctor 10
doctorado, el doctorate 3
documental, el documentary 13
dólar, el dollar 6
doler (ue) to hurt 10
dolor, el pain; ache 10
dolor de cabeza, el headache 10
doméstico/a domestic 3
dominar to dominate 12
domingo, el Sunday 1
dominicano/a Dominican 2
donar to donate 7
donde where 2, 11
¿Dónde...? Where . . . ? 2
dormir (ue, u) to sleep 4
dormirse (ue, u) to fall asleep 5
dormitorio, el bedroom 5
dote, el/la dowry 15
drama, el drama 13
dramático/a dramatic 13
dramatizar to dramatize 11
droga, la drug 14
drogadicción, la drug addiction 15
ducha, la shower 5
ducharse to shower 5
duda, la doubt 2
dudar to doubt 10
dudoso/a doubtful 10
dueño/a, el/la owner 15
dulces, los sweets 10
durabilidad, la durability 14
duradero/a lasting 15
durante during 2
durar to last 7
DVD, el DVD 12

E
echar to add; to throw in 6, 12
ecológico/a ecological 8
economía, la economy 3
económico/a economic 6
ecoturismo, el ecotourism 4
eco voluntariado, el eco-volunteering 5
ecuatoriano/a Ecuadorian 2
edad, la age 4
edición, la edition 13
edificio, el building 8
editar to edit 12
editor, el editor 13
editorial, el editorial (page) 13
educación, la education 6

educar to educate 10
EE. UU. United States 6
efectivo, en in cash 8
efectivo/a effective 5
efectuar to bring into effect 10
eficiente efficient 11
ejecución, la execution 14
ejecutivo/a, el/la executive 3
ejemplo, el example 2
ejercer to exercise 15
ejercicio, hacer to exercise 7
ejercicios aeróbiocs aerobics 10
ejército, el army 15
él he 1
el the 1
elaboración, la elaboration 15
elaborado/a elaborated 4
elaborar to elaborate 15
elástico, el elastic 14
elección, la election 7
electo/a elected 6
electricidad, la electricity 10
electricista, el/la electrician 11
eléctrico/a electrical 3, 9
electrizante electrifying 14
electrónico/a electronic 2, 12
elegir (i, i) to elect; to choose 13, 15
eliminación, la elimination 15
eliminar to end 15
ella she 1
ellos/as they 1
emanar to emanate 15
embajada, la embassy 15
embajador/a, el/la embassador 7
embalse, el dam 10
emisora, la radio station (business entity) 7
emoción, la emotion 8
emocional emotional; exciting 11
emocionante exciting 2
empanada (empanadilla), la turnover 6
empaquetado/a packaged 10
emparejar to pair 5
empatar to tie (the score) 7
empezar (ie) to begin 1, 3, 4, 7, 9
empleado/a, el/la employee 11
empresa, la company; firm 2, 11
empresario, el impresario 10
enamorarse (de) to fall in love (with) 5
encabezar to head 12

encajar to fit 8
Encantado/a. Delighted.; Pleased to meet you. 1
encantador/a enchanting; delightful 2, 4, 14
encantar to delight; to be extremely pleasing 6
encanto, el charm; delight 7
encargar to take on 14
encargarse de to be responsible for 5
en caso de que in case 11
encender (ie) to turn on 12
encerrar to enclose 12
encoger draw up 8
encontrar (ue) to find 1, 3, 4
encontrarse (ue) con to meet up with someone 5
en cuanto as soon as 11
encuentro, el encounter 8
encuesta, la survey; poll 10
enemigo/a, el/la enemy 3
energía (alternativa/solar), la (alternative/solar) energy 7, 12
enero January 1
enfermar to make sick 5
enfermarse to become sick 5
enfermedad, la illness 5, 6, 10
enfermero/a, el/la nurse 11
enfrentar to confront 7
enfrente in front 12
enfrente de facing; across from 3, 14
engañar to deceive 13
engaño, el deceit 4
engordar to gain weight 10
enlace, el hyperlink 12
enlozado/a tiled 12
enojar to anger 10
enojarse (con) to get angry (with) 5, 14
enojo, el anger 15
enorme enormous 3
ensalada, la salad 6
ensayar to rehearse 11, 13
ensayo, el rehearsal 10, 13
enseguida right away 6
enseñar to teach 2, 7
entender (ie) to understand 4
enterarse to become aware 15
enterrar (ie) to bury 14
entonación, la intonation 14
entonces then 7
entrada, la appetizer 6 ticket 4
entre between 3
entregar to deliver; to turn in 1
entrenador/a, el/la trainer; coach 7

entrenamiento, el training 4, 11
entrenar to train 6
entre sí themselves 4
entretener (ie) to entertain 5
entretenimiento, el entertainment 7
entrevista, la interview 2, 11
entrevistador/a, el/la interviewer 7
entusiasta enthusiastic 2
envase (de aluminio), el (aluminum) container 12
enviar to send; to post online 12
en vías de desarrollo developing 4
envío, el shipment 4
época, la epoch 4
equidad, la equity 15
equipaje, el baggage 9
equipo, el team; equipment 5
equivocado/a mistaken 15
equivocarse to make a mistake 9
erradicar to eradicate 6
erupción, la eruption 5
escala, la stopover 9
escalar to climb 9
escalofrío, el chill 10
escalón, el step 12
escándalo, el scandal 13
escáner, el scanner 12
escaparse to escape 4
escasez, la shortage 12
escaso/a scarce 10
escena, la scene 8
escenario, el stage 8, 14
esclavo/a, el/la slave 9
escoger to choose 5
escolar scholastic 12
escribir to write 1, 2, 8, 10, 11, 12
escritor/a, el/la writer 6
escritorio, el desk 15
escuchar to listen 1, 2
escuela, la school 5
escultor/a, el/la sculptor 9
escultura, la sculpture 8
ese/a that; that one 4
esencial essential 13
esfuerzo, el effort 4, 15
esmeralda, la emerald 9
esmoquin, el tuxedo 14
esos/as those 4
espaguetis, los spaghetti 10
espalda, la back 10
España Spain 2

español, el Spanish 2
español/a Spanish 1, 2
español/a, el/la Spaniard 9
espátula, la spatula 6
especial special 5
especialidad de la casa, la house specialty 6
especializar to specialize 6
especialmente especially 8
especie, la species 3, 5, 12
especies en peligro de extinción, las endangered species 12
espectacular spectacular 5
espectáculo, el show business 7
espectador/a, el/la spectator 13
esperanza, la hope 8
esperar to hope; to wait for 7, 10 to wait for 9
espiar to spy 11
espíritu, el spirit 11
esposo/a, el/la husband; wife 1, 3, 4
esquí (acuático), el (water) skiing 7
esquiar to ski 7
esquina, la corner 3
establecer (zc) to establish 12
estación, la season; station 1, 8
estacionar to park 11
estación de radio, la radio station 13, 13
estadía, la stay 9
estadio, el stadium 3
estadísticas, las statistics 3
estado, el state 7
estado libre asociado, el commonwealth 7
estancia, la ranch 11
estandarte, el standard 15
estante, el bookcase 5
estar to be 3, 5, 7, 8
estar seguro/a (de) to be sure of 10
estatua, la statue 9
estatura, la height 5
esta vez this time 4
este… uhh… 5
este/a this; this one 4
estereotipo, el stereotype 12
estilo, el style 6, 14
estimado/a esteemed 11
estimularse to stimulate 9
estímulo, el stimulus 11
Estocolmo Stockholm 4
estómago, el stomach 10

estornudar to sneeze 10
estos/as these; these ones 4
estratégico/a strategic 7
estrechar (la mano) to extend one's hand) 15
estrecho/a narrow; tight (clothing) 5, 8
estrella, la star 5
estrenar to debut 13
estrés, el stress 10
estricto/a strict 6
estudiante, el/la student 1
estudiantil student (adj.) 6
estudiar to study 1, 2
estudio, el studio; study 3, 13
estufa, la stove 6
estupendo/a terrific 7
etapa, la stage 3
eterno/a eternal 8
ética, la ethics 11
etnia, la ethnicity 13
étnico/a ethnic 10
eusquera, el Basque language 2
evento, el event 7
evitar to avoid 10
evolución, la evolution 8
exagerar to exaggerate 6
examen, el exam 3
examen físico, el medical checkup 10
excelente excellent 2
excepcional exceptional 7
excesivo/a excessive 12
excursión, ir de to go on an outing; to tour 9
excursión, la excursion 6, 9
excusa, la excuse 5
exhausto/a exhausted 8
exhibir to exhibit 14
exigente challenging; demanding 3
existir to exist 8
éxito, el success 5
éxito, tener to be successful 12
exótico/a exotic 1, 5
expediente, el dossier 11
experiencia, la experience 5
experimentar to experience 2
explicar to explain 5
explícito/a explicit 13
explotación, la exploitation 7
explotar to exploit 15
exponer to explain 15
exportar to export 6
exposición, la exposition; show 3
expresar to express 15
expresarse to express oneself 11
extender (ie) to extend 3

extenso/a extensive 3
extinción, la extinction 5
extranjero, el abroad 4, 9
extranjero/a foreign 7
extranjero/a, el/la foreigner 7
extraño/a strange 10
extraordinario/a extraordinary 11
extremo/a extreme 6
extrovertido/a outgoing 1

F

fábrica, la factory 12
fabricante, el manufacturer 12
fabricar to make; to fabricate 14 to manufacture 12
fábula, la fable 8
fabuloso/a fabulous; great 2, 7
fácil easy 2, 6, 7, 10
facilidad, la facility 11
facilitar to facilitate 5
fácilmente easily 9
factor, el factor 10
facturar el equipaje to check luggage 9
Facultad de Arte, la School of Art 3
Facultad de Ciencias, la School of Sciences 3
Facultad de Derecho, la School of Law 3
Facultad de Ingeniería, la School of Engineering 3
Facultad de Matemáticas, la School of Mathematics 3
Facultad de Medicina, la School of Medicine 3
falda, la skirt; slope 8
fallar to fail (computer disk) 12
falso/a false 2
falta, la lack 12
faltar to be missing; to be lacking 8
familia, la family 3, 4
familia política, la in-laws 4
familiarizarse to familiarize oneself 14
fanático/, el/la fanatic 2
fantasía, la fantasy 14
fantástico/a fantastic 7, 10
farmacia, la pharmacy 8
fascinante fascinating 1
fascinar to be fascinating 6
fatiga, la fatigue 10
favor, a in favor of 15
febrero February 1
fecha, la date 1, 5
fecha de vencimiento, la expiration date 10

felicidad, la happiness 4
feliz happy 1
femenino/a feminine 6
feminidad, la femininity 14
feo/a ugly 2
feria, la fair 9
feroz ferocious 10
fibra, la fiber 10
ficción, la fiction 4
fiebre, la fever 5, 10
fiesta, la party; celebration 1, 3
figura, la figure 3, 9
figurar to represent 2
filarmónico/a philharmonic 14
filmación, la filming 13
filmar to film 13
filme negro, el film noir 4
filosofía, la philosophy 15
fin, el end 7
final, al finally 5
final, el end 13
financiera, la sección business section 13
financiero/a financial 3
finanzas, las finance 3
fingir to pretend 11
firma, la signature 11
firmar to sign 7, 15
física, la physics 3
físico/a physical 5
flaco/a skinny 2
flamenco, el flamenco 14
flamenco/a flamenco (dance) 2
flan, el custard dessert 6
flanquear to flank 15
flauta, la flute 14
flecha, la arrow 8
flor, la flower 7, 9
florecer to flourish 15
florería, la flower shop 8
folleto, el brochure 9
fondo, el bottom; background 14
fondos, los funds 14
footing, hacer to go jogging 7
forma, en in shape 10
formación, la education 11
formar to form 8
fórmula, la formula 5
formular to formulate 3
formulario, el form 11
foro, el forum 7, 14
fortalecer (zc) to strengthen; to fortify 6, 15
fortaleza, la fortress 7
foto, la photograph 7

fotocopiadora, la photocopier 12
fotocopiar to photocopy 12
fotógrafo/a, el/la photographer 1
fragmento, el fragment 12
francés, el French 2
francés/esa French 1
Francia France 2
frase, la phrase 5
fraude (electoral), el (electoral) fraud 15
frecuencia, con frequently 5, 8
frecuente frequent 11
frecuentemente frequently 8
freír (i, i) to fry 6
fresco, hace it is cool 7
fresco/a fresh 6
frigorífico, el refrigerator 6
frijoles, los beans 6
frío, hace it is cold 7
frío, tener to be cold 3
frío/a cold 6
frito/a fried 6
frontera, la frontier; border 3, 8
frutas, las fruits 6
fruto, el fruit; benefit; profit 10
fuego, el fire 10
fuegos artificiales, los fireworks 9
fuente, la source 13
fuera outside 5
fuerte strong 6
fuerza, la force 15
fumar to smoke 8, 10
función, la show; function; event 4
funcionar to function; to work 10, 12
fundación, la founding; foundation 7, 13
fundado/a founded 9
fundar to found 7
furgoneta, la van 9
furia, la fury 10
furibundo/a raging 14
furioso/a angry 5
fusión, la fusion 14
fusionar to fuse 3
fútbol (americano), el soccer (football) 2, 5, **7**
futuro, el future 12

G

gabardina, la gabardine (lightweight wool) 14
gabinete, el cabinet 11

gafas, las glasses 15
galán, el leading man 13
galápago, el tortoise 8
galletas, las cookies 6, 10
ganador/a, el/la winner 2
ganar to earn; to win 2, 4, 7 to win 7
ganas de, tener + inf. to be eager (to); feel like (doing something) 3
ganga, la bargain; good deal 8, 9
garaje, el garage 5
garantizado/a guaranteed 5
garantizar to guarantee 15
garganta, la throat 10
garza, la crane 8
gasolina, la gasoline 12
gastado/a worn out; spent 10
gastar to spend 5, 8
gasto, el expense 5
gato/a, el/la cat 5, 8
gaucho, el Argentine cowboy 11
gemelo/a, el/la twin 10
genealógico/a genealogical 4
generación, la generation 7
generalizar to generalize 4
generalmente generally 9
generar to generate 15
género, el genre 4
generoso/a generous 5
genético/a genetic 10
gente, la people 1, 8, 13
geografía, la geography 3
geología, la geology 3
gerente, el/la manager 9, 11
gesto, el gesture 14
gimnasia, la gymnastics 7
gimnasio, el gymnasium 3
gira, la tour 9
gitano/a, el/la gypsy 14
globalización, la globalization 4
gloria, la glory 7
gobernador/a, el/la governor 15
gobierno, el government 2, 6, 12, 15
gol, el goal 7
golf, el golf 2, 7
golpe, de suddenly 12
golpear to thump 14
golpe de estado, el coup d'état 15
gordo/a chubby; fat 2, 5
gorra, la cap 8
gorro, el stocking cap 8
gozar de to enjoy 9

grabación, la recording 9
grabado/a recorded 13
grabadora de DVD, la DVD recorder 12
grabar to record 7, 13
Gracias. Thank you. 1, 4
gracioso/a funny 4
gradas, las bleachers 15
grado, el degree 10
gramática, la grammar 13
grande big 1, 2
Gran Depresión, la Great Depression 3
granja, la farm 15
granjero, el farmer 15
grasa, la fat 6, 10
grasas monoinsaturadas (polliinsaturadas), las monounsaturated (polyunsaturated) fats 10
grasas saturadas (trans), las saturated (trans) fats 10
gratis free 10
grave serious 7
gripa, la flu (Mexico) 10
gripe, la flu 10
gripe porcina, la swine flu 10
gris grey 1
gritar to yell 11
grito, el cry; shout 11
grosero/a crude; rough 15
grupo, el group 5, 14
guacamayo, el macaw 5
guante, el glove 7
guapo/a good-looking 2
guaraní, el Guarani 10
guardar to save; to keep 6, 10
guardar la cama to stay in bed 10
guardar la línea, la to stay trim; to watch one's figure 10
guardería, la nursery; daycare center 11
guardia, el/la guard 9
guay super 13
guayabera, la men's shirt typical of the Caribbean 12
gubernamental governmental 12
guerra, la war 3, 5, 15
Guerra Civil, la Civil War 3
guerrero, el warrior 3
guía, el/la tour guide 6, 7, 9
guiar to guide 10
guía turística, la guidebook 9
guión, el script 12, 13
guionista, el/la script writer 13
guitarra, la guitar 3, 14

gustar to like 2, 6
gusto, el taste; pleasure 5

H

haber (*auxiliary verb*) 12, 14
habilidad, la ability 8
habitación, la room 9
habitante, el/la inhabitant 8
habitar to inhabit; to live 6
hábito, el habit 5
hablar to speak 2, 7, 8, 10
hace (in time expressions) ago; since 5, 14
hacer to do; to make 2
hacer (las maletas) to pack (the suitcases) 9
hacer cola to stand in line 9
hacer juego (con) to match; to go well with 8
hacer la cama to make the bed 5
hacerse daño to hurt oneself (*Spain*) 10
hacer una cita to make an appointment 10
hacer un crucero to take a cruise 9
hacia toward 7
hamaca, la hammock 8
hambre, tener to be hungry 3
hamburguesa, la hamburger 6
harina, la flour 6
hasta until 6
Hasta luego. See you later. 1
Hasta mañana. See you tomorrow. 1
Hasta pronto. See you soon. 1
hasta que until 11
hay there is/are 1, 7
hay que one must 8
haz do; make (*inf. command*) 9
heladera, la cooler 7
heladería, la ice cream shop 8
helado, el ice cream 6
helicóptero, el helicopter 9
heno, el hay 11
herencia, la heritage 15
hermanastro/a, el/la stepbrother/stepsister 4
hermano/a, el/la brother/sister 3, 4
hermoso/a beautiful 6
híbrido/a hybrid 3
hielo, el ice 7
hierro, el iron 6
hijo/a, el/la son/daughter 4, 6
hipermercado, el hypermarket 6

hipervínculo, el hyperlink **12**
hipótesis, la hypothesis **3**
hipotético/a hypothetical **13**
hispano/a Hispanic **1**
historia, la history **3**
histórico/a historical **6**
hockey, el hockey **7**
hogar, el home **4**
hoja, la leaf **5**
hoja electrónica, la spreadsheet **12**
hojear to leaf through **13**
Hola. Hello; Hi. **1**
holandés/esa Dutch **7**
hombre, el man **1**
hombre de negocios, el businessman **11**
hombre/mujer del tiempo, el/la meteorologist **13**
hombro, el shoulder **12**
homeopatía, la homeopathy **10**
honestidad, la honesty **15**
honesto/a honest **11**
honradez, la honesty **15**
honrado/a honest; honored **11**
horario, el schedule **2, 3**
hornear to bake; to roast **6**
horno, el oven **6**
horóscopo, el horoscope **13**
horrorizado/a horrified **14**
hospital, el hospital **3**
hostal, el inn **9**
hotel (de lujo), el (luxury) hotel **9**
hoy today **2**
hoy en día nowadays **3**
huelga, la strike **15**
huelgista, el/la striker **15**
huella, la trace **12**
hueso, el bone **10**
huésped, el guest **5**
huevo, el egg **5, 6**
huir to flee **14**
humanidad, la humanity **11**
humanista humanist **8**
humano/a human **10**
humedad, hace to be humid **7**
humildad, la humility **15**
humilde humble **6**
humo, el smoke **12**
humorístico/a humoristic **4**
huracán, el hurricane **4**

ibero/a Iberian **2**
ida y vuelta roundtrip **9**
ideal ideal **1**
idealista idealistic **1**

identidad, la identity **13**
identificar to identify **7**
ideología, la ideology **4**
idioma, el language **7**
iglesia, la church **7**
igualdad, la equality **5**
igual de equally **7**
igualmente likewise **1**
ilegalidad, la illegality **7**
ilógico/a illogical **10**
iluminar to illuminate **8**
ilusión, la illusion **9**
ilustrar to illustrate **10**
imagen, la image **8**
imaginar to imagine **10**
imaginería, la statuary **4**
impaciente impatient **1**
impactante stunning **5**
imperio, el empire **8**
implementar to implement **12**
importante importante **9**
importar to import **12**
imposible impossible **9, 10**
impresionante impressive **14**
impresionar to impress **6**
impresora, la printer **12**
imprimir to print **12**
improvisar to improvise **14**
impuestos, los taxes **11, 15**
impulsar to push; to promote **15**
inacabado/a unfinished **13**
inaugurar to inaugurate **5**
inca Inca **15**
incendio, el fire **11**
incentivo, el incentive **11**
incluir to include **4**
incluso even; including **9**
incógnito/a unknown **7**
incómodo/a uncomfortable **9**
incorporar incorporate **6**
incorporarse to join **7**
increíble incredible **7, 10**
indefinido/a indefinite **7**
indicar to indicate **6**
índice, el index; sign **13**
índice de natalidad, el birthrate **4**
indiferente indifferent **8**
indígena indigenous **3**
indispensable crucial **9**
industria, la industry **6**
inesperado/a unexpected **15**
infantil childish **8**
infección, la infection **10**
inflación, la inflation **15**
influencia, la influence **3**
influido/a influenced **12**

influir to influence **2**
influyente influential **9, 13**
informar to inform **7** to report **13**
informática, la computer science **3**
ingeniería (eléctrica), la (electrical) engineering **2, 3**
ingeniero/a, el/la engineer **3, 5, 11**
inglés, el English **2**
ingrediente, el ingredient **6**
iniciado/a initiated **9**
iniciar to begin **9** to initiate **13**
iniciativa, la initiative **11**
inicio, el beginning; home (*website*) **4**
injusticia, la injustice **15**
inmediatamente immediately **9**
inmediato/a immediate **9**
inmenso/a immense **8**
inmigración, la immigration **15**
inmoralidad, la immorality **7**
inmunología, la immunology **1**
innecesario/a unnecessary **10**
innovador/a innovative **14**
inolvidable unforgettable **7**
insertar to insert **8**
insistir (en) to insist (on) **9**
inspeccionar to inspect **14**
inspector/a de aduanas, el/la customs inspector **9**
inspiración, la inspiration **6**
inspirador/a inspiring **14**
instalar to install **12**
instar to urge **15**
instrumento, el instrument **2, 14**
intacto/a intact **3**
integración, la integration **11**
inteligente intelligent **1**
intendente, el/la mayor **15**
intenso/a intense **8**
intercambiar to exchange **1**
intercambio, el exchange **2**
interés, el interest **8**
interesante interesting **1, 3**
interesar to be interesting **6**
internacional international **2**
internado, el internship **10**
interpretar to perform (*Spain*) **14**
intérprete, el/la interpreter **4, 11**
intervención, la intervention **15**

íntimo/a intimate **10**
intriga, la intrigue **10**
introvertido/a introverted **1**
invasión, la invasion **7**
inventar to invent **5**
invertir to invest **15**
investigación, la research; investigation **3**
investigador/a, el/la researcher **3**
investigar to investigate **6** to research **8**
invierno, el winter **1**
invitación, la invitation **4**
invitar to invite **3, 4**
involucrar to be involved **13**
inyección, la shot **10**
ir to go **1, 3, 8, 10, 12**
ir de excursión to go on an outing; to tour **9**
irlandés/esa, el/la Irish **9**
irónico/a ironic **14**
irse to go away; to leave **5**
isla, la island **2, 7, 9**
italiano, el Italian **2**
itinerario, el itinerary **4**
izquierda (de), a la to/on the left of) **3**

jabón, el soap **5**
jaguar, el jaguar **9**
jamás never **4**
jamón, el ham **6**
japonés, el Japanese **2**
jarabe, el cough syrup **10**
jardín, el garden **5**
jeans, los jeans **8**
jefe/a, el/la boss **9, 11**
jefe/a ejecutivo/a, el/la CEO **11**
jesuita, el Jesuit **10**
jogging, hacer to go jogging **7**
jornalero, el day laborer **15**
joven young **2**
joven, el/la youth **6**
joya, la jewel **8**
joyería, la jewelry store **8**
jubilado/a, el/la retiree **3**
jubilarse to retire **11**
judías verdes, las green beans string beans **6**
judío/a Jewish **14**
judío/a, el/la Jew **2**
juego electrónico, el computer (electronic) game **12**
Juegos Olímpicos, los Olympic Games **3**

jueves, el Thursday **1**
juez/a, el/la judge **8, 15**
jugador/a, el/la player **2**
jugar (ue) a to play **4**
jugo, el juice **6**
julio July **1**
junio June **1**
juntarse to get together **5**
juntos/as together **4**
jurado, el jury **14**
justicia, la justice **7, 15**
justificar to justify **14**
justo/a just **11**
juvenil juvenile **7**
juventud, la youth **1**

K
kilo, el kilogram **6**

L
la the **1**
labio, el lip **5**
laboral work (*adj.*) **7**
laboratorio (de lenguas/de idiomas), el (language) laboratory **2, 3**
lácteo/a milky **10**
lado (de), al next to **3**
lado, el side **7**
lago, el lake **8, 9**
lágrima, la tear **8**
lamentable regrettable **10**
lamentar to regret **10**
lámpara, la lamp **5**
lana, la wool **8**
languidecer to languish **11**
lanza, la lance **10**
lanzar to launch **7**
lápida, la tomb stone **14**
lápiz, el pencil **1**
largo long **5**
las the **1**
lástima, la shame **10**
lastimarse to hurt oneself **10**
latir to beat **15**
lavadora, la washing machine **5**
lavaplatos, el dishwasher **5**
lavar la ropa to wash clothes **5**
lavar los platos to wash dishes **5**
lavarse to wash **5**
le him/her (*masc./fem.*); you (*for.*) (*masc./fem.*) **6**
lección, la lesson; moral **1**
leche, la milk **6**
lechuga, la lettuce **6**
lector/a, el/la reader **7, 13**

lector de CD/DVD, el CD/DVD player **12**
leer to read **1, 2, 7, 12**
legumbre, la vegetable **3**
lejano/a faraway **11**
lejos (de) far **3**
lema publicitario, el motto **13, 15**
lengua, la tongue; language **2, 10**
lentamente slowly **9**
lentejuelas, las sequins **14**
lentes, los glasses **12**
lentes de natación, los swim goggles **7**
lentes de sol, los sunglasses **7**
lento/a slow **9**
les them (*masc./fem.*); you (*for. pl.*) **6**
lesión, la injury **10**
letra, la letter; lyric **2, 3**
letrero, el sign **9**
levantar to lift **5**
levantarse to get up; to stand up **5**
léxico, el lexicon **15**
ley, la law **6, 15**
leyenda, la legend **5**
liberar to liberate **9**
libra, la pound **10**
libre free **4**
librería, la bookstore **3**
libro, el book **1**
licencia por enfermedad/maternidad sickness/maternity leave **11**
licenciatura, la degree **3**
líder, el/la leader **15**
liderazgo, el leadership **9**
limitar to limit **10**
límite, el limit **6**
limón, el lemon **6**
limonada, la lemonade **6**
limosina, la limousine **14**
limpiar (la casa) to clean (the house) **5**
limpio/a clean **6**
lindo/a pretty **12**
línea, la line; figure **5, 10**
línea ecuatorial, la equator **8**
lingüístico/a linguistic **13**
liquidación, la clearance sale **8**
listo/a clever; ready **9**
literatura, la literature **3**
llama, la flame **10**
llamar to call **5**
llamarse to be called **5**
llave, la key **12**

llegada, la arrival **2, 3, 9**
llegar to arrive **2**
llenar el lavaplatos to fill the dishwasher **5**
llevar to take; to wear; to spend time in **5, 6, 8**
llevar a cabo to carry out **5**
llorar to cry **7**
lloroso/a teary **10**
llover (ue) to rain **7**
lluvia, la rain **7**
lobo, el wolf **8**
lobo marino, el sea lion **6**
loco/a crazy **7**
locutor/a, el/la announcer **13**
lógico/a logical **5, 7, 10**
logotipo, el emblem **12**
lograr to achieve **12, 15**
logro, el achievement **4**
lo/la him/her it (*masc./fem.*); them (*masc./fem.*) **4**
lo que what; that which **5, 15**
loro, el parrot **9**
Lo siento. I'm sorry. **4, 5**
los/las you (*for.*) (*masc./fem.*) **1, 4**
Lo(s)/La(s) saluda atentamente,... Very truly yours, ... **11**
lucha, la struggle **15**
lucir to shine **14**
luego later **1**
luego que as soon as **11**
lugar, el place **7**
lujo, el luxury **9**
lujoso/a luxurious **5**
luna, la moon **8**
lunes, el Monday **1**
luto, el mourning **6**
luz, la light **5**

M
machacar to crush **11** to mash **11**
madera, la wood **3**
madrastra, la stepmother **4**
madre, la mother **4**
madrugada, la dawn **4**
maduro/a mature **6**
maestro/a, el/la master/mistress; teacher **15**
magia, la magic **14**
magnífico/a great; wonderful **7**
maíz, el corn **6**
mal bad **1**
malcrianza, la rudeness **12**
maleta, la suitcase **4, 9**

maletas, (hacer) las (to pack) the suitcases **9**
maletín, el briefcase **4**
malo/a bad **1, 10**
mamá, la mom **4**
mañana, la morning; tomorrow **1, 2, 8**
manantial, el spring **10**
mandar to send **4, 6, 9**
mandato, el command **11**
manera, la way **3, 6**
manga, la sleeve **8**
manga, sin sleeveless **8, 8**
manga corta/larga, de short-/long-sleeved **8**
manifestación, la protest **15**
mano, a by hand **4**
mano, la hand **1, 5, 10**
¡Manos a la obra! Let's get to work! **11**
mantener (ie) to maintain, to support (a family etc.) **4, 12, 15**
mantenerse (ie) en forma to stay in shape **10**
mantequilla, la butter **6**
manzana, la apple; block (*Spain*) **3, 6**
mapa, el map **1**
Mapoma Marathon in Madrid **1**
maquiladora, la assembly plant **15**
maquillaje, el makeup **5**
maquillarse to apply makeup **5**
máquina, la machine **11**
máquina de afeitar, la electric razor **5**
mar, el sea; ocean **2, 6, 7**
maracas, las maracas **14**
maratón, el marathon **6**
maravillado/a surprised **4**
maravillosamente marvelously **9**
maravilloso/a marvelous **4**
marca, la brand **12**
marcador, el marker **1**
marcar to mark **7**
marcharse to go away **9**
marco, el framework **4**
margen, el margin **11**
mariachi, el mariachi musician (*Mexico*) **3**
marimba, la marimba **14**
marino/a marine **6**
mariscos, los seafood **2, 6**
martes, el Tuesday **1**
marzo March **1**

más... que more . . . than 5
mascota, la pet 6
masivo/a massive 5
Más o menos. So-so; More or less. 1
matar to kill 10
matemáticas, las mathematics 2, 3
materia, la academic subject; course 3
matrimonio, el matrimony 4
mayo May 1
mayor older 4
me me 4
mecánico/a, el/la mechanic 11
mecánicos, los jeans (Cuba) 8
Me da igual. It's all the same to me. 7
medianoche, la midnight 2
mediante through; by way of 15
medicina, la medicine 3, 10
médico/a medical 10
médico/a el/la doctor 10
medida, la measurement; measure 12
medio/a half 2
medio ambiente, el environment 5, 12
medio de transporte, el mode of transportation 5
mediodía, el noon 2
medios, los means; media 13, 14
medir (i, i) to measure 6
Me encantaría. I would love to. 4
Me gusta... I like 2
mejor better 3, 5, 9, 10
mejorar to improve 6, 7, 15
mejorarse to get better; to get well 10
Me llamo... My name is . . . 1
memoria, la memory 6
memoria USB, la flash drive 12
memorizar to memorize 10
mencionar to mention 6
menor younger 4, 5
menos less 2
menos, por lo at least 6
menos... que less . . . than 5
mensaje, el message 2
mente, en in mind 15
mentiroso/a lying 6
menú, el menu 6
menú de degustación, el tasting menu 6
menudo, a often 8

mercado (al aire libre) (open-air) market 8
mercado, el market 5
mercado callejero, el fleamarket 8
mercado global, el global markets 15
merecer (zc) to deserve 2
merengue, el Caribbean dance 7
merienda, la snack 6
mérito, el merit 11
mes, el month 1
mesa, la table 1
mesa de noche, la nightstand 5
mesero/a, el/la waiter/waitress 3, 6
mestizo/a of mixed race 4
meta, la goal 7, 11
meteorólogo/a, el/la weatherman/woman 13
meterse to get involved in 12
metro, el meter 8
mexicano/a Mexican 2
mezcla, la mixture 2
mezclar to mix 5, 6
mezclilla, de mixed fibers 8
mí me 6
micrófono, el microphone 15
microondas, el microwave 6
microscopio, el microscope 1
miedo, tener (ie) to be afraid 3, 10
miembro, el member 4
mientras while 5
mientras que as long as 11
miércoles, el Wednesday 1
migración, la migration 4
migrante migrant 15
milenio, el millennium 3
militar military 4
milla, la mile 15
millón/millones, el/los million/s 2
mi/mis my 1, 3
(mini)falda, la (mini-) skirt 8
mínimo, el minimum 5
mínimo/a minimum 9
ministro/a, el/la minister 4, 6, 15
Mi nombre es... My name is . . . 1
minoría, la minority 13
minuto, el minute 6
mío/a/os/as mine; my; (of) mine 13
mirada, la glance 13
mirar to look at; to watch 2

misa, la Mass 7
miseria, la misery 8
mismo/a same 5
misterio, el mystery 1
misterioso/a mysterious 1
mito, el myth 10
mochila, la backpack 1
moda, de in style 8
moda, la fashion; style 14
modelo, el/la model 14
moderación, la moderation 10
moderno/a modern 3
modo (de, vestir), el way/manner (of dressing) 4, 14
mola, la Panamanian embroidery 5
moler (ue) to grind 4
molestar to be a bother; to annoy 6, 10
molesto/a annoyed 5
monarquía, la monarchy 15
moneda, la coin 8
monjita, la little nun 14
monótono/a monotonous 11
montaña, la mountain 2, 9
montañoso/a mountainous 4
montar mount 11 to ride 11
montar a caballo horseback riding 9
montar en bicicleta to go bike riding 7, 9
montón, el pile 11
monumento, el monument 8, 9
morado/a purple 1
moraleja, la moral of the story 8
moralidad, la morality 2
moreno/a brunet/te 2
morir (ue, u) to die 7, 8, 12
moro/a, el/la Moor (Arab) 13
mostrador, el counter 9
mostrar (ue) to show 8
motivar to motivate 13
motivo, el motive 10
movilidad, la mobility 6
movimiento, el movement 8
muchacho/a, el/la boy/girl 2
Mucho gusto. Pleased to meet you. 1
mudanza, la move 14
muebles, los furniture 5
muela, la molar 10
muerte, la death 3
muestra, la sample 15
mujer, la woman 1

mujer de negocios, la businesswoman 11
multa, la fine 12
multar to fine 12
multinacional multinational 15
mundial world (adj.) 15
mundialmente world-wide 9
mundo, el world 1
muralista, el/la muralist 3
muralla, la wall 9
músculo, el muscle 10
musculoso/a muscular 13
museo, el museum 2, 3
música, la music 1, 14
músico/a, el/la musician 8, 14
musulmán/ana, el/la Muslim 13
mutuo/a mutual 6
muy very 1

N

nacer to be born 2
nacimiento, el birth 1
nación, la nation 1
nacionalidad, la nationality 2
Naciones Unidas, las United Nations 7
nada nothing 6, 7
nadar to swim 5, 7
nadie no one; nobody 7
naranja, la orange 6
nariz, la nose 5
narración, la narration 12
narrador/a, el/la narrator 14
naturaleza, la nature 5, 12
naturaleza muerta, la still life 6
náusea, la nausea 10
navaja de afeitar, la razor blade 5
navegable navigable 5
navegante, el/la navigator 7
navegar a vela to sail 9
Navidad, la Christmas 4
necesario/a necessary 7, 9
necesitado/a in need 7
necesitar to need 1, 9
necio/a, el/la fool 10
negar (ie) to deny 10
negativo/a negative 7
negocio, el business 3
negro/a black 1
neoyorquino/a New Yorker 12
nervioso/a nervous 3, 5
nevar (ie) to snow 7
nevera, la refrigerator 6
ni... ni neither . . . nor 7

nido, el nest 11
niebla, la fog 9
nieto/a, el/la grandson/granddaughter 4
nilón, el nylon 14
ninguna vez never 7
ningún/ninguna none 7
ninguno/a no one; none 6, 7
niños/as, los/las children 1, 7
nivel, el level 10
nobleza, la nobility 15
noche, la night 2
Nochevieja, la New Year's Eve 9
noción, la notion 13
nocivo/a harmful 15
No comprendo. I don't understand. 1
no creer to not believe 10
no estar seguro/a (de) to not be sure of 10
nombrar to name 7
nombre, el name 1
nominación, la nomination 13
no pensar (ie) to not think 10
normalmente normally 9
norteamericano/a American (US) 2
nos us 4, 6
No sé. I don't know. 1
nosotros/as we 1, 14
nota, la grade 3
No te preocupes. Don't worry. 10
noticias, las news 13
noticias en línea, las news online 13
noticiero, el newscast 13
notificar to notify 14
novedad, la news 13
novedoso/a new 12
novela, la novel 2, 7
novelista, el/la novelist 2
noveno/a ninth 8
noviembre November 1
novio/a, el/la boyfriend/girlfriend; groom/bride 3, 4
nube, la cloud 8
nublado/a cloudy 7
núcleo, el nucleus 4
nudo, el knot 15
nuera, la daughter-in-law 4
nuestro/a/os/as our (of) ours 3, 13
nuevo/a new 2
número, el number; size 5, 8
nunca never 7

Ñ

ñandutí, el cloth woven with a spider web pattern 10

O

o or 1
o... o either . . . or 7
objeto, el object 9
obligación, la obligation 15
obligar to oblige 6
obra, la play (theater); work 2, 13
obra maestra, la masterpiece 4
obrero/a de construcción, el/la construction worker 11
observar to observe 5
observatorio, el observatory 3
obtener (ie) to obtain 11
océano, el ocean 5
ocio, el leisure 4
octavo/a eighth 8
octubre October 1
ocupado/a busy 4
ocupar to occupy 7
ocurrir to occur 5, 7
odio, el hatred 10
oferta, la offer 1
oficial official 12, 13
oficina, la office 2
oficio, el trade 11
ofrecer (zc) to offer 3
oído, el inner ear 10
oír to hear 6, 8, 12
Ojalá I hope; God willing 9, 10
ojo, el eye 5
ola, la wave 5
olor, el perfume; odor; smell 8
olvidar(se) (de) to forget 5, 7
ONU, la UN 12
ópera, la opera 1, 14
opinar to express an opinion 5
opinión, la opinion 2
oportunidad, la opportunity 4
oportuno/a opportune 13
opresión, la oppression 15
optimista optimistic 1
opulencia, la opulence 4
oración, la sentence 6, 7
orden, el order 4
ordenar la casa to clean the house 5
oreja, la outer ear 10
orgánico/a organic 6
organización, la organization 7
orgulloso/a proud 2
orientación, la orientation 10
origen, el origin 3
originalidad, la originality 13

orilla, la bank; shore 5
orinar to urinate 10
ornamento, el ornament 8
oro gold 1, 8
orquesta (sinfónica), la (symphony) orchestra 4, 14
ortiga, la a prickly plant 1
ortografía, la spelling 6
os you (*inf. fam. Spain*) 4, 6
oscuro/a dark 8
oso, el bear 3
otorgar to be granted 13
otra vez again 5
otro/a other; another 2
oveja, la sheep 11
oxígeno, el oxygen 10
Oye. Listen. (*command*) 7
oyente de podcast, el/la podcast listener 13
oyeres whatever you hear 13

P

paciente patient 1
paciente, el/la patient 10
pacifista, el/la pacifist 15
padecer (zc) (de) to suffer (from) 10
padrastro, el stepfather 4
padre awesome 4
padre, el father 4
padres, los parents 2
pagar (en efectivo) to pay (in cash) 8
página, la page 1
página web, la web page 6, 12
pago, el payment 3
país (en vías de desarrollo), el (developing) country 2, 15
país, el country 8
paisaje, el landscape 1
paisano, el countryman 15
paja, la straw 14
pájaro, el bird 5, 9
palabra, la word 2
palacio, el palace 3
palmada, la clap 14
pampas, las plains of Argentina 11
pan, el bread 6
pana, la corduroy 14
panameño/a Panamanian 2
pandereta, la tambourine 8
pandillero, el gang member 12
panqueques, los pancakes 10
pantalla, la screen 12
pantalones, los pants 8
pantalones de mezclilla, los jeans (*Mexico*) 8
papalote, el kite 7

papas, las potatoes 6
papas fritas, las potato chips; French fries 10
papel, el paper; role 1 role (play, movie, or television) 13
papelería, la stationery shop 8
papel maché, el papier mâché 3
para for; in order to 1, 9
para colmo to make matters worse 13
paraíso, el paradise 2
parapente, hacer to hang-glide 9
para que in order that; so that 11
pardo/a brown 8
parecer (zc) to appear; to seem 6
pareja, la couple; partner 4
pariente, el/la relative (family) 4
parlamento, el parliament 15
paro, el strike (*Latin America*); unemployment (*Spain*) 15
paro, estar en el to be out of work 11
parodia, la parody 13
parque, el park 1
párrafo, el paragraph 5
parrilla, la grill 6
parrillada, la grill 11
parte, la part 3
participante, el/la participant 1
participar to participate 5
particularmente particularly 9
partidario/a partisan 4
partidario/a, el/la supporter 13
partido, (ir a un) (to go to a) game 2
partido, el game; match 5
partir to split; to divide 11
pasa, la raisin
pasado, el past 15
pasado/a last 6
pasaje (de ida y vuelta), el (roundtrip) fare; ticket 9
pasajero/a, el/la passenger 9
pasaporte, el passport 9
pasar to pass (a test); to approve 5
pasar la aspiradora to vacuum 5
pasarlo bien/mal/de maravilla to have a good/bad/wonderful time 7, 9
pasarlo bomba to have a great time 15

pasar por (...) to pass through (. . .) **9**

pasatiempo, el pastime **7**

paseador/a de perros, el/la dog walker **11**

pasear to take a walk **4**

paseo, dar un to take a walk **7**

paseo, el stroll 1 walk **7**

pasillo, el hallway; aisle **5**

pasión, la passion **4, 13**

paso, el step **4**

Paso por ti. I'll come by for you. **4**

pasta de dientes, la toothpaste **8**

pastel, el cake; pie **6**

pastilla, la pill; lozenge **10**

patear to kick **7**

patinaje, el skating **7**

patinar to skate **7**

patio, el yard; patio **5**

pato, el duck **8**

patrimonio, el heritage **10**

patrocinador/a, el/la sponsor **12**

patrocinar to sponsor **13**

patronato, el board of trustees **1**

pavo, el turkey **6**

paz, la peace **1, 4, 10, 15**

pecho, el chest **10**

pedagogía, la teaching **3**

pedazo, el piece **6**

pedicura, la pedicure **10**

pedido, el request **9**

pedir (i, i) to ask **9** to ask for; to request **6, 9, 10, 11**

pedir prestado to borrow **6**

peinarse to comb one's hair **5**

peine, el comb **5**

pelar to peel **6**

peli, la movie; film **4**

película, la movie; film **4, 7**

película, poner una to show a movie **4**

peligro, el danger **5, 9, 12**

peligroso/a dangerous **2**

pelo, el hair **5**

pelota, la baseball **7**

peluquero/a, el/la hairstylist **11**

pena, la pity; sorrow **8**

penalización, la punishment **15**

pendón, el banner **15**

penicilina, la penicillin **10**

península, la peninsula **3**

pensamiento, el thought **3**

pensar (ie) to think **3, 4, 9, 10, 11**

peor worse **5**

pequeño/a small **1**

percusión, la percussion **14**

percusionista, el/la percussionist **14**

perder (ie) to lose; to miss (someone) **4**

pérdida, la loss **10**

perdido/a lost **4**

peregrino/a, el/la pilgrim **13**

perejil, el parsley **6**

perezoso, el sloth **5**

perezoso/a lazy **1**

perfeccionar to perfect **10**

perfecto/a perfect **2, 7**

perfil, el profile **1**

perfume, el perfume **8**

perfumería, la perfume shop **8**

periódico, el newspaper **2, 4, 7**

periódico digital, el online newspaper **13**

periodista, el/la journalist **10, 11, 13**

perjudicar to damage; to harm **12**

perlas, las pearls **8**

permancer to remain **2**

permanente permanent **3**

permiso, el permit **3**

permitir to permit **2, 7, 9**

pero but **2, 3, 15**

perro/a, el/la dog **4, 5, 8**

perseverancia, la perseverance **13**

persona, la person **1**

personaje, el character **1**

personal, el personnel **11**

personalidad, la personality **7**

pertenencias, las belongings **13**

peruano/a Peruvian **2**

perversidad, la perversity **7**

pesado/a heavy **12**

pesas, levantar to lift weights **7**

pescado, el fish **6**

pescar to fish **9**

pesimista pessimistic **1**

peso, el weight **10**

pesquero/a fishing **6**

pesticidas, los pesticides **12**

petróleo, el oil **9**

piano, el piano **14**

PIB, el GDP **9**

picante spicy **6**

picar to chop **6**

pícnic, hacer un to have a picnic **7**

pico, el beak **8, 9**

pie, el foot **10**

piedra, la stone **4, 9**

piel, la skin; leather; fur **10, 14**

pierna, la leg **10**

pieza (musical), la (musical) piece **3, 14**

pijama, la pajamas **12**

pila, la battery **9**

piloto, el/la pilot **9**

pimienta, la pepper **6**

pincho, el bar snack **2**

pingüino, el penguin **6**

pintado/a painted **3**

pintor/a, el/la painter **1**

pintura, la painting **2**

pirámide, la pyramid **3**

pirata, el pirate **7**

piratear to pirate **11**

piropo, el compliment **9**

pisar to step on **11**

piscina, la pool 7 swimming pool **5**

piso, el floor **5, 8**

pizarra, la blackboard **1**

pizca, la pinch **6**

placer, el pleasure **6**

plancha, la iron; metal sheet **5**

planchar to iron **5**

plan de retiro, el retirement plan **11**

planear to plan **14**

plano de la ciudad, el city map **9**

planta nuclear, la nuclear plant **12**

plantar to plant **12**

plástico, el plastic **3**

plata, la silver **1, 8**

plataforma, la platform **15**

plátano, el banana **6, 8**

platería, la silver **4**

plato, el plate **6**

playa, la beach **5**

pleno/a long-form **13**

plomero/a, el/la plumber **11**

plumaje, el plumage **9**

población, la population **2**

pobre poor **2**

pobreza, la poverty **6, 9, 15**

poder (ue) to be able; can **4, 7**

poder, el power **11, 15**

poeta, el/la poet **2**

polémica, la controversy **12**

policía, la police **9**

poliéster, el polyester **14**

política, la politics **15**

político, el politician **15**

político/a political **6, 15**

pollo, el chicken **6, 10**

poner to put **4, 7, 12**

poner la mesa to set the table **5**

poner los ojos en blanco to role one's eyes **15**

ponerse to become **5**

ponerse en forma to get in shape **10**

por for; through; during; by **9**

por ahora for now **9**

por aquí around here **9**

por casualidad coincidentally **10**

por Dios for heaven's (*lit.* God's) sake **9**

por ejemplo for example **6, 9**

por eso that's why; therefore **2, 7, 9**

por favor please **1, 7, 9**

por fin finally; at last **6, 9**

por lo general in general **9**

porque because **2**

¿Por qué...? Why . . . ? **2, 9**

porquerías, las junk food **10**

por supuesto of course **7, 9**

portada, la front page **13**

portar to carry **15**

portátil, la computadora laptop computer **1**

portugués, el Portuguese **2**

portugués/esa, el/la Portuguese person **9**

por último finally **9**

posar to perch **13**

posible possible **10**

pozo de petróleo, el oil well **12**

practicar (un deporte) to practice (a sport) **2**

precio, el price **2, 5, 8**

precioso/a precious **6**

preciso/a essential **9**

precolombino/a pre-Colombian **5**

predecesor/a, el/la predecessor **6**

predecible predictable **4**

predominante predominant **9**

predominar to predominate **8**

preferencia, la preference **5**

preferir (ie, i) to prefer **2, 4**

pregunta, la question **1**

preguntar to ask **6**

prehispánico/a prehispanic **3**

prehistórico/a prehistoric **3**

premiar to reward **11**

premio, el prize **4, 5, 8, 13**

prenda, la garment **9, 14**

prensa, la press 4, **13**
preocupación, la preoccupation 10
preocuparse to worry 8
preparación, la preparation 6
preparar to prepare **2**
presenciar to present 14
presentación introduction 1
presentador/a, el/la moderator 12, **13**
presidencia, la presidency 15
presidente/a, el/la president 5, **15**
presidir to preside 15
presión, la blood pressure 10
prestación, la service 2
préstamo, el loan 11
prestar to lend 15
prevaleciente prevalent 15
prevenible preventable 7
previo/a previous 2
primavera, la spring 1
primera actriz, la leading lady 13
primera plana, la front page 13
primer/o/a first 2, **7, 8**
primo/a, el/la cousin 4
princesa, la princess 7
príncipe, el prince 2
principio, al at first 5
principio, el beginning 3, **13**
prioridad, la priority 13
prisa, tener (ie) to be in a hurry 3
pristino/a pristine 9
privacidad, la privacy 5
privado/a private 3
probablemente probably 3
probador, el fitting room 8
probar (ue) to try 6
probarse (ue) to try on 8
problema, el problem 5
procesión, la procession 1
proceso, el process 15
producir (zc) to produce 6
producto, el product 2, **8**
productor/a, el/la producer 13
productos lácteos dairy products 6
profesión, la profession 11
profesor/a, el/la professor 1
profundamente profoundly 10
profundo/a deep; profound 5
programación, la programming 13
programador/a programmer 12

programar to program 4, **12**
programas sociales, los social welfare programs **15**
progreso, el progress 15
prohibido/a prohibited 6
prohibir to prohibit 8, **9**
prolífico/a prolific 2
promedio, el average 11
promesa, la promise 6
prometer to promise 6
prominente prominent 9
promoción, la promotion 11
promocionar to promote 10
promover (ue) to promote **15**
pronóstico, el forecast 4
pronto soon 1
pronunciar to pronounce 6
propiedad, la property 10
propina, la tip (monetary) **6**
propio/a own 13
proponer to propose 6
proporcionar to proportion; to provide 1, **10**
propósito, el goal; objective 7
protagonista, el/la protagonist; star 13
protección, la protection 10
proteger (j) to protect 5, 6, **8, 12**
protegido/a protected 6
proteínas, las proteins 6, **10**
protestar to protest 15
provenir to orginate; to arise from 9
provocar to provoke 10
próximo/a nearby; close; next **2, 7**
proyecto, el project 5, **9**
prueba, la test; trial; sample 4, **10**
psicología, la psychology 3
psicológo/a, el/la psychologist 11
púas, las barbs 12
publicar to publish 6
publicidad, la publicity 6
publicista, el/la publicist 7
publicitario/a publicity (adj.) 13
público, el public; audience 12, **13**
público/a public 3
pueblo, el people 2 town; the people; the masses 4, 10, **15**
puerta, la door 1
puerta de embarque, la boarding gate 9
puertorriqueño/a Puerto Rican **2**

pues well; because **3**
puesto, el place; stall; position (job) 11 position 2 stall 8
pulir to polish 12
pulmones, los lungs **10**
pulsera, la bracelet 8
puntiagudo/a sharp 9
punto, el point of view 6
punto, en on the dot 2
puntualmente punctually 9
pureza, la purity 1
puro/a pure 7

Q

que that; which; who; whom **15**
qué what 1, **2**
¿Qué, tal? What's up? (*inf.*) **1**
¿Qué...? What? **2**
¡Qué asco! How revolting! 6
¿Qué barbaridad? What nonsense! 1
¡Qué bárbaro! How terrific! 9
quedar to be left; to be remaining; to fit 6, **8**
quedarse to stay (somewhere); to remain 7, **9**
¡Qué estudiantes! What students! 1
quehaceres, los chores 5
¿Qué hora es? What time is it? **2**
¿Qué húbole? What's up? (*Venezuela*) 9
quejar to complain 14
quena, la Andean flute 8
¡Qué padre! How awesome! 4
¿Qué pasa? What's happening?; What's up? (*inf.*) 1
querer (ie) to want; to love 7, 8, **9**
querido/a dear 4
queso, el cheese 6
¡Qué suerte! What luck! 2
¿Qué tal sí... ? How about . . . ? 4
¿Qué te gusta hacer? What do you like to do? 2
¿Quién(es)...? Who . . . ? 2
¿Quieres ir a...? Do you want to go to . . . ? 4
química, la chemistry 3
quinto/a fifth 8
quipu, el knotted string (Inca) 15
quiropráctico/a, el/la chiropractor 10
quitar to remove 5

quitar la mesa to clear the table 5
quitarse to take off (clothing) 5
quizás perhaps 10

R

radioactividad, la radioactivity 12
radiografía, la X-ray 10
radio por satélite, la satellite radio 13
radioyente, el/la radio listener 13
raíz, la root 10
rama, la branch 10
ramo, el bouquet 7
rápidamente rapidly 9
rápido/a rapid 2
raqueta, la racket 7
raro/a strange; uncommon 7
rato, el short time; while 13
ratón (inalámbrico), el (wireless) mouse 12
rayas, de striped 8
rayo, el ray 10
rayón, el rayon 14
razón, la reason 4
razón, tener to have a point; to be right 3
razonable reasonable 12
reacción, la reaction 7
reaccionar to react 7
real royal 15
realista realistic 1
realizar to achieve 8 to carry out 11
realmente really 6
rebaja, en on sale 8
rebaja, la sale 8
rebelión, la rebellion 15
recargable rechargeable 12
recepcionista, el/la receptionist 5
receptor, el receiver 12
receta, la prescription 9, **10** recipe 6
rechazar to reject 4
recibir to receive 2
recibo, el receipt 8
reciclaje, el recycling 12
reciclar to recycle 7, 12, **12**
recién casados, los newlyweds 4
recientemente recently 6
recíproco/a reciprocal 11
reclamo de equipaje, el baggage claim area 9
recoger to pick up 5
recolección, la gathering 10

recomendar (ie) to recommend **9**
recompensa, la compensation **9**
reconocido/a recognized **3**
recordar (ue) to remember **7**
recorrer to go round; to travel through/across **9**
recorrido, el trip **6**
recortar to clip **13**
rectificar to rectify **15**
recto, todo straight ahead **3**
rectoría, la president's office **3**
recuerdo, el souvenir; memory **6, 9**
recuperar to recuperate **2**
recurso (natural), el (natural) resource **12**
recursos humanos, los human resources **3**
red, la network **6**
redacción, la editing **13**
redondo/a round **9**
reducir (zc) to reduce **15**
reencarnar to reincarnate **13**
referir (ie, i) to refer **14**
reflejar to reflect **3**
reforestación, la reforestation **12**
refresco, el refreshment; soft drink **3, 4, 6**
refrigerador, el refrigerator **6**
refugio, el refuge **3**
regalar to give a gift **13**
regalo, el gift **4**
regatear to bargain; to haggle over **8**
regateo, el haggling **8**
régimen, el diet **10**
región, la region **6**
regla, la rule **10**
regresar to return **6**
regreso, de on return **11**
reina, la queen **15**
reino, el kingdom **8**
reírse (i, i) to laugh **13**
relación, la relation **4** relationship **6**
relajamiento, el relaxation **10**
relatar to relate **7**
relativo/a relative **15**
religioso/a religious **15**
rellenar to fill completely; to fill out **11**
relleno, el filling **4**
relleno/a filled **6**
reloj, el clock; watch **1**
reloj de pulsera, el wristwatch **8, 8**

remediar to remedy **13**
remedio, el remedy **10**
remesa, la remittance; payment **4**
remolino, el whirlwind **9**
remoto/a remote **4**
remover (ue) to remove **14**
rendir (i, i) to defeat **13**
renombre, el renown **14**
renovable renewable **11**
renunciar to renounce **11**
reparar to repair **11**
repartir to deliver; to distribute **11**
repaso, el review **13**
repente, de suddenly **8**
repertorio, el repertoire **14**
repetir (i, i) to repeat **1**
Repita, por favor. Repeat please. **1**
repoblación, la repopulation **12**
reponer to restock **10**
reportaje, el feature **13**
reportar report **13**
reportero/a, el/la (television) reporter **4, 7, 13**
representante, el/la representative **15**
representar to perform; to represent **6, 8, 13, 14**
representativo/a representative **3**
reproducir (zc) to reproduce **5, 14**
reproductor de mp3, el mp3 player **12**
república, la republic **15**
requisito, el requirement **3, 5**
resaltar to feature **7**
rescate, el rescue el **9**
reseña, la review **4, 6, 13**
reserva/reservación, la reservation **9**
resfriado, el cold **10**
residencia, la residence **2**
resolver (ue) to solve **15**
respetar to respect **6**
respeto, el respect **15**
respetuoso/a respectful **12**
respirar to breathe **10**
respiratorio/a respiratory **10**
responder to respond **6**
responsabilidades, las responsibilities **11**
responsable responsible **3**
respuesta, la answer; response **1** response **1**
restaurante, el restaurant **6**
resto, el rest **2**

restos, los remains; leftovers **10**
resultado, el result **5, 6**
resumen, el summary **5**
resumir to summarize **7**
retar to challenge **5**
retirado/a distant **10**
retirarse to excuse oneself; to retire **11, 15**
retrasar to detain; to be behind **4**
reunión, la meeting; get-together **2**
reunirse to meet with someone **11**
revelar to reveal **6**
revisar to check; to review **1, 2, 10, 12, 13**
revista (del corazón), la (celebrity) magazine **13**
revista, la magazine **7**
revolucionado/a revolutionized **12**
revolucionar to revolutionize **12**
revólver, el revolver **11**
rey, el king **15**
rico/a rich; delicious **2, 4, 6**
ridículo/a ridiculous **5, 6, 10**
riesgo, el risk **10**
rígido/a rigid **10**
río, el river **2**
riqueza, la wealth; richness **9**
risa, la laughter **13**
ritmo, el rhythm **1**
roca, la rock **9**
rodaje, el filming **4**
rodar to film **10**
rodeado/a surrounded **12**
rodear to surround **7**
rodilla, la knee **10**
rojo/a red **1**
romano/a Roman **2**
romántico/a romantic **1**
romper to break **12**
romperse (un hueso) to break (a bone) **10**
ropa, la clothing **5, 8**
roquero/a, el/la rocker **2**
rosado/a pink **1**
roto/a broken **2**
rubio/a blond **2**
ruina, la ruin **4**
rumbo a towards **6**
Rusia Russia **2**
ruso, el Russian **2**
rústico/a rustic **3**
ruta, la route **6**
rutina, la routine **5**

S

sábado, el Saturday **1**
sabelotodo, el/la know-it-all **4**
saber to know (something or how to do something) **2, 4, 6, 7, 9, 10**
sabor, el flavor **1**
sabroso/a delicious; tasty **6**
sacar to take (out) **1, 5**
sacar fotos to take pictures **9**
saco, el blazer **8**
sacudir to shake; to dust **15**
sagrado/a sacred **11**
sal, la salt **6**
sala, la living room **3, 5**
sala de espera, la waiting area **9**
sala de reclamación, de equipaje baggage claim area **9**
sala de urgencias, la emergency room **10**
salario, el salary **11**
salida, la departure **2, 6, 9**
salir to leave; to go out **4**
salir bien to end well **9**
salón, el room **9**
salsa, la sauce **6**
salsero/a, el/la salsa performer **12**
saltar to leap **8**
salto, el waterfall **9**
salto en bungee, hacer to bungee jump **9**
salud, la health **4, 7, 10**
saludable healthy **10**
saludo/s, el/los greeting/s; salutation/s **1, 11**
salvadoreño/a Salvadorian **2**
salvar to save **4**
sandalias, las sandals **8**
sándwich, el sandwich **3, 6**
sanfermines, los Sanfermín festival **2**
sangre, la blood **11**
sanidad, la sanitation; public health **15**
sapo, el toad **8**
sartén, la skillet; frying pan **6**
satisfacción, la satisfaction **9**
satisfactorio/a satisfactory **6**
satisfecho/a satisfied **8**
saturado/a saturated **10**
saxofón, el saxophone **14**
se himself; herself; yourself; itself; themselves **5**

secador, el hair dryer **5**

secadora, la dryer **5**

sección, la section **6**

sección deportiva, la sports section **13**

sección financiera, la financial section **13**

seco/a dry **6**

secretario/a, el/la secretary **11**

secreto, el secret **4**

secuestrar to kidnap **4**

sed, la thirsty **10**

sed, tener (ie) to be thirsty **3, 7**

seda, la silk **8**

sede, la head office; seat of government **8, 11**

seguir (i, i) to follow **9, 10**

según according to **5**

segunda mano, de secondhand **8**

segundo/a second **7, 8**

seguramente surely **3**

seguridad, la security **9**

seguro/a sure; certain **4, 5, 10**

seguro médico, el health insurance **11**

selección, la selection **7**

seleccionar to select **10, 15**

selva, la jungle **5, 9, 10, 12**

semana, la week **1**

Semana Santa, la Holy Week **1**

semejante similar **8**

semestre, el semester **3**

senador/a, el/la senator **15**

sencillez, la simplicity **14**

sencillo/a simple **5**

sensación, la sensation **11**

sensacionalista sensationalist **13**

sentarse (ie) to sit **5**

sentimental sentimental **4**

sentir (ie, i) to regret **9, 10**

sentirse (ie, i) to feel **5, 8**

señal, la signal **15**

señalar to point out **12**

señor, el (Sr.) Mr. **1**

señora, la (Sra.) Mrs. **1**

señorita, la (Srta.) Miss **1**

septiembre September **1**

séptimo/a seventh **8**

sepulcro, el grave **14**

ser to be **1, 2, 3, 7, 8, 9**

ser humano, el human being **6**

serie, la series **13**

serio/a serious **10**

serpiente, la snake **6**

servicio, el service **2**

servicio de limpieza, el cleaning service **5**

servilleta, la napkin **6**

servir (i, i) to serve **2, 3, 4, 5, 8**

severo/a severe **8**

sexto/a sixth **8**

siempre always **2, 3, 7, 8**

siglas, las call letters **7**

siglo, el century **1, 6**

significado, el meaning **2**

significante significant **13**

significar to mean **13**

significativo/a significant **7**

siguiente following **4**

silla, la chair **1**

sillón, el armchair; overstuffed chair **5**

simbolizar to symbolize **10**

simpático/a kind; nice; amusing **1, 8**

simpatizante, el/la sympathizer **15**

simpatizar to sympathize **8**

sindicalizar to unionize **15**

sindicato, el union **12**

sin duda without a doubt **10**

sin embargo nevertheless **7**

sinfonía, la symphony **14**

sinfónica, la symphonic orchestra **14**

sino but; but rather **1, 15**

sin que without **11**

síntesis, la synthesis **3**

sintético/a synthetic **14**

síntoma, el symptom **10**

sin trabajo, estar to be out of work **11**

sirviente/a, el/la servant **4**

sitio, el place **4**

sitio web, el website **7, 12**

situación, la situation **5, 6**

situado/a situated **8**

sobre on **5**

sobreconsumo, el overconsumption **12**

sobrenatural supernatural **10**

sobrepeso, el excess weight; obesity **10**

sobrepoblación, la overpopulation **13**

sobrevivencia, la survival **4**

sobrevivir to survive **5**

socialista, el/la socialist **8**

sociología, la sociology **3**

socorro, el help **11**

sofá, el sofa; couch **5**

sol, hace it is sunny **7**

sol, tomar el to sunbathe **7**

solamente only **3**

soldado, el soldier **15**

solemne solemn **4**

solicitar to apply for **3, 11**

solicitud de empleo, la job application **11**

sólido/a solid **6**

solista, el/la soloist **7, 14**

solitario/a solitary **11**

solo only **3**

soltar (ue) to let go **2**

soltero/a single; unmarried **4**

sombría somber **11**

sombrilla, la umbrella **7**

soñar (ue) (con) to dream about) **4**

sonreír (i, i) to smile **15**

sopa, la soup **6**

soplar to blow **8**

sorprendente surprising **10**

sorprender(se) to surprise **10**

sorpresa, la surprise **6**

sospecha, la suspicion **11**

Soy... I am . . . **1**

subir to raise; to go up; to climb **6** to upload **12**

subir de peso to gain weight **10**

subrayar to underscore **5**

sucio/a dirty **6**

sudadera (con capucha), la (hooded) sweatshirt **8**

suegro/a, el/la father-in-law/mother-in-law **4**

sueldo (mínimo), el minimum wage **11**

sueño, el dream **6, 12**

sueño, tener to be sleepy **3**

suerte, la luck **7**

suéter, el sweater **8**

sufrimiento, el suffering **15**

sufrir (de) to suffer (from) **8**

sugerencia, la suggestion **6**

sugerir (ie, i) to suggest **9**

sumamente very **7**

sumario, el summary **2**

superación, la overcoming **11**

superar to overcome **12**

supervisión, la supervision **11**

supervisor/a, el/la supervisor **11**

supuesto/a supposed **9**

sur, el south **6**

surfear to surf **7**

surgir to emerge **15**

suspender to suspend **14**

suspensivo/a suspenseful **4**

sustancia, la substance **15**

sustantivo, el noun **1**

suyo/a/os/as your (*for. pl.*) (of) ours; his/her (of) his/hers (of) its; their (of) yours **13**

T

tabla, la board; table **10, 12**

tacaño/a stingy **5**

tacógrafo, el tachograph **9**

tacón, el heel **8**

táctica, la tactic **10**

talco, el talcum powder **8**

talentoso/a talented **14**

talla, la clothing size **8** size **8**

tallado, el carving **3**

tallado/a carved **3**

taller, el workshop **3**

tal vez perhaps **10**

también also too **1, 2, 7**

tambor, el drum **14**

tampoco neither; not either **7**

tan... como as much as **5**

tan pronto como as soon as **11**

tanque, el tank **10**

tanto... como as much as **5**

tantos/as... como as many as **5**

tapado/a stuffy **10**

tapas, las appetizers **2**

taquilla, la box office **8**

tarde late **2**

tarde, la afternoon **1, 2**

tarea, la homework; task **1**

tarifa, la fee; commission **10**

tarjeta de crédito, la credit card **8**

tarjeta de embarque, la boarding pass **9**

tarjeta de memoria, la memory card **9**

tarjeta postal, la postcard **9**

tasa (de desempleo), la rate (of unemployment) **15**

tasa, la rate **11**

taxista, el/la taxi driver **4**

taza, la coffee cup/mug **6**

tazón (de cristal), el (glass) bowl **6**

te you (*inf.*) **4, 6**

té, el tea **6**

teatro, el theater **3, 4, 13**

techo, el roof **3**

teclado, el keyboard **12**

técnica, la technique **6**

tecnología, la technology **13**

tecnológico/a technological **12**

Te gusta... you like . . . **2**

¿Te gustaría (+ *inf.*)? Would you like (+ *inf.*)? **4**

tejanos, los jeans (*Spain*) **8**

tejer to weave **15**

tejido, el weaving **4**

tela, la cloth; fabric **8, 14**

tele, la television **6**

teléfono celular/móvil, el cell phone 1
telenovela, la soap opera 13
televidente, el/la television viewer 12, 13
televisión (en directo), la live television 13
televisión (en vivo), la live television 13
televisión (por cable), la cable television 13
televisión (por satélite), la satellite television 13
televisión, la television 7, 13
televisor de alta definición, el high-definition television 12
telón, el curtain 11
tema, el theme 5
temer to fear 10
temor, el fear 15
temperatura, la temperature 9, 10
tempestad, la storm 8
templado/a temperate 6
templo, el temple 8
temporada, la season 7
temporal temporary 3
temprano/a early 2
tender a to tend to 6
tenedor, el fork 6
tener (ie) to have 1, 2, 2, 7
tengo I have 1
tenis, el tennis 2
tenista, el/la tennis player 2
tensión, la tension, pressure 13
tenso/a tense 14
tentación, la temptation 6
teoría, la theory 8
tercer/o/a third 8
terciopelo, el velvet 14
termal thermal 10
terminar to end; to finish 6, 10
término, el term 4
términos, los terms 11
terrateniente, el landowner 5
terraza, la terrace 5
terremoto, el earthquake 14
terreno, el land; terrain 4
terrestre terrestrial 8
terrorismo, el terrorism 15
tesoro, el treasure 2
testigo/a, el/la witness 13
ti you (*inf.*) 6
tibio/a lukewarm 7
tiempo, el time; weather 2, 6, 7
tiempo completo, trabajar a to work full-time 11

tiempo parcial, trabajar a to work part-time 11
tienda, la store; shop 8
tienda especializa, la speciality store 8
tierra, la earth; land 10
tímido/a shy; timid 1
tinta, la ink 12
tío/a, el/la uncle/aunt 4
típico/a typical 3
tipo, el type 15
tira cómica, la comic strip 14
tirar to throw (away out) 12
titular to title 7
titular, el headline 13
título, el degree; title 2, 6, 12
tiza, la chalk 1
toalla, la towel 7
tobillo, el ankle 10
tocar (un instrumento) to play (an instrument) 3, 4
todo/a/os/as all; every; everyone 2, 3
tomar to drink; to take 2, 6 to take; to drink 12
tomarse la presión to take blood pressure (*Latin America*) 10
tomar la tensión to take blood pressure (*Spain*) 10
tomate, el tomato 6
tonto/a stupid 13
topografía, la topography 4
torcer (ue) to twist 10
torneo, el tournament 2
torno a, en pertaining to 3
toro, el bull 2
toronja, la grapefruit 6
torta, la cake 5
torta de chocolate, la chocolate cake 6
tortilla, la omelet 2, 6
tortuga, la turtle 5
torturar to torture 4
tos, la cough 10
toser to cough 10
tostadora, la toaster 6
tostar (ue) to toast 6
trabajador/a hard-working 1
trabajador/a, el/la worker 1
trabajar to work 6
trabajar (a comisión) to work (on commission) 2
trabajo, el work 6, 11
trabajo, estar sin to be out of work 11
tradición, la tradition 4
traducir (zc) to translate 11
traer to bring 4, 7, 9, 11, 12

traficar to traffic 7
tráfico, el traffic 13
tragedia, la tragedy 7, 13
traje, el suit 8
traje de baño, el swimsuit 7
traje de noche, el evening gown 14
tranquilamente calmly 8
transferir (ie, i) to transfer 12
transformar to transform 10
transición, la transition 7
transmitir to transmit 10, 13
transporte, el transportation 3
tras behind 15
tratado, el treaty 15
tratamiento, el treatment 10
trayectoria, la trajectory 15
trazar to race 9
trekking, el hike 9
tremendo/a tremendous 7
tren, el train 6, 9 tren 7
tribu, la tribe 10
tribunal, el court 15
triste sad 4, 5
triunfo, el triumph 5
trombón, el trombone 2, 14
trompeta, la trumpet 14
tú you (*inf.*) 1
tul, el tulle (silk or nylon net) 14
tumba, la tomb 15
turismo, el tourism 5
turista, el/la tourist 2
turístico/a touristy 9
turnarse to take turns 5
tu/tus your (*inf.*) 1
tuyo/a/os/as your (*inf.*) (of) yours 7, 13

U

ubicación, la location 5
ubicado/a located 8
ufano/a conceited 8
úlcera, la ulcer 10
últimamente lately 15
último/a last; latest 2, 4, 7
una vez one time; once 5
único/a only; unique 5, 8, 10
unidad, la unity 4
unido/a close close-knit 4
uniforme, el uniform 7
unirse (a) to join together 4, 15
universidad, la university 1
un/o/a a; one 1
urgente urgent 9
usar to use 4
usted/es you (*for.*) (*masc./fem.*) 1
usualmente usually 9

utensilio, el utensil 6
útil useful 15
utilizar to use 4
uvas, las grapes 6

V

vacaciones, las vacation 5
vacante, la vacancy 11
vaciar to empty 5
vacuna, la vaccine 10
valer to be worth; to cost 9
valioso/a useful 12
valor, el value 10
vamos let's go 4
¿Vamos a... ? Should we go . . . ? 4
vaqueros, los jeans (*Spain*) 8
variar to vary 6
variedad, la variety 5
varios/as several; various 7
vaso, el glass 6
veces, a sometimes; at times 5
vecino/a, el/la neighbor 5
vegetariano/a, el/la vegetarian 6
velocidad, la speed 9
vencer to conquer 11
vendedor/a ambulante, el/la street vendor 8
vender to sell 2
venganza, la revenge 4
venir (ie) to come 4, 7
venta, en on sale 5
venta, la sale 9
ventaja, la advantage 6, 7, 10, 11
ventana, la window 9
ventanilla, la window 9
ver (la televisión/una película) to see; to watch (television/a movie) 2, 7, 7, 8, 12
verano, el summer 1
verdad, la truth 6, 10
verdaderamente truly 9
verdadero/a true 4
verde green 1
verduras, las vegetables 6
verificar to verify 6
verja, la iron grill 12
versátil versatile 13
versión, la version 10
vestido, el dress 7, 8
vestimenta, la clothing 9
vestir (i, i) to dress 5
vestirse (i, i) to get dressed 5
veterano/a veteran 12
veterinaria, la veterinary science 3

veterinario/a, el/la veterinarian 11

vez, la time; instance 5

vez en cuando, de once in a while 5

vía, la lane; way 5

viajante, el/la traveling salesperson 11

viajar to travel 2, 9

viaje, el trip 1, 7, 9

viajero/a, el/la traveler 9

vías de desarrollo, en developing 15

víctima, la victim 3

vida, la life 2

videograbadora, la VCR 12

viejo/a old 2

viento, el wind 14

viento, hace it is windy 7

vieres whatever you see 9

viernes, el Friday 1

vigilar to watch 15

vigoroso/a vigorous 15

villa, la town 15

vinagre, el vinegar 6

vino, el (tinto, blanco) (red white) wine 6

viola, la viola 14

violar to violate 15

violencia, la violence 4

violento/a violent 14

violín, el violin 14

virreinato, el viceroyalty 11

visado, el visa 7

visita, la guests; visit 5

visitante, el/la visitor 9

visitar to visit 2

vista, la view 2, 5, 9

vistoso/a showy 9

vitamina, la vitamin 10

viudo/a, el/la widow/er 4

vivienda, la housing 15

vivir to live 1, 2, 5, 6, 12

vivo/a alive 3

volante, el flier 5

volar (ue) to fly 7

volcán, el volcano 4, 5, 9

voleibol, el volleyball 7

voluntad, la will 7

voluntario/a voluntary 5

voluntario/a, el/la volunteer 5

voluptuoso/a voluptuous 9

volver (ue) to return 4, 7, 12

vosotros/as you (*inf. pl.*) (*Spain*) 1, 4

votante, el/la voter 13

votar (por) to vote (for) 7, 15

voto, el vote 13

voz, la voice 8, 14

vuelo, el flight 4, 9

vuestro/a/os/as your; yours (*inf. pl.*); (of) yours 3, 13

Y

y and 1

ya already 14

yerno, el son-in-law 4

yo I 1

yogur, el yogurt 6

Z

zampoña, la panpipe 8

zanahoria, la carrot 6

zapatería, la shoe store 8

zapatos, los shoes 8

zoológico, el zoo 3

zorro, el fox 8

zumo, el juice 6

A

a un/o/a **1**
abandon abandonar 7
ability la habilidad 8
aboard bordo a 6
abolish abolir **15**
abound abundar 6
about alrededor 12
above arriba de **5**
abroad el extranjero 4, **9**
absent ausente 15
abstain abstener 9
abuse el abuso 15
academic académico/a 3
academic subject la
  materia 3
accede acceder 15
accelerate acelerar 15
accept aceptar **4**
accessory el accessorio **8**; la
  prenda 9, **14**
accident el accidente **10**
accommodate acomodar 5
accompany acompañar 6
accord el acuerdo **15**
according to según 5
accordion el acordeón 14
account la cuenta **6**
accountant el/la contador/a 11
accounting la contabilidad **3**
ache el dolor **10**
achieve lograr 12, **15**;
  realizar 8
achievement el logro 4
acquire adquirir (ie, i) 13
across from enfrente de **3**, 14
act actuar **5**, **13**
action la acción 15
active activo/a **2**
activist el/la activista **15**
activity la actividad 8
actor el actor 5
actress la actriz 1
acupuncture la acupuntura
  10
add añadir 6; (in) echar **6**, 12;
  agregar 10
addressee el/la destinatario/a
  11
adequate adecuado/a 7
adjust ajustar 11
administration la
  administración 2

admiration la admiración 9
admirer el/la admirador/a 9
admit admitir 7
adoptive adoptivo/a 14
adore adorar 14
adorn adornar 9
adorned adornado/a 8
advance el avance 3
advanced avanzado/a 3, 8
advancing avanzado/a 3, 8
advantage la ventaja 6, 7,
  10, **11**
adventure la aventura 4
advice el consejo 7, **10**
advice column el consultorio
  sentimental 13
advise aconsejar **9**
advisor el/la asesor/a **15**
advocate abogar 7
aerobic aeróbico/a **10**
aerobics ejercicios
  aeróbicos **10**
affect afectar 9
affection cariño 4
affectionate afectuoso/a **4**
affirm afirmar 6
after después (de) (que)
  3, **7**, **11**
afternoon la tarde 1, **2**
again otra vez 5
against en contra **5**
age la edad 4
ago hace 5, **14**
agreeable agradable 5
agreed de acuerdo 4
agreement el convenio 13; la
  concordancia 10
agricultural agrícola 4
air conditioning el aire
  acondicionado 5
airline la aerolínea 9
airport el aeropuerto 9
aisle el pasillo **5**
album el álbum 5
alcoholic beverages la
  bebidas alcohólicas **10**
algebra el álgebra (*fem.*) 3
alive vivo/a 3
all todo/a/os/as 2, **3**
allergic alérgico/a **10**
allergy la alergia 10
alleviate aliviar 10
alleviated aliviado/a 14

almost casi **10**
along a través 8
already ya 14
also también 1, **2**, **7**
alternate alternarse 8
although aunque 4, **7**
altitude la altura 8
aluminum el aluminio 7
always siempre 2, **3**, **7**, **8**
ambiguity la ambigüedad 11
ambulance la ambulancia 10
American (US)
  norteamericano/a **2**
amorous amoroso/a 6
ample amplio/a 10
amusing simpático/a 1, 8
analysis el análisis 3
analyst el/la analista **11**
ancestor el/la antepasado/a 4
ancestry la ascendencia 10
ancient antiguo/a 3 and y 1
Andean andino/a 8
Andean flute la quena 8
anecdote la anécdota 6
anger el enojo 15; enojar **10**
angry furioso/a 5
animal el animal 3
animated animado/a 9
ankle el tobillo 10
anniversary el aniversario 6
announce anunciar 8
announcement el aviso 13
announcer el/la locutor/a 13
annoy molestar **6**, **10**
annoyed molesto/a 5
another otro/a 2
answer contestar 1; la
  respuesta 1
antacid el antiácido 10
anthropology la
  antropología 3
antibiotic el antibiótico 10
anticipate anticipar 8
anticipation la anticipación 9
antioxidants los
  antioxidantes 10
anxious ansioso/a 9
any/one cualquier/a 9
anything algo 3, **6**, **7**
apartment el apartamento 3
aphrodisiac el afrodisíaco 6
apologize disculparse 15
apparent aparente 15

apparently aparentemente 15
appeal to apetecer **6**
appear aparecer 9
appearance la aparencia 1
appetizer el aperitivo 2; la
  entrada 6; las tapas 2
applaud aplaudir **14**
apple la manzana 3, **6**
appliance el aparato 6
apply for solicitar 3, 11
appointment la cita **10**, 11
appreciate apreciar 4
appreciated apreciado/a 11
appropriate apropriado/
  a 10
approve pasar 5
approximately
  aproximadamente 3
April abril **1**
aquatic acuático/a 9
aqueduct el acueducto 2
Arab el árabe 2
Arabic el árabe 2
archbishop el arzobispo **4**
archeologist el arqueólogo 8
archipelago el archipiélago 8
architect el/la arquitecto/a
  2, **11**
architecture la arquitectura 7
area el área (*fem.*) 7
Argentine argentino/a **2**
Argentine cowboy el
  gaucho 11
argument el argumento 4; la
  discusión 8
aria el aria (*fem.*) 14
arise from provenir 9
arm el brazo 10
armchair el sillón 5
armed armado/a 15
army el ejército 15
around alrededor 12
around here por aquí 9
arrangement el arreglo 5
arrest detener (ie) 11
arrival la arribada 5; la
  llegada 2, 3, **9**
arrive llegar **2**
arrow la flecha 8
art el arte (*fem.*) 3
arthritis la artritis 10
article el artículo 7, **13**
artifact el artefacto 5

artisan el/la artesano/a 3
as como 5
ascending ascendente 6
ashamed avergonzado/a 10
ashes la cenizas 9
ask pedir (i, i) 9; preguntar 6
ask for pedir (i, i) 6, 9, 10, 11
aspect el aspecto 8
aspiration la aspiración 15
aspirin la aspirina 10
assemble armar 8
assembly plant la
    maquiladora 15
assistant el/la asistente 7; el/la
    ayudante 6
associate asociar 2
association la asociación 7
as soon as en cuanto 11; luego
    que 11; tan pronto como 11
assure asegurar 5
asthma el asma (*fem.*) 10
at first al principio 5
at last por fin 6, 9
at least por lo menos 6
**ATM (automatic teller
    machine)** el cajero
    automático 4, 8, 12
atmosphere el ambiente 6; la
    atmósfera 3
attack atacar 10; el ataque 4
attend asistir (a) 2
at times a veces 5
attract atraer 6
attraction la atracción 9
attractive atractivo/a 3
attribute atribuir 14
audience el público 12, 13
audition la audición 14
auditorium el auditorio 3
August agosto 1
authentic auténtico/a 14
author el/la autor/a 2
authority la autoridad 14
autobiographical
    autobiográfico/a 2
autograph el autógrafo 14
autonomous autónomo/a 2
available disponible 5
avenue la avenida 12
average el promedio 11
avocado el aguacate 6
avoid evitar 10
awesome padre (adj.) 4

B

back la espalda 10
background el fondo 14
backpack la mochila 1
bad mal 1; malo/a 1, 10

bag el bolso 7, 8; la bolsa 7
baggage el equipaje 9
baggage claim el reclamo de
    equipaje 9; la sala de
    reclamación de equipaje 9
bake hornear 6
ballad la balada 13
ballet el ballet 1, 14
ballroom dancing el baile de
    salón 14
banana el plátano 6, 8; la
    banana 6
band la banda 4, 14
bank el banco 8; la orilla 5
banner el pendón 15
banquet el banquete 7
bar el bar 2
barbs la púas 12
bargain la ganga 8, 9;
    regatear 8
baritone el barítono 14
baseball el béisbol 4; la
    pelota 7
baseball player el beisbolista
    2
based basado/a 6
basket la cesta 3
basketball el básquetbol
    5, 7
Basque el eusquera 2
bass el bajo 3; el contrabajo
    14
bat el bate 7
bathe bañarse 5
bathroom el baño 5
battery la pila 9
battle la batalla 1
be estar 3, 5, 7, 9; ser 1, 2, 3, 7,
    8, 9
be . . . years old tener...
    años 3
be able poder (ue) 4, 7
be a bother molestar 6, 10
be accustomed to
    acostumbrar 13
beach la playa 5
bead la cuenta 6
beak el pico 8, 9
beans los frijoles 6
bear el oso 3
beat batir 6; latir 15
beautiful bello/a 2;
    hermoso/a 6
beauty la belleza 9
be behind retrasar 4
be born nacer 2
be called llamarse 5
because porque 2; pues 3
become ponerse 5

become accustomed
    acostumbrarse 8
become aware enterarse 15
become happy alegrarse (de) 5
become sick enfermarse 5
bed la cama 5, 10
bedroom el dormitorio 5
beer la cerveza 3, 6
be enough bastar 8
be extremely pleasing
    encantar 6
be familiar with conocer 4
be fascinating fascinar 6
before antes (de) 2, 11
be game animarse 5
begin comenzar (ie) 7;
    empezar (ie) 1, 3, 4, 7, 9;
    iniciar 9
beginning el comienzo 5; el
    inicio 4; el principio 3, 13
be glad alegrarse (de) 5, 10
behind atrás 7; detrás (de) 3;
    tras 15
be interesting interesar 6
be involved involucrar 13
belief la creencia 2
believe creer 2, 6, 10, 12
belly el buche 8
belongings la pertenencias 13
beloved amado/a 13
below debajo (de) 5
be missing faltar 8
bench el banco 8
benefit el beneficio 11
better mejor 3, 5, 9, 10
between entre 3
beverage la bebida 6
be worth valer 9
bicycle la bicicleta 2
big grande 1, 2
bilingual bilingüe 12
bill la cuenta 6
biography la biografía 2
biological biológico/a 10
biology la biología 3
biosphere la biosfera 3
bird el pájaro 5, 9; el ave 3
birth el nacimiento 1
birthday el cumpleaños 1
birthrate el índice de
    natalidad 4
black negro/a 1
blackboard la pizarra 1
blazer el saco 8; la americana
    (*Spain*) 8
bleachers las gradas 15
block el bloque 8; la cuadra 3;
    la manzana (*Spain*) 3, 6
blond rubio/a 2

blood la sangre 11
blood pressure la presión
    arterial 10
blouse la blusa 8
blow soplar 8
blue azul 1
blue-footed booby el booby
    con patas azules 8
board abordar 9; la tabla
    10, 12
boarding gate la puerta de
    embarque 9
boarding pass la tarjeta de
    embarque 9
board of trustees el
    patronato 1
boat el barco 5, 9
body el cuerpo 5, 10
bomb la bomba 15
bone el hueso 10
book el libro 1
bookcase el estante 5
bookstore la librería 3
boots la botas 8
border la frontera 3, 8
bore aburrir 6
boring aburrido/a 1
borrow pedir prestado 6
boss el/la jefe/a 9, 11
bottle la botella 7
bottom el fondo 14
bow el arco 8
box la caja 8
box office la taquilla 8
boy el chico 3; el muchacho 2
boycott el boicot 15
boyfriend el novio 3, 4
bracelet la pulsera 8
branch el ramo 7; la rama 10
brand la marca 12
Brazilian brasileño/a 2
bread el pan 6
break romper 12
break (a bone) romperse (un
    hueso) 10
break down dañarse 15
breakfast el desayuno 2, 6
breathe respirar 10
brief breve 6
briefcase el maletín 4
brightly colored colorido/a 9
brillant brillante 3
bring traer 4, 7, 9, 11, 12
brochure el folleto 9
broken roto/a 2
brother-in-law/sister-in-law
    el/la cuñado/a 4
brother/sister el/la
    hermano/a 3, 4

brown castaño/a 2; color café 1; pardo/a 8
brunette castaño/a 2; moreno/a 2
brush cepillarse 5
bucket la cubeta 5
Buddhist budista 14
building el edificio 8
bull el toro 2
bungee jump hacer salto en bungee 9
burn arder 15
bury enterrar (ie) 14
bus el autobús 5, 9; el camión (Mexico) 8
business el negocio 3
business administration la administración de empresas 3
business letter la carta comercial 11
businessman el hombre de negocios 11
business section la sección financiera 13
businesswoman la mujer de negocios 11
busy ocupado/a 4
but pero 2, 3, 15; sino 1, 15
but rather sino 1, 15
butter la mantequilla 6
buy comprar 2, 8, 9, 11
by por 9
by way of mediante 15

C
cabinet el gabinete 11
cable television la televisión (por cable) 13
cadaver el cadáver 14
café el café 4
cafeteria la cafetería 2
caffeine la cafeína 6
cake el pastel 6; la torta 5
calcium el calcio 10
calculate calcular 7
calculator la calculadora 1
calculus el cálculo 3
call llamar 5
call letters la siglas 7
calm down aquietar 15
calmly tranquilamente 8
calorie la caloría 6
camera la cámara 4
camp acampar 5; el campamento 9
campaign la campaña 12, 15
can poder (ue) 4, 7
Canada Canadá 6

Canadian canadiense 2
canal el canal 13
cancel cancelar 9
cancer el cáncer 10
candidate el/la candidato/a 6, 15
cap la gorra 8
capable capaz 11
capacity la capacidad 11
capital city la capital 1, 2
car el auto 9; el carro 3, 9; el coche 9
carbohydrates los carbohidratos 10
cardiologist el cardiólogo 10
career la carrera 3
careful cuidadoso/a 9
careful, to be tener cuidado 3
Caribbean dance el merengue 7
carpenter el/la carpintero/a 11
carrot la zanahoria 6
carry portar 15
carry out llevar a cabo 5; realizar 11
carved tallado/a 3
carving el tallado 3
cascades la cascadas 9, 11
cash register la caja 8
casserole la cazuela 6
castle el castillo 13
cat el/la gato/a 5, 8
cathedral la catedral 9
Catholic católico/a 9
cause causar 5; la causa 7
cave la cueva 9
CD/DVD player el lector de CD/DVD 12
celebrate celebrar 5
celebration la celebración 7; la fiesta 1, 3
celebrity la celebridad 7
cello el chelo 14
cellophane el celofán 14
cell phone el teléfono celular/móvil 1
Celtic celta 2
cemetery el cementerio 14
censorship la censura 13
censure censurar 13
census el censo 13
centennial el centenario 5
century el siglo 1, 6
CEO el/la jefe/a ejecutivo/a 11
ceramic la cerámica 4
ceremony la ceremonia 4
certain cierto/a 2, 10; seguro/a 4, 5, 10

chain la cadena 8
chair la silla 1
chalk la tiza 1
challenge el desafío 3; retar 5
challenging exigente 3
champagne el champán 8
champion el/la campeón/campeona 7
change cambiar 4; el cambio 4
channel el canal 13
chao chaito 14
chapel la capilla 8
character el carácter 13; el personaje 1
characteristic la característica 11
charade la charada 6
charge cobrar 4
charger el cargador 9
charitable benéfico/a 14; caritativo/a 9
charm el encanto 7
chauffeur el chofer 11
cheap barato/a 1
check revisar 1, 2, 10, 12, 13
check luggage facturar el equipaje 9
cheer animar 3
cheese el queso 6
chef el/la cocinero/a 6, 11
chellist el/la chelista 14
chemistry la química 3
chest el pecho 10
chick la cría 5
chicken el pollo 6, 10
chief el cacique 9
childish infantil 8
children los/las niños/as 1, 7
Chilean chileno/a 2
chill el escalofrío 10
chinchilla la chinchilla 14
Chinese el chino 2
chiropractor el/la quiropráctico/a 10
chocolate cake la torta de chocolate 6
cholera el cólera 5
cholesterol el colesterol 10
choose elegir (i, i) 13, 15; escoger 5
chop picar 6
choreograph coreografiar 14
choreographer el/la coreógrafo/a 14
chores los quehaceres 5
Christian cristiano/a 9

christianize cristianizar 10
Christmas la Navidad 4
chronic crónico/a 10
chronology la cronología 11
chubby gordo/a 2, 5
church la iglesia 7
cinematographer el/la cinematógrafo 13
cinematography la cinematografía 13
circulation la circulación 13
citizen el/la ciudadano/a 15
citizenship la ciudadanía 12
city la ciudad 1, 2
city map el plano de la ciudad 9
civilization la civilización 3
Civil War la Guerra Civil 3
clap la palmada 14
clarinet el clarinete 14
class la clase 1
classic clásico/a 14
classical clásico/a 4
classified ads los anuncios clasificados 11, 13
classmate el/la compañero/a de clase 8
clause la cláusula 10
clean limpio/a 6
clean (the house) limpiar, ordenar (la casa) 5
cleaning service el servicio de limpieza 5
clear claro/a 1, 6; cristalino/a 5; despejado/a 8
clearance sale la liquidación 8
clear the table quitar la mesa 5
clever listo/a 9
client el/la cliente 2
climate el clima 4, 5
climb escalar 9; subir 6
clinic la clínica 11
clip recortar 13
clock el reloj 1
close cerrar (ie) 1; próximo/a 2, 7; unido/a 4
close (to) cerca (de) 2
closed cerrado/a 3
close-knit unido/a 4
closing la despedida 1, 4, 11
cloth la tela 8, 14
clothing la ropa 5, 8; la vestimenta 9
clothing size la talla 8
cloud la nube 8
cloudy nublado/a 7
coach el/la entrenador/a 7

coach class la clase turista 9
coast la costa 2, 6
coat el abrigo 8
coconut el coco 6
code el código 15
coffee el café 6
coffee maker la cafetera 6
coin la moneda 8
coincide coincidir 13
coincidentally por casualidad 10
cold el resfriado 10; frío 3; frío/a 6
cold, it is hace frío 7
collaborate colaborar 9
collar el cuello 15
colleague el/la colega 11
collection la colección 3
cologne la colonia 8
Colombian colombiano/a 2
Colombian currency el bolívar 9
colonizer el/la colonizador/a 9
colony la colonia 8
coloring colorido/a 9
comb el peine 5
combat combatir 9, 15
combatant el/la combatiente 4
combination la combinación 10
comb one's hair peinarse 5
come venir (ie) 4, 7
comedy la comedia 4, 13, 14
comfort la comodidad 14
comfortable cómodo/a 9
comforts las comodidades 9
comic cómico/a 4
comic strip la tira cómica 14
command el mandato 11
commemorate conmemorar 3
comment comentar 5
commentary el comentario 3
commentator el/la comentarista 7, 13
commerce el comercio 3
commission la comisión 8; la tarifa 10
commit cometer 14
commitment el compromiso 7, 11
committee el comité 4
common común 1
commonwealth el estado libre asociado 7
communications las comunicaciones 3
community la comunidad 3

compact disc (CD) el disco compacto 8
companion el/la acompañante 7
company la compañía 13; la empresa 2, 11
compare comparar 5
comparison la comparación 5
compatriot el/la compatriota 5
compensation la recompensa 9
compete competir (i,i) 10
complain quejarse 14
complement complementar 3
complete completo/a 6; cumplir 1
complex complejo/a 10
complicate complicar 11
complicated complicado/a 3
compliment el piropo 9
compose componer 14
composer el/la compositor/a 7, 14
composition la composición 2
comprehension la comprensión 13
computer la computadora 1, 3, 12
computer (electronic) game el juego electrónico 12
computer science la computación 3; la informática 3
conceited ufano/a 8
concept el concepto 4
concert el concierto 2, 3, 4
conclusion el desenlace 11
concrete concreto/a 7
condemn condenar 11
condemned condenado/a 13
condition la condición 5
condor el cóndor 8
conduct dirigir 9, 14
conductor el/la conductora 15; el/la director/a 9, 11, 14
confidence la confianza 10
conflict el conflicto 8, 15
confront enfrentar 7
confuse confundir 10
congested congestionado/a 10
congress el congreso 15
congressman/woman el/la congresista 15
conjecture la conjetura 12
connect conectar 5
connection la conexión 12
connoisseur el conocedor 6

conquer vencer 11
conquest la conquista 3
consensus el consenso 14
consequences las consecuencias 15
conservative conservador/a 13
conserve conservar 7, 8, 12
consider considerar 3
considerate considerado/a 15
considered considerado/a 15
construct construir 2
construction la construcción 2, 5
construction worker el/la obrero/a de construcción 11
consult consultar 9
consultant el/la asesor/a 15
consume consumir 12
consumer el/la consumidor/a 1
consumption el consumo 6
contact contactar 10
contain contener (ie) 3
container el contenedor 13; el envase 12
contaminate contaminar 12
contemporaneous contemporáneo/a 6
content el contenido 10
contest el concurso 13
continue continuar 6
contract contratar 13; el contrato 9, 11
contrast el contraste 6
contribute contribuir 9
contribution el aporte 15
control controlar 13
controversy la polémica 12
conventional convencional 13
conversation la conversación 7
converse conversar 3
convert convertir (ie, i) 9
conviction la convicción 15
convince convencer 2
cook cocinar 6; el/la cocinero/a 6, 11
cookies la galletas 6, 10
cool copado/a 12
cool, it is hace fresco 7
cooler la heladera 7
cooperate cooperar 8
coordinator el/la coordinador/a 11
copper el cobre 6
copy la copia 7
cord la cuerda 14
cordially yours cordialmente 11
corduroy la pana 14

corn el maíz 6
corner la esquina 3
cornet la corneta 14
correct acertado/a 12
correspondent el/la corresponsal 12
corridor el corredor 12
corruption la corrupción 15
cosmopolitan cosmopolito/a 11
cost costar (ue) 2; el costo 13; valer 9
co-star el/la compañero/a de reparto 13
Costa Rican costarricense 3
costly costoso/a 7
costume el disfraz 14
cotton el algodón 8
couch el sofá 5
cough la tos 10; toser 10
cough syrup el jarabe 10
counter el mostrador 9
country el campo 5; el país 2, 8, 15
countryman el paisano 15
coup d'état el golpe de estado 15
couple la pareja 4
course el curso 3; la materia 3; of claro 4
court el tribunal 15; la cancha 2, 3
cousin el/la primo/a 4
cover cubrir 8, 12
covered cubierto/a 8
cover letter la carta de presentación 11
cowardice la cobardía 1
crane la garza 8
crazy loco/a 7
cream la crema 5
create crear 6
creativity la creatividad 2
creator el/la creador/a 8
credit card la tarjeta de crédito 8
creole criollo/a 6
cricket la cigarra 8
crime el crimen 14
critic el/la crítico/a 13
crocodile el cocodrilo 9
cross cruzar 14
crucial indispensable 9
crude grosero/a 15
cruise el crucero 9
crush machacar 11
cry el grito 11; llorar 7
crystalline cristalino/a 5
Cuban cubano/a 2

cuisine la cocina 3
culinary culinario/a 6
culture la cultura 4
cultured culto/a 14
cup/mug la taza 6
cure curar 10
curious curioso/a 7
current actual 10, 15
current events la actualidad 13
curriculum vitae (vita) el curriculum vítae 11
curtain el telón 11
curved curvado/a 9
custard dessert el flan 6
custom la costumbre 6
customer el/la cliente 2
customer service la atención al cliente 8
customs la aduana 9
customs inspector el/la inspector/a de aduanas 9
cut cortar 6
cute bonito/a 2
cycling el ciclismo 7
cypress el ciprés 14

D

daily diario/a 2
dairy products los productos lácteos 6
dam el embalse 10
damage dañar 15; el daño 15; perjudicar 12
dance bailar 2; el baile 3, 14; la danza 14
danceable bailable 9
dancer el/la bailarín/a 14
danger el peligro 5, 9, 12
dangerous peligroso/a 2
daring atrevido/a 12
dark oscuro/a 8
data el dato 1
date la fecha 1, 5
daughter la hija 4, 6
daughter-in-law la nuera 4
dawn el amanecer 11; la madrugada 4
day el día 1
day before yesterday anteayer 6, 8
daycare center la guardería 11
day laborer el jornalero 15
dear querido/a 4
death la muerte 3
debate debatir 14, 15; el debate 15
debut debutar 10; el debut 14; estrenar 13
decade la década 14

decaffeinated descafeinado/a 2
deceit el engaño 4
deceive engañar 13
December diciembre 1
decide decidir 2
declaration la declaración 6
decoration la decoración 3
decrease bajar 4, 12
dedicate dedicar 7
dedicated dedicado/a 9
deep profundo/a 5
defeat rendir (i, i) 13
defect el defecto 13
defend defender (ie) 7
define definir 4
deforestation la deforestación 12
degree el grado 10; el título 2, 6, 12; la licenciatura 3
delay la demora 9, 9
delicious delicioso/a 2; rico/a 2, 4, 6; sabroso/a 6
delight el encanto 7; encantar 6; la delicia 6
Delighted. Encantado/a. 1
delightful encantador/a 2, 4, 14
deliver entregar 1; repartir 11
demanding exigente 3
democracy la democracia 15
democratization la democratización 15
demographic demográfico/a 13
denounce denunciar 4
dentist el/la dentista 10
deny negar (ie) 10
deodorant el desodorante 8
department el departamento 8
department store el almacén 8
departure la salida 2, 6, 9
depopulation la despoblación 12
deposit el depósito 9
derive derivar 6
descend descender (ie) 11
descendant el/la descendiente 3
describe describir 1
description la descripción 5
desert el desierto 4
deserted desierto/a 5
deserve merecer (zc) 2
design diseñar 2; el diseño 3
designer el/la diseñador/a 14

desire desear 3, 9; el deseo 13
desk el escritorio 15
destination el destino 2
destroy destruir 12
detach desprender 10
detail el detalle 6
detain detener (ie) 11; retrasar 4
deteriorate deteriorar 12
detest detestar 11
develop desarrollar 3
developing en vías de desarrollo 4, 15
development el desarrollo 6, 12
diabetes la diabetes 10
diagnosis el diagnóstico 10
diamond de diamantes 8
dictator el/la dictador/a 15
dictatorship la dictadura 15
dictionary el diccionario 1
die morir (ue, u) 7, 8, 12
diet la dieta 10; el régimen 10; la dieta 6, 10
different diferente 8; distinto/a 6
difficult difícil 2, 6, 10
dig cavar 14
dig up desenterrar 5
digital camera la cámara digital 9
dignify dignificar 11
dignity la dignidad 4
dilemma el dilema 10
diminish disminuir 13
dining room el comedor 5
dinner la cena 2, 6
direct dirigir 9, 14
directed dirigido/a 13
directly directamente 7
director el/la director/a 9, 11, 14
dirty sucio/a 6
disabled person el/la discapacitado/a 3
disadvantage la desventaja 6, 11
disappear desaparecer 9
disarm desarmar 15
disarmament el desarme 15
discount el descuento 8
discouraged desanimado/a 12
discover descubrir 6, 12
discovered descubierto/a 13
discrete discreto/a 13
discussion la discusión 8
disguise el disfraz 14
disgust asco 6

dishonest deshonesto/a 15
dishonor deshonrar 11
dishwasher el lavaplatos 5
disillusion defraudar 15; desilusionar 15
disillusionment el desengaño 10
disorder el desorden 8
disorganized desordenado/a 5
disoriented desorientado/a 10
disposed dispuesto/a 13, 14
dispute disputar 7
distance la distancia 8
distant retirado/a 10
distribute repartir 11
diva la diva 14
diversity la diversidad 2
divide partir 11
divorced divorciado/a 4
do hacer 2, 3, 7, 9, 12
doctor el/la doctor/a 10; el/la médico/a 10
doctorate el doctorado 3
doctor's office el consultorio 10
documentary el documental 13
dog el/la perro/a 4, 5, 8
dog walker el/la paseador/a de perros 11
dollar el dólar 6
domestic doméstico/a 3
dominate dominar 12
Dominican dominicano/a 2
donate donar 7
Don't worry. No te preocupes. 10
door la puerta 1
dossier el expediente 11
dot, on the en punto 2
double doble 9
double room el cuarto doble 9
doubt dudar 10; la duda 2
doubtful dudoso/a 10
download bajar 4, 12
downtown el centro 3, 4
dowry el/la dote 15
Do you want go to...? ¿Quieres ir a...? 4
drama el drama 13
dramatic dramático/a 13
dramatize dramatizar 11
draw dibujar 5
drawing el dibujo 5
draw up encoger 8
dream el sueño 6, 12
dream (about) soñar (ue) (con) 4

dress el vestido 7, **8**; vestir (i, i) **5**
dresser la cómoda **5**
drink tomar 2, **6, 12**
drive clavar 15; conducir 2
drug la droga 14
drug addiction la drogadicción **15**
drum el tambor 14
drums la batería 8, 14
dry seco/a 6
dryer la secadora **5**
duck el pato 8
durability la durabilidad 14
during durante 2; por **9**
dust sacudir 15
Dutch holandés/esa 7
duty el deber **15**
DVD el DVD 12
DVD recorder la grabadora de DVD **12**
dynamic dinámico/a 4

E

each cada 5
eager, to be tener ganas **3**
eagle el águila (*fem.*) 12
earbud el casco 12
earbuds los auriculares 12
early temprano/a 2
earn ganar 2, **4, 7**
earrings aretes 8
earth la tierra 10
earthquake el terremoto 14
easily fácilmente 9
easy fácil **2, 6, 7, 10**
eat comer 2, **6, 8, 9, 10, 11, 12**
eat lunch almorzar (ue) 8
ecological ecológico/a 8
economic económico/a 6
economy la economía 3
ecotourism el ecoturismo 4
eco-volunteering el eco voluntariado 5
Ecuadorian ecuatoriano/a 2
edit editar 12
editing la redacción 13
edition la edición 13
editor el editor 13
editorial (page) el editorial 13
editor-in-chief el/la director/a **13**
educate educar 10
education la educación 6; la formación **11**
effective efectivo/a 5
efficient eficiente 11
effort el esfuerzo 4, **15**
egg el huevo 5, **6**

eighth octavo/a **8**
either . . . or o... o 7
elaborate elaborar 15
elaborated elaborado/a 4
elaboration la elaboración 15
elastic el elástico 14
elbow el codazo 15
elect elegir (i, i) 13, **15**
elected electo/a 6
election la elección 7
electrical eléctrico/a 3, **9**
electrical adaptor el adaptador eléctrico **9**
electric current la corriente 9
electrician el/la electricista 11
electricity la electricidad 10
electric razor la máquina de afeitar 5
electrifying electrizante 14
electronic electrónico/a 2, **12**
electronics los aparatos electrónicos **12**
elimination la eliminación 15
emanate emanar 15
embassador el/la embajador/a 7
embassy la embajada 15
emblem el logotipo 12
embrace abrazar 10; el abrazo 2
embroider bordar 4
emerald la esmeralda 9
emerge surgir 15
emergency room la sala de urgencias 10
emotion la emoción 8
emotional emocional 11
empire el imperio 8
employee el/la empleado/a **11**
empty vaciar 5
enchanting encantador/a **2, 4, 14**
enclose encerrar 12
enclosed cubierto/a 8
encounter el encuentro 8
encourage animar 3
end el fin 7; el final **13**; eliminar **15**; terminar 6, 10
endangered species las especies en peligro de extinción **12**
end well salir bien 9
enemy el/la enemigo/a 3
energy la energía 7, **12**
engineer el/la ingeniero/a 3, **5, 11**
engineering la ingeniería 2, **3**
English el inglés **2**
enjoy disfrutar de 6; gozar de 9

enjoy oneself divertirse (ie, i) **5, 7**
Enjoy your meal! ¡Buen provecho! 6
enormous enorme 3
entertain entretener (ie) 5
entertainment el entretenimiento 7
entertainment section la cartelera 13
enthusiastic entusiasta 2
enthusiastically animadamente 9
environment el medio ambiente 5, **12**
environmental ambiental 10
epoch la época 4
equality la igualdad 5
equally igual de 7
equator la línea ecuatorial 8
equipment el equipo 5
equity la equidad 15
eradicate erradicar 6
eruption la erupción 5
escape escaparse 4
escort el/la acompañante 7
especially especialmente 8
essential esencial 13; preciso/a **9**
establish establecer (zc) 12
esteemed estimado/a **11**
eternal eterno/a 8
ethics la ética 11
ethnic étnico/a 10
ethnicity la etnia 13
even incluso 9
evening gown el traje de noche 14
event el acontecimiento 7; el evento 7; la función 4
even though aunque 7
every todo/a/os/as 2, **3**
everyone todo/a/os/as 3
evolution la evolución 8
exaggerate exagerar 6
exam el examen 3
example el ejemplo 2; **for** por ejemplo 6, **9**
excellent excelente 2
exceptional excepcional 7
excessive excesivo/a 12
excess weight el sobrepeso 10
exchange el cambio 4; el intercambio 2; intercambiar 1
exciting emocional 11; emocionante 2
excursion la excursión 6, **9**
excuse la excusa 5

excuse oneself retirarse 11, **15**
execution la ejecución 14
executive el/la ejecutivo/a 3
exercise ejercer 15; ejercicio; hacer ejercicios **7**
exhausted exhausto/a 8
exhibit exhibir 14
exist existir 8
exotic exótico/a 1, **5**
expand ampliar 6
expense el gasto 5
expensive caro/a 1; costoso/a 7
experience experimentar 2; la experiencia 5
expiration date la fecha de vencimiento 10
explain explicar 5; exponer 15
explicit explícito/a 13
exploit explotar 15
exploitation la explotación 7
export exportar 6
exposition la exposición 3
express expresar 15
express an opinion opinar 5
express oneself expresarse 11
extend to abarcar 14; extender (ie) 3
extensive extenso/a 3
extinction la extinción 5
extinguish (fires) apagar (fuegos/incendios) **11**
extraordinary extraordinario/a 11
extreme extremo/a 6
eye el ojo 5

F

fable la fábula 8
fabric la tela 8, **14**
fabricate fabricar 14
fabulous fabuloso/a 2, **7**
face afrontar 15; la cara 5
facilitate facilitar 5
facility la facilidad 11
facing enfrente de 3, **14**
factor el factor 10
factory la fábrica 12
fail (computer disk) fallar 12
fair la feria 9
fairly bastante 3
fall la caída 11
fall down caerse 15
fall asleep dormirse (ue, u) 5
fall in love (with) enamorarse (de) **5**
falls la cataratas 11
false falso/a 2
familiarize oneself familiarizarse 14

family la familia 3, **4**
fan el/la aficionado/a **7**
fanatic el/la fanático/a **2**
fantastic fantástico/a **7, 10**
fantasy la fantasía **14**
far lejos (de) 3
faraway lejano/a **11**
farewell la despedida 1, 4, **11**
farm la granja **15**
farmer el campesino 5; el granjero **15**
fascinating fascinante **1**
fashion la costura **14**; la moda **14**
fashion show el desfile de moda **14**
fat (*adj.*) gordo/a **2, 5**
fat (*noun*) la grasa 6, **10**
father el padre **4**
father-in-law el suegro **4**
fatigue el cansancio 10; la fatiga **10**
favor of, in a favor **15**
fear el temor 15; temer **10**; tener miedo 3, **10**
feature el reportaje **13**; resaltar **7**
February febrero **1**
fee la comisión 8; la tarifa **10**
feel sentirse (ie, i) 5, **8**
feel like tener ganas **3**
feminine femenino/a **6**
femininity la feminidad **14**
ferocious feroz **10**
fever la fiebre **5, 10**
fiber la fibra **10**
fiction la ficción **4**
fifth quinto/a **8**
figure la figura 3, 9; la línea 5, **10**
file archivar **12**
fill completely rellenar **11**
filled relleno/a **6**
filling el relleno **4**
fill out rellenar **11**
fill the dishwasher llenar el lavaplatos **5**
film el cine 2, **13**; filmar **13**; la peli 4; la película 4, **7**; rodar **10**
filming el rodaje 4; la filmación **13**
film noir el filme negro **4**
finally al final 5; por fin 6, **9**; por último **9**
finance las finanzas **3**
financial financiero/a **3**
financial section la sección financiera **13**

find encontrar (ue) 1, 3, **4**
fine la multa 12; multar **12**
fine with me de acuerdo **4**
finger (**toe**) el dedo (del pie) **10**
finish acabar (de) (+ *inf.*) 5, 11, **12**; terminar 6, **10**
fire despedir (i, i) 11, **11**; el fuego 10; el incendio **11**
firefighter el/la bombero/a **10, 11**
firetruck la bomba **15**
fireworks los fuegos artificiales **9**
firm la compañía 13; la empresa 2, **11**
first primer/o/a 2, 7, **8**
fish el pescado 6; pescar **9**
fishing pesquero/a **6**
fit encajar 8; quedar 6, **8**
fitting room el probador **8**
flame la llama **10**
flamenco el flamenco **14**; flamenco/a **2**
flamingo el flamenco **3**
flank flanquear **15**
flash drive la memoria USB **12**
flavor el sabor **1**
fleamarket el mercado callejero **8**
flee huir **14**
flier el volante **5**
flight el vuelo 4, **9**
flight attendant el/la asistente de vuelo **9**
flip-flop la chancla **8**
floor el piso 5, **8**
flour la harina **6**
flourish florecer **15**
flower la flor 7, 9, **10**;
flower bed el cantero de jardín **14**
flower shop la florería **8**
flu la gripa (*Mexico*) **10**; la gripe **10**
flute la flauta **14**
fly volar (ue) **7**
fog la niebla **9**
follow seguir (i, i) 9, **10**
following a continuación 6; siguiente **4**
food la comida 2, 3, 4, **6**
foods los alimentos **10**
fool el/la necio/a **10**
foot el pie **10**
footwear el calzado **8**
for para 1, 9; por **9**
force la fuerza **15**

forecast el pronóstico **4**
foreign extranjero/a **7**
foreigner el/la extranjero/a **7**
forest el bosque 9, 10, **12**
fork el tenedor **6**
form el formulario **11**; formar **8**
formula la fórmula **5**
formulate formular **3**
fortify afianzar (c) 15; fortalecer (zc) 6, **15**
fortress la fortaleza **7**
forum el foro 7, **14**
found fundar **7**
foundation la fundación 7, **13**
founded fundado/a **9**
founding la fundación 7, **13**
fourth cuarto/a 2, **8**
fox el zorro **8**
fragment el fragmento **12**
framework el marco **4**
France Francia **2**
fraud el fraude **15**
free gratis 10; libre **4**
freezer el congelador **6**
French el francés **2**; francés/esa **1**
French fries la papas fritas **10**
frequent frecuente **11**
frequently con frecuencia 5, **8**; frecuentemente **8**
fresh fresco/a **6**
Friday el viernes **1**
fried frito/a **6**
friend el/la amigo/a **1**
from desde **2**
front, in enfrente **12**
frontier la frontera 3, **8**
front of, in delante de 2, **3**
front page la portada 13; la primera plana **13**
fruit el fruto 10; la frutas **6**
fry freír (i, i) **6**
frying pan la sartén **6**
fulfill cumplir **15**
full-time a tiempo completo **11**
fun divertido/a **3**
function funcionar 10, 12; la función **4**
funds los fondos **14**
funny gracioso/a **4**
fur la piel 10, **14**
furnish armar **8**
furnished amueblado/a **5**
furniture los muebles **5**
fury la furia **10**

fuse fusionar **3**
fusion la fusión **14**
future el futuro **12**

G

gabardine (lightweight wool) la gabardina **14**
gain weight engordar **10**; subir de peso **10**
game el partido **5**
game show el concurso **13**
gang member el pandillero **12**
garage el garaje **5**
garbage can el basurero **5**
garden el jardín **5**
garlic el ajo **6**
garment la prenda 9, **14**
gasoline la gasolina **12**
gather congregar **15**
gathering la recolección **10**
GDP el PIB **9**
genealogical genealógico/a **4**
general, in por lo general **9**
generalize generalizar **4**
generally generalmente **9**
generate generar **15**
generation la generación **7**
generous generoso/a **5**
genetic genético/a **10**
genre el género **4**
geography la geografía **3**
geology la geología **3**
German el alemán **2**
gesture el ademán 11; el gesto **14**
get conseguir (i, i) 9, **11**
get angry (with) enojarse (con) 5, **14**
get better mejorarse **10**
get down (from) bajarse (de) **9**
get dressed vestirse (i, i) **5**
get in shape ponerse en forma **10**
get involved in meterse **12**
get off (of) bajarse (de) **9**
get together juntarse **5**
get-together la reunión **2**
get up levantarse **5**
get well mejorarse **10**
gift el regalo **4**
girl la chica 3; la muchacha **2**
girlfriend la novia 3, **4**
give dar 1, **6**
give a gift regalar **13**
glance la mirada **13**
glass el vaso **6**
glass bowl el tazón de cristal **6**
glasses la gafas 15; los lentes **12**

globalization la globalización **4**
global market el mercado global **15**
global warming el calentamiento global **12**
glory la gloria **7**
glove el guante **7**
go ir **1, 3, 8, 10, 12**
goal el gol **7**; el propósito **7**; la meta **7, 11**
go to a nightclub ir a una discoteca **7**
go away alejarse **11**; irse **5**; marcharse **9**
go to bed acostarse (ue) **5**
go bike riding montar en bicicleta **7, 9**
god el dios **8, 9**
God willing Ojalá **9, 10**
gold el oro **1, 8**
gold ring el anillo de oro **8**
golf el golf **2, 7**
good bueno/a **1, 9, 10**; el bien **6**
Good afternoon. Buenas tardes. **1**
Good-bye. Adiós. **1**
good deal la ganga **8, 9**
Good evening. Buenas noches. **1**
good-looking guapo/a **2**
Good morning. Buenos días. **1**
goodness la bondad **7**
goods los bienes **5**
go on an outing ir de excursión **9, 9**
go out dar un paseo **7**; salir **4**
go round recorrer **9**
go shopping ir de compras **8**
gossipy chismoso/a **5**
go up subir **6**
gourd la calabaza **11**
government el gobierno **2, 6, 12, 15**
governmental gubernamental **12**
governor el/la gobernador/a **15**
go well with hacer juego (con) **8**
grab agarrar **11**
grade la nota **3**
grammar la gramática **13**
granddaughter la nieta **4**
grandfather/grandmother el/la abuelo/a **4**

grandma la abuelita (*diminutive*) **4**
grandmother la abuela **4**
grandson/granddaughter el/la nieto/a **4**
grant conceder **2**; otorgar **13**
grapefruit la toronja **6**
grapes las uvas **6**
grave el sepulcro **14**
great fabuloso/a **2, 7**; magnífico/a **7**
Great Depression la Gran Depresión **3**
greed la codicia **10**
green verde **1**
green beans las judías verdes **6**
greeting/s el/los saludo/s **1, 11**
grey gris **1**
grey hair canas **4**
grill la parrilla **6**; la parrillada **11**
grind moler (ue) **4**
groceries los comestibles **9**
groom/bride el/la novio/a **3, 4**
group el conjunto **4, 8, 14**; el grupo **5, 14**
growing creciente **15**
grow up criarse **4**
Guarani language el guaraní **10**
guarantee garantizar **15**
guaranteed garantizado/a **5**
guard el/la guardia **9**
guess adivinar **5**
guest el huésped **5**
guests la visita **5**
guide guiar **10**
guidebook la guía turística **9**
guitar la guitarra **3, 14**
guitar-like instrument el charango **4**
gymnasium el gimnasio **3**
gymnastics la gimnasia **7**
gypsy el/la gitano/a **14**

H

habit el hábito **5**
haggle over regatear **8**
haggling el regateo **8**
hair el pelo **5**
hair dryer el secador **5**
hairstylist el/la peluquero/a **11**
half medio/a **2**
hallway el pasillo **5**
ham el jamón **6**
hamburger la hamburguesa **6**
hammock la hamaca **8**
hand la mano **1, 5, 10**; **by a mano 4**

handicraft la artesanía **3**
hang colgar (ue) **3**
hang-glide hacer parapente **9**
happily alegremente **9**
happiness la felicidad **4**
happy contento/a **5**; feliz **1**
hard drive el disco duro **12**
hard-working trabajador/a **1**
harm el daño **15**; perjudicar **12**
harmful nocivo/a **15**
harp el arpa (*fem.*) **5, 14**
harvest la cosecha **15**
hatchery el criadero **5**
hatred el odio **10**
have tener (ie) **1, 2, 2, 7**
have a good/bad/wonderful time pasarlo bien/mal/de maravilla **7, 9**
have a great time pasarlo bomba **15**
have a picnic hacer un pícnic **7**
have a point tener razon **3**
have breakfast desayunar **4, 6**
have dinner cenar **6**
have fun divertirse (ie, i) **5, 7**
have just (done something) acabar (de) (+ *inf.*) **5, 11, 12**
hay el heno **11**
he él **1**
head encabezar **12**; la cabeza **10**
headache el dolor de cabeza **10**
headline el titular **13**
head office la sede **8, 11**
health la salud **4, 7, 10**
health insurance el seguro médico **11**
healthy saludable **10**
hear oír **6, 8, 12**
heart el corazón **1**
heartrending desgarrador/a **11**
heat calentar (ie) **6**
heaven el cielo **8**
heaven's (lit. God's) sake, for por Dios **9**
heavy pesado/a **12**
heavy rain el chubasco **7**
heel el tacón **8**
height la estatura **5**
helicopter el helicóptero **9**
Hello Hola. **1**
Hello? (on the phone) ¿Bueno? **4**; ¿Diga? **4**; ¿Dígame? **4**
helmet el casco **12**

help ayudar **2**; el socorro **11**; la ayuda **5**
here aquí **1**
heritage el patrimonio **10**; la herencia **15**
Hi. Hola. **1**
high-definition television el televisor de alta definición **12**
high fashion la alta costura **14**
high plateau el altiplano **10**
hike el trekking **9**
hire contratar **11**
Hispanic hispano/a **1**
historical histórico/a **6**
historical center el centro histórico **9**
history la historia **3**
hockey el hockey **7**
Holy Week la Semana Santa **1**
home el hogar **4**
home (*website*) el inicio **4**
homeopathy la homeopatía **10**
homework la tarea **1**
honest honesto/a **11**; honrado/a **11**
honesty la honestidad **15**; la honradez **15**
honored honrado/a **11**
hood la capucha **8**
hope la esperanza **8**; **for** esperar **7, 10**
horn el claxon, la coraneta **15**
horoscope el horóscopo **13**
horrified horrorizado/a **14**
horseback riding montar a caballo **9**
hospital el hospital **3**
host/hostess el/la anfitrión/anfitriona **7**
hot caliente **6**
hot, it is hace calor **7**
hot, to be tener calor **3**
hotel el hotel **9**
house albergar **3**; la casa **4, 5**
house specialty la especialidad de la casa **6**
housing la vivienda **15**
how cómo **1, 2**
How . . . ? ¿Cómo...? **2**
How about . . . ? ¿Qué tal sí...? **4**
How are you? (*for.*) ¿Cómo está usted? **1**
How are you? (*inf.*) ¿Cómo estás? **1**
How awesome! ¡Qué padre! **4**

How do you spell . . . ?
¿Cómo se escribe…? **1**
how much/many cuanto/a **1**
How revolting! ¡Qué asco! **6**
How terrific! ¡Qué bárbaro! **9**
hug el abrazo **2**
human humano/a **10**
human being el ser humano **6**
humanist humanista **8**
humanity la humanidad **11**
human resources los recursos humanos **3**
human rights los derechos humanos **4, 8, 15**
humble humilde **6**
humidity la humedad **7**
humility la humildad **15**
humorous humorístico/a **4**
hundred cien(to) **5**
hundreds los centenares **4**
hunger el hambre **3**
hunting la caza **10**
hurricane el huracán **4**
hurry tener prisa **3**
hurt doler (ue) **10**
hurt oneself hacerse daño (*Spain*) **10**; lastimarse **10**
husband el esposo **1, 3, 4**
hybrid híbrido/a **3**
hyperlink el enlace **12**; el hipervínculo **12**
hypermarket el hipermercado **6**
hypothesis la hipótesis **3**
hypothetical hipotético/a **13**

I

I yo **1**
I am… Soy… **1**
Iberian ibero/a **2**
ice el hielo **7**
ice cream el helado **6**
ice cream shop la heladería **8**
ideal el ideal **1**
idealistic idealista **1**
identify identificar **7**
identity la identidad **13**
ideology la ideología **4**
I don't know. No sé. **1**
I don't understand. No comprendo. **1**
I have tengo **1**
I hope Ojalá **9, 10**
I like Me gusta… **2**
I'll come by for you. Paso por ti. **4**
illegality la ilegalidad **7**
illness la enfermedad **5, 6, 10**

illogical ilógico/a **10**
illuminate iluminar **8**
illusion la ilusión **9**
illustrate ilustrar **10**
image la imagen **8**
imagine imaginar **10**
immediate inmediato/a **9**
immediately inmediatamente **9**
immense inmenso/a **8**
immigration la inmigración **15**
immorality la inmoralidad **7**
immunology la inmunología **1**
impassion apasionar **6**
impatient impaciente **1**
implement implementar **12**
import importar **12**
important importante **9**
impossible imposible **9, 10**
impresario el empresario **10**
impress impresionar **6**
impressive impresionante **14**
improve mejorar **6, 7, 15**
improvise improvisar **14**
I'm sorry. Lo siento. **4, 5**
in addition además **4, 9**
in agreement de acuerdo **4**
inaugurate inaugurar **5**
Inca inca **15**
in case en caso de que **11**
in cash en efectivo **8**
incentive el incentivo **11**
include incluir **4**
including incluso **9**
incorporate incorporar **6**
increase aumentar **6, 15**; el aumento **4, 6, 11**
incredible increíble **7, 10**
indefinite indefinido/a **7**
index el índice **13**
indicate indicar **6**
indifferent indiferente **8**
indigenous indígena **3**
industry la industria **6**
inexpensive barato/a **1**
infection la infección **10**
inflation la inflación **15**
influence influir **2**; la influencia **3**
influenced influido/a **12**
influential influyente **9, 13**
inform informar **7**
information el dato **1**
ingredient el ingrediente **6**
inhabit habitar **6**
inhabitant el/la habitante **8**
iniciate iniciar **13**

initiated iniciado/a **9**
initiative la iniciativa **11**
injury la lesión **10**
injustice la injusticia **15**
ink la tinta **12**
in-laws la familia política **4**
inn el hostal **9**
in need necesitado/a **7**
inner ear el oído **10**
innovative innovador/a **14**
in order that a fin de que **11**; para que **11**
in order to para **1, 9**
insert insertar **8**
inside of dentro de **5**
insist (on) insistir (en) **9**
inspect inspeccionar **14**
inspiration la inspiración **6**
inspiring inspirador/a **14**
install instalar **12**
instance la vez **5**
instrument el instrumento **2, 14**
in style de moda **8**
intact intacto/a **3**
integration la integración **11**
intelligent inteligente **1**
intense intenso/a **8**
interest el interés **8**
interesting interesante **1, 3**
international internacional **2**
internship el internado **10**
interpreter el/la intérprete **4, 11**
intervention la intervención **15**
interview la entrevista **2, 11**
interviewer el/la entrevistador/a **7**
intimate íntimo/a **10**
intonation la entonación **14**
intrigue la intriga **10**
introduction la presentación **1**
introverted introvertido/a **1**
invasion la invasión **7**
invent inventar **5**
invest invertir **15**
investigate investigar **6**
investigation la investigación **3**
invitation la invitación **4**
invite invitar **3, 4**
Irish el/la irlandés/esa **9**
iron el hierro **6**; la plancha **5**; planchar **5**
iron grill la verja **12**
ironic irónico/a **14**
island la isla **2, 7, 9**
it lo/la **4**

Italian el italiano **2**
itinerary el itinerario **4**
It's all the same me. Me da igual. **7**
I would love to. Me encantaría. **4**

J

jacket la chaqueta **8**
jaguar el jaguar **9**
jail la cárcel **15**
January enero **1**
Japanese el japonés **2**
jealous celoso/a **11**
jealousy los celos **11**
jeans los jeans **8**; los mecánicos (*Cuba*) **8**; los pantalones de mezclilla (*Mexico*) **8**; los tejanos (*Spain*) **8**; los vaqueros (*Spain*) **8**
Jesuit el jesuita **10**
Jew el/la judío/a **2**
jewel la joya **8**
jewelry store la joyería **8**
Jewish judío/a **14**
job application la solicitud de empleo **11**
job candidate el/la aspirante **11**
job search la búsqueda de empleo **11**
jog hacer footing **7**; hacer jogging **7**
join incorporarse **7**
join together unirse (a) **4, 15**
joke la broma **11**
journalist el/la periodista **10, 11, 13**
judge el/la juez/a **8, 15**
juice el jugo **6**; el zumo **6**
July julio **1**
June junio **1**
jungle la selva **5, 9, 10, 12**
junk food la comida basura **10**; la comida chatarra **10**; la porquería **10**
jury el jurado **14**
just justo/a **11**
justice la justicia **7, 15**
justify justificar **14**
juvenile juvenil **7**

K

keep guardar **6, 10**
key la clave **11**; la llave **12**
keyboard el teclado **12**
kick patear **7**
kidnap secuestrar **4**

kill matar 10
kilogram el kilo 6
kind simpático/a **1**, 8
king el rey **15**
kingdom el reino 8
kiss el beso 4
kitchen la cocina 3, **5**
kite el papalote 7
knee la rodilla **10**
knife el cuchillo **6**
knot el nudo 15
knotted anudado/a 15
know conocer (zc) **4**; saber 2, 4, 6, 7, **9**, 10
know-it-all el/la sabelotodo 4
knowledge el conocimiento 2
known conocido/a 6
Korean el coreano **2**

L

laboratory el laboratorio 2, 3
lack faltar 8; la falta 12
lake el lago 8, **9**
lamp la lámpara **5**
lance la lanza 10
land aterrizar 9; el terreno 4; la tierra 10
landowner el terrateniente 5
landscape el paisaje 1
lane la vía **5**
language el idioma 7; la lengua 2, **10**
languish languidecer 11
laptop computer la computadora portátil 1
last durar 7; pasado/a 6; último/a 2, 4, 7
lasting duradero/a **15**
last night anoche 6, **8**
late tarde **2**
lately últimamente 15
later luego **1**
latest último/a 2, 4, 7
laugh reírse (i, i) 13
laughter la risa 13
launch lanzar 7
law el derecho 3, **15**; la ley 6, **15**
lazy perezoso/a **1**
leader el/la líder 15
leadership el liderazgo 9
leading lady la primera actriz 13
leading man el galán 13
leaf la hoja 5
leaf through hojear 13
leap saltar 8
learn aprender 2, 7
leather el cuero 2, **8**; la piel 10, **14**

leave dejar (de) 3, **6**, **10**, **11**; irse **5**; salir **4**
lecture la conferencia 2
leftovers los restos 10
leg la pierna **10**
legend la leyenda 5
leisure el ocio 4
lemon el limón 6
lemonade la limonada 6
lend prestar 15
Lent la Cuaresma 9
less menos 2
less . . . than menos... que **5**
lessen disminuir 13
lesson la lección **1**
let go soltar (ue) 2
Let's get to work! ¡Manos a la obra! **11**
let's go vamos 4
letter la letra **2**, 3
letter of recommendation la carta de recomendación **11**
lettuce la lechuga 6
level el nivel 10
lexicon el léxico 15
liberate liberar 9
librarian el/la bibliotecario/a 15
library la biblioteca 2
life la vida 2
lifeless desanimado/a 12
lift levantar 5
lift weights levantar pesas 7
light (color; *adj.*) claro/a 1, 6
light (*noun*) la luz 5
like gustar 2, **6**
likewise igualmente 1
lily la azucena 10
limit el límite 6; limitar 10
limousine la limosina 14
line la cola 9; la línea 5, **10**
linguistic lingüístico/a 13
lip el labio 5
lip gloss el brillo de labios 5
listen escuchar 1, 2
Listen. Oye. (*command*) 7
literature la literatura 3
little nun la monjita 14
live habitar 6; vivir 1, 2, 5, 6, 12
live television la televisión en vivo y en directo 13
living room la sala 3, **5**
loan el préstamo 11
located ubicado/a 8
location la ubicación 5
logical lógico/a 5, 7, **10**
long largo 5
long as, as mientras que 11

long-form pleno/a 13
look for buscar 1, **2**
look at mirar 2
loosen desprender 10
lose perder (ie) 4
lose weight adelgazar **10**; bajar de peso 10
loss la pérdida 10
lost perdido/a 4
love amar 6; el amor 6; querer (ie) **7**, 8, **9**
lover el/la amante 6
lower bajar 4, **12**
lozenge la pastilla 10
luck la suerte 7
lukewarm tibio/a 7
lunch el almuerzo 2, **6**
lungs los pulmones 10
luxurious lujoso/a 5
luxury el lujo 9
lying mentiroso/a 6
lyric la letra 2, 3

M

macaw el guacamayo 5
machine la máquina 11
magazine la revista 7, **13**
magic la magia 14
mail el correo 2
mail carrier el/la cartero/a 11
maintain mantener 4, 12
make fabricar 14; hacer 2, 3, 7, 12
make a mistake equivocarse 9
make an appointment hacer una cita 10
make difficult dificultar 4
make matters worse, to para colmo 13
make sick enfermar 5
make the bed hacer la cama 5
make up confeccionar 15
makeup el maquillaje 5
mall el centro comercial 8
mama la mamá 4
man el hombre 1
manager el/la gerente 9, 11
manufacture fabricar 12
manufacturer el fabricante 12
many as, as tantos/as... como 5
map el mapa 1
maracas las maracas 14
marathon el maratón 6
Marathon in Madrid Mapoma 1
March marzo 1
Mardi Gras el carnaval 9

margin el margen 11
marimba la marimba 14
marine marino/a 6
mark marcar 7
marker el marcador 1
market el mercado 5, **8**
married casado/a 4
marry casarse 4
marvelous maravilloso/a 4
marvelously maravillosamente 9
mash machacar 11
Mass la misa 7
the masses el pueblo 4, 10, **15**
massive masivo/a 5
master/mistress el/la maestro/a 15
masterpiece la obra maestra 4
match el partido 5; **with** hacer juego (con) 8
mathematics las matemáticas 2, 3
matrimony el matrimonio 4
matter el asunto 15
mature maduro/a 6
May mayo 1
mayor el/la alcalde/sa 15; el/la intendente 15
me me 4; mí 6; **with** conmigo 4
meal la comida 2, 3, **4**, **6**
mean significar 13
meaning el significado 2
means los medios 13, 14
measure la medida 12; medir (i, i) 6
measurement la medida 12
meat la carne 6
mechanic el/la mecánico/a 11
media los medios 13, 14
medical médico/a 10
medical checkup el examen físico 10
medicine la medicina 3, **10**
meeting la reunión 2
meet up with someone encontrarse (ue) con 5
meet with someone reunirse 11
member el miembro 4
memorize memorizar 10
memory el recuerdo 6, 9; la memoria 6
memory card la tarjeta de memoria 9
men's shirt typical of the Caribbean la guayabera 12
mention mencionar 6

menu el menú **6**
merit el mérito **11**
message el mensaje **2**
metal sheet la plancha **5**
meteorologist el/la hombre/mujer del tiempo **13**
meter el metro **8**
Mexican mexicano/a **2**
Mexican-American chicano/a **12**
microphone el micrófono **15**
microscope el microscopio **1**
microwave el microondas **6**
midnight la medianoche **2**
migrant migrante **15**
migration la migración **4**
mile la milla **15**
military militar **4**
milk la leche **6**
milky lácteo/a **10**
millennium el milenio **3**
million el millón **2**
mind, in en mente **15**
mine mío/a/os/as **13**
minimum (*adj.*) mínimo/a **9**
minimum (*noun*) el mínimo **5**
minimum wage el sueldo mínimo **11**
minister el/la ministro/a **4, 6, 15**
minority la minoría **13**
minute el minuto **6**
misery la miseria **8**
Miss la señorita (Srta.) **1**
miss (someone) extrañar **4**
mistaken equivocado/a **15**
mix amasar **10**; mezclar **5, 6**
mixed fibers de mezclilla **8**
mixed race mestizo/a of **4**
mixture la mezcla **2**
mobility la movilidad **6**
model el/la modelo **14**
mode of transportation el medio de transporte **5**
moderation la moderación **10**
moderator el/la presentador/a **12, 13**
modern moderno/a **3**
molar la muela **10**
monarchy la monarquía **15**
Monday el lunes **1**
monetary unit of Panama el balboa **5**
money el dinero **4**
monotonous monótono/a **11**

monounsaturated (polyunsaturated) fats las grasas monoinsaturadas (polliinsaturadas) **10**
month el mes **1**
monument el monumento **8, 9**
moon la luna **8**
Moor (Arab) el/la moro/a **13**
moral la lección **1**; la moraleja **8**
morality la moralidad **2**
more . . . than más... que **5**
More or less. Más o menos. **1**
morning la mañana **1, 2, 8**
mother la madre **4**
mother-in-law la suegra **4**
motivate motivar **13**
motive el motivo **10**
motto el lema publicitario **13, 15**
mount montar **11**
mountain la montaña **2, 9**
mountain climbing el alpinismo **6, 7**
mountainous montañoso/a **4**
mourning el luto **6**
mouse el ratón **12**
mouth la boca **10**
move la mudanza **14**
movement el movimiento **8**
move up ascender (ie) **11**
movie el papel **13**; la peli **4**; la película **4, 7**
movie theater el cine **2, 13**
mp3 player el reproductor de mp3 **12**
Mr. el señor (Sr.) **1**
Mrs. la señora (Sra.) **1**
much as, as tan... como **5**; tanto... como **5**
multinational multinacional **15**
muralist el/la muralista **3**
murderer el asesinato **15**
muscle el músculo **10**
muscular musculoso/a **13**
museum el museo **2, 3**
music la música **1, 14**
musician el/la músico/a **8, 14**
Muslim el/la musulmán/ana **13**
mutton el carnero **6**
mutual mutuo/a **6**
my mi/mis **1, 3**; mío/a/os/as **13**
My name is . . . Me llamo... **1**; Mi nombre es... **1**
mysterious misterioso/a **1**
mystery el misterio **1**
myth el mito **10**

N

name el nombre **1**; nombrar **7**
napkin la servilleta **6**
narration la narración **12**
narrator el/la narrador/a **14**
narrow angosto/a **12**; estrecho/a **5, 8**
nation la nación **1**
nationality la nacionalidad **2**
natural disaster el desastre (natural) **13, 15**
nature la naturaleza **5, 12**
nausea la náusea **10**
navigable navegable **5**
navigator el/la navegante **7**
nearby cerca (de) **2**; cercano/a **8**; próximo/a **2, 7**
necessary necesario/a **7, 9**
neck el cuello **15**
necklace el collar **8**
need necesitar **1, 9**
negative negativo/a **7**
neighbor el/la vecino/a **5**
neighborhood el barrio **3**
neither tampoco **7**
neither... nor ni... ni **7**
nervous nervioso/a **3, 5**
nest el nido **11**
network la red **6**
never jamás **4**; ninguna vez **7**; nunca **7**
nevertheless sin embargo **7**
new novedoso/a **12**; nuevo/a **2**
newlyweds los recién casados **4**
news las noticias **13**; la novedad **13**
newscast el noticiero **13**
newscaster el/la comentarista **7, 13**
news online las noticias en línea **13**
newspaper el periódico **2, 4, 7**
New Year's Eve la Nochevieja **9**
New Yorker neoyorquino/a **12**
next próximo/a **2, 7**
next to al lado (de) **3**
nice simpático/a **1, 8**
nickname el apodo **2**
night la noche **2**
nightstand la mesa de noche **5**
ninth noveno/a **8**
nobility la nobleza **15**
nobody nadie **7**
nomination la nominación **13**
none ningún/ninguna **7**; ninguno/a **6, 7**
noon el mediodía **2**
no one nadie **7**; ninguno/a **6, 7**

normally normalmente **9**
nose la nariz **5**
not believe no creer **10**
not be sure of no estar seguro/a (de) **10**
note anotar **5**; el apunte **5**
notebook el cuaderno **1**
not either tampoco **7**
nothing nada **6, 7**
notice el aviso **13**
notify notificar **14**
notion la noción **13**
not think no pensar (ie) **10**
noun el sustantivo **1**
nourish alimentar **11**
novel la novela **2, 7**
novelist el/la novelista **2**
November noviembre **1**
now ahora **2**; for now por ahora **9**
nowadays hoy en día **3**
nuclear plant la planta nuclear **12**
nucleus el núcleo **4**
number el número **5, 8**
nurse el/la enfermero/a **11**
nursery la guardería **11**
nutrition la alimentación **6**
nylon el nilón **14**

O

obesity el sobrepeso **10**
object el objeto **9**
objective el propósito **7**
obligation el compromiso **7, 11**; la obligación **15**
oblige obligar **6**
observatory el observatorio **3**
observe observar **5**
obtain conseguir (i, i) **9, 11**; obtener (ie) **11**
occupy ocupar **7**
occur ocurrir **5, 7**
ocean el mar **2, 6, 7**; el océano **5**
October octubre **1**
odor el olor **8**
of course por supuesto **7, 9**
offer la oferta **1**; ofrecer (zc) **3**
office el despacho **11**; la oficina **2**
official oficial **12, 13**
often menudo a **8**
oil el aceite **6**; el petróleo **9**
oil well el pozo de petróleo **12**
old antiguo/a **5**; viejo/a **2**
older mayor **4**
old person el/la anciano/a **12**

olive la aceituna 6
Olympic Games los Juegos Olímpicos 3
omelet la tortilla 2, 6
on sobre 5
once una vez 5
once in a while de vez en cuando 5
one un/o/a 1
one must hay que 8
one time una vez 5
onion la cebolla 3, **6**
online newspaper el periódico digital **13**
only solamente 3; solo 3; único/a 5, 8, 10
on one's own por su cuenta 7
on sale en rebaja **8**; en venta 5
on the contrary por el contrario 8
on time a tiempo 3
open abrir 1, 2, 12
opera la ópera 1, 14
opinion la opinión 2
opponent el/la contrincante **15**
opportune oportuno/a 13
opportunity la oportunidad 4
oppression la opresión 15
optimistic optimista 1
opulence la opulencia 4
or o 1
orange anaranjado/a 1; la naranja **6**
orchestra la orquesta 4, 14
order el orden 4
organic orgánico/a 6
organization la organización 7
orginate from provenir 9
orientation la orientación 10
origin el origen 3
originality la originalidad 13
ornament el ornamento 8
other otro/a 2
our/s nuestro/a/os/as 3, 13
outer ear la oreja 10
outfit el conjunto 4, 8, 14
outgoing extrovertido/a 1
outrage la barbaridad 5
outside al aire libre 4; fuera 5
outskirts las afueras 9
outstanding destacado/a 12
oven el horno 6
overcome superar 12
overcoming la superación 11

overconsumption el sobreconsumo 12
overpopulation la sobrepoblación 13
overstuffed chair el sillón 5
owe (ought do something) deber (+ *inf.*) 2
own propio/a 13
owner el/la dueño/a 15
oxygen el oxígeno 10

P

pacifist el/la pacifista 15
pack (the suitcases) hacer (las maletas) 9
packaged empaquetado/a 10
page la página 1
pageant el concurso 13
pain el dolor 10
painted pintado/a 3
painter el/la pintor/a 1
painting el cuadro 5; la pintura 2
pair emparejar 5
pajamas la pijama 12
palace el palacio 3
Panamanian panameño/a 2
Panamanian embroidery la mola 5
pancakes los panqueques 10
pan pipe la zampoña 8
pants los pantalones 8
paper el papel 1
papier mâché el papel maché 3
parade el desfile 2
paradise el paraíso 2
paragraph el párrafo 5
parents los padres 2
park el parque 1; estacionar 11
parliament el parlamento 15
parody la parodia 13
parrot el loro 9
parsley el perejil 6
part la parte 3
participant el/la participante 1
participate participar 5
particularly particularmente 9
partisan partidario/a 4
partner la pareja 4
part-time tiempo parcial 11
party la fiesta 1, 3
pass (a test) pasar 5
passenger el/la pasajero/a **9**
passion la pasión 4, 13
passport el pasaporte 9
pass through (. . .) pasar por (...) **9**

past el pasado 15
pastime el pasatiempo **7**
path el camino 2
patient el/la paciente **10**; paciente (adj.) 1
patio el patio 5
pay (in cash) pagar (en efectivo) **8**
pay attention hacer caso 13
payment el pago 3; la remesa 4
peace la paz 1, 4, 10, **15**
pearls las perlas 8
peasant el campesino 5
pedicure la pedicura 10
peel pelar 6
pen el bolígrafo 1
pencil el lápiz 1
penguin el pingüino 6
penicillin la penicilina 10
peninsula la península 3
people, the el pueblo 2, 4, 10, **15**; la gente 1, 8, **13**
pepper la pimienta **6**
perch posar 13
percussion la percusión 14
percussionist el/la percusionista 14
perfect perfeccionar 10; perfecto/a 2, **7**
perform interpretar (*Spain*) 14; representar 6, 8, **13**, 14
perfume el olor 8; el perfume 8
perfume shop la perfumería **8**
perhaps quizás 10; tal vez **10**
permanent permanente 3
permit el permiso 3; permitir 2, 7, **9**
perseverance la perseverancia 13
person la persona 1
personality la personalidad 7
personnel el personal 11
pertaining to en torno a 3
Peruvian peruano/a 2
perversity la perversidad 7
pessimistic pesimista 1
pesticides los pesticidas **12**
pet la mascota 6
pharmacy la farmacia 8
philharmonic filarmónico/a 14
philosophy la filosofía 15
photocopier la fotocopiadora 12
photocopy fotocopiar 12
photograph la foto 7

photographer el/la fotógrafo/a 1
phrase la frase 5
physical físico/a 5
physics la física **3**
piano el piano 14
pick up recoger 5
pickup truck el camión 9; la camioneta 1
picture el cuadro 5
pie el pastel 6
piece el pedazo 6; la pieza 3, 14
pile el montón 11
pilgrim el/la peregrino/a 13
pill la pastilla 10
pilot el/la piloto 9
pinch la pizca 6
pink rosado/a 1
pirate el pirata 7; piratear 11
pity la pena 8
place el lugar 7; el sitio 4
plaid de cuadros 8
plains of Argentina las pampas 11
plan planear 14
plane el avión 9
plant plantar 12
plastic el plástico 3
plate el plato 6
platform la plataforma 15
play jugar (ue) a 4
play (an instrument) tocar (un instrumento) 3, **4**
play (theater) la obra 2, **13**
player el/la jugador/a 2
please complacer 11; por favor 1, 7, **9**
Pleased meet you. Encantado/a. 1; Mucho gusto. 1
pleasure el gusto 5; el placer 6
plumage el plumaje 9
plumber el/la plomero/a **11**
podcast listener el/la oyente de podcast 13
poet el/la poeta 2
point of view el punto de vista 6
point out señalar 12
police la policía 9
polish pulir 12
political político/a 6, **15**
political cartoon la caricatura política 13
political post el cargo político 15
political science la ciencias políticas 3

politician el político 15
politics la política **15**
poll la encuesta 10
pollute contaminar 12
pollution la contaminación **7**
polyester el poliéster **14**
pool la piscina **7**
poor pobre **2**
population la población 2
pork el cerdo 10
Portuguese el portugués 2
Portuguese person el/la portugués/esa 9
position el cargo 11; el puesto 2, 11
position (job) el puesto **11**
possible posible **10**
postcard la tarjeta postal **9**
poster el cartel 7
post online enviar 12
potato chips la papas fritas **10**
potatoes la papas **6**
pound la libra 10
poverty la pobreza 6, 9, **15**
power el poder 11, **15**
practice (a sport) practicar (un deporte) 2
praise la alabanza 12
precious precioso/a 6
pre-Colombian precolombino/a 5
predecessor el/la predecesor/a 6
predictable predecible 4
predominant predominante 9
predominate predominar 8
prefer preferir (ie, i) 2, **4**
preference la preferencia 5
prehispanic prehispánico/a 3
prehistoric prehistórico/a 3
preoccupation la preocupación 10
preparation la preparación 6
prepare preparar **2**
prescription la receta 9, **10**
present presenciar 14
present oneself acudir, presentarse 11
preserve conservar 7, 8, **12**
preside presidir 15
presidency la presidencia 15
president el/la presidente/a 5, **15**
president's office (Univ.) la rectoría 3
press la prensa 4, **13**
press conference la conferencia de prensa 15
pretend fingir 11

pretty bonito/a **2**; lindo/a 12
prevalent prevaleciente 15
preventable prevenible 7
previous previo/a 2
price el precio 2, 5, **8**
prickly plant la ortiga 1
prince el príncipe 2
princess la princesa 7
print imprimir **12**
printer la impresora 12
priority la prioridad 13
pristine prístino/a 9
privacy la privacidad 5
private privado/a 3
prize el premio 4, 5, 8, **13**
probably probablemente 3
problem el problema 5
process el proceso 15
procession la procesión 1
produce producir (zc) 6
producer el/la productor/a 13
product el producto 2, 8
profession la profesión **11**
professor el/la profesor/a **1**
profile el perfil 1
profit el fruto 10
profound profundo/a **5**
profoundly profundamente 10
program programar 4, **12**
programmer el/la programador/a 12
programming la programación 13
progress el progreso 15
prohibit prohibir 8, **9**
prohibited prohibido/a 6
project el proyecto 5, 9
prolific prolífico/a 2
prominent prominente 9
promise la promesa 6; prometer 6
promote ascender (ie) **11**; impulsar 15; promocionar 10; promover (ue) **15**
promotion la promoción 11
pronounce pronunciar 6
property la propiedad 10
proportion proporcionar 1, 10
propose proponer 6
protagonist el/la protagonista 13
protect proteger (j) 5, 6, 8, **12**
protected protegido/a 6
protection la protección 10
proteins la proteínas 6, **10**
protest la manifestación 15; protestar 15
proud orgulloso/a 2
prove comprobar (ue) 15

provide proporcionar 1, 10
provided (that) con tal (de) que 11
provisions los comestibles 9
provoke provocar 10
psychologist el/la psicológico/a 11
psychology la psicología 3
public el público 12, **13**; público/a 3
public debt la deuda pública 15
public health la sanidad 15
publicist el/la publicista 7
publicity (*adj.*) publicitario/a 13
publicity (*noun*) la publicidad 6
publish publicar 6
Puerto Rican puertorriqueño/a 2
punctually puntualmente 9
punish castigar 10
punishment la penalización 15
pure puro/a 7
purity la pureza 1
purple morado/a 1
purse el bolso 7, **8**
push impulsar 15
put poner 4, 7, 12
put in bed acostar (ue) 5
put out apagar (fuegos/incendios) 11, **12**
pyramid la pirámide 3

Q

qualifications las calificaciones, caulificaciones **11**
quality la calidad 13; la cualidad 14
quantity la cantidad 6
quarter cuarto/a 2, **8**
quartet el cuarteto 14
queen la reina 15
question la pregunta 1
questionnaire el cuestionario 10
quit (doing something) dejar (de) 3, **6**, 10, 11
quite bastante 3

R

race trazar; la raza 9
racket la raqueta 7
radioactivity la radioactividad 12
radio listener el/la radioyente **13**
radio station la estación de radio 13, **13**

radio station (business entity) la emisora **7**
raging furibundo/a 14
rain la lluvia 7; llover (ue) **7**
rain forest el bosque pluvial 12
raise criar 7; el aumento 4, 6, 11; subir 6
raise public consciousness concienciar al público 15
raisin la pasa 6
raising la cría 5
ranch la estancia 11
rapid rápido/a 2
rapidly rápidamente 9
rate la tasa 11
rate (of unemployment) la tasa (de desempleo) 15
rayon el rayón **14**
razor blade la navaja de afeitar 5
reach alcanzar 2
reachable alcanzable 12
react reaccionar 7
reaction la reacción 7
read leer 1, 2, 7, **12**
reader el/la lector/a 7, **13**
ready dispuesto/a 13, **14**; listo/a 9
real estate los bienes raíces 5
realistic realista 1
Really? ¿De verdad? 1
really realmente 6
really beautiful bellísimo/a 6
reason la razón 4
reasonable razonable 12
rebellion la rebelión 15
receipt el recibo 8
receive recibir 2
receiver el receptor 12
recently recientemente 6
receptionist el/la recepcionista 5
rechargeable recargable 12
recipe la receta 6
reciprocal recíproco/a 11
recognized reconocido/a 3
recommend recomendar (ie) **9**
record grabar 7, **13**
recorded grabado/a 13
recording la grabación 9
rectify rectificar 15
recuperate recuperar 2
recycle reciclar 7, 12, **12**
recycling el reciclaje 12
red rojo/a 1
reduce reducir (zc) 15
refer referir (ie, i) 14
referee el árbitro 5
reflect reflejar 3

reforestation la reforestación **12**

refreshment el refresco 3, 4, **6**

refrigerator el frigorífico **6**; el refrigerador **6**; la nevera **6**

refuge el refugio 3

region la región 6

regret lamentar **10**; sentir (ie, i) 9, **10**

regrettable lamentable **10**

rehearsal el ensayo 10, **13**

rehearse ensayar 11, **13**

reincarnate reencarnar 13

reject rechazar **4**

relate relatar 7

relation la relación 4

relationship la relación 6

relative relativo/a 15

relative (family) el/la pariente **4**

relaxation el relajamiento 10

religious religioso/a 15

remain permancer 2; quedar **6**, 8; quedarse 7, **9**

remains los restos 10

remedy el remedio **10**; remediar 13

remember recordar (ue) 7

remittance la remesa 4

remote remoto/a 4

remove quitar 5; remover (ue) 14

renewable renovable 11

renounce renunciar 11

renown el renombre 14

rent alquilar 5; el alquiler 15

repair reparar **11**

repeat repetir (i, i) **1**

Repeat, please. Repita por favor. **1**

repentant arrepentido/a 10

repertoire el repertorio **14**

repopulation la repoblación 12

report informar **13**; reportar 13

reporter el/la reportero/a 4, 7, **13**

represent figurar 2; representar 6, 8, 13, 14

representative el/la representante **15**; representativo/a 2, 3

reproduce reproducir (zc) 5, 14

republic la república **15**

request el pedido 9; pedir (i, i) **6, 9, 10, 11**

requirement el requisito 3, 5

rescue el rescate 9

research investigar 8; la investigación 3

researcher el/la investigador/a 3

reservation la reservación 6; la reserva/reservación **9**

residence la residencia 2

resource el recurso **12**

respect el respeto 15; respetar 6

respectful respetuoso/a 12

respect to, with acerca de 8

respiratory respiratorio/a 10

respond responder 6

response la respuesta 1, **1**

responsibilities las responsabilidades 11

responsible responsable 3

rest descansar 10; el descanso 10; **the rest** los demas 10; el resto 2

restaurant el restaurante 6

restock reponer **10**

result el resultado 5, 6

retire jubilarse 11; retirarse 11, 15

retiree el/la jubilado/a 3

retirement plan el plan de retiro **11**

return regresar 6; regreso de 11; volver (ue) **4**, 7, **12**

return (something) devolver (ue) **8, 9**

reveal revelar 6

revenge la venganza 4

review el repaso 13; la reseña 4, 6, **13**; revisar 1, 2, **10**, 12, **13**

revolutionize revolucionar 12

revolutionized revolucionado/a 12

revolver el revólver 11

reward premiar 11

rhythm el ritmo 1

rice el arroz 6

rich rico/a 2, 4, **6**

richness la riqueza 9

ride montar 11

ridiculous ridículo/a 5, **6**, **10**

right el derecho 3, 15

right to be tener razón **3**

right away enseguida 6

rigid rígido/a 10

risk el riesgo 10

river el río 2

road el camino 2

roast hornear **6**

rock la roca 9

rocker el/la roquero/a 2

role el papel 1, **13**

roll one's eyes poner los ojos en blanco 15

Roman romano/a 2

romantic romántico/a **1**

roof el techo 3

room el cuarto 5; el salón 9; la habitación 9

root la raíz 10

rough grosero/a 15

round redondo/a 9

roundtrip el viaje de ida y vuelta 9

route la ruta 6

routine la rutina 5

royal real 15

rudeness la malcrianza 12

ruin la ruina 4

rule la regla 10

run correr 2

Russia Rusia 2

Russian el ruso **2**

rustic rústico/a 3

S

sacred sagrado/a 11

sad triste 4, **5**

sail navegar a vela 9

salad la ensalada 6

salary el salario 11

sale la rebaja 8; la venta 9

sales clerk el/la dependiente/a **8**

salsa performer el/la salsero/a 12

salt la sal **6**

salutation/s el/los saludo/s 1, **11**

Salvadorian salvadoreño/a **2**

same igual 7; mismo/a 5

sample la muestra 15; la prueba **4**, 10

sandals las sandalias 8

sandstone la arenisca 9

sandwich el bocadillo 6; el sándwich 3, **6**

Sanfermín festival los sanfermines 2

sanitation la sanidad 15

sassy atrevido/a 12

satellite dish la antena parabólica 12

satellite radio la radio por satélite **13**

satellite television la televisión (por satélite) 13

satisfaction la satisfacción 9

satisfactory satisfactorio/a 6

satisfied satisfecho/a 8

saturated saturado/a **10**

saturated (trans) fats las grasas saturadas (trans) **10**

Saturday el sábado **1**

sauce la salsa 6

sausage el chorizo 2

save ahorrar **12**; archivar **12**; guardar **6, 10**; salvar 4

saxophone el saxofón **14**

say decir (i) 6, **7**

say good-bye despedirse (i, i) 4

scandal el escándalo 13

scanner el escáner **12**

scarce escaso/a 10

scene la escena 8

schedule el horario 2, 3

scholastic escolar 12

school la escuela 5

School of Art la Facultad de Arte 3

School of Engineering la Facultad de Ingeniería 3

School of Law la Facultad de Derecho 3

School of Mathematics la Facultad de Matemáticas **3**

School of Medicine la Facultad de Medicina 3

School of Sciences la Facultad de Ciencias 3

science la ciencia 2

science fiction la ciencia ficción 7

scientist el/la científico/a 1, 8

screen la pantalla **12**

script el guión 12, **13**

script writer el/la guionista 13

scuba dive bucear **9**

sculptor el/la escultor/a 9

sculpture la escultura 8

sea el mar 2, 6, **7**

seafood los mariscos 2, **6**

sea lion el lobo marino 6

search la búsqueda 11

search engine el buscador 12, **13**

season la estación 1, 8; la temporada 7

seat el asiento 9

seat of government la sede 8, 11

second segundo/a 7, **8**

secondhand de segunda mano 8

secret el secreto 4

secretary el/la secretario/a 11

section la sección 6

security la seguridad **9**
security checkpoint el control de seguridad **9**
see ver 2, 7, **7**, **8**, 12
seem parecer (zc) **6**
See you later. Hasta luego. 1
See you soon. Hasta pronto. 1
See you tomorrow. Hasta mañana. 1
select seleccionar 10, 15
selection la selección 7
self-defense la defensa propia 14
self-portrait el autorretrato 3
sell vender 2
semester el semestre 3
senator el/la senador/a 15
send enviar **12**; mandar 4, 6, **9**
sensation la sensación 11
sensationalist sensacionalista 13
sentence la oración 6, 7
sentimental sentimental 4
September septiembre 1
sequins las lentejuelas 14
series la serie 13
serious grave 7; serio/a 10
servant el/la sirviente/a 4
serve servir (i, i) 2, 3, **4**, 5, 8
service el servicio 2; la prestación 2
set the table poner la mesa **5**
seventh séptimo/a **8**
several varios/as 7
severe severo/a 8
shake sacudir 15
shallot la cebolleta 6
shame la lástima 10
shampoo el champú 5
shape, in en informa en 10
share compartir 2
sharp puntiagudo/a 9
shave afeitarse 5
she ella 1
sheep la oveja 11
shine brillar 8; lucir 14
shipment el envío 4
shirt la camisa **8**
shoes los zapatos **8**
shoe store la zapatería **8**
shoot disparar 11
shop la tienda **8**
shopping center el centro comercial **8**
shore la orilla 5
short (in stature) bajo/a **2**
shortage la escasez **12**
short-/long-sleeved de manga corta/larga **8**

short time el rato 13
shot la inyección **10**
shoulder el hombro 12
Should we go...? ¿Vamos a...? **4**
shout el grito 11
show la exposición 3; la función 4; mostrar (ue) 8
show a movie poner una película **4**
show business el espectáculo 7
shower ducharse 5; el chubasco 7; la ducha 5
showy vistoso/a 9
shrimp los camarones **6**, 10
shy tímido/a 1
sickness/maternity leave licencia por enfermedad/maternidad **11**
side el lado 7
sign el índice 13; el letrero 9; firmar 7, **15**
signal la señal 15
signature la firma 11
significant significante 13; significativo/a 7
silk la seda 8
silver la plata 1, **8**; la platería 4
similar semejante 8
simple sencillo/a 5
simplicity la sencillez 14
since desde 2; hace 5, 14
sincerely yours atentamente 11
sing cantar 5
singer el/la cantante 1
single soltero/a 4
sister la hermana 3, 4
sister-in-law la cuñada 4
sit sentarse (ie) 5
situated situado/a 8
situation la situación 5, 6
sixth sexto/a **8**
size el número 5, **8**; la talla **8**
skate patinar 7
skating el patinaje 7
ski esquiar 7
skiing el esquí 7
skilled diestro/a 15
skillet la sartén **6**
skim through dar una mirada rápida 13
skin la piel 10, **14**
skinny flaco/a **2**
skirt la falda **8**
skull la calavera 3
sky el cielo 8
slave el/la esclavo/a 9
sleep dormir (ue, u) 4, 6, 9, 11; sueño **3**

sleeve la manga **8**
sleeveless sin manga 8, **8**
slope la falda **8**
sloth el perezoso 5
slow lento/a 9
slowly despacio 5; lentamente 9
small pequeño/a **1**
small beer la caña 2
smell el olor 8
smile sonreír (i, i) 15
smog contaminación 7
smoke el humo **12**; fumar 8, 10
snack la merienda **6**
snake la culebra **8**; la serpiente 6
sneeze estornudar 10
snorkel bucear **9**
snow nevar (ie) **7**
soap el jabón 5
soap opera la telenovela 13
soccer (football) el fútbol (americano) 2, 5, **7**
socialist el/la socialista 8
social science las ciencias sociales 3
social welfare programs los programas sociales 15
sociology la sociología 3
socks los calcetines **8**
sofa el sofá 5
soft drink el refresco 3, 4, **6**
soldier el soldado 15
solemn solemne 4
solid sólido/a 6
solitary solitario/a 11
soloist el/la solista 7, **14**
solve resolver (ue) 15
somber sombría 11
some alguno/a/os/as 5, **7**
someday algún día 4
someone alguien 7
something algo 3, 6, **7**
sometimes a veces 5
son/daughter el/la hijo/a 4, 6
song la canción 2
songwriter el/la cantautor/a 2
son-in-law el yerno 4
soon pronto 1
sorrow la pena 8
So-so Más o menos. 1
so that para que 11
soul el alma (*fem.*) 8
soup la sopa **6**
source la fuente 13
south el sur 6
souvenir el recuerdo 6, 9

spaghetti los espaguetis 10
Spain España 2
Spaniard el/la español/a 9
Spanish (*adj.*) español/a 1, **2**
Spanish (*noun*) el español 2
spark la chispa 10
spatula la espátula 6
speak hablar 2, 7, **8**, 10
speaker el altavoz 7
speakers los audio parlantes 8
special especial 5
speciality store la tienda especializa 8
specialize especializarse 6
species la especie 3, 5, **12**
spectacular espectacular 5
spectator el/la espectador/a **13**
speech el discurso 6, 7, **15**
speed la velocidad 9
spelling la ortografía 6
spend gastar 5, **8**
spend time in llevar 5, 6, **8**
spent gastado/a 10
spicy picante **6**
spider la araña 8
spirit el espíritu 11
split partir 11
sponsor el/la patrocinador/a **12**; patrocinar 13
spoon la cuchara **6**
sport el deporte 1, **7**
sporting deportivo/a 7
sportscaster el/la comentarista deportivo **13**
sports section el sección deportivo **13**
spreadsheet la hoja electrónica **12**
spring el manantial 10; la primavera **1**
spy espiar 11
square cuadrado/a 5
squash la calabaza 11
squid el calamar 2, **6**
squirrel la ardilla 8
stadium el estadio 3
stage el escenario 8, **14**; la etapa 3
stage manager el/la director/a de escena 14
stall el puesto 8, **11**
standard el estandarte 15
stand in line hacer cola **9**
stand out destacar 4
stand up levantarse 5
star el/la protagonista **13**; la estrella 5
state el estado 7

statement la afirmación 12
station la estación 1, 8
stationery shop la papelería 8
statistics las estadísticas 3
statuary la imaginería 4
statue la estatua 9
stay (*noun*) la estadía 9
stay (*verb*) quedarse 7, 9
stay in bed guardar la cama 10
stay in shape guardar la línea 10; mantenerse (ie) en forma 10
steak el bistec 6
step el escalón 12; el paso 4; **on** pisar 11
stepbrother/stepsister el/la hermanastro/a 4
stepfather el padrastro 4
stepmother la madrastra 4
stereotype el estereotipo 12
stewpot la cazuela 6
still life la naturaleza muerta 6
stimulate estimular 9
stimulus el estímulo 11
stingy tacaño/a 5
Stockholm Estocolmo 4
stocking cap el gorro 8
stomach el estómago 10
stone la piedra 4, 9
stopover la escala 9
store la tienda 8
storm la tempestad 8
story el cuento 12
storyteller el/la cuentista 11
stove la estufa 6
straight ahead recto todo 3
strange extraño/a 10; raro/a 7
strategic estratégico/a 7
straw la paja 14
street la calle 2
street vendor el/la vendedor/a ambulante 8
strengthen afianzar (c) 15; fortalecer (zc) 6, 15
stress el estrés 10
strict estricto/a 6
strike el paro (*Latin America*) 15; la huelga 15
striker el/la huelguista 15
string beans las judías verdes 6
strip despojar 11
striped de rayas 8
stroll el paseo 1
strong fuerte 6
struggle la lucha 15
student el/la estudiante 1

student (*adj.*) estudiantil 6
student union el centro estudiantil 3
student teacher el/la pasante 3
studio el estudio 3, 13
study el estudio 3, 13; estudiar 1, 2
stuffy tapado/a 10
stunning impactante 5
stupid tonto/a 13
style el estilo 6, 14; la moda 14
substance la sustancia 15
success el éxito 5, 12
suckling pig el cochinillo 8
suddenly de golpe 12; de repente 8
suffer (from) padecer (zc) (de) 10; sufrir (de) 8
suffering el sufrimiento 15
sugar el azúcar 3, 6
suggest sugerir (ie, i) 9
suggestion la sugerencia 6
suit el traje 8
suitcase la maleta 4, 9
summarize resumir 7
summary el resumen 5; el sumario 2
summer el verano 1
sunbathe tomar el sol 7
Sunday el domingo 1
sunglasses los lentes de sol 7
sunny, it is hace sol 7
super chévere 7; guay 13
supernatural sobrenatural 10
supervision la supervisión 11
supervisor el/la supervisor/a 11
support apoyar 8, 15; el apoyo 4; mantener (ie) 15
supporter el/la partidario/a 13
supposed supuesto/a 9
sure seguro/a 4, 5, 10
surely seguramente 3
surf surfear 7
surname el apellido 2
surprise la sorpresa 6; sorprender(se) 10
surprised maravillado/a 4
surprising sorprendente 10
surround rodear 7
surrounded rodeado/a 12
survey la encuesta 10
survival la sobrevivencia 4
survive sobrevivir 5
suspend suspender 14
suspenseful suspensivo/a 4

suspicion la sospecha 11
sweater el suéter 8
sweatshirt la sudadera 8
sweets los dulces 10
swim nadar 5, 7
swim goggles los lentes de natación 7
swimming pool la piscina 5
swimsuit el traje de baño 7
swine flu la gripe porcina 10
symbolize simbolizar 10
sympathize simpatizar 8
sympathizer el/la simpatizante 15
symphony la sinfonía 14
symphony orchestra la sinfónica 14
symptom el síntoma 10
synthesis la síntesis 3
synthetic sintético/a 14

T

table la mesa 1; la tabla 10, 12
tablespoon la cucharada 6
tachograph el tacógrafo 9
tactic la táctica 10
take llevar 5, 6, 8; sacar 1, 5; tomar 2, 6, 12
take a cruise hacer un crucero 9
take advantage of aprovechar 12
take a walk dar un paseo 7; pasear 4
take blood pressure tomar la tensión 10; tomar la presión (*Latin America*) 10
take care (of oneself) cuidar(se) 6, 10
take hold apoderarse 15
take off despegar 9
take off (clothing) quitarse 5
take on encargar 14
take pictures sacar fotos 9
take turns turnarse 5
talcum powder el talco 8
talented talentoso/a 14
tall alto/a 2
tambourine la pandereta 8
tank el tanque 10
task la tarea 1
taste el gusto 5
tasting menu el menú de degustación 6
tasty sabroso/a 6
taxes los impuestos 11, 15
taxi driver el/la taxista 4

tea el té 6
teach enseñar 2, 7
teacher el/la maestro/a 15
teaching la docencia 13; la pedagogía 3
team el equipo 5
tear la lágrima 8
teary lloroso/a 10
teaspoon la cucharadita 6
technique la técnica 6
technological tecnológico/a 12
technology la tecnología 13
teeth los dientes 5, 6, 10
television la tele 6; la televisión 7, 13
television viewer el/la televidente 12, 13
tell decir (i) 9, 12
tell (a story) contar (ue) 4
temperate templado/a 6
temperature la temperatura 9, 10
temple el templo 8
temporary temporal 3
temptation la tentación 6
tend to tender a 6
tennis el tenis 2
tennis player el/la tenista 2
tense tenso/a 14
tension la tensión 13
tenth décimo 8
term el término 4
terms los términos 11
terrace la terraza 5
terrain el terreno 4
terrestrial terrestre 8
terrific estupendo/a 7
terrorism el terrorismo 15
test la prueba 4, 10
thank agradecer 13
Thank you. Gracias. 1, 4
that ese/a 4; que 15
that (over there) aquel/la 4; aquello 4
that one ese/a 4
that one (over there) aquel/la 4
that's why por eso 2, 7, 9
that which lo que 5, 15
the el; la; los; las 1
theater el teatro 3, 4, 13
their suyo/a/os/as 13
theme el tema 5
themselves entre sí 4
then entonces 7
theory la teoría 8
there allá 9
therefore por eso 2, 7, 9

there is/are hay 1, 7
thermal termal 10
these estos/as 4
these ones estos/as 4
they ellos/as 1
thin delgado/a 2
thing la cosa 1
think pensar (ie) 3, 4, 9, 10, 11
third tercer/o/a 8
thirst la sed 10
thirsty, to be tener sed 3, 7
this este/a 4
this one este/a 4
this time esta vez 4
thistle el cardo 1
those esos/as 4
those (over there) aquellos/as 4
thought el pensamiento 3
throat la garganta 10
through mediante 15; por 9
throw arrojar 10; echar 6, 12; tirar 12
thrust clavar 15
thump golpear 14
Thursday el jueves 1
ticket el boleto 3, 4, 9; la entrada 4
tickle hacer cosquillas 7
tie la corbata 8
tie (the score) empatar 7
tight (clothing) estrecho/a 5, 8
tiled enlozado/a 12
time el tiempo 2, 6, 7; la vez 5
timid tímido/a 1
tip (monetary) la propina 6
tire aburrir 6; cansar 7
tired cansado/a 4
title el título 2, 6, 12; titular 7
toad el sapo 8
toast tostar (ue) 6
toaster la tostadora 6
today hoy 2
together juntos/as 4
tomato el tomate 6
tomb la tumba 15
tomb stone la lápida 14
tomorrow la mañana 1, 2, 8
tongue la lengua 2, 10
too también 1, 2, 7
too much demasiado 9
to/on the left a la izquierda 3
to/on the right a la derecha 3
toothbrush el cepillo de dientes 8
toothpaste la pasta de dientes 8
topography la topografía 4

tortoise el galápago 8
torture torturar 4
tour ir de excursión 9; la gira 9
tour guide el/la guía 6, 7, 9
tourism el turismo 5
tourist el/la turista 2
touristy turístico/a 9
tournament el torneo 2
toward hacia 7
towards rumbo a 6
towel la toalla 7
town el pueblo 4, 10, 15; la villa 15
trace la huella 12
track and field el atletismo 7
trade comerciar 9; el oficio 11
tradition la tradición 4
traffic el tráfico 13; traficar 7
tragedy la tragedia 7, 13
train el tren 6, 9; entrenar 6
trainer el/la entrenador/a 7
training el entrenamiento 4, 11
trajectory la trayectoria 15
tranquilizer el calmante 10
transfer transferir (ie, i) 12
transform transformar 10
transition la transición 7
translate traducir 11
transmit transmitir 10, 13
transportation el transporte 3
trap atrapar 4
travel viajar 2, 9
travel agency la agencia de viajes 9
travel agent el/la agente de viajes 9
traveler el/la viajero/a 9
traveling salesperson el/la viajante 11
travel through/across recorrer 9
treasure el tesoro 2
treatment el tratamiento 10
treaty el tratado 15
tree el árbol 4
tremendous tremendo/a 7
trial la prueba 4, 10
tribe la tribu 10
trip el recorrido 6; el viaje 1, 7, 9
triumph el triunfo 5
trombone el trombón 2, 14
truck el camión 8
true cierto/a 2; verdadero/a 4
truly verdaderamente 9

trumpet la trompeta 14
trust la confianza 10
truth la verdad 6, 10
try on probar (ue) 6, 8
t-shirt (tank top) la camiseta (sin mangas) 8
Tuesday el martes 1
tulle el tul 14
turkey el pavo 6
turn dar la vuelta 6
turn in entregar 1
turn off apagar 12
turn on encender (ie) 12
turnover la empanada (empanadilla) 6
turtle la tortuga 5
tuxedo el esmoquin 14
twin el/la gemelo/a 10
twist torcer (ue) 10
type el tipo 15
typical típico/a 3

U
ugly feo/a 2
uhh . . . este... 5
ulcer la úlcera 10
umbrella la sombrilla 7
UN la ONU 12
uncle/aunt el/la tío/a 4
uncomfortable incómodo/a 9
uncommon raro/a 7
under debajo (de) 5
underscore subrayar 5
understand comprender 2, 7; entender (ie) 4
unemployment el desempleo 6, 11, 15; el paro (Spain) 15
unexpected inesperado/a 15
unfinished inacabado/a 13
unforgettable inolvidable 7
unfortunately desgraciadamente 5
uniform el uniforme 7
union el sindicato 12
unionize sindicalizar 15
unique único/a 5, 8, 10
United Nations Las Naciones Unidas 7
United States EE. UU. 6
unity la unidad 4
university la universidad 1
unknown incógnito/a 7
unless a menos (de) que 11
unmarried soltero/a 4
unnecessary innecesario/a 10
until hasta 6; hasta que 11
upload subir 12
urge instar 15

urgent urgente 9
urinate orinar 10
us nos 4, 6
use usar 4; utilizar 4
useful útil 15; valioso/a 12
usually usualmente 9
utensil el utensilio 6

V
vacancy la vacante 11
vacation las vacaciones 5
vaccine la vacuna 10
vacuum pasar la aspiradora 5
vacuum cleaner la aspiradora 5
value el valor 10
van el camión 9; la camioneta 1; la furgoneta 9
variety la variedad 5
various varios/as 7
vary variar 6
VCR la videograbadora 12
vegetable la legumbre 3
vegetables las verduras 6
vegetarian el/la vegetariano/a 6
velvet el terciopelo 14
verify verificar 6
versatile versátil 13
version la versión 10
very muy 1; sumamente 7
Very truly yours... Lo(s)/La(s) saluda atentamente... 11
veteran el/la veterano/a 12
veterinarian el/la veterinario/a 11
veterinary science la veterinaria 3
viceroyalty el virreinato 11
victim la víctima 3
video camera la cámara de video 9
view la vista 2, 5, 9
vigorous vigoroso/a 15
vinegar el vinagre 6
viola la viola 14
violate violar 15
violence la violencia 4
violent violento/a 14
violin el violín 14
visa el visado 7
visit la visita 5; visitar 2
visitor el/la visitante 9
vitamin la vitamina 10
voice la voz 8, 14
volcano el volcán 4, 5, 9
volleyball el voleibol 7
voluntary voluntario/a 5

volunteer el/la voluntario/a 5
voluptuous voluptuoso/a 9
vote el voto 13
vote (for) votar (por) 7, 15
voter el/la votante 13

W

wait for esperar 7, 9, 10
waiter/waitress el/la camarero/a 6; el/la mesero/a 3, 6
waiting area la sala de espera 9
wake up despertarse (ie) 5
walk caminar 2; el paseo 7
wall la muralla 9
wallet la billetera 8
want querer (ie) 7, 8, 9; want to tener ganas de 3
war la guerra 3, 5, 15
warm-up el calentamiento 10
warn advertir (ie, i) 14
warrior el guerrero 3
wash lavarse 5
wash clothes lavar la ropa 5
wash dishes lavar los platos 5
washing machine la lavadora 5
waste los desechos 12
watch el reloj 1; mirar 2; vigilar 15
watch (television/a movie) ver (la televisión/una película) 2, 7, 7, 8, 12
watch one's figure guardar la línea 10
water el agua (fem.) 6
waterfall el salto 9; las cataratas 9
wave la ola 5
way la manera 3, 6; la vía 5
we nosotros/as 1, 14
weak débil 10
wealth la riqueza 9
weapon el arma (fem.) 15
wear llevar 5, 6, 8

wear a shoe size calzar 8
weather el tiempo 2, 6, 7
weatherman/woman el/la meteorólogo/a 13
weave tejer 15
weaving el tejido 4
web page la página web 6, 12
website el sitio web 7, 12
wedding la boda 3
Wednesday el miércoles 1
week la semana 1
weight el peso 10
welcome la bienvenida 2
well bien 1; pues 3
well . . . bueno... 5
well-being el bienestar 6
well made bien hecho/a 14
what cómo 1, 2; lo que 5, 15; qué 1, 2
What? ¿Qué...? 2
What do you like do? ¿Qué te gusta hacer? 2
whatever you hear oyeres 13
whatever you see vieres 9
What luck! ¡Qué suerte! 2
What nonsense! ¡Qué barbaridad! 1
What's happening? ¿Qué pasa? 1
What students! ¡Qué estudiantes! 1
What's up? ¿Qué pasa? 1
What's up? (inf.) ¿Qué tal? 1
What's up? (Venezuela) ¿Qué húbole? 9
What's your name? (for.) ¿Cómo se llama usted? 1; (inf.) ¿Cómo te llamas?
What time is it? ¿Qué hora es? 2
when cuando 2, 11
When . . . ? ¿Cuándo...? 2
Where . . . ? ¿Dónde...? 2; From where . . . ? ¿De dónde...? 2; To where . . . ? ¿Adónde...? 2

which (one/s) cual/es 2
while el rato 13; mientras 5
whirlwind el remolino 9
white blanco/a 1
who que 15; quien 2, 15
Who . . . ? ¿Quién(es)...? 2
whom que 15; quien 2, 15
Whose . . . ? ¿De quién(es)...? 2
Why . . . ? ¿Por qué...? 2, 9
wide amplio/a 10; ancho/a 5
widow/er el/la viudo/a 4
wife la esposa 1, 3, 4
will la voluntad 7
willing dispuesto/a 13, 14
win ganar 2, 4, 7
wind el viento 14
window la ventana 9; la ventanilla 9
windy, it is hace viento 7
wine (red, white) el vino (tinto, blanco) 6
winner el/la ganador/a 2
winter el invierno 1
wish desear 9
with con 1
within dentro de 5
without sin que 11
without a doubt sin duda 10
with you contigo 4
witness el/la testigo/a 13
wolf el lobo 8
woman la mujer 1
wonderful magnífico/a 7
wood la madera 3
wool la lana 8
word la palabra 2
work el trabajo 6, 11; funcionar 10, 12; la obra 2, 13; trabajar 6
work (adj.) laboral 7
work (on commission) trabajar (a comisión) 2
worker el/la trabajador/a 1
workshop el taller 3

world el mundo 1
world (adj.) mundial 15
world-wide mundialmente 9
worn out gastado/a 10
worry preocuparse 8
worse peor 5
Would you like (+ inf.) . . . ? ¿Te gustaría (+ inf.)? 4
wristwatch el reloj de pulsera 8, 8
write escribir 1, 2, 8, 10, 11, 12
write down anotar 5
writer el/la escritor/a 6

X

X-ray la radiografía 10

Y

yank arrancar 1
yard el patio 5
year el año 1
yearly anualmente 7
yearly bonus la bonificación anual 11
yell gritar 11
yellow amarillo/a 1
yesterday ayer 6
yogurt el yogur 6
you tú (inf.) 1; usted/es (for.) 1; vosotros/as (inf. pl. Spain) 1, 4
you like Te gusta... 2
young joven 2
younger menor 4, 5
You're welcome. De nada. 1
your/s suyo/a/os/as (for.) 13; tu/tus (inf.) 1; tuyo/a/os/as (inf.) 7, 13; vuestro/a/os/as (inf. pl. Spain) 3, 13
youth el/la joven 6; la juventud 1

Z

zoo el zoológico 3

A

a
+ **el,** 124
personal, 124
abrir, past participle, 391
acabar de + infinitive, 394
accent marks, 9, 132, 202, 255, 356
with present progressive, 174
active voice, A-32
actors/actresses, 89, 235, 431, 473
adjective clause, 370
adjectives, 21, 43, 45, 79, 101–102, 115, 383, 387
adverbs from, 293
comparative forms, 161–162
definition of, 370
demonstrative, 134
descriptive, 30–31, 43, 101–102
estar +, 101–102
gender of, 30
nationality, 30, 43
past participle as, 394
plural, 30
possessive (long form), 430–431
possessive (short form), 84, 430
with **ser,** 101, 102
superlatives, 172
adverbs, 21, 43, 79, 93
conjunctions, adverbial, 359–360
demonstrative, 134
ending in -**mente**, 293–294
superlatives, 172
affirmative commands, 324, 356, 463
affirmative expressions, 225–227
age, 87, 162
ago, expressing, 458
Aguilera, Christina, 164
"Ahora" (Alberto Plaza), 197
airport, 285, 286
Albita, 399
Alegría, Ciro, 278
alguien, 225
alguno, 225
Alhambra, 70, 419
Allende, Isabel, 204
Almodóvar, Pedro, 45, 72, 73
alphabet, 8

alternative energy, 403
Álvarez, Ralph, 405
América Latina en Acción Solidaria (ALAS), 283
ancient civilizations, 506
Aztec, 106, 107
Inca, 249, 255, 276, 489, 502
Maya, 10, 108, 109, 113, 483, 506
See also individual entries.
Andalucía, 70, 446
Andean music, 272
Anderson, Guillermo, 129
Anderson Imbert, Enrique, 478
Andes Mountains, 210, 276
animals, 280
Anthony, Marc, 221, 408
aquel/aquellos, 134
-**ar** verbs
conditional, 407
future, 404
imperfect, 254
past participle, 391
present (indicative), 62–63
present participle, 174
present progressive, 174
present subjunctive, 302–303
preterit, 202, 203
stem-changing, 303
Aragón, 446
arepa, 287
Argentina, 194, 209, 273, 351, 357, 371, 376, 377, 378, 459
Arias, Óscar, 487
arroz con pollo (recipe), 201
art, modern art, 476–477
articles, 124
definite, 28, 172, 430
indefinite, 28
artists
Botero, Fernando, 283, 291, 294, 304, 477
Bravo, Claudio, 185
Casas, Melesio, 385
Dalí, Salvador, 3, 25
Guayasamín, Oswaldo, 249, 268–269
Izquierdo, María, 476
Kahlo, Frida, 77, 99
Lam, Wilfredo, 453
Matta, Roberto, 476
Miró, Joan, 476
Oviedo, Ramón, 217
Picasso, Pablo, 41, 477
Rivera, Diego, 3, 25, 99

Torres-García, Joaquín, 476
auxiliary verb
pluperfect indicative, 472
present perfect, 394
El AVE, 49
Aventura, 19
Aztec civilization, 106, 107
"La azucena del bosque" (mito guaraní), 346–347

B

Bachelet, Michele, 498
"Baila me" (Gipsy Kings), 467
Baja California, 34
ballet, 466
Bardem, Javier, 431
bargaining, 275
Basques, 45
Bermudo, Bárbara, 442
best friends, 160
Blades, Rubén, 164
Bolivia, 319, 323, 330, 331, 340, 344, 345
Botero, Fernando, 283, 291, 294, 304, 477
Bravo, Claudio, 185
Bratt, Benjamín, 412
buildings, 93
bullfighting, 53
business letter, 367, 383

C

c → qu verbs
present subjunctive, 303
preterit, 203
Café Tacvba, 91
Calatrava, Santiago, 70, 476
Calderón, Felipe, 89
Calderón, Ilia, 442
calendars, 13
El Califate, 376
La Calle Ocho (Miami), 392
Caribbean Islands, 242–243
Carnaval, 63
Casas, Melesio, 385
Cataluña, 70, 446
Central America, 113, 144–145, 151, 178–179
See also individual countries
Chamorro, Violeta, 498
Chávez, César, 487, 511
chicanos, 83
Chichén Itzá, 483, 506
Chilavert González, José Luis Félix, 344

Chile, 34, 185, 191, 194, 196, 204, 207, 210, 211
Chinchilla, Laura, 498
Chirino, Willy, 226
churros, 188
Cinco de Mayo, 15, 315
cinematography, 431, 437
Cinemundo, 72
Cisneros, Sandra, 395
cities, 165
classified ads, 355
classroom expressions, 20–21
clauses
adjective clause, 370
dependent clause, 304
si clauses, 441
time clauses, 359–360
clothing, 250–251
clothing design, 469
cognates, 36
Colombia, 283, 291, 293, 307, 308, 312–314, 445
colors, 21, 22
comer
command for, 324, 356
conditional, 407
future, 404
imperfect, 254
present (indicative), 64
present subjunctive, 302, 324, 356
preterit, 202
comma, with numbers, 82
command forms
formal commands, 324–326
indirect commands, A-25
informal commands, 356–358
nosotros commands, 463–465
tú commands, 356
communication, 420–423
"Compañera" (Yawar), 261
comparative adjectives, 161–162
compound numbers, 10
compound tenses, 394, 472
comprar
command form, 356
present subjunctive, 356
computers, 21, 387
conditional forms, 407, 441, A-28
conditional perfect, A-28, A-30
conjecture, expressing, 405, 407

conjugations, learning, 62
conjunctions, 43, 359–363, 502
conocer
  present (indicative), 139
  preterit, 235
  using, 139, 140
Contador, Alberto, 51
contradictions, **sino**, 502
Contreras, Carlos, 89
cooking, 198–200, 209
Copa Mundial, 241
Costa Rica, 33, 105, 166, 179, 180–181, 275
creer
  imperfect subjunctive, 424
  past participle, 91
  preterit, 206
"El crimen perfecto" (Enrique Anderson Imbert), 478–479
Cruz, Penélope, 45
¿cuál(es)? vs. **¿qué?,** 52
Cuando era puertorriqueña (Esmeralda Santiago), 414–415
Cuarón, Alfonso, 89
Cuba, 217, 242–243
cubrir, past participle, 391
culture. *See* Hispanic culture

D
Dalí, Salvador, 3, 25
dance, 455
dar, 191
  present subjunctive, 303
  preterit, 222, 223
dates, 83, 101
Day of the Dead, 506
days of the week, 13, 101
de
  + noun, 84
  + prepositional pronoun, 84
  + pronoun, 430
  salir +, 136
  superlatives, 172
"De paisano a paisano" (Los Tigres del Norte), 493
¿de quién es?, 84
deber, conditional, 407, 425
decir
  command form, 356
  conditional, 407
  imperfect subjunctive, 424
  past participle, 391
  present (indicative), 191
  present subjunctive, 302, 307
  preterit, 234, 235
definite article, 28, 172, 430
del, 84

del Toro, Benicio, 235
demonstrative adjectives, 134
demonstrative pronouns, 134
Denevi, Marco, 378
denial, expressing with subjunctive, 337
dependent clauses, 304
descriptive adjectives, 30–31, 43, 101–102
descubrir, past participle, 391
devolver, present subjunctive, 303
diabetes, 333
diet, 328–329
direct command, 463
direct object, 124
direct object noun, 124
direct object pronouns, 124–125, 237
doctors, 320–323, 325
Domingo, Plácido, 459
¿dónde?, 92–93
dormir
  command form, 356
  present subjunctive, 303, 356
  preterit, 206
double negatives, 225
double object pronouns, 237–240
doubt, expressing with subjunctive, 337–338
drugstore, 263, 323, 336
Dudamel, Gustavo, 453, 456
dudar, 337

E
e → i stem-changing verbs
  present subjunctive, 303
  present tense, 119, 191
  preterit and present participle, 206
e → ie stem-changing verbs
  present subjunctive, 303
  present tense, 118
  preterit and present participle, 206
eating, 105, 186–189
Ecuador, 249, 256, 268, 276, 277
editorial page, 448
el, a +, 124
El Salvador, 113, 135, 137, 144–147
electronics, 387
Elizondo, Héctor, 339
email, 298
emotions, expressing, 153, 327
empanadas, 188, 209
employment, 352–355, 366–369, 375, 382, 383

"En solidaridad" (Francisco Jiménez), 508–510
"El encarguito" (Guillermo Anderson), 129
endangered species, 311
English cognates, 36
entertainers, 89, 164, 283, 297, 307, 412
environment, 400–403
equality, expressions of, 161–162
-er verbs
  conditional, 407
  future, 404
  imperfect, 254
  past participle, 391
  present (indicative), 64–66
  present participle, 174
  present progressive, 174
  present subjunctive, 303
  preterit, 202, 206
  stem-changing, 303
"Eres" (Café Tacvba), 91
escribir
  command form, 324, 356
  imperfect, 254
  past participle, 391
  present subjunctive, 307, 324, 356
ese/esos, 134
eso/esto, 134
Esquivel, Laura, 89
Estados Unidos (EE. UU.), 385, 392, 412–413
estar
  with adjectives, 101–102
  changes in meaning with, 102
  imperfect subjunctive, 424
  present (indicative), 98
  with present progressive, 174
  present subjunctive, 303
  preterit, 222
  using, 98–102
Estefan, Gloria, 164
ethics, 509
European countries, 41
euskera, 45
"Everybody" (Los Rabanes), 167
excuses, 175
exercise, 328–329

F
fabrics, 251, 469
family members, 102, 115, 117
farewells, 5, 383
fashion design, 468–471
feelings, subjunctive mood for, 327–329

Fernández, Cristina, 357, 372, 498
Ferrera, América, 412
festivals, 53, 314
film festival, 123
flamenco music, 467
Flores, Julia Catalina, 140
food, 65, 105, 186–189, 195, 198–201, 333
food reviews, 214
formal commands, 324–326
Frank, Gabriela Lena, 456
Fullbright fellowships, 445
Fundación Rigoberta Menchú Tum (FMRT), 505
furniture, 169
future, 404–406
future perfect, A-28

G
g → gu verbs
  present subjunctive, 303
  preterit, 203
Galápagos Islands, 276, 277
Galicia, 446
gaming, 398
García, Rodrigo, 443
García Bernal, Gael, 97
García Márquez, Gabriel, 312
gastrosexual, 212
gaucho/a, 351, 360
Gaudí, Antonio, 419, 446
gender
  adjectives, 30
  nouns, 27–28
  possessive adjectives, 430
Gipsy Kings, 467
González Iñárritu, Alejandro, 89
government, 495
  See also politics
Los Grammy, 164
Granada, 70, 419
greetings, 4–7, 383
guacamayos, 311
"Guantanamera," 37
guaraní, 506
Guatemala, 11, 34, 113, 120, 125–126, 127, 144, 145, 491
Guayasamín, Oswaldo, 249, 268–269
Guerra, Juan Luis, 217, 223
gustar, using, 59, 193
gustar, verbs similar to, 193

H
haber
  + past participle, 394, 472, A-28

conditional perfect using, A-28

conditional using, 407

future perfect using, A-28

present perfect subjunctive with, A-27

using, 394

hablar

command form, 324

imperfect, 254

present (indicative), 62

present progressive, 174

present subjunctive, 302, 324

hace, + time phrase, 458

hacer

command form, 356

conditional, 407

past participle, 391

present (indicative), 96

present subjunctive, 302

preterit, 234

in time expressions, 458

using, 458

hay, 102, 223

Hayek, Salma, 89

health and illness, 320–323, 325–326, 333, 335, 343, 348

healthy living, 332–335, 339–340

herbal medicines, 323

Hernández, José, 396

hipermercado, 207

Hispanic culture

ancient civilizations. *See* ancient civilizations

artists. *See* artists

entertainers, 89, 164, 412

festivals, 53, 314

indigenous peoples, 506–507

music. *See* music; musical forms; musical instruments

nonverbal signs, 7

opera, 455, 459

poetry. *See* poetry

politics, 483–485, 492, 494–495, 499

recreation, 218–221, 344

Spanish holidays, 14

Spanish-speaking countries, 34–35

sports, 41, 45, 47, 51, 54, 89, 158, 230–233, 241, 344, 376

university, 78–81, 92

writers. *See* writers

Hispanics, in the U.S., 9, 18, 83, 158, 173, 189, 221, 226, 253, 307, 385, 395, 396, 408–409, 412–414, 427–428, 442, 453, 483, 492

hispanos, 9

holidays, 14

Honduras, 113, 126, 144, 145

hotel, 299

household chores, 168–169, 177

household items, 171

how long, expressing, 458

hubo, 223

Huerta, Dolores, 487

hug, as greeting, 7

human body, names of parts of, 153, 321

I

i → y changing verbs, preterit, 206

Iglesias, Enrique, 164

Iguazú (waterfall), 351, 371

illness. *See* health and illness

immigration, 173

imperfect form (of verb), 254–255, 266–270

imperfect subjunctive, 424–429, 441

impersonal forms, 271–273

imprimir, 387

Inca civilization, 249, 255, 276, 489, 502

indefinite articles, 28

indicative mood, 302–303, 359–363, 441

pluperfect indicative, 472

present perfect indicative, 394

See also present (indicative) tense

indigenous peoples, 506–507

See also ancient civilizations

indirect object, 190

indirect object pronouns, 190–192, 237, 306, 499

inequality, comparisons of, 161–162

infinitive

acabar de +, 394

direct object pronouns, 125

informal commands, 356–358

ir a +, 96, 404

tener que +, 67

used to +, 254

informar, present subjunctive, 307

interrogative forms. *See* question forms

interrogative words, 52–55

introductions, 4–7, 38

invitations, 116, 130–133, 148

ir

command form, 324, 356

imperfect, 255

imperfect subjunctive, 424

past participle, 391

present (indicative), 96

present subjunctive, 303, 324

ir a +, + infinitive, 96, 404

-ir verbs

conditional, 407

future, 404

imperfect, 254

past participle, 391

present (indicative), 64–66

present participle, 174

present progressive, 174

present subjunctive, 303

preterit, 202, 203, 206

stem-changing, 118–119, 303

irregular verbs

future, 407

imperfect, 255

imperfect subjunctive, 424

past participle, 391

present (indicative), 64, 67, 96, 136, 191

present subjunctive, 303

preterit, 206, 222–223, 234–236

Isla de Margarita, 300

issues, political, 485, 495

Itaipú dam, 344

Izquierdo, María, 476

J

jewelry, 263

Jiménez, Francisco, 508

job application form, 369

job search, 367, 382, 383

jogging, 231

Juanes, 164, 297

K

Kahlo, Frida, 77, 99

Keys, Alicia, 57

kiss, as greeting, 7

L

Lam, Wilfredo, 453

language(s)

cognates, 36

of indigenous peoples, 506

See also Spanish language

latinos, 9

lavarse, 156

leer

imperfect subjunctive, 424

past participle, 391

present participle, 174

preterit, 206

Leguizamo, John, 412

leisure time, 131

letter of introduction, 38

letter writing, 38, 110, 383

letters of the alphabet, 8

lo que, 488–490

location, expressing, 94–95, 101

long-form possessive adjectives, 430–431

Longoria Parker, Eva, 412

"Looking for Paradise" (Alejandro Sanz & Alicia Keys), 57

López, George, 412

López, Jennifer, 221

López, Mario, 409

lucha libre, 104

M

macaw, 311

Machu Picchu, 249

mariachi music, 77

Martí, José, 36

Martin, Ricky, 229, 244–245

Martínez, Pedro, 45

más, 162, 172

más/menos + adjective/ adverb/noun + **que,** 161–162

materials, 469

mathematics, 82

See also numbers

Matta, Roberto, 476

Maya civilization, 10, 108, 109, 113, 483, 506

mayor, 162

"Me enamora" (Juanes), 297

meals, 187

See also food

media, 421

medical care, 320–326

medicines, 321

mejor, 162

Menchú, Rigoberta, 113, 120, 505

menor, 162

menos, 162, 172

Messi, Leo, 376

Mexico, 77, 89, 106–109, 143, 333, 483, 506

Mexico City Philharmonic Orchestra, 475
"Mi corazoncito" (Aventura), 19
Miami, Florida, 392
military service, 158
Miró, Joan, 476
modern art, 476–477
months, 13–16, 101
Montoya, Juan Pablo, 307
morir, past participle, 391
Moscoso, Mireya, 498
Museo del Oro de Bogotá, 293
Museo Nacional de Antropología, 108–109
Museo Popul Vuh, 125
music, 454–457, 466
  "Ahora" (Alberto Plaza), 197
  Andean music, 272
  "Baila me" (Gipsy Kings), 467
  "Compañera" (Yawar), 261
  "De paisano a paisano" (Los Tigres del Norte), 493
  "El encarguito" (Guillermo Anderson), 129
  "Eres" (Café Tacvba), 91
  "Everybody" (Los Rabanes), 167
  "Guantanamera," 37
  "Looking for Paradise" (Alejandro Sanz & Alicia Keys), 57
  "Me enamora" (Juanes), 297
  "Mi corazoncito" (Aventura), 19
  "Pégate" (Ricky Martin), 229
  "Quisiera ser" (Alejandro Sanz), 435
  "'Ta bueno ya" (Albita), 399
  "Viaje" (Octavia), 331
  "Yo vengo a ofrecer mi corazón" (Fito Páez), 365
  See also individual performers' names
musical forms
  flamenco, 467
  mariachi, 77
  opera, 455, 459
  salsa, 408
  tango, 376
musical instruments, 455

negation, 50
negative commands, 324, 356, 463
negative expressions, 225–227
negative form
  answer to question, 50
  direct object pronouns, 124, 125
  indirect object pronouns, 190
  of sentence, 50
  sino, 502
newspapers, 420–421, 425, 434, 448
Nicaragua, 179
ninguno/a, 225
"No hay que complicar la felicidad" (Marco Denevi), 378–380
nonreflexive verbs, 157
nonverbal signs, 7
nos, 463
nosotros commands, 463–465
nouns, 27–28
  + de, 84
  comparisons of equality, 161
  direct object, 124
  gender of, 27–28
  plurals of, 28
Nuestra Tierra restaurant, 105
nuestro/a, 84
numbers
  101 to 3 million, 82
  compound, 10
  less than 100, 10
  ordinal, 258–259
  periods and commas in, 82
  telling time, 46–49
nunca, 225

o → u stem-changing verbs
  present subjunctive, 303
  preterit, 206
o → ue stem-changing verbs
  present subjunctive, 303
  present tense, 119
object pronouns, with commands, 324
O'Brien, Soledad, 385, 397
occupations, 353
Octavia, 331
oír
  past participle, 391
  present subjunctive, 302
  preterit, 206
ojalá (que), 327, 425, A-30

opera, 455, 459
ordinal numbers, 258–259
Organización de la Salud (OPS), 330
Oviedo, Ramón, 217

Páez, Fito, 365
El País, 434, 448
País Vasco, 446
paletas, 188
Panamá, 172–173, 178, 179
Panama Canal, 172, 178
papitas, 188
para, 290
  + ser, 101
Paraguay, 319, 344–347
Parque Nacional Tayrona, 308
passive forms, 271
passive voice, A-32–A-33
past forms
  imperfect, 254–255, 266–270
  past perfect, 472
  past progressive, 254
  pluperfect indicative, 472
  present perfect, 394
  preterit, 202, 266–270
  simple past, 254–255
past participle
  conditional perfect using, A-28
  forming, 391
  future perfect using, A-28
  haber +, 394, 472, A-28
  present using, 394
past perfect, 472
past progressive, 254
Patagonia, 194
peace movement, 505
pedir
  command form, 324, 356
  present (indicative), 119
  present subjunctive, 303, 324, 356
  preterit, 206
penguins, 194
pensar
  command form, 324, 356
  present subjunctive, 303, 324, 356
peor, 162
Pérez, Eduardo, 232
Pérez, Tony, 232
period, with numbers, 82
periodicals, 420–421
pero, 502
personal **a,** 124

personal hygiene, 153–156, 263
Perú, 34, 249, 255, 265, 276–278
petróleo, 312
pharmacy, 323, 336
phone conversation, 99, 133
physical distance, 7
Picasso, Pablo, 41, 477
Piñera, Sebastián, 191
plane, traveling by, 285
Playa Cacao, 180
Plaza, Alberto, 197
pluperfect indicative, 472
pluperfect subjunctive, A-30
plurals, 28
poder
  conditional, 407
  imperfect subjunctive, 424, 425
  preterit, 234, 235
poetry
  "Versos sencillos, XXXIX" (José Martí), 36
politics, 483–485, 492, 494–495, 499
poner
  command form, 356
  conditional, 407
  imperfect subjunctive, 424
  past participle, 391
  present (indicative), 136
  present subjunctive, 302
  preterit, 234
por, 289
possessive adjectives
  long form, 430–431
  short form, 84, 430
possessive pronouns, long form, 430–431
prepositional pronouns, 84
prepositions
  para, 290
  por, 289
present participle, 125, 174
present perfect indicative, 394
present perfect subjunctive, A-26–A-27
present progressive
  direct object pronouns, 125
  regular verbs, 174
present subjunctive
  for commands, 463
  irregular verbs, 303
  regular verbs, 302–303
present (indicative) tense
  irregular verbs, 64, 67, 96, 136, 191
  regular verbs, 62–66

N
Nadal, Rafael, 41, 47, 54
nadie, 225
náhuatl, 506
nationality, 30, 43
negar, 337

stem-changing verbs, 118–119
preterit
  imperfect vs., 266–270
  irregular verbs, 206, 222–223, 234–236
  regular verbs, 202
Prieto, Dafnis, 461
probability, expressing, 405, 407
probarse, 250
professions, 353
pronouns
  with affirmative commands, 356
  demonstrative pronouns, 134
  direct object pronouns, 124–125
  double object pronouns, 237–240
  impersonal, 271–273
  indirect object pronouns, 190–192, 306, 499
  object pronouns, 324
  prepositional pronouns, 84
  reflexive construction, 156–160
  relative pronouns, 488
  subject pronouns, 24–25, 324
pronunciation
  b and **v,** 368
  ca, co, cu, que, qui, k, 232
  g in sequences other than **ge, gi,** 300
  glides, 60, 94, 496
  h and **ch,** 170
  j, ge, gi, and **x,** 264
  letters of alphabet, 8
  linking, 496
  m, n, and **ñ,** 470
  r and **rr,** 334
  rhythm, 496
  s, z, ce, ci, 200
  syllabification, 94
  vowel sounds, 6, 60, 496
  word stress, 132
  written accent marks, 9, 132, 202, 255, 356
  y, ll, and **l,** 438
Puerto Rico, 242–243
punctuation
  in numbers, 82
  telling time, 46n

Q

que, 488–490
  + subjunctive verb (+ subject), A-25
  with subjunctive, 304

¿**qué?** vs. ¿**cuál(es)?,** 52
quechua, 506
querer
  conditional, 407
  imperfect subjunctive, 424, 425
  present (indicative), 118
  preterit, 234, 235
question forms, 50–55, 96
question mark, 50
quien, 488–490
¿**quién(es)?,** 124
quinceañera, 228
quipu, 502
"Quisiera ser" (Alejandro Sanz), 435
quizá(s), 338

R

Los Rabanes, 167
radio, 421, 423
Ramos, Jorge, 439
reciprocal constructions, 157
recreation, 219–221
reflexive construction, 156–160
reflexive pronouns, 156
  estar with, 174
reflexive pronouns, with commands, 324
reflexive verbs, 157, 463
regular verbs
  conditional, 407
  future, 404
  imperfect, 254
  imperfect subjunctive, 424
  past participle, 391
  present (indicative), 62–66
  present participle, 174
  present progressive, 174
  present subjunctive, 302–303
  preterit, 202
relative pronouns, 488
restaurants, 105, 186–189, 195, 206, 214
"Los rivales y el juez" (Ciro Alegría), 278–279
Rivera, Diego, 3, 25, 99
Rivera, Mariano, 158
Romero, Óscar, 147
romper, past participle, 391
Rubio, Paulina, 164

S

saber
  command form, 324
  conditional, 407
  imperfect subjunctive, 424

present (indicative), 139
present subjunctive, 303, 324
preterit, 234, 235
using, 139, 140
salir
  command form, 356
  conditional, 407
  imperfect subjunctive, 424
  present (indicative), 136
  using, 136
salsa music, 408
Salto Ángel, 292
Sánchez, Roselyn, 412
Sanz, Alejandro, 57, 426, 435
Saralegui, Cristina, 427
Sastre, Inés, 473
se, 271–273, 499, A-32
seasons, 14, 101
sentir, present subjunctive, 303
ser
  + **de,** 101
  adjectives with, 101, 102
  changes in meaning with, 102
  command form, 356
  imperfect, 255
  imperfect subjunctive, 424
  with **para,** 101
  present (indicative), 24, 25
  present subjunctive, 303
  preterit, 222
  time of day, 46
  using, 101, 102
Shakira, 45, 283, 307
shopping, 207, 250–253, 258–259, 262–265, 275
short-form possessive adjectives, 84, 430
si clauses, 441
simple past, 254–255
sino (que), 502
soap operas, 440
Sobreviviendo Guazapa (film), 146
soft drinks, 207
songs. *See* music
Sotomayor, Sonia, 483
South America, 185, 210–211, 249, 283, 313, 319, 351
  See also individual countries
Spain, 12, 34, 49, 53, 69–74, 177, 403, 419, 431, 435, 446–447
Spanish language
  English cognates, 36
  Spanglish, 97
Spanish-speaking countries, 34–35

spelling out, words, 8–9
sports, 41, 45, 47, 51, 54, 89, 158, 230–233, 241, 344, 376
states of being, 254
stem-changing verbs
  present (indicative), 118–119
  present progressive, 174
  present subjunctive, 303
stores, 258–259, 262–265
street vendors, 188
student life, 78–81
style, 469
su(s), 84
subject pronouns, 24, 324
subjunctive mood
  in adjective clause, 370
  commands, 463
  conjunctions and, 359–363
  to express influence, 306–310
  expressing doubt and denial, 337–338
  expressing feelings and emotions, 327–329
  formal commands, 324
  imperfect subjunctive, 424–429, 441
  with indefinite people and things, 370–374
  irregular verbs, 303
  with **ojalá (que),** 327, 425, A-30
  pluperfect subjunctive, A-30
  present indicative compared, 370
  present perfect subjunctive, A-26–A-27
  present subjunctive, 302–310
  purpose of, 302
  with **que,** 304
  with **quizá(s),** 338
  regular verbs, 302–303
  stem-changing verbs, 303
  with **tal vez,** 338
  with time clauses, 359–360
superlatives, 172–173
suyo(a), 430–431
syllabification, 94

T

"'Ta bueno ya" (Albita), 399
tag word, in questions, 50
tal vez, 338
tan + adjective/adverb + **como,** 161
tango music, 376

tanto/a(s) + noun + **como,** 161

tapas, 65

technology, 21, 386–390, 398

telenovelas, 440

telephone conversation, 99, 133

television, 388, 421, 436–440, 442

telling time, 46–49

temporal expressions, 267

tener
  command form, 356
  conditional, 407
  expressions using, 87
  imperfect subjunctive, 424
  present (indicative), 67, 118
  present subjunctive, 302
  preterit, 222
  using, 394

tener que + infinitive, 67

Tenochtitlán, 107

texting, 390

theater, 437, 459

Los Tigres del Norte, 493

Tihuanaco, 319

Tikal, 34, 113

time, 46–49, 101, 266, 267

time clauses, subjunctive with, 359–360

time expressions, **hacer** in, 458

titles, personal, 5

tomar
  conditional, 407
  future, 404
  preterit, 202

Torres-García, Joaquín, 476

tostones, 188

tourism, 285

traditional medicine, 323, 330

traer
  command form, 356
  imperfect subjunctive, 424

  past participle, 391
  present (indicative), 136
  present subjunctive, 302, 356
  preterit, 234, 235

travel, 284–288, 299–301

triple negatives, 225

tú, 24

tú commands, 356

U

Ud./Uds., 24

uncertainty, expressing with subjunctive, 338

unequal comparisons, 161–162

United Farm Workers of America (UFWA), 487

Universidad Nacional Autónoma de México, 90, 92

university, 78–81, 92–93

Uruguay, 333, 351, 376, 377

U.S. Hispanic Chamber of Commerce, 358

used to + infinitive, 254

usted(es), 24

V

vacation, 284

vamos a, 463

Vargas Llosa, Mario, 268

Venezuela, 287, 288, 292, 296, 300, 312, 313

venir
  command form, 356
  conditional, 407
  imperfect subjunctive, 424
  present (indicative), 118
  present subjunctive, 302

preterit, 234

ver
  imperfect, 255
  past participle, 391
  present (indicative), 64
  present subjunctive, 302
  preterit, 222, 223

Vera Cruz, Philip, 487

verbs, 75, 115, 383, 387, 401, 421, 485, 495
  + **tanto como,** 161
  comparisons of equality, 161
  expressing feelings and emotions, 327
  of influence, 306
  irregular. *See* irregular verbs
  reflexive pronouns with, 156
  regular. *See* regular verbs
  stem-changing. *See* stem-changing verbs
  See also specific forms and specific verbs

"Versos sencillos, XXXIX" (José Martí), 36

"Viaje" (Octavia), 331

Vietnam War, 158

vivir
  conditional
  future, 404
  present (indicative), 64
  present subjunctive, 302
  preterit, 202

volver
  past participle, 391
  present (indicative), 119

vosotros/as, 24

vuestro/a, 84

W

weather, 219–221, 266

wedding invitation, 116

weddings, 143

weekend activities, 218–221
  See also recreation; sports

Welch, Raquel, 339

willingness, expressing, 405

women in politics, 483

words, spelling out, 8–9

work. *See* employment; job application form; job search

World Bank, 491

wrestling, 104

writers
  Alegría, Ciro, 278
  Allende, Isabel, 204
  Anderson Imbert, Enrique, 478
  Cisneros, Sandra, 395
  Denevi, Marco, 378
  García Márquez, Gabriel, 312
  Jiménez, Francisco, 508
  Martí, José, 36
  Santiago, Esmeralda, 414

writing a letter. *See* letter writing

Y

Yawar, 261

years, 83

yerba mate, 506

yes/no questions, 50

"Yo vengo a ofrecer mi corazón" (Fito Páez), 365

Z

z → c verbs
  present subjunctive, 303
  preterit, 203

Zenón, Miguel, 461

Credits

TEXT CREDITS

p. 279: "Los rivales y el juez," Ciro Alegría. Used by permission of Los Morochucos.

p. 379: "No hay que complicar la felicidad" by Marco Denevi. © Denevi, Marco, Falsificaciones, Buenos Aires, Corregidor, 1984, págs. 159–160. Used by permission.

p. 414: Cuando era puertorriqueña. New York: Vintage Español (Random House). 1994.

p. 478: © Anderson Imbert, Enrique, "El crimen perfecto", en *El gato de Chesire, Cuentos 2, Obras Completas*, Buenos Aires, Corregidor, 1999, pp. 101–102.

p. 508: "En solidaridad" (Fragment, edited by Eduardo Zayas-Bazán), *Más allá de mí* by Francisco Jiménez. © by Francisco Jiménez. Reprinted with author's permission.

PHOTO CREDITS